みんなが
欲しかった

社労士

合格のツボ 択一対策

TAC出版
TAC PUBLISHING Group

は　し　が　き

本書は、問題を基本レベル(Basic)と応用レベル(Step Up) にブロック化し、基本的な知識の確認から、応用力の強化まで、学習の進度に合わせて得点力を高めていくことができる構成となっています。

また、過去10～15年間の本試験問題の徹底的な分析と、各科目の出題傾向・出題頻度を入念に検討し、得点力向上に最も効果的な「項目別」の問題配置とし、問題のポイントを１つ１つ確実に押さえていくことができる「一問一答形式」を採用しました。

したがって本書は、本試験問題の「五肢択一形式」のプレ・トレーニングに最適であると同時に、五肢択一形式問題を解いてはいるもののポイントが掴めず得点力が伸びないという受験生のバック・トレーニングにも活用できます。

必要十分な問題をコンパクトに収めた本書で、受験生の皆さんが限られた学習時間を少しでも有効に活用されて、所期の志を達成されることを心よりお祈り申し上げます。

TAC社会保険労務士講座
教材制作チーム一同

本書は、2024年９月30日現在において、公布され、かつ、2025年本試験受験案内が発表されるまでに施行されることが確定しているものに基づいて問題を作成しております。

なお、2024年10月１日以降に法改正のあるもの、また法改正はなされているが施行規則等で未だ細目について定められていないものについては、2025年２月上旬より、下記ホームページにて改正情報を順次公開いたします。

TAC出版書籍販売サイト「サイバーブックストア」
https://bookstore.tac-school.co.jp/

「合格のツボ 択一対策」の特長

本書は、幅広く出題される本試験に対応できる力を無理なく身につけるという方針から、「基本的な知識」をしっかり固めたうえで、「実践的な知識」を確実に身につけていけるよう、全科目とも、項目別にBasic、Step-Upの２つのレベルにブロック化しています。

Basic 基本事項を中心とした問題構成

本試験において最も多く出題されている事項、また、本試験を解いていくうえで熟知すべき基本的な事項の問題です。なるべく早期に制覇しましょう！

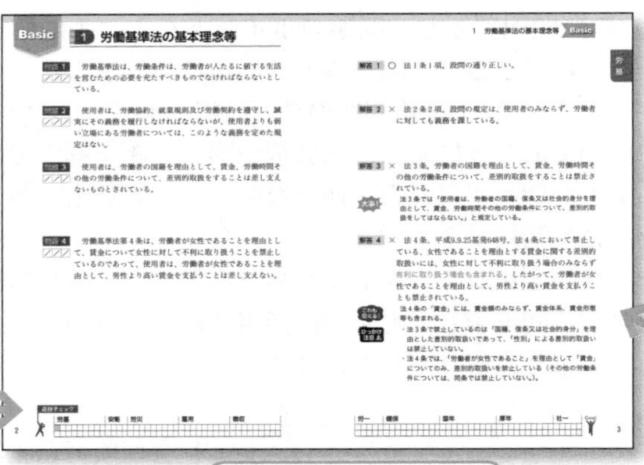
Basic

1 労働基準法の基本理念等

問題 1 労働基準法は、労働条件は、労働者が人たるに値する生活を営むための必要を充たすべきものでなければならないとしている。

問題 2 使用者は、労働協約、就業規則及び労働契約を遵守し、誠実にその義務を履行しなければならないが、使用者よりも弱い立場にある労働者については、このような義務を定めた規定はない。

問題 3 使用者は、労働者の国籍を理由として、賃金、労働時間その他の労働条件について、差別的取扱をすることは差し支えないものとされている。

問題 4 労働基準法第４条は、労働者が女性であることを理由として、賃金について女性に対して不利に取り扱うことを禁止しているのであって、使用者は、労働者が女性であることを理由として、男性より高い賃金を支払うことは差し支えない。

進捗チェック

労基 安衛 労災 雇用 徴収

2

1 労働基準法の基本理念等 Basic

労基

解答 1 ○ 法１条１項。設問の通り正しい。

解答 2 × 法２条２項。設問の規定は、使用者のみならず、労働者に対しても義務を課している。

解答 3 × 法３条。労働者の国籍を理由として、賃金、労働時間その他の労働条件について、差別的取扱をすることは禁止されている。

大事！ 法３条では「使用者は、労働者の国籍、信条又は社会的身分を理由として、賃金、労働時間その他の労働条件について、差別的取扱をしてはならない。」と規定している。

解答 4 × 法４条、平成9.9.25基発648号。法４条において禁止している、女性であることを理由とする賃金に関する差別的取扱いには、女性に対して不利に取り扱う場合のみならず有利に取り扱う場合も含まれる。したがって、労働者が女性であることを理由として、男性より高い賃金を支払うことも禁止されている。

これも覚える！ 法４条の「賃金」には、賃金額のみならず、賃金体系、賃金形態等も含まれる。

ひっかけ注意 ・法３条で禁止しているのは「国籍、信条又は社会的身分」を理由とした差別的取扱いであって、「性別」による差別的取扱いは禁止していない。
・法４条では、「労働者が女性であること」を理由として「賃金」についてのみ、差別的取扱いを禁止している（その他の労働条件については、同条では禁止していない。）。

労一 健保 国年 厚年 社一 Goal

3

進捗チェック

この進捗チェックは、約10問で１マス進みます。１日１マスずつ進めていくことを目標に問題を解いていきましょう。また、全体でどれくらい進んだかもこのメーターを見れば把握できるので、モチベーションの維持にも役立ちます。

メリハリのある解説

なぜその答えになるのか、１問ずつ、わかりやすい解説を入れています。重要キーワードは色文字で強調しています。

また、問題文といっしょに確認しておきたい重要事項を３種類のアイコンでまとめています。問題を解く力がメキメキついていきます！

大事！ 重要事項をまとめています。必ず確認しましょう！

これも覚える！ 問題文から派生した関連事項をまとめています。問題文とセットで確認すると効率よく確認できます！

ひっかけ注意 本試験でもよく問われる類似事項などをまとめています。うっかりミス撲滅のために、しっかり読み込みましょう。

Step-Up 出題頻度の高い事項を中心とした応用レベルの問題構成

「Basic」で定着させた知識を一歩レベルアップ。「本試験で解答できること」を意識した問題構成です。スラスラ解けるようになるまで頑張りましょう！

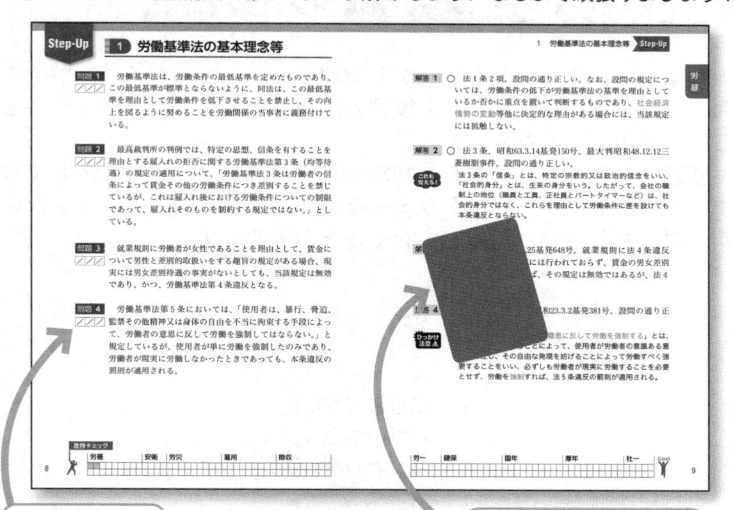
Step-Up

1 労働基準法の基本理念等

問題 1 労働基準法は、労働条件の最低基準を定めたものであり、この最低基準が標準とならないように、同法は、この最低基準を理由として労働条件を低下させることを禁止し、その向上を図るように努めることを労働関係の当事者に義務付けている。

問題 2 最高裁判所の判例では、特定の思想、信条を有することを理由とする雇入れの拒否に関する労働基準法第3条（均等待遇）の規定の適用について、「労働基準法3条は労働者の信条によって賃金その他の労働条件につき差別することを禁じているが、これは雇入れ後における労働条件についての制限であって、雇入れそのものを制約する規定ではない。」としている。

問題 3 就業規則に労働者が女性であることを理由として、賃金について男性と差別的取扱いをする趣旨の規定がある場合、現実には男女差別待遇の事実がないとしても、当該規定は無効であり、かつ、労働基準法第4条違反となる。

問題 4 労働基準法第5条においては、「使用者は、暴行、脅迫、監禁その他精神又は身体の自由を不当に拘束する手段によって、労働者の意思に反して労働を強制してはならない。」と規定しているが、使用者が単に労働を強制したのみであり、労働者が現実に労働しなかったときであっても、本条違反の罰則が適用される。

1 労働基準法の基本理念等 Step-Up

労基

解答 1 ○ 法1条2項。設問の通り正しい。なお、設問の規定については、労働条件の低下が労働基準法の基準を理由としているか否かに重点を置いて判断するものであり、社会経済情勢の変動等他に決定的な理由がある場合には、当該規定には抵触しない。

解答 2 ○ 法3条、昭和63.3.14基発150号、最大判昭和48.12.12三菱樹脂事件。設問の通り正しい。

これも覚える！ 法3条の「信条」とは、特定の宗教的又は政治的信念をいい、「社会的身分」とは、生来の身分をいう。したがって、会社の職制上の地位（職員と工員、正社員とパートタイマーなど）は、社会的身分ではなく、これらを理由として労働条件に差を設けても本条違反とならない。

…25基発648号。就業規則に法4条違反…には行われておらず、賃金の男女差別…ば、その規定は無効ではあるが、法4

…和23.3.2基発381号。設問の通り正

ひっかけ注意点 …意思に反して労働を強制する」とは、…ことによって、使用者が労働者の意識ある意…し、その自由な発現を妨げることによって労働すべく強要することをいい、必ずしも労働者が現実に労働することを必要とせず、労働を強制すれば、法5条違反の罰則が適用される。

チェック欄

解いた日付を書き込むスペースもあります。知識の定着には繰り返し学習が不可欠です。各問、3回解くことを目標に学習を進めていきましょう。

こたえかくすシート

解答ページを隠すことができる、「こたえかくすシート」つきです。

合格者も大絶賛!!

※第50回・第53回・第54回の本試験を受験された方で、当該年度のTAC社会保険労務士講座の本科生を受講された方にご協力いただいたアンケート結果から抜粋掲載させていただきました。

「合格のツボ」は、毎年多くの受験生にご利用いただいており、大変好評をいただいております。ここで、TAC社労士講座を受講し、見事合格された方からの声※をご紹介します！

★良問多数！

合格のツボは良問が多く本試験を想定して落とせない問題が沢山出題され重宝しました。

★直前期の総復習に！

5月からは各科目の内容を思い出すことを主目的にして、テキストを一通り読み、択一のツボを使って全科目回しました。

★何度も解きました！

講義編が終了してからは、合格のツボ（択一式）、過去10、テキストの読み込みをメインに行っておりました。
間違った問題や自信がない問題には付箋を貼って、何度も何度も解いて、記憶のモレの潰しこみをしていました。

TACのツボに強力アイテムが登場！

『解きなおシール』の活用法

巻末には、学習状況をしっかり整理していただくために「解きなおシール」を用意しました。復習の際の目印となるためのツールとして、活用してください。

間違えてしまった問題を、判断すべき知識が足りずにミスしてしまったものなのか、うっかりミスなのか、いつも間違えるミスなのか、原因をしっかり把握しておくことが重要です。

切り取り線に沿って
ハサミやカッターで
カットしましょう。

※切り取るさいの損傷についてのお取り替えはご遠慮願います。

★シールは次の3段階！

本気でミス！（青）

初見のために、判断材料がきちんとインプットされていないことから間違えてしまった問題にチェック！

ここをマスターすれば、知識の幅は必ず広がります。最初はすべてできなくてもかまいません。本試験の日までに確実にマスターできるよう、チェックしておきましょう。

うっかりミス！（黄）

論点となるキーワードを見落としてしまったなど、うっかり間違えてしまった問題にチェック！

冷静に判断をすれば解けるはずです。社労士試験は数多くの問題を限られた時間内で解かなければならず、ケアレスミスは命取りになります。このミスは必ず撲滅しましょう。

よくやるミス！（ピンク）

繰り返し学習の過程で見えてくるミスです。
1回目はできたのに2回目は間違えてしまった、毎回毎回できていないなどの問題にチェック！

何度やってもできない問題は、何度も何度も繰り返して理解して克服するのです。このミスをしっかり対策すれば、一歩先の段階に進めるでしょう。得点アップの重要なキーとなる問題といえるでしょう。

CONTENTS

労働基準法

1　労働基準法の基本理念等
2　労働契約等
3　賃金
4　労働時間、休憩、休日
5　変形労働時間制
6　時間外労働・休日労働
7　みなし労働時間制
8　年次有給休暇
9　年少者、妊産婦等
10　就業規則、監督等その他

180問

Basic

1 労働基準法の基本理念等

問題 1 ／／／

労働基準法は、労働条件は、労働者が人たるに値する生活を営むための必要を充たすべきものでなければならないとしている。

問題 2 ／／／

使用者は、労働協約、就業規則及び労働契約を遵守し、誠実にその義務を履行しなければならないが、使用者よりも弱い立場にある労働者については、このような義務を定めた規定はない。

問題 3 ／／／

使用者は、労働者の国籍を理由として、賃金、労働時間その他の労働条件について、差別的取扱をすることは差し支えないものとされている。

問題 4 ／／／

労働基準法第４条は、労働者が女性であることを理由として、賃金について女性に対して不利に取り扱うことを禁止しているのであって、使用者は、労働者が女性であることを理由として、男性より高い賃金を支払うことは差し支えない。

進捗チェック

労基	安衛	労災	雇用	徴収

解答 1　○　法1条1項。設問の通り正しい。

解答 2　×　法2条2項。設問の規定は、使用者のみならず、労働者に対しても義務を課している。

解答 3　×　法3条。労働者の国籍を理由として、賃金、労働時間その他の労働条件について、差別的取扱をすることは禁止されている。

法3条では「使用者は、労働者の国籍、信条又は社会的身分を理由として、賃金、労働時間その他の労働条件について、差別的取扱をしてはならない。」と規定している。

解答 4　×　法4条、平成9.9.25基発648号。法4条において禁止している、女性であることを理由とする賃金に関する差別的取扱いには、女性に対して不利に取り扱う場合のみならず有利に取り扱う場合も含まれる。したがって、労働者が女性であることを理由として、男性より高い賃金を支払うことも禁止されている。

法4条の「賃金」には、賃金額のみならず、賃金体系、賃金形態等も含まれる。

- 法3条で禁止しているのは「国籍、信条又は社会的身分」を理由とした差別的取扱いであって、「性別」による差別的取扱いは禁止していない。
- 法4条では、「労働者が女性であること」を理由として「賃金」についてのみ、差別的取扱いを禁止している（その他の労働条件については、同条では禁止していない。）。

問題 5　／／／

労働基準法第５条が禁止する労働者の意思に反する強制労働については、労働基準法上最も重い罰則が定められている。

問題 6　／／／

労働基準法第７条は、労働者が労働時間中に、裁判員等の公の職務を執行するための必要な時間を請求した場合に、使用者に、当該労働時間に対応する賃金支払を保障しつつ、それを承認することを義務付けている。

問題 7　／／／

同居の親族のみを使用する事業については、労働基準法は適用されないが、同居の親族以外に他人を１人でも使用していれば、当該事業は労働基準法の適用を受けることとなる。

問題 8　／／／

家事使用人と雇い主との間に結ばれる家事一般に従事するための契約は、民法上の雇用契約であると同時に、労働基準法が適用される労働契約でもある。

問題 9　／／／

労働基準法で「労働者」とは、職業の種類を問わず、賃金、給料その他これに準ずる収入によって生活する者をいう。

解答 5　○　法５条、法117条。設問の通り正しい。法５条に違反した者は、１年以上10年以下の懲役又は20万円以上300万円以下の罰金に処せられる。

解答 6　×　法７条、昭和22.11.27基発399号。法７条（公民権行使の保障）の規定は、給与に関しては何ら触れていないため、有給たると無給たるとは当事者の自由に委ねられており、当該労働時間に対応する賃金を支払うことは義務付けられていない。

解答 7　○　法116条２項。設問の通り正しい。なお、設問の場合、使用している他人は労働基準法上の労働者であるが、同居の親族は、原則として労働基準法上の労働者ではない。

これも覚える！　「同居の親族」とは、事業主と居住及び生計を一にしている民法上の親族（６親等内の血族、配偶者及び３親等内の姻族）をいう。

解答 8　×　法116条２項。労働基準法は、同居の親族のみを使用する事業及び家事使用人については、適用されない（当該契約は、労働契約ではない。）。

解答 9　×　法９条。労働基準法で「労働者」とは、職業の種類を問わず、事業又は事務所に使用される者で、賃金を支払われる者をいう。なお、設問文は、労働組合法における労働者の定義である。

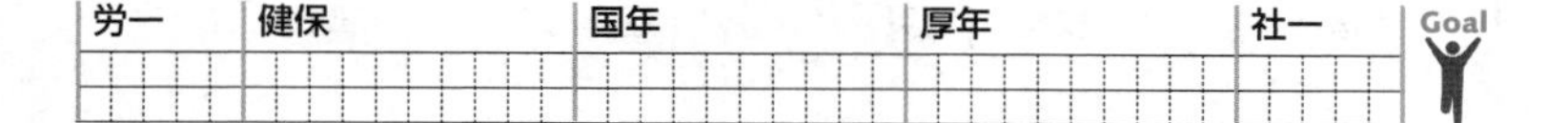

問題10 ／／／

労働基準法で「使用者」とは、事業主又はその事業の労働者に関する事項について事業主のために行為をするすべての者をいうと定義されている。

進捗チェック

労基	安衛	労災	雇用	徴収

解答10 × 法10条。労働基準法において「使用者」とは、事業主又は「事業の経営担当者」その他その事業の労働者に関する事項について、事業主のために行為をするすべての者をいうと定義されている。

(1) 事業主
　事業の経営主体をいい、個人企業にあってはその企業主個人、法人にあっては法人そのものをいう。

(2) 事業の経営担当者
　事業経営一般について権限と責任を負う者をいい、例えば、法人の代表者や支配人等が該当する。

(3) その事業の労働者に関する事項について、事業主のために行為をするすべての者
　人事、給与等の労働条件の決定や労務管理等に関して実質的に一定の権限を与えられている者をいう。

Step-Up

1 労働基準法の基本理念等

問題 1

／／／

　労働基準法は、労働条件の最低基準を定めたものであり、この最低基準が標準とならないように、同法は、この最低基準を理由として労働条件を低下させることを禁止し、その向上を図るように努めることを労働関係の当事者に義務付けている。

問題 2

／／／

　最高裁判所の判例では、特定の思想、信条を有することを理由とする雇入れの拒否に関する労働基準法第３条（均等待遇）の規定の適用について、「労働基準法３条は労働者の信条によって賃金その他の労働条件につき差別することを禁じているが、これは雇入れ後における労働条件についての制限であって、雇入れそのものを制約する規定ではない。」としている。

問題 3

／／／

　就業規則に労働者が女性であることを理由として、賃金について男性と差別的取扱いをする趣旨の規定がある場合、現実には男女差別待遇の事実がないとしても、当該規定は無効であり、かつ、労働基準法第４条違反となる。

問題 4

／／／

　労働基準法第５条においては、「使用者は、暴行、脅迫、監禁その他精神又は身体の自由を不当に拘束する手段によって、労働者の意思に反して労働を強制してはならない。」と規定しているが、使用者が単に労働を強制したのみであり、労働者が現実に労働しなかったときであっても、本条違反の罰則が適用される。

進捗チェック

労基	安衛	労災	雇用	徴収

解答 1 ○ 法1条2項。設問の通り正しい。なお、設問の規定については、労働条件の低下が労働基準法の基準を理由としているか否かに重点を置いて判断するものであり、社会経済情勢の変動等他に決定的な理由がある場合には、当該規定には抵触しない。

解答 2 ○ 法3条、昭和63.3.14基発150号、最大判昭和48.12.12三菱樹脂事件。設問の通り正しい。

これも覚える!

法3条の「信条」とは、特定の宗教的又は政治的信念をいい、「社会的身分」とは、生来の身分をいう。したがって、会社の職制上の地位（職員と工員、正社員とパートタイマーなど）は、社会的身分ではなく、これらを理由として労働条件に差を設けても本条違反とならない。

解答 3 × 法4条、平成9.9.25基発648号。就業規則に法4条違反の規定があるが現実には行われておらず、賃金の男女差別待遇の事実がなければ、その規定は無効ではあるが、法4条違反とはならない。

解答 4 ○ 法5条、法117条、昭和23.3.2基発381号。設問の通り正しい。

ひっかけ注意

法5条における「労働者の意思に反して労働を強制する」とは、不当な手段を用いることによって、使用者が労働者の意識ある意思を抑圧し、その自由な発現を妨げることによって労働すべく強要することをいい、必ずしも労働者が現実に労働することを必要とせず、労働を強制すれば、法5条違反の罰則が適用される。

労一	健保	国年	厚年	社一

Goal

問題 5

／／／

労働基準法第6条は、業として他人の就業に介入して利益を得ることを禁止しており、その規制対象は、使用者であるか否かを問わないが、処罰対象は、業として利益を得た法人又は当該法人のために実際の介入行為を行った行為者たる従業員に限定される。

問題 6

／／／

労働者派遣事業が、所定の手続を踏まないで行われている違法なものである場合、当該労働者派遣事業の事業主が業として労働者派遣を行う行為は、「業として他人の就業に介入して利益を得る」ことに該当し、中間搾取を禁ずる労働基準法第6条に違反する。

問題 7

／／／

労働者が労働審判手続の労働審判員としての職務を行うことは、労働基準法第7条の「公の職務」には該当しないため、使用者は、労働審判員に任命された労働者が労働時間中にその職務を行うために必要な時間を請求した場合、これを拒むことができる。

解答 5　×　法6条、昭和23.3.2基発381号。労働基準法第6条の違反行為の主体は、個人、団体又は公人たると私人たるとを問わないものとされており、設問の者に限定されているわけではない。

解答 6　×　法6条、平成11.3.31基発168号。労働者派遣事業の事業主が、所定の手続を踏まずに違法な労働者派遣を行う場合であっても、法6条の中間搾取には該当せず、法6条違反とはならない。

労働者派遣については、派遣元と労働者との間の労働契約関係及び派遣先と労働者との間の指揮命令関係を合わせたものが全体として当該労働者の労働関係となるものであり、派遣元による労働者の派遣は、労働関係の外にある第三者が他人の労働関係に介入するものではない。

解答 7　×　法7条、令和2.2.14基発0214第12号。労働審判手続の労働審判員としての職務は、「公の職務」に該当するため、使用者は、労働者が当該職務を行うために必要な時間を請求した場合には、これを拒んではならない。

労一	健保	国年	厚年	社一

Goal

問題 8　／／／

公職に就任した者を就業規則条項に基づき普通解雇に附することは、公職に就任することが会社業務の遂行を著しく阻害するおそれがあると認められる場合であっても、労働基準法の趣旨に反し許されないとするのが最高裁判所の判例である。

問題 9　／／／

船舶による旅客又は貨物の運送の事業は、労働基準法別表第１に掲げられている事業であるが、船員法第１条第１項に規定する船員については、船員法の適用を受けるため、労働基準法の規定は一切適用されない。

問題 10　／／／

労働基準法でいう「労働者」とは、職業の種類を問わず、事業又は事務所に使用される者で賃金を支払われる者をいい、法人のいわゆる重役で業務執行権又は代表権を持たない者が、工場長、部長の職にあって賃金を受ける場合は、その限りにおいて同法第９条に規定する労働者である。

問題 11　／／／

在籍型出向の出向労働者については、出向元及び出向先の双方とそれぞれ労働契約関係があるので、出向元、出向先及び出向労働者三者間の取決めによって定められた権限と責任に応じて、出向元の使用者又は出向先の使用者がそれぞれ出向労働者について労働基準法上の使用者としての責任を負うものとされている。

解答 8　×　法７条、最二小昭和38.6.21十和田観光電鉄事件。最高裁判所の判例においては、普通解雇についてまで許されないとしているわけではない。

同判例では、「労働基準法７条が、特に、労働者に対し労働時間中における公民としての権利の行使および公の職務の執行を保障していることにかんがみるときは、公職の就任を使用者の承認にかからしめ、その承認を得ずして公職に就任した者を懲戒解雇に附する旨の就業規則の条項は、労働基準法の規定の趣旨に反し、無効のものと解すべきである。したがって、公職に就任することが会社業務の遂行を著しく阻害するおそれのある場合においても、普通解雇に附するは格別（別として）、就業規則の同条項を適用して従業員を懲戒解雇に附することは、許されないものといわなければならない。」としている。

解答 9　×　法116条、法別表第1,4号。船員法１条１項に規定する船員についても、労働基準法１条から11条まで、116条２項、117条から119条まで及び121条の規定〔総則及び罰則に関する規定（一部を除く。)〕については、適用される。

解答10　○　法９条、昭和23.3.17基発461号。設問の通り正しい。

解答11　○　法10条、昭和61.6.6基発333号。設問の通り正しい。

移籍型出向の出向労働者については、出向先との間にのみ労働契約関係があるので、出向先の使用者のみが労働基準法における使用者としての責任を負う。

2 労働契約等

問題 1
／／／

労働基準法で定める基準に違反する労働条件を定める労働契約の部分は、労働基準法で定める基準より労働者に有利なものも含めて、無効となる。

問題 2
／／／

使用者は、労働契約の締結に際しては、労働契約の期間に関する事項、労働時間、賃金等一定の事項を書面の交付により明示しなければならないが、期間の定めのない労働契約を締結する場合には、労働契約の期間に関する事項については、明示することを要しない。

問題 3
／／／

労働基準法第14条第１項第１号の高度の専門的知識等を有する満60歳未満の労働者であっても、当該高度の専門的知識等を必要とする業務に就かない場合には、契約期間を５年とする労働契約を締結してはならない。

問題 4
／／／

満62歳の労働者甲との間に締結される有期労働契約について、当該労働契約の期間の上限は、労働者甲が65歳に達するまでとされている。

解答 1 × 法13条。法13条においては、「労働基準法で定める基準に達しない労働条件を定める労働契約は、その部分については、無効とする。」と定めており、労働基準法で定める基準を上回る労働条件（労働者に有利な労働条件）を定めた部分は無効とならない。

〈強行的効力〉

労働基準法で定める基準に達しない労働条件を定める労働契約は、その部分について無効となるが、この無効とする効力を強行的効力という。

〈直律的効力〉

強行的効力によって無効となった部分は、労働基準法で定める基準により補充されることとなるが、この補充する効力を直律的効力という。

なお、強行的効力と直律的効力を合わせて規範的効力という。

解答 2 × 法15条１項、則５条１項、３項、４項、平成11.1.29基発45号。労働契約の期間に関する事項は、絶対的明示事項であり、期間の定めのない労働契約を締結する場合には、その旨を書面の交付により明示しなければならない。

解答 3 ○ 法14条１項１号、平成15.10.22基発1022001号。設問の通り正しい。

解答 4 × 法14条１項２号。設問の労働者のように、満60歳以上の労働者との間に締結される労働契約についての労働契約期間の上限は、「65歳に達するまで」ではなく、「５年」とされている。

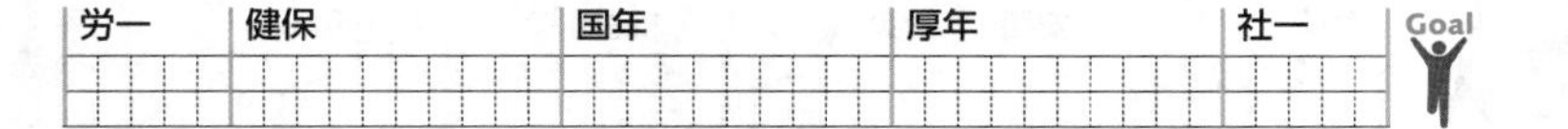

問題 5
／／／
使用者は、労働契約の締結において、労働契約の不履行について違約金を定めることはできないが、労働者の不法行為による損害に備えて、一定金額の範囲内で損害賠償額の予定を定めることはできる。

問題 6
／／／
労働基準法第17条にいう「労働することを条件とする前貸の債権」には、労働者が使用者から人的信用に基づいて受ける金融や賃金の前払いのような弁済期の繰上げ等で、明らかに身分的拘束を伴わないものも含まれる。

問題 7
／／／
使用者は、労働者が業務上負傷し、又は疾病にかかり療養のために休業する期間及びその後30日間は、いかなる理由があっても、当該労働者を解雇することはできない。

問題 8
／／／
使用者は、労働者を解雇しようとする場合においては、少なくとも30日前にその予告をしなければならず、その日数を短縮することはできない。

問題 9
／／／
労働基準法第20条は、雇用契約の解約予告期間を２週間と定める民法第627条第１項の特別法に当たる規定であり、労働者が一方的に労働契約を解約する場合にも、原則として、30日前に予告することを求めている。

解答 5　×　法16条。設問のように、一定金額の範囲内で損害賠償額の予定を定めることは禁止されている。労働基準法第16条が禁止しているのは、①労働契約の不履行について違約金を定めること、②損害賠償額を予定する契約をすること、である。

解答 6　×　法17条、昭和33.2.13基発90号。労働者が使用者から人的信用に基づいて受ける金融又は賃金の前払のような単なる弁済期の繰上げ等で、明らかに身分的拘束を伴わないと認められるものは、労働することを条件とする債権には含まれない。

解答 7　×　法19条。設問のいわゆる解雇制限期間中であっても、次の①及び②の場合には、解雇制限が解除され、労働者を解雇することができる。

①打切補償を支払った場合

②天災事変その他やむを得ない事由のために事業の継続が不可能となった場合（この場合においては、所轄労働基準監督署長の認定を受けなければならない）

解答 8　×　法20条１項、２項。設問の30日の予告の日数は、１日について平均賃金を支払った場合には、その日数を短縮することができる。

解答 9　×　法20条１項。労働基準法20条の解雇予告の規定は、解雇（使用者の一方的な意思表示による労働契約の解約）の場合に適用され、労働者が一方的に労働契約を解約する場合には適用されない。

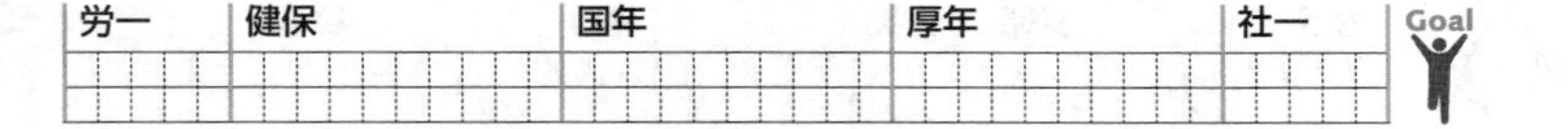

問題10　／／／

労働基準法第20条の規定による解雇の予告に代わる解雇予告手当は、解雇の申渡しと同時に支払うべきものとされている。

問題11　／／／

使用者が、天災事変その他やむを得ない事由のために事業の継続が不可能となった場合において、労働基準法第20条所定の解雇予告期間を設けず、かつ、解雇予告手当の支払をせずに労働者を解雇する場合には、その事由について所轄労働基準監督署長による解雇予告除外認定を受けなければならない。

問題12　／／／

使用者は、1箇月の契約期間を定めて雇い入れた労働者について、その契約期間を超えて引き続き使用した場合であっても、当該労働者を雇入れの日から2箇月以内の間に解雇しようとするときは、解雇予告及び解雇予告手当の支払を要しない。

解答10　○　法20条、昭和23.3.17基発464号。設問の通り正しい。

解雇予告手当は即時解雇をするための要件として定められていると解される。

解答11　○　法20条３項、則７条。設問の通り正しい。

解答12　×　法21条ただし書、２号。２箇月以内の期間（設問の場合、１箇月）を定めて使用される者が、所定の期間を超えて引き続き使用されるに至った場合に、その者を解雇しようとするときは、解雇予告又は解雇予告手当の支払を要する。したがって、設問の場合に、雇入れの日から引き続き１箇月を超えて使用されるに至った後に解雇しようとするときは、雇入れの日から２箇月以内であっても、解雇予告又は解雇予告手当の支払を要する。

〈解雇予告の規定の適用除外の原則・例外〉

原則 （解雇予告の規定の適用除外）	例外 （解雇予告必要）
①日日雇い入れられる者	１箇月を超えて引き続き使用された場合
②２箇月以内の期間を定めて使用される者	所定の期間を超えて引き続き使用された場合
③季節的業務に４箇月以内の期間を定めて使用される者	
④試の使用期間中の者	14日を超えて引き続き使用された場合

問題13 ／／／

労働者が、退職の場合において、使用期間、業務の種類、その事業における地位、賃金又は退職の事由（退職の事由が解雇の場合にあっては、その理由を含む。）について証明書を請求した場合には、使用者は、7日以内にこれを交付しなければならない。

問題14 ／／／

労働者が、解雇の予告がされた日から退職の日までの間において、当該解雇の理由について証明書を請求した場合においては、使用者は、遅滞なくこれを交付しなければならないが、解雇の予告がされた日以後に労働者が当該解雇以外の事由により退職した場合においては、使用者は、当該退職の日以後、これを交付する義務はない。

問題15 ／／／

労働基準法第22条第4項は、「使用者は、あらかじめ第三者と謀り、労働者の就業を妨げることを目的として、労働者の国籍、信条、社会的身分若しくは労働組合運動に関する通信」をしてはならないと定めているが、禁じられている通信の内容として掲げられている事項は、例示列挙であり、これ以外の事項でも当該労働者の就業を妨害する事項は禁止される。

進捗チェック

労基	安衛	労災	雇用	徴収

解答13　×　法22条１項。設問の証明書は、「７日以内」ではなく「遅滞なく」交付しなければならない。

使用者は、退職原因によって証明書の交付を拒否することはできない。

解答14　○　法22条２項、平成15.10.22基発1022001号。設問の通り正しい。

法22条１項の証明書（退職時の証明書）は、解雇等の退職をめぐる紛争の防止や労働者の再就職活動に資するための定めであり、法22条２項の証明書（解雇理由の証明書）は、解雇をめぐる紛争を未然に防止するための定めである。

退職時の証明書及び解雇理由の証明書には、労働者の請求しない事項を記入してはならない。

解答15　×　法22条４項、平成15.12.26基発1226002号。法22条４項により禁じられている通信の内容として掲げられている事項（労働者の国籍、信条、社会的身分若しくは労働組合運動）は、制限列挙である。

Step-Up

2 労働契約等

問題 1

有期労働契約であって、当該労働契約の期間の満了後に当該労働契約を更新する場合があるものの締結の場合には、使用者が必ず明示すべき絶対的明示事項には、「有期労働契約を更新する場合の基準に関する事項（通算契約期間又は有期労働契約の更新回数に上限の定めがある場合には当該上限を含む。）」が含まれている。

問題 2

派遣元の使用者は、労働者を派遣労働者として雇い入れる場合であって、労働契約の締結時点と派遣する時点が同時である場合には、労働基準法第15条による労働条件の明示と労働者派遣法第34条による派遣先における就業条件の明示の両方を併せて行っても差し支えない。

問題 3

使用者は、労働契約の締結に際し、労働者に対して、就業の場所及び従事すべき業務に関する事項（就業の場所及び従事すべき業務の変更の範囲を含む。）を必ず明示しなければならない。

問題 4

労働契約は、期間の定めのないものを除き、一定の事業の完了に必要な期間を定めるもののほかは、原則として3年を超える期間について締結してはならず、また、労働契約の更新によって継続雇用期間が3年を超えることも、本規定に抵触するものとされている。

問題 5

令和4年5月に満60歳の誕生日を迎えた労働者Aが、同年8月に3年の期間を定めた労働契約を締結した場合において、令和6年8月に他に有利な条件の転職先を見つけて退職することを決意した。この場合、労働者Aは、労働基準法附則第137条の規定により、当該使用者に申し出ることによりいつでも退職することができる。

進捗チェック

労基	安衛	労災	雇用	徴収

解答 1　○　法15条１項、則５条１項１号の２。設問の通り正しい。設問の事項は、有期労働契約であって、当該労働契約の期間の満了後に当該労働契約を更新する場合があるものの締結の場合に限って、必ず明示しなければならない事項である。

解答 2　○　法15条１項、昭和61.6.6基発333号。設問の通り正しい。

解答 3　○　法15条１項、則５条１項１号の３。設問の通り正しい。就業の場所及び従事すべき業務に関する事項（変更の範囲を含む。）は、有期労働契約、無期労働契約を問わず、すべての労働者に対する絶対的明示事項である。

解答 4　×　法14条１項。労働契約の更新によって継続雇用期間が３年を超えることは、当該労働契約があらかじめ更新することを約して締結したものでなければ、契約期間の上限の規定に違反しない。なお、設問文前半の記述は正しい。

解答 5　×　法附則137条。設問の労働者（満60歳以上の労働者）は、法附則137条（労働契約の期間の初日から１年を経過した日以後においては、その使用者に申し出ることにより、いつでも退職することができる。）の規定は適用されず、いつでも退職できるわけではない。

問題 6

使用者が、労働者の親権者又は身元保証人との間で、当該労働者の労働契約の不履行について違約金を定め、又は損害賠償額を予定する契約を締結することは、労働基準法第16条（賠償予定の禁止）の規定に違反する。

問題 7

就業規則の制限に反して同業他社に就職した退職社員に支給すべき退職金につき、支給額を一般の自己都合による退職の場合の半額と定めることは、合理性のない措置であり、労働基準法第16条（賠償予定の禁止）に違反するものである、とするのが最高裁判所の判例である。

問題 8

労働契約を締結する際に、労働者の親権者が使用者から多額の金銭を借り受けることは、人身売買や労働者の不当な足留めにつながるおそれがあるため、当該労働者の賃金と相殺されるか否かを問わず、労働基準法第17条に違反する。

問題 9

使用者は、労働者の貯蓄金をその委託を受けて管理する場合において、貯蓄金の管理が労働者の通帳の保管であるときは、利子をつけなければならない。この場合において、その利子が、金融機関の受け入れる預金の利率を考慮して厚生労働省令で定める利率（年５厘）による利子を下るときは、その厚生労働省令で定める利率（年５厘）による利子をつけたものとみなす。

解答 6 ○ 法16条。設問の通り正しい。法16条で禁止している契約の相手方は労働者本人に限られていない。したがって、設問のような契約を締結することは同条違反となる。

解答 7 × 法16条、最二小昭和52.8.9三晃社事件。最高裁判所の判例によれば、「退職金が功労報償的な性格を併せ有することにかんがみれば、合理性のない措置であるとすることはできない。すなわち、この場合の退職金の定めは、制限違反の就職をしたことにより勤務中の功労に対する評価が減殺されて、退職金の権利そのものが一般の自己都合による退職の場合の半額の限度においてしか発生しないこととする趣旨であると解すべきであるから、その定めは、労働基準法３条（均等待遇）、16条（賠償予定の禁止）、24条（賃金の全額払の原則）及び民法90条（公序良俗）等の規定にはなんら違反するものではない。」とされている。

解答 8 × 法17条。労働基準法17条が禁止しているのは、「前借金その他労働することを条件とする前貸の債権と賃金を相殺すること」であり、賃金との相殺が行われない場合には、同条には違反しない。

解答 9 × 法18条４項、預金令２条、平成13.2.7厚労告30号。貯蓄金の管理が労働者の通帳の保管であるときは、利子をつけなければならないという規定はない。なお、貯蓄金の管理が労働者の預金の受入であるときは、利子をつけなければならない。

問題10　／／／

最高裁判所の判例では、「労災保険法12条の8第1項1号の療養補償給付を受ける労働者が、療養開始後3年を経過しても疾病等が治らない場合には、労働基準法75条による療養補償を受ける労働者が上記の状況（打切補償の支払により解雇制限が除外される状況）にある場合と同様に、使用者は、当該労働者につき、同法81条の規定による打切補償の支払をすることにより、解雇制限の除外事由を定める同法19条1項ただし書の適用を受けることができるものと解するのが相当である」としている。

問題11　／／／

就業規則に定めた定年制が、労働者の定年に達した日の翌日をもってその雇用契約は自動的に終了する旨を定めたことが明らかであり、かつ、従来この規定に基づいて定年に達した場合に当然労働関係が終了する慣行になっていて、それが従業員にも徹底している場合には、その定年による雇用関係の終了は解雇ではないので、労働基準法第19条第1項の解雇制限の問題は生じない。

問題12　／／／

解雇の予告を行った後、解雇予告期間満了前にその労働者が業務上負傷し、療養のため休業する場合において、当該休業期間及びその後の30日の期間内に解雇予告期間が満了したときは、解雇予告期間満了日にその労働者を解雇することができる。

解答10 ○　法19条1項、最二小平成27.6.8専修大学事件。設問の通り正しい。

同判例では、「労災保険法12条の8第1項1号の療養補償給付を受けている被上告人が療養開始後3年を経過してもその疾病が治らないことから、平均賃金の1,200日分相当額の支払をしたものであり、労働基準法81条（打切補償）にいう同法75条（療養補償）の規定によって補償を受ける労働者に含まれる者に対して同法81条の規定による打切補償を行ったものとして、同法19条1項ただし書（解雇制限の除外）の規定により本件について同項本文の解雇制限の適用はなく、本件解雇は同項に違反するものではないというべきである」としている。

解答11 ○　法19条、昭和26.8.9基収3388号。設問の通り正しい。なお、設問は、定年に達したことによって自動的に退職する、いわゆる定年退職制のことである。

解答12 ×　法19条1項、法20条1項、昭和26.6.25基収2609号。設問の場合には、療養のために休業する期間及びその後の30日の期間内に解雇予告期間が満了しても、当該満了日に解雇することはできない。

解雇予告期間満了前に労働者が業務上の負傷又は疾病に係る療養のため休業する場合には、法19条の解雇制限の規定が適用される。

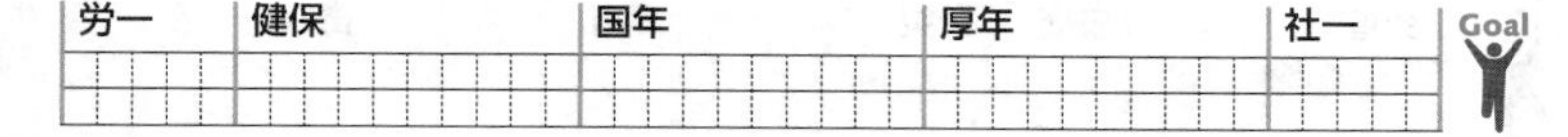

問題13　最高裁判所の判例では、使用者が、解雇の予告又は解雇予告手当の支払をせずに労働者に即時解雇の通知をした場合には、その通知は即時解雇としては効力を生じないが、使用者が即時解雇を固執する趣旨でない限り、通知後、労働基準法20条所定の解雇予告期間である30日の期間を経過するか、又は通知の後に解雇予告手当の支払をしたときは、その即時解雇の通知をしたときから解雇の効力を生ずるものと解すべきであるとしている。

問題14　労働基準法第56条の最低年齢の規定に違反して、無効な労働契約のもとに就労していた児童を解雇する場合であっても、事実上の労働関係が成立していると認められる限り、同法第20条の解雇予告の規定が適用され、解雇予告手当の支払を要する。

問題15　季節的業務に７月20日から９月30日までの雇用期間を定めて雇い入れた労働者を、使用者が、雇入れ後１箇月経過した日において、やむを得ない事由によって解雇しようとする場合は、解雇の予告に関する労働基準法第20条の規定が適用される。

問題16　労働者と使用者との間で退職の事由について見解の相違がある場合、使用者が自らの見解を証明書に記載し、労働者の請求に対し遅滞なく交付すれば、基本的には労働基準法第22条第１項違反とはならないが、それが虚偽であった場合には、同項の義務を果たしたことにはならない。

解答13　×　法20条１項、最二小昭和35.3.11細谷服装事件。「即時解雇の通知をしたとき」ではなく、「そのいずれかのとき（通知後、労働基準法20条所定の期間を経過するか、又は通知の後に解雇予告手当の支払をしたとき）」から解雇の効力を生ずるものと解すべきであるとしているのが、最高裁判所の判例である。

解答14　○　法20条、法56条、昭和23.10.18基収3102号。設問の通り正しい。設問の場合には、違法状態（法56条違反）の継続は認められないため、解雇予告手当を支払い、即時解雇しなければならない。

解答15　×　法20条、法21条３号。季節的業務に４箇月以内の期間を定めて使用される者については、所定の期間を超えて引き続き使用されるに至った場合を除き、解雇の予告に関する法20条の規定は適用されない。

解答16　○　法22条１項、平成11.3.31基発169号。設問の通り正しい。なお、退職には、解雇や契約期間の満了も含まれるので、仮に懲戒解雇の場合であっても、労働者からの請求があれば、使用者には証明書の交付義務がある。

問題 17　／／／

死亡した労働者の退職金の支払は権利者に対して行うこととなるが、この権利者について、就業規則において民法の遺産相続の順位によらず、労働基準法施行規則第42条、第43条の順位による旨定めた場合に、その定めた順位によって支払った場合には、当該支払は有効であると解されている。

問題 18　／／／

ある使用者が、その期間が３箇月の労働契約を２回更新し、３回目を更新しないこととした。その場合には、労働基準法第14条第２項の規定に基づく「有期労働契約の締結、更新、雇止め等に関する基準」によれば、少なくとも当該契約期間の満了する日の30日前までに、その予告をしなければならない。

解答17 ○ 法23条1項、昭和25.7.7基収1786号。設問の通り正しい。労働者が死亡したときの退職金の支払について別段の定めがない場合には民法の一般原則による遺産相続人に支払う趣旨と解されるが、労働協約、就業規則等において民法の遺産相続の順位によらず、労働基準法施行規則第42条、第43条の順位（遺族補償の順位）による旨を定めても違法ではない。したがって、この順位によって支払った場合には、その支払は有効である。

解答18 × 法14条2項、令和5.3.30厚労告114号。有期労働契約を更新しないことについて30日前までに予告が必要とされるのは、労働契約を3回以上更新し、又は雇入れの日から起算して1年を超えて継続して勤務している者に限られる。本問においては、更新回数が2回であり、かつ、継続勤務期間も1年を超えていないため予告の義務はない。

Basic

3 賃金

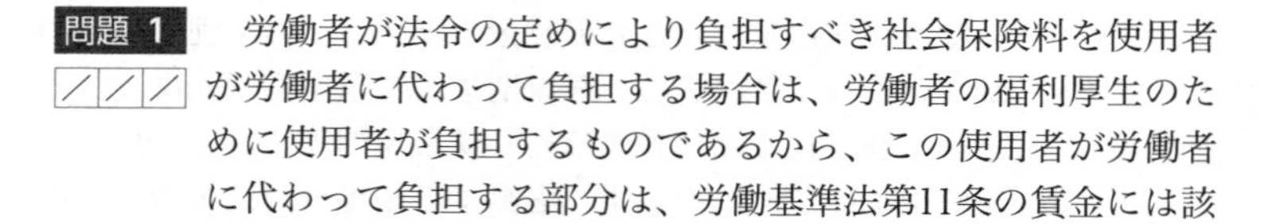

問題 1 ／／／

労働者が法令の定めにより負担すべき社会保険料を使用者が労働者に代わって負担する場合は、労働者の福利厚生のために使用者が負担するものであるから、この使用者が労働者に代わって負担する部分は、労働基準法第11条の賃金には該当しない。

問題 2 ／／／

結婚手当は、使用者が任意的、恩恵的に支給するという性格を持つため、就業規則によってあらかじめ支給条件が明確に定められ、その支給が使用者に義務付けられている場合でも、労働基準法第11条に定める賃金には当たらない。

問題 3 ／／／

賃金は、原則として、通貨で支払わなければならないが、賃金を口座振込によって支払う場合には、労働者個々の同意を得なければならない。

問題 4 ／／／

賃金は、原則として、通貨で支払わなければならないが、労使協定がある場合においては、賃金を通勤定期乗車券等の現物で支給することができる。

問題 5 ／／／

賃金は、原則として、その全額を支払わなければならないが、労働者の同意を得た場合においては、賃金の一部を控除して支払うことができる。

進捗チェック

労基	安衛	労災	雇用	徴収

解答 1　×　法11条、昭和63.3.14基発150号。労働者が法令により負担すべき社会保険料を使用者が労働者に代わって負担する場合は、労働者が法律上当然に生ずる義務を免れるのであるから、この使用者が労働者に代わって負担する部分は賃金に該当する。

解答 2　×　法11条、昭和22.9.13発基17号。就業規則によってあらかじめ支給条件が明確に定められているものは、労働基準法第11条に定める賃金である。

解答 3　○　法24条1項ただし書、則7条の2,1項。設問の通り正しい。

ひっかけ注意！　口座振込によって賃金を支払う場合には、労働者個々の同意を得なければならず、労使協定の締結のみによって口座振込の方法で支払うことはできない。

解答 4　×　法24条1項ただし書、昭和63.3.14基発150号。賃金を通貨以外のもので支払うことができるのは、法令若しくは労働協約に別段の定めがある場合又は厚生労働省令で定める賃金について確実な支払の方法で厚生労働省令で定めるもの（口座振込の方法等）による場合である。

ひっかけ注意！　労働協約により現物で支払うことが許されるのは、その労働協約の適用を受ける労働者に限られる。

解答 5　×　法24条1項ただし書。「労働者の同意を得た場合」が誤り。「法令に別段の定めがある場合又は労使協定がある場合」に、賃金の一部を控除して支払うことができる。

問題 6
／／／

使用者は、労働者が出産、疾病、災害その他厚生労働省令で定める非常の場合の費用に充てるために請求する場合においては、支払期日前であっても、既往の労働に対する賃金を支払わなければならない。

問題 7
／／／

労働基準法第26条に定める休業手当は、使用者の責に帰すべき事由による休業の場合に支払が義務付けられるものであり、たとえば、親工場の経営難により、下請工場が資材、資金を獲得できず休業した場合、下請工場の使用者は休業手当の支払義務を負わない。

問題 8
／／／

平均賃金とは、原則として、これを算定すべき事由が発生した日以前3箇月間にその労働者に対して支払われた賃金の総額を、その期間内に労働した日数で除した金額をいう。

問題 9
／／／

労働災害により休業していた労働者がその災害による傷病が原因で死亡した場合、使用者が遺族補償を行うに当たり必要な平均賃金を算定すべき事由の発生日は、当該労働者が死亡した日である。

問題10
／／／

雇入れ後3箇月に満たない者について平均賃金を算定すべき事由が生じた場合には、平均賃金の算定対象となる期間は、賃金締切日がある場合においても、当該算定事由発生日から起算する。

進捗チェック

労基	安衛	労災	雇用	徴収

労基

解答 6　○　法25条。設問の通り正しい。

設問の場合に支払う義務が生ずるのは「既往の労働に対する賃金」であって、未だ労働の提供のない期間に対する賃金の支払は必要としない。

ひっかけ注意

非常時払は、労働者又は労働者の収入によって生計を維持する者の①出産、②疾病（業務上、業務外を問わない）、③災害（洪水、火災、地震等）、④結婚、⑤死亡、⑥やむを得ない事由による1週間以上の帰郷の場合に限られる。

解答 7　×　法26条、昭和23.6.11基収1998号。設問の場合は、使用者の責に帰すべき事由による休業に該当するため、下請工場の使用者は休業手当の支払義務を負う。

解答 8　×　法12条1項。その期間内に「労働した日数」ではなく、その期間の「総日数」で除した金額をいう。

解答 9　×　法12条1項、法79条、則48条、昭和25.10.19基収2908号。設問の場合、平均賃金を算定すべき事由の発生日は、「死傷の原因たる事故発生日又は診断によって疾病の発生が確定した日」である。

解答10　×　法12条2項、6項、昭和23.4.22基収1065号。雇入れ後3箇月に満たない者について平均賃金の算定事由が発生した場合にも、賃金締切日があるときは、原則として直前の賃金締切日から起算して平均賃金を算定する。

労一	健保	国年	厚年	社一	Goal

問題 11　平均賃金の算定の基礎となる賃金総額には、年に2回支払われる賞与等の3箇月を超える期間ごとに支払われる賃金は算入しない。

／／／

進捗チェック

労基	安衛	労災	雇用	徴収

解答11 ○ 法12条4項。設問の通り正しい。

平均賃金の算定の基礎となる賃金総額には、臨時に支払われた賃金及び3箇月を超える期間ごとに支払われる賃金並びに通貨以外のもので支払われた賃金であって一定の範囲に属しないものは算入しない。

労一	健保	国年	厚年	社一	Goal

Step-Up

3 賃金

問題 1 ／／／

使用者が、業務上の負傷又は疾病により休業する労働者に対して行うべき休業補償の額について、事業場で平均賃金の100分の60を上回る制度を設けている場合は、その全額が休業補償とされ、賃金とは解されない。

問題 2 ／／／

労働者甲は、転職の際の労働条件で、ストック・オプション制度によって自社株式を付与されることとなっていた。労働者甲がストック・オプション制度の権利行使をし、株式を売却したことによって利益を得た場合、その利益は労働基準法第11条に定める賃金に該当する。

問題 3 ／／／

使用者は、労働者の同意を得た場合には、賃金の支払方法を、指定資金移動業者のうち当該労働者が指定するものの第２種資金移動業に係る口座への資金移動のみとすることができる。

問題 4 ／／／

労働者が賃金の支払を受ける前に賃金債権を他に譲渡した場合でも、使用者は当該賃金債権の譲受人に対してではなく、直接労働者に対して賃金を支払わなければならないとするのが、最高裁判所の判例である。

問題 5 ／／／

賃金の直接払の原則によれば、賃金は、直接労働者に支払わなければならないが、労働者の委任を受けた弁護士に賃金を支払うことは、賃金の直接払の原則に違反しないこととされている。

進捗チェック

労基	安衛	労災	雇用	徴収

解答 1　○　法11条、法76条１項、昭和25.12.27基収3432号。設問の通り正しい。

休業補償については、法76条において平均賃金の100分の60とされているが、これは法１条の規定により最低の基準と考えるべきで、事業場で平均賃金の100分の60を上回る制度を設けている場合は、その全額が休業補償と解される。

解答 2　×　法11条、平成9.6.1基発412号。設問のストック・オプション制度から得られる利益は、それが発生する時期及び額ともに労働者の判断に委ねられているため、労働の対償ではなく、法11条の賃金には該当しない。

解答 3　○　則７条の2,1項。設問の通り正しい。設問はいわゆる賃金のデジタル払いについての規定である。なお、賃金のデジタル払いによる場合には、労働者が他の方法による賃金の支払を選択することができるようにするとともに、当該労働者に対し、所定の要件に関する事項について説明した上で、当該労働者の同意を得なければならない。

解答 4　○　法24条１項、最三小昭和43.3.12小倉電話局事件。設問の通り正しい。

解答 5　×　法24条１項、昭和63.3.14基発150号。労働基準法24条１項は、労働者本人以外の者に賃金を支払うことを禁止するものであるから、労働者の委任を受けた弁護士に支払うことは、同条違反となる。

問題 6
／／／

賃金全額払の原則においては、使用者が労働者に対して有する債権をもって労働者の賃金債権と相殺することまでは禁止していない、とするのが最高裁判所の判例である。

問題 7
／／／

適正な賃金の額を支払うための手段たる相殺であっても、労働基準法24条1項但書によって除外される場合（労使協定が締結されている場合）にあたらない限り、同項により禁止されると解するのが相当である、とするのが最高裁判所の判例である。

問題 8
／／／

労働者が退職に際しみずから賃金に該当する退職金債権を放棄する旨の意思表示をした場合に、それが労働者の自由な意思に基づくものであることが明確であれば、賃金の全額払の原則が当該意思表示の効力を否定する趣旨のものであるとまで解することはできない、とするのが最高裁判所の判例である。

解答 6　×　法24条1項、最二小平成2.11.26日新製鋼事件。賃金全額払の原則の趣旨とするところは、使用者が一方的に賃金を控除することを禁止し、もって労働者に賃金の全額を確実に受領させ、労働者の経済生活を脅かすことのないようにしてその保護を図ろうとするものというべきであるから、使用者が労働者に対して有する債権をもって労働者の賃金債権と相殺することを禁止する趣旨をも包含するものである、とするのが最高裁判所の判例である。

これも覚える！　同判例においては、上記解説のとおり原則として設問の相殺を禁止したうえで、「労働者がその自由な意思に基づき右相殺に同意した場合においては、右同意が労働者の自由な意思に基づいてされたものであると認めるに足りる合理的な理由が客観的に存在するときは、右同意を得てした相殺は右規定（賃金全額払の原則）に違反するものとはいえないものと解するのが相当である。」としている。

解答 7　×　法24条1項、最一小昭和44.12.18福島県教組事件。適正な賃金の額を支払うための手段たる相殺（過払賃金との相殺）は、労働基準法24条1項但書によって除外される場合（労使協定が締結されている場合）にあたらなくても、その行使の時期、方法、金額等からみて労働者の経済生活の安定との関係上不当と認められないものであれば、同項の禁止するところではないと解するのが相当である（全額払の原則に違反しない。）、とするのが最高裁判所の判例である。

解答 8　○　法24条1項、最二小昭和48.1.19シンガー・ソーイング・メシーン事件。設問の通り正しい。

問題 9

賞与を支給日に在籍している者に対してのみ支給する旨のいわゆる賞与支給日在籍要件を定めた就業規則の規定は無効であり、支給日の直前に退職した労働者に賞与を支給しないことは、賃金全額払の原則を定めた労働基準法第24条第1項に違反するとするのが、最高裁判所の判例である。

問題 10

1箇月の賃金支払額（賃金の一部を控除して支払う場合には、控除した額）に生じた1,000円未満の端数を翌月の賃金支払日に繰り越して支払うことは、賃金支払の便宜上の取扱いと認められるから、労働基準法第24条違反としては取り扱わないこととされている。

問題 11

使用者は、1箇月を超える期間の出勤成績によって支給される精勤手当について、毎月1回以上支払わなければならない。

問題 12

労働者の一部で組織する労働組合が争議行為をした場合において、当該労働組合員以外の労働者を休業させたときは、たとえその休業が、争議行為により就業させることができなくなったことを理由とするものであっても、当該労働組合員以外の労働者に対する休業手当の支払義務は免れない。

問題 13

1日の所定労働時間数が8時間、日給12,000円（時給1,500円、平均賃金は10,000円）の事業場において、午前中4時間労働した後、午後の4時間の労働は使用者の責に帰すべき事由により休業となった。午前中の労働に対して賃金として6,000円が支払われた場合、使用者は午後の4時間の休業に対して1,200円以上の休業手当を支払わなければならない。

解答 9　×　法24条１項、最一小昭和57.10.7大和銀行事件。最高裁判所の判例では、賞与支給日在籍要件を就業規則の合理性判断として有効としており、支給日前に退職した労働者に賞与を支給しないことは、賃金全額払の原則を定めた法24条１項に違反するものではない。

解答 10　○　法24条１項、昭和63.3.14基発150号。設問の通り正しい。設問の端数処理は、労働基準法違反として取り扱わないこととされている。

解答 11　×　法24条２項、則８条１号。１箇月を超える期間の出勤成績によって支給される精勤手当については、毎月１回以上支払う必要はない。

解答 12　×　法26条、昭和24.12.2基収3281号。ストライキは法において認められた労働者の権利の行使であるから、使用者にとっては一種の不可抗力とみるべきであり、残りの労働者を就業させることができない場合又はそれが無意味なような場合にはたとえ残りの労働者の就業を拒否しても、休業手当の支払義務はないと解されている。

解答 13　×　法26条、昭和27.8.7基収3445号。設問の場合、現実に就労した時間に対して支払われた賃金の額（6,000円）が、平均賃金の100分の60以上であるため、休業手当を支払わなくても違法とならない。

問題14 ／／／

労働基準法第20条の規定により、労働者を解雇する場合の予告に代えて支払われる平均賃金（解雇予告手当）を算定する場合における「平均賃金を算定すべき事由の発生した日」は、労働者に解雇の通告をした日であるが、解雇の予告をした後に当該労働者の同意を得て解雇日を変更した場合においては、その変更した日とされる。

問題15 ／／／

あらかじめ確定している年俸額の一部を賞与として支払う場合において、これを年２回に分けて支払うこととしたときは、当該賞与として支払われる賃金は、平均賃金の算定の基礎に含まれない。

問題16 ／／／

賃金の一部が、月、週その他一定の期間によって定められ、他の部分が労働した日若しくは時間又は出来高払制その他の請負制により定められている者の平均賃金は、当該一定の期間により定められた賃金の部分の総額をその期間の総日数で除した金額と、残りの部分の賃金の総額をその期間中に労働した日数で除した金額の100分の60の金額との合算額を下ってはならないものとされている。

解答14 × 法12条、昭和39.6.12 36基収2316号。労働者の同意を得て解雇日を変更した場合においても、「平均賃金を算定すべき事由の発生した日」は、当初の解雇を通告した日である。

解答15 × 法12条、平成12.3.8基収78号。設問のようにあらかじめ確定している年俸額の一部を賞与として支払う場合においては、例えばこれを2回に分けて支払うこととしても、当該賞与として支払われる賃金は、平均賃金の算定の基礎に含める必要がある。この場合、賞与部分を含めた年俸額の12分の1を1箇月分の賃金として平均賃金を算定する。

解答16 ○ 法12条1項2号。設問の通り正しい。

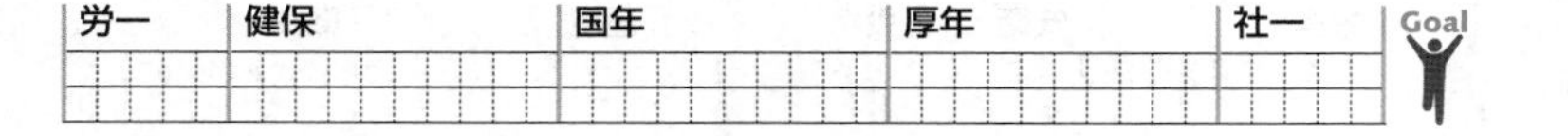

Basic

4 労働時間、休憩、休日

問題 1
□□□

1日6時間、週6日労働させることは、労働時間の原則を定めた労働基準法第32条の規定に反するものとなる。

問題 2
□□□

ビルの巡回監視等の業務に従事する労働者の実作業に従事していない仮眠時間についても、労働からの解放が保障されていない場合には、労働基準法上の労働時間に当たるとするのが最高裁判所の判例である。

問題 3
□□□

映画の製作の事業のうち常時10人未満の労働者を使用するものについては、1週間について44時間、1日について8時間まで労働させることができる。

問題 4
□□□

使用者は、所定労働時間が5時間である労働者に1時間の所定時間外労働を行わせたときは、少なくとも45分の休憩時間を労働時間の途中に与えなければならない。

問題 5
□□□

使用者は、労働者に対して、原則として、毎週少なくとも1回の休日を与えなければならないが、4週間を通じ4日以上の休日を与える場合には、毎週少なくとも1回の休日を与える必要はない。

進捗チェック

労基	安衛	労災	雇用	徴収

解答 1　×　法32条。設問の労働時間は、法32条に定める労働時間（1週間40時間、1日8時間）の範囲内であり、労働基準法に違反するものではない。

解答 2　○　法32条、最一小平成14.2.28大星ビル管理事件。設問の通り正しい。同判例においては、労働者が実作業に従事していないというだけでは、使用者の指揮命令下から離脱しているということはできず、当該時間に労働者が労働から離れることを保障されていて初めて、労働者が使用者の指揮命令下に置かれていないと評価することができるとしている。

解答 3　×　法40条1項、則25条の2,1項。映画の製作の事業は、労働時間の特例措置の対象事業とされていないため、1週間の法定労働時間は40時間であり、1週間について44時間まで労働させることはできない。

労働時間の特例措置の対象となるのは、①商業、②映画・演劇業（映画の製作の事業を除く。）、③保健衛生業、④接客娯楽業のうち常時10人未満の労働者を使用するものである。

解答 4　×　法34条1項。使用者は、1日の労働時間が6時間を超える場合に、少なくとも45分の休憩時間を労働時間の途中に与えなければならないのであり、設問のように1日の労働時間が6時間の場合は、休憩時間を与える義務はない。

解答 5　○　法35条。設問の通り正しい。

問題 6　／／／

使用者は、労働基準法第41条第２号に該当する監督又は管理の地位にある者に対しても、年次有給休暇を与えなければならない。

問題 7　／／／

使用者は、労働者を高度プロフェッショナル制度の下で労働させる場合においては、当該労働者の同意を得なければならない。

進捗チェック

労基	安衛	労災	雇用	徴収

解答 6　○　法39条、法41条２号、昭和22.11.26基発389号。設問の通り正しい。

法41条に該当する者について適用が除外される規定は、労働時間、休憩及び休日に関する規定であり、年次有給休暇に関する規定は適用される。

解答 7　○　法41条の2,1項。設問の通り正しい。

4 労働時間、休憩、休日

問題 1
／／／

労働基準法第32条の労働時間とは、労働者が使用者の指揮命令下に置かれている時間をいい、この労働時間に該当するか否かは、具体的には、労働契約、就業規則、労働協約等の定めにより決定されるものである。

問題 2
／／／

労働者が、使用者の実施する教育、研修に参加する時間を労働基準法上の労働時間とみるべきか否かについては、就業規則上の制裁等の不利益な取扱いの有無や、教育・研修の内容と業務との関連性が強く、それに参加しないことにより本人の業務に具体的な支障が生ずるか否か等の観点から、実質的にみて出席の強制があるか否かにより判断すべきものである。

問題 3
／／／

労働基準法第32条（労働時間）の規定における「１日」とは、原則として、午前０時から午後12時までのいわゆる暦日24時間をいうが、１勤務が２暦日にわたる場合には、当該勤務は始業時刻の属する日の労働として、当該日の「１日」の労働とする。

問題 4
／／／

使用者は、１日の労働時間が８時間を超える場合においては、少なくとも１時間の休憩時間を労働時間の途中に与えなければならず、時間外労働が長引いて、１日の労働時間が16時間を超える場合には、少なくとも２時間の休憩時間を労働時間の途中に与えなければならない。

解答 1　×　法32条、最一小平成12.3.9三菱重工長崎造船所事件。最高裁判所の判例では、法32条の労働時間に該当するか否かは、労働者の行為が使用者の指揮命令下に置かれたものと評価することができるか否かにより客観的に定まるものであって、「労働契約、就業規則、労働協約等の定めのいかんにより決定されるべきものではない」としている。

解答 2　○　法32条、昭和63.3.14基発150号・婦発47号。設問の通り正しい。

解答 3　○　法32条２項、昭和63.1.1基発１号。設問の通り正しい。

これも覚える！　「１週間」とは、就業規則等に別段の定めがない限り、日曜日から土曜日までのいわゆる暦週をいう。

解答 4　×　法34条１項、昭和26.10.23基収5058号。使用者は、「労働時間が８時間を超える場合においては、少なくとも１時間の休憩時間を労働時間の途中に与えなければならない。」と規定されているため、設問の場合であっても、１時間の休憩時間を与えていれば、労働基準法違反にはならない。

労一	健保	国年	厚年	社一

Goal

問題 5
／／／

就業規則に定める休日の振替の規定により休日を振り替える場合には、当該休日は労働日となるためその日に労働させても休日労働とはならないが、振り替えたことにより当該週の労働時間が1週間の法定労働時間を超えるときは、その超えた時間の労働は時間外労働となるので、いわゆる36協定の締結及び届出並びに割増賃金の支払が必要となる。

問題 6
／／／

労働基準法第41条第2号に定める「機密の事務を取り扱う者」とは、必ずしも秘密書類を取り扱う者を意味するものではなく、秘書その他職務が経営者や監督管理の地位にある者の活動と一体不可分であって、厳格な労働時間管理になじまない者をいう。

問題 7
／／／

高度プロフェッショナル制度により労働させる労働者については、労働基準法第4章（労働時間等）で定める労働時間、休憩、休日に関する規定は適用されないが、深夜の割増賃金に関する規定は適用される。

解答 5　○　法35条、法36条1項、法37条1項、昭和63.3.14基発150号。設問の通り正しい。

法定休日に労働をさせた後に「代休」を与えても、休日労働させたことにかわりはないので、当該法定休日の労働は、休日労働に係る割増賃金の支払の対象となる。

解答 6　○　法41条2号、昭和22.9.13発基17号。設問の通り正しい。

法41条により第4章（労働時間等）、第6章（年少者）及び第6章の2（妊産婦等）で定める労働時間、休憩及び休日に関する規定が適用されないのは、次の①～③の労働者であるが、このうち行政官庁（所轄労働基準監督署長）の許可が必要となるのは、③の者のみである。

①農業、畜産・養蚕・水産業に従事する者
②事業の種類にかかわらず監督若しくは管理の地位にある者（管理監督者）又は機密の事務を取り扱う者
③監視又は断続的労働に従事する者で、使用者が行政官庁（所轄労働基準監督署長）の許可を受けたもの

解答 7　×　法41条の2,1項。高度プロフェッショナル制度により労働させる労働者については、労働基準法第4章（労働時間等）で定める労働時間、休憩、休日及び深夜の割増賃金に関する規定は適用されない。

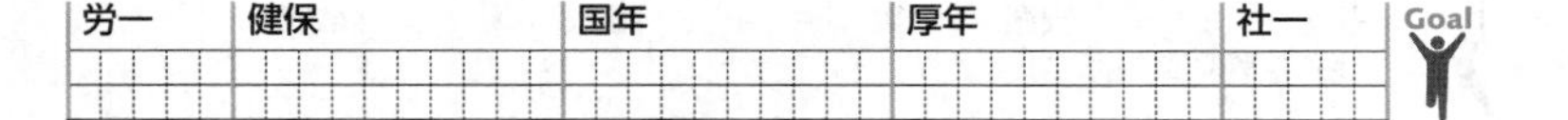

Basic

5 変形労働時間制

問題 1 ／／／

1箇月単位の変形労働時間制については、変形期間を平均し1週間当たりの労働時間が40時間以内である限り、使用者は、当該変形期間の途中において、業務の都合によって任意に労働時間を変更することができる。

問題 2 ／／／

常時10人以上の労働者を使用する使用者は、就業規則に準ずるものに定めることによって、1箇月単位の変形労働時間制を採用することができる。

問題 3 ／／／

フレックスタイム制を採用する場合には、就業規則その他これに準ずるものにより、始業及び終業の時刻を労働者の決定に委ねる旨を定めるとともに、労使協定により、コアタイム及びフレキシブルタイムを定めなければならない。

問題 4 ／／／

フレックスタイム制においては、始業及び終業の時刻を、対象となる労働者の決定に委ねているところから、フレックスタイム制を採用する事業場においては、使用者は、対象労働者について各労働者の各日の労働時間の把握を行う必要はない。

進捗チェック

労基	安衛	労災	雇用	徴収

解答 1　×　法32条の2,1項、平成11.3.31基発168号。１箇月単位の変形労働時間制については、変形期間における各日、各週の労働時間を具体的に定めることを要し、使用者は、当該変形期間の途中において、業務の都合によって任意に労働時間を変更することはできない。

解答 2　×　法32条の2,1項、法89条、昭和22.9.13発基17号。常時10人以上の労働者を使用する使用者については就業規則の作成義務があるため、就業規則に準ずるものに定めることによっては１箇月単位の変形労働時間制を採用することはできない。就業規則に準ずるもので定めることができるのは、就業規則の作成義務のない使用者に限られる。

これも覚える！　１箇月単位の変形労働時間制は労使協定に所定の事項を定めることにより採用することもできるが、当該労使協定は所轄労働基準監督署長に届け出なければならない。

解答 3　×　法32条の3,1項、則12条の3,1項。コアタイム及びフレキシブルタイムは、それらを設ける場合に労使協定に定めなければならないのであって、必ずしも定めなければならない事項ではない。

解答 4　×　法32条の３、昭和63.3.14基発150号。フレックスタイム制の場合であっても、使用者に労働時間の把握義務があり、各労働者の各日の労働時間の把握を行うべきものである。

問題 5
／／／

1年単位の変形労働時間制を採用する場合における労働時間の限度は、原則として1日については10時間、1週間については52時間とされている。

問題 6
／／／

1年単位の変形労働時間制において、特定期間として定められた期間における連続して労働させる日数の限度は6日とされている。

問題 7
／／／

1週間単位の非定型的変形労働時間制を採用することができるのは、常時使用する労働者の数が10人未満の小売業、旅館、料理店及び飲食店の事業である。

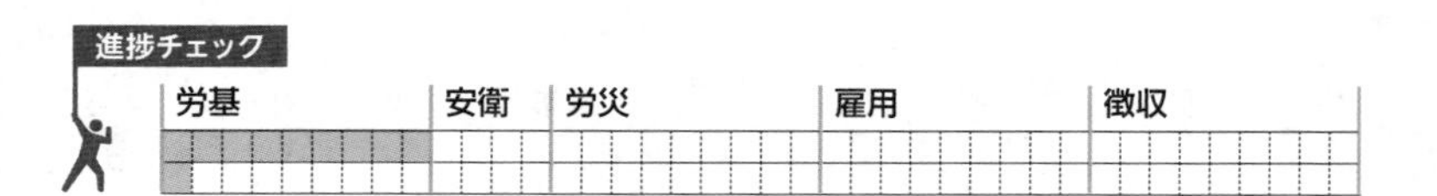

解答 5　○　法32条の4,3項、則12条の4,4項。設問の通り正しい。なお、対象期間が3箇月を超えるときは、次の①及び②のいずれにも適合しなければならない。

①対象期間において、その労働時間が48時間を超える週が連続する場合の週数が3以下であること。

②対象期間をその初日から3箇月ごとに区分した各期間（3箇月未満の期間を生じたときは、当該期間）において、その労働時間が48時間を超える週の初日の数が3以下であること。

解答 6　×　法32条の4,3項、則12条の4,5項。特定期間として定められた期間における連続して労働させる日数の限度は、1週間に1日の休日が確保できる日数（すなわち12日）とされている。

これも覚える！　特定期間とは、対象期間中の特に業務が繁忙な期間をいう。

解答 7　×　法32条の5,1項、則12条の5,1項、2項。1週間単位の非定型的変形労働時間制を採用することができるのは、常時使用する労働者の数が「30人未満」の小売業、旅館、料理店及び飲食店の事業である。

これも覚える！　1週間単位の非定型的変形労働時間制において、労働させることができる1日の労働時間の限度は10時間であり、1週間の労働時間の限度は40時間である。

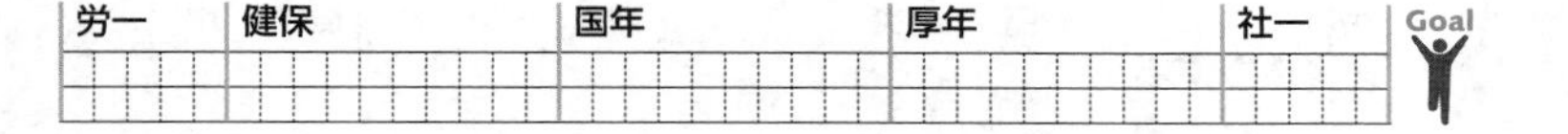

Step-Up

5 変形労働時間制

問題 1 ／／／

労働者を1箇月単位の変形労働時間制の下で、その範囲内において労働させる場合においては、1日の労働時間が10時間とされた日については、適法に10時間の労働をさせることができ、また、時間外労働による割増賃金を支払う義務も生じない。

問題 2 ／／／

1箇月単位の変形労働時間制の適用による効果は、使用者が、単位期間内の一部の週又は日において法定労働時間を超える労働時間を定めても、ここで定められた所定労働時間の限度で、法定労働時間を超えたものとの取扱いをしないというにすぎないものであり、単位期間内の実際の労働時間が平均して法定労働時間内に納まっていれば、法定時間外労働にならないというものではない、とするのが最高裁判所の判例である。

問題 3 ／／／

フレックスタイム制において、実際に労働した時間が清算期間における総労働時間として定められた時間に比べて過剰であった場合、総労働時間として定められた時間分はその期間の賃金支払日に支払い、総労働時間を超えて労働した時間分は次の清算期間中の総労働時間の一部に充当してもよい。

問題 4 ／／／

1年単位の変形労働時間制に係る労使協定においては、対象期間を1箇月以上の期間ごとに区分することとしたときは、最初の期間における労働日及びその労働日ごとの労働時間を定めれば、最初の期間以外の各期間については、労働日数と総労働時間を定めることで足りる。

進捗チェック

労基	安衛	労災	雇用	徴収

解答 1　○　法32条の2,1項、昭和63.3.14基発150号、平成6.3.31基発181号。設問の通り正しい。設問のように、変形労働時間制の下で、その範囲内において労働させる場合には、法定労働時間を超えて労働させることができ、また、割増賃金の支払義務も生じない。

解答 2　○　法32条の2,1項、最一小平成14.2.28大星ビル管理事件。設問の通り正しい。なお、最高裁判所の判例では、設問文に続けて、「すなわち、特定の週又は日につき法定労働時間を超える所定労働時間を定めた場合には、法定労働時間を超えた所定労働時間内の労働は時間外労働とならないが、所定労働時間を超えた労働はやはり時間外労働となるのである」としている。

解答 3　×　法32条の３、平成31.4.1基発0401第43号。設問のように充当することは、その清算期間内における労働の対価の一部がその期間の賃金支払日に支払われないことになり、労働基準法24条の賃金の全額払の原則に違反するので、許されないものである。

解答 4　○　法32条の4,1項４号カッコ書。設問の通り正しい。なお、最初の期間以外の各期間における労働日及びその労働日ごとの労働時間については、①各期間の初日の少なくとも30日前に、②過半数代表者等の同意を得て、③書面によって、定めなければならないものとされている。

問題 5 ／／／

使用者は、1箇月単位の変形労働時間制、フレックスタイム制、1年単位の変形労働時間制又は1週間単位の非定型的変形労働時間制の規定により労働者に労働させる場合には、育児を行う者、老人等の介護を行う者、職業訓練又は教育を受ける者その他特別の配慮を要する者については、これらの者が育児等に必要な時間を確保できるような配慮をしなければならない。

進捗チェック

労基	安衛	労災	雇用	徴収

解答 5　×　則12条の６。設問の配慮義務の規定は、「フレックスタイム制」により労働させる場合には適用されない。

Basic

6 時間外労働・休日労働

問題 1

／／／

労働基準法第33条第１項に定める災害等による臨時の必要がある場合の時間外労働、休日労働については、使用者は、行政官庁の許可を受けて、その必要の限度において行わせることができる。ただし、事態急迫のために行政官庁の許可を受ける暇がない場合においては、事後に遅滞なく届け出なければならないとされている。

問題 2

／／／

使用者は、労働基準法第36条第１項に定める時間外労働及び休日労働に係る労使協定（以下「36協定」という。）を締結した場合には、その締結をもって、同法の労働時間又は休日に関する規定にかかわらず、36協定で定めるところによって労働時間を延長し、又は休日に労働させることが認められる。

問題 3

／／／

労働基準法第41条第２号に定めるいわゆる管理監督者に該当する者であっても、同法第９条に定める労働者に該当し、当該事業場の管理監督者以外の労働者によって選出された場合には、同法第36条第１項に定める労使協定を締結する労働者側の当事者である過半数を代表する者になることができる。

進捗チェック

労基	安衛	労災	雇用	徴収

解答 1　○　法33条1項。設問の通り正しい。なお、事後の届出があった場合において、行政官庁がその労働時間の延長又は休日の労働を不適当と認めるときは、その後にその時間に相当する休憩又は休日を与えるべきことを、命ずることができる。

解答 2　×　法36条1項、昭和63.1.1基発1号。「締結をもって」が誤り。36協定は、当該協定を締結しただけではその効力は発生せず、届出をして初めて効力が発生する。なお、時間外労働又は休日労働命令に服すべき労働者の民事上の義務は36協定から直接生ずるものではなく、労働協約、就業規則等の根拠が必要となる。

解答 3　×　則6条の2,1項1号。労使協定を締結する労働者側の当事者である過半数を代表する者は、法41条2号に規定する管理監督者でないことが要件とされている。

問題 4

36協定により、その対象となる労働者の労働時間を延長し、又は休日に労働させようとする場合には、労使協定に、対象期間における1日、1箇月及び1年のそれぞれの期間について労働時間を延長して労働させることができる時間又は労働させることができる休日の日数を定めなければならない。

問題 5

36協定により労働時間を延長して労働させる場合においても、1箇月について延長して労働させ、及び休日において労働させた時間が100時間未満の範囲内で労働させなければならない。

問題 6

使用者が、労働基準法第33条又は同法第36条第1項の規定により、労働者に休日労働をさせた場合においては、その日の労働については、通常の労働日の賃金の計算額の2割5分以上の率で計算した割増賃金を支払わなければならない。

問題 7

使用者が、労働者に1箇月について60時間を超える時間外労働をさせた場合においては、その超えた時間の労働については、通常の労働時間の賃金の計算額の5割以上の率で計算した割増賃金を支払わなければならない。

解答 4　○　法36条2項4号。設問の通り正しい。

36協定には以下の事項を定めなければならない。
①労働者の範囲
②対象期間（労働時間を延長し、又は休日に労働させることができる期間をいい、１年間に限るものとする。）
③労働時間を延長し、又は休日に労働させることができる場合
④対象期間における１日、１箇月及び１年のそれぞれの期間について労働時間を延長して労働させることができる時間又は労働させることができる休日の日数
⑤労働時間の延長及び休日の労働を適正なものとするために必要な事項として厚生労働省令で定める事項

解答 5　○　法36条6項2号。設問の通り正しい。

解答 6　×　法33条、法36条1項、法37条1項、割増賃金令。設問の場合においては、使用者は通常の労働日の賃金の計算額の3割5分以上の率で計算した割増賃金を支払わなければならない。

使用者が、法33条又は法36条１項の規定により労働時間を延長して労働させた場合においては、その時間の労働については、通常の労働時間の賃金の計算額の２割５分以上の率で計算した割増賃金を支払わなければならない。

解答 7　○　法37条1項ただし書。設問の通り正しい。

問題 8 ／／／

通勤手当の支給がある者に係る労働基準法第37条第１項及び第４項の割増賃金の算定においては、当該通勤手当は割増賃金の基礎となる賃金に含めなければならない。

解答 8　×　法37条５項。通勤手当は、割増賃金の算定の基礎となる賃金には算入されない。

①家族手当、②通勤手当、③別居手当、④子女教育手当、⑤住宅手当、⑥臨時に支払われた賃金、⑦１箇月を超える期間ごとに支払われる賃金については、割増賃金の計算の基礎に算入されない。

労一	健保	国年	厚年	社一

Goal

Step-Up

6 時間外労働・休日労働

問題 1

／／／

派遣先の事業場において、災害その他避けることのできない事由により臨時の必要があり、派遣中の労働者に法定労働時間を超えて労働させる場合において、事前に所轄労働基準監督署長の許可を受け、又はその許可を受ける暇がない場合に事後に遅滞なく届出をする義務を負うのは、派遣元の使用者である。

問題 2

／／／

事業場に労働者の過半数で組織する労働組合と、当該労働組合とは別の他の少数組合がある場合には、労使協定は、当該事業場の労働者の過半数で組織する労働組合と締結すれば足り、その効力は、他の少数組合の組合員にも及ぶ。

問題 3

／／／

労働基準法第36条第４項に規定する限度時間又は同条第５項に規定する１箇月及び１年についての延長時間の上限（１箇月について休日労働を含んで100時間未満、１年について720時間）若しくは月数の上限（６箇月）を超えている時間外・休日労働協定（36協定）は、全体として無効とされる。

問題 4

／／／

36協定を締結し、これを行政官庁に届け出た場合であっても、坑内労働その他厚生労働省令で定める健康上特に有害な業務の労働時間の延長は、１日について２時間を超えてはならないとされているので、例えば、１箇月単位の変形労働時間制を採用している事業場において、ある特定の日の所定労働時間を10時間と定めた場合には、その日については10時間を超えて労働させることはできない。

解答 1　×　法33条1項、則13条1項、昭和61.6.6基発333号。設問の所轄労働基準監督署長の許可を受け、又は事後の届出をする義務を負うのは、派遣先の使用者である。

解答 2　○　法36条1項、昭和23.4.5基発535号他。設問の通り正しい。

解答 3　○　法36条4項、5項、平成30.12.28基発1228第15号。設問の通り正しい。設問の事項は、いずれも法律において定められた要件であり、これらの要件を満たしていない時間外・休日労働協定は全体として無効である。

解答 4　×　法36条6項1号、平成31.4.1基発0401第43号。設問の場合、10時間を超えて12時間（2時間延長）まで労働させることができる。

坑内労働等の労働時間の延長の制限については、法32条の法定労働時間（8時間）を超える部分についてのみでなく、1箇月単位の変形労働時間制を採用している場合には、その特定の日の所定労働時間を超える部分にも適用される。

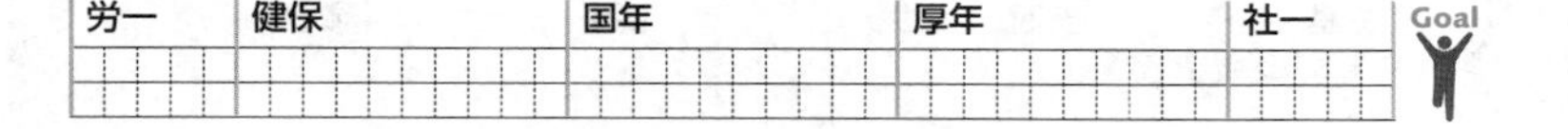

問題 5　労働基準法第36条第11項に規定する新たな技術、商品又は役務の研究開発に係る業務については、同法第36条第６項第２号の規定（１箇月における時間外労働時間数及び休日労働時間数を100時間未満とすること。）は、適用されない。

問題 6　時間外労働に関する割増賃金の支払を要するのは、労働基準法第37条第１項により、同法第33条又は同法第36条第１項により労働時間を延長した場合と規定されており、同法第33条又は同法第36条第１項によらずに違法に時間外労働をさせた場合には、割増賃金を支払うことを要しない。

問題 7　派遣先の使用者が派遣中の労働者に時間外労働を行わせたときは、たとえ当該時間外労働が派遣元と派遣先の間の労働者派遣契約に違反するものであったとしても、派遣元の使用者は、当該派遣中の労働者に割増賃金を支払わなければならない。

解答 5　○　法36条11項。設問の通り正しい。

新たな技術、商品又は役務の研究開発に係る業務は、次の項目が適用除外になる
⑴通常予見することができる時間外労働の限度時間（月45時間、年360時間を超えない範囲）
⑵通常予見することができない業務量による延長時間（年720時間を超えない範囲）
⑶イ・１か月の延長及び休日労働時間が100時間未満
　ロ・２～６か月平均の延長及び休日労働時間が80時間以内

解答 6　×　法37条１項、最一小昭和35.7.14小島撚糸事件、平成11.3.31基発168号。設問のように、法33条又は法36条１項によらない違法な時間外労働であっても、割増賃金の支払義務は免れない。

最高裁判所の判例では「適法な時間外労働等について割増賃金支払義務があるならば、違法な時間外労働等の場合には一層強い理由でその支払義務あるものと解すべきは事理の当然とすべきであるから法37条１項は右の条件が充足された場合（法33条又は法36条１項による場合）たると否とにかかわらず、時間外労働等に対し割増賃金支払義務を認めた趣意と解するを相当とする。」としている。

解答 7　○　法37条１項、昭和61.6.6基発333号。設問の通り正しい。派遣先の使用者が派遣中の労働者に時間外・休日労働を行わせたときは、割増賃金の支払義務は派遣元の使用者にある。また、当該時間外・休日労働が派遣元と派遣先の間の労働者派遣契約に違反するものであるか否かは、影響しない。

派遣労働者に対する割増賃金の支払に関しては、派遣先の使用者が派遣中の労働者に時間外・休日労働を行わせることが労働基準法違反であるか否か、又は労働者派遣契約上派遣先の使用者に時間外・休日労働を行わせる権限があるか否かを問わない。

問題 8 ／／／

労使協定で定めるべき代替休暇の単位は1日又は半日とされているが、代替休暇として与えることができる時間の時間数が1日又は半日に達しない場合であっても、労使協定で定めたときは、時間単位年休や事業場の既存の休暇制度等で通常の労働時間の賃金が支払われるものと合わせて1日又は半日の休暇を与えることができる。

問題 9 ／／／

賃金が完全な出来高払制その他の請負制によって定められている労働者については、その賃金算定期間において出来高払制その他の請負制によって計算された賃金の総額を、当該賃金算定期間における総所定労働時間数で除した金額を基礎として、割増賃金の計算の基礎となる通常の労働時間又は労働日の賃金の計算額を計算する。

問題 10 ／／／

住宅手当を、賃貸住宅居住者には2万円、持家居住者には1万円を支給するように、住宅の形態ごとに一律に定額で支給する場合、当該手当は割増賃金の基礎から除外しなければならない。

問題 11 ／／／

始業時刻が午前10時、終業時刻が午後5時、休憩時間が正午から午後1時までの事業場（週所定労働時間36時間）において、業務量の大幅な増加によって土曜日の時間外労働が、翌日の法定休日（日曜日）の午前5時まで及んだ場合、当該法定休日の午前0時から午前5時までは土曜日の勤務における時間外労働として計算し、5割以上の率で計算した割増賃金を支払わなければならない。

進捗チェック

労基	安衛	労災	雇用	徴収

解答 8　○　法37条３項、法39条４項、則19条の2,1項２号、平成21.5.29基発0529001号。設問の通り正しい。

解答 9　×　法37条１項、４項、則19条１項６号。設問の場合の割増賃金の計算については、当該賃金算定期間における「総所定労働時間数」ではなく、「総労働時間数」で除した金額を基礎として計算する。

解答 10　×　法37条５項、則21条３号、平成11.3.31基発170号。設問の住宅手当は、割増賃金の計算の基礎に算入しなければならない。

割増賃金の基礎から除外される住宅手当とは、住宅に要する費用に応じて算定される手当をいうものであり、手当の名称の如何を問わず実質によって取り扱うこととされている。住宅に要する費用以外の費用に応じて算定される手当や、住宅に要する費用にかかわらず一律に定額で支給される手当は、除外の対象となる住宅手当に当たらないものである。

解答 11　×　法37条、平成6.5.31基発331号。法定休日の前日の勤務が延長されて法定休日に及んだ場合は、法定休日である日曜日の午前０時から午前５時までは休日労働となり、当該時間帯は、深夜業の時間帯でもあることから、６割以上（休日労働＋深夜業）の率で計算した割増賃金の支払いを要する。

労一	健保	国年	厚年	社一	Goal

Basic

7 みなし労働時間制

問題 1

／／／

　労働者が労働時間の全部又は一部について事業場外で業務に従事した場合において、労働時間を算定し難いときは、法定労働時間労働したものとみなされる。

問題 2

／／／

　労働基準法第38条の３に規定するいわゆる専門業務型裁量労働制の採用に当たっては、対象業務に従事する労働者の同意を得る必要はない。

問題 3

／／／

　企画業務型裁量労働制の対象業務は、事業の運営に関する事項についての企画、立案、調査及び分析の業務であって、当該業務の性質上これを適切に遂行するにはその遂行の方法を大幅に労働者の裁量に委ねる必要があるため、当該業務の遂行の手段及び時間配分の決定等に関し使用者が具体的な指示をすることが困難なものとして厚生労働省令で定める業務をいう。

解答 1　×　法38条の2,1項。設問の場合には「法定労働時間」ではなく「所定労働時間」労働したものとみなされる。

ひっかけ注意　事業場外労働に関するみなし労働時間制により労働時間を算定する場合においては、必ずしも労使協定の締結が必要なわけではない。

解答 2　×　法38条の3,1項、則24条の2の2,3項。専門業務型裁量労働制を採用するに当たっては、労使協定で定める時間労働したものとみなすことについて、対象業務に従事する労働者の同意を得なければならない。

解答 3　×　法38条の4,1項1号。「使用者が具体的な指示をすることが困難なものとして厚生労働省令で定める業務」ではなく、「使用者が具体的な指示をしないこととする業務」であり、その業務の範囲は、厚生労働省令で定められていない。

専門業務型裁量労働制の対象業務は、業務の性質上その遂行の方法を大幅に当該業務に従事する労働者の裁量にゆだねる必要があるため、当該業務の遂行の手段及び時間配分の決定等に関し使用者が具体的な指示をすることが困難なものとして厚生労働省令で定める業務のうち、労働者に就かせることとする業務である。

7 みなし労働時間制

問題 1

／／／

事業場外労働のみなし労働時間制に関する労使協定の締結に当たって、当該業務に従事する労働者が労働時間の一部を事業場内で労働する場合には、当該労使協定で定める時間が法定労働時間を超えていなくとも、当該事業場内の労働時間とを合わせて1日の労働時間が法定労働時間を超えるときは、当該労使協定を行政官庁に届け出なければならない。

問題 2

／／／

専門業務型裁量労働制又は企画業務型裁量労働制が適用される労働者については、深夜業をさせたとしても、当該深夜業に係る割増賃金を支払う必要はない。

問題 3

／／／

企画業務型裁量労働制で労働者を労働させるに当たっては、使用者は、対象労働者を対象業務に就かせたときに労使委員会の決議で定めた時間労働したものとみなすことについて当該対象労働者の同意を得なければならない。

解答 1　×　法38条の２、則24条の2,3項、昭和63.3.14基発150号。設問のように、労使協定で定める時間が法定労働時間を超えていない場合には、当該労使協定を届け出る必要はない。

事業場外労働に関するみなし労働時間制の労使協定においては、事業場外における業務の遂行に通常必要とされる時間のみを協定するものであり、当該協定で定める時間（つまり、事業場外における業務の遂行に通常必要とされる時間）が法定労働時間を超えるときに、労使協定を届け出なければならない。

解答 2　×　法38条の３、法38条の４、平成12.1.1基発１号。専門業務型裁量労働制又は企画業務型裁量労働制に係る労働時間のみなしに関する規定が適用される場合であっても、休憩、休日、深夜業に関する規定の適用は排除されないため、深夜業をさせた場合には、深夜業に係る割増賃金を支払わなければならない。

事業場外労働に関するみなし労働時間制についても同様の取扱いである。

解答 3　○　法38条の4,1項６号、令和5.3.30厚労告115号。設問の通り正しい。

使用者は、対象労働者を企画業務型裁量労働制の対象業務に就かせたときは、労使委員会の決議で定めた時間労働したものとみなすことについて当該労働者の同意を得なければならないが、当該同意をしなかった労働者に対して解雇その他不利益な取扱いをしてはならないとされている。

Basic

8 年次有給休暇

問題 1
／／／

　労働基準法第39条に定める年次有給休暇の付与要件の１つである「継続勤務」は、勤務の実態に即し実質的に判断すべきものと解される。したがって、この継続勤務期間の算定に当たっては、例えば、企業が解散し、従業員の待遇等を含め権利義務関係が新会社に包括承継された場合は、勤務年数を通算しなければならない。

問題 2
／／／

　１週間の所定労働日数が４日、１日の所定労働時間が７時間であるパートタイム労働者は、年次有給休暇の比例付与の対象となる。

問題 3
／／／

　年次有給休暇の権利は、労働者がその時季を指定して請求したときに、当然に発生する。

問題 4
／／／

　使用者は、その事業場に同時に採用され、６箇月間継続勤務し、労働基準法第39条所定の要件を満たした週の所定労働時間15時間（勤務形態は１日３時間、週５日勤務）の労働者甲と、週の所定労働時間28時間（勤務形態は１日７時間、週４日勤務）の労働者乙の２人の労働者がいる場合、両者には同じ日数の年次有給休暇を付与しなければならない。

解答 1　○　法39条１項、昭和63.3.14基発150号。設問の通り正しい。実質的に労働関係が継続している限り勤務年数は通算されるものとされており、設問の場合、勤務年数は通算される。

解答 2　○　法39条３項１号、則24条の3,1項、４項。設問の通り正しい。

１週間の所定労働日数が４日以下、かつ、１週間の所定労働時間が30時間未満の者は、年次有給休暇の比例付与の対象となる。

解答 3　×　法39条１項、２項、最二小昭和48.3.2白石営林署事件。年次有給休暇の権利は、法定要件を満たした場合に、労働者の請求をまたずに法律上当然に発生する。

解答 4　×　法39条１項、３項、則24条の3,1項、３項、４項。労働者甲は、週の所定労働日数が５日のため、通常の労働者と同じ年次有給休暇が付与されるが、労働者乙は、週の所定労働日数が４日以下であり、かつ、週の所定労働時間数が30時間未満であるため、比例付与の対象となる。したがって、労働者甲に対しては、労働者乙より多くの日数の年次有給休暇を付与しなければならない。

Step-Up

8 年次有給休暇

問題 1

年次有給休暇の要件である全労働日の８割以上の出勤に係る出勤率の算定に当たり、使用者側に起因する経営、管理上の障害による休業日は、労働者の責に帰すべき事由によるとはいえない不就労日であるから、これを出勤日数に算入すべきものとして全労働日に含むこととされている。

問題 2

令和４年４月１日に雇い入れられ、同年９月30日までの６箇月間に全労働日の８割以上出勤し、同年10月１日から令和５年９月30日までの１年間に全労働日の８割未満しか出勤しなかった通常の労働者が、令和５年10月１日から令和６年９月30日までの１年間に全労働日の８割以上出勤したときは、使用者は、令和６年10月１日以降、当該労働者に対して12労働日の年次有給休暇を与えなければならない。

問題 3

最高裁判所の判例では、年次有給休暇を労働者がどのように利用するかは労働者の自由なので、労働者がその所属の事業場においてその業務の正常な運営の阻害を目的として一斉に年次有給休暇を請求して職場を放棄することも、年次有給休暇権の行使として認められる、としている。

解答 1　×　法39条1項、平成25.7.10基発0710第3号。使用者側に起因する経営、管理上の障害による休業日は、全労働日に含まれないものとされている。労働者の責に帰すべき事由によるとはいえない不就労日は、「当事者間の衡平等の観点から出勤日数に算入するのが相当でないもの」を除き、出勤率の算定に当たっては、出勤日数に算入すべきものとして全労働日に含まれるものとされている。設問の「使用者側に起因する経営、管理上の障害による休業日」は、上記「当事者間の衡平等の観点から出勤日数に算入するのが相当でないもの」に該当する。

解答 2　○　法39条1項、2項。設問の通り正しい。設問のように、雇入れ後1年6箇月を超えて継続勤務する日（令和5年10月1日）の直前の1年間に全労働日の8割未満しか出勤しなかったため、11労働日の有給休暇が与えられなかった者についても、雇入れ後2年6箇月を超えて継続勤務する日（令和6年10月1日）の直前の1年間に全労働日の8割以上出勤したときは、12労働日の有給休暇が与えられる。

〈年次有給休暇の付与日数〉

勤続年数	0.5年	1.5年	2.5年	3.5年	4.5年	5.5年	6.5年以上
付与日数	10日	11日	12日	14日	16日	18日	20日

解答 3　×　法39条1項、2項、最二小昭和48.3.2白石営林署事件、昭和48.3.6基発110号。最高裁判所の判例では、労働者が「その所属の事業場」において設問の職場放棄をするのは、年次有給休暇に名をかりた同盟罷業にほかならないから、それは年次有給休暇権の行使ではないとしている。

他の事業場における争議行為に参加する目的で年次有給休暇を取得することは、年次有給休暇権の行使として認められる。

問題 4　／／／

育児休業、介護休業等育児又は家族介護を行う労働者の福祉に関する法律に規定する育児休業の申出をした期間中の日について、申出前に年次有給休暇の計画的付与が行われた場合においても、当該期間については年次有給休暇を取得する余地がないことから、計画的付与の付与日についても年次有給休暇を取得したものとは取り扱われない。

問題 5　／／／

1週間の所定労働日数が4日、1日の所定労働時間が7時間の労働条件で雇い入れられた労働者が、その4箇月後に、1週間の所定労働日数が5日、1日の所定労働時間が6時間とその労働条件が変更され、そのまま雇入れの日から起算して6箇月継続勤務し、全労働日の8割以上出勤したときは、使用者は、当該労働者に10労働日の年次有給休暇を与えなければならない。

問題 6　／／／

使用者は、労働基準法第39条第4項の規定によるいわゆる時間単位年休に係る労使協定を締結し、かつ、同条第6項の規定によるいわゆる計画的付与に係る労使協定を締結している場合には、年次有給休暇の日数のうち5日を超える部分については、時間単位年休を計画的に付与することができる。

解答 4　×　法39条１項、２項、６項、平成3.12.20基発712号。育児休業申出前に育児休業期間中の日について時季指定や労使協定に基づく計画的付与が行われた場合には、当該日には年次有給休暇を取得したものと解され、当該日に係る賃金支払日については使用者に賃金支払義務が生じる。

年次有給休暇は、労働義務のある日についてのみ請求できるものであるから、育児休業申出後には、育児休業期間中の日について年次有給休暇を請求する余地はない。

解答 5　○　法39条１項、３項、則24条の3,1項、３項、４項、昭和63.3.14基発150号。設問の通り正しい。設問の労働者は、６箇月経過日（基準日）において「１週間の所定労働日数が５日、１日の所定労働時間が６時間」と比例付与の要件（１週間の所定労働日数が４日以下、かつ、１週間の所定労働時間が30時間未満）に該当せず、使用者は、10労働日（通常の労働者の付与日数）の年次有給休暇を与えなければならない。

年次有給休暇の比例付与の対象となるか否かについては、基準日（設問の場合には、雇入れの日から起算して６箇月を超えて継続勤務する日）における労働者の１週間の所定労働日数及び所定労働時間により判断する。

解答 6　×　法39条４項、６項、平成21.5.29基発0529001号。設問のように、計画的付与として時間単位年休を与えることは認められないものとされている。

時間単位年休は、労働者が時間単位による取得を請求した場合において、労働者が請求した時季に時間単位により年次有給休暇を与えることができるものである。

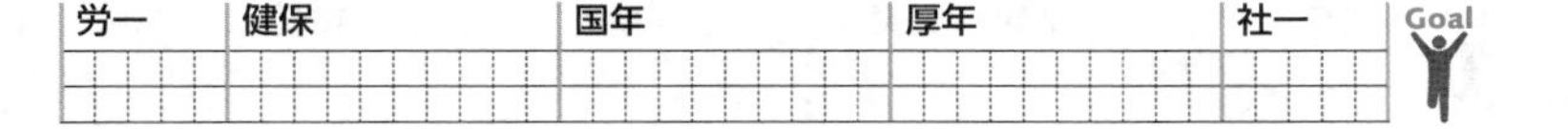

問題 7　／／／

労働者の年次有給休暇の請求（時季指定）に対する使用者の時季変更権の行使が、労働者の指定した休暇期間が開始し又は経過した後にされた場合には、労働者の休暇の請求自体がその指定した休暇期間の始期にきわめて接近してされたため使用者において時季変更権を行使するか否かを事前に判断する時間的余裕がなかったようなときであっても、その時季変更権の行使の効力を認めることはできない、とするのが最高裁判所の判例である。

問題 8　／／／

労働基準法第39条第７項（使用者による時季指定）に規定する「有給休暇の日数が10労働日以上である労働者」には、同条第３項の比例付与の対象となる労働者であって、前年度繰越分の有給休暇と当年度付与分の有給休暇とを合算して初めて10労働日以上となる者も含まれる。

問題 9　／／／

年次有給休暇を取得した期間について、就業規則によって「所定労働時間労働した場合に支払われる通常の賃金」を支払うこととしている場合に、１箇月単位の変形労働時間制を採用していることにより各日の所定労働時間が異なるときは、時給制で労働している労働者に対しては、変形期間における１日当たりの平均所定労働時間に応じて算定される賃金を支払わなければならない。

解答 7　×　法39条５項、最一小昭和57.3.18此花電報電話局事件。最高裁判所の判例では、労働者の年次有給休暇の請求（時季指定）に対する使用者の時季変更権の行使が、労働者の指定した休暇期間が開始し又は経過した後にされた場合であっても、労働者の休暇の請求自体がその指定した休暇期間の始期にきわめて接近してされたため使用者において時季変更権を行使するか否かを事前に判断する時間的余裕がなかったようなときには、それが事前にされなかったことのゆえに直ちに時季変更権の行使が不適法となるものではなく、客観的に時季変更権を行使しうる事由が存し、かつ、その行使が遅滞なくされたものである場合には、適法な時季変更権の行使があったものとしてその効力を認めるのが相当である、としている。

解答 8　×　法39条７項、平成30.12.28基発1228第15号。法39条７項の「有給休暇の日数が10労働日以上である労働者」は、基準日に付与される年次有給休暇の日数が10労働日以上である労働者を規定したものであり、比例付与の対象となる労働者であって、今年度の基準日に付与される年次有給休暇の日数が10労働日未満であるものについては、仮に、前年度繰越分の年次有給休暇を合算すれば10労働日以上となったとしても、「有給休暇の日数が10労働日以上である労働者」には含まれない。

解答 9　×　法39条９項、昭和63.3.14基発150号。変形労働時間制を採用している事業場において、時給制労働者の変形期間中における年次有給休暇取得中に支払うこととされる「通常の賃金」は、各日の所定労働時間に応じて算定される。

労一	健保	国年	厚年	社一

Goal

Basic 9 年少者、妊産婦等

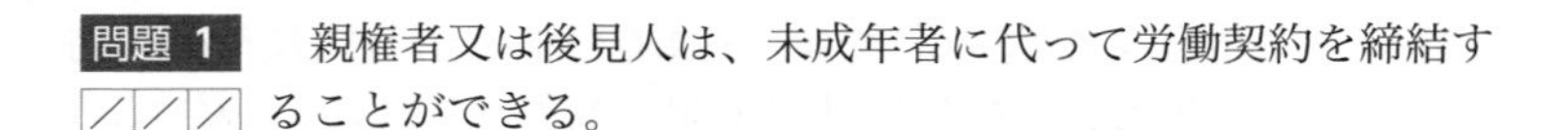

問題 1 親権者又は後見人は、未成年者に代って労働契約を締結することができる。

問題 2 使用者は、原則として、児童が満15歳に達した日以後の最初の３月31日が終了するまで、これを使用してはならない。

問題 3 満18歳に満たない者は、原則として、休憩時間を除き、１週間について40時間を超えて労働させてはならないが、常時10人未満の労働者を使用する保健衛生業の事業場においては、休憩時間を除き、１週間について44時間まで労働させることができるとされている。

問題 4 満18歳に満たない者については、１箇月単位の変形労働時間制、１年単位の変形労働時間制及び１週間単位の非定型的変形労働時間制で労働させることはできないが、フレックスタイム制により労働させることができる。

問題 5 使用者は、原則として、満18歳に満たない者を午後10時から午前５時までの間において使用してはならないが、交替制によって労働させる事業については、所轄労働基準監督署長の許可を受けて、労働基準法第61条第１項の規定にかかわらず午後10時30分まで労働させることができる。

進捗チェック

労基	安衛	労災	雇用	徴収

解答 1　×　法58条１項。親権者又は後見人は、未成年者に代って労働契約を締結してはならない。

解答 2　○　法56条１項。設問の通り正しい。

これも覚える！
法別表第１第１号から５号までに掲げる事業以外の事業（非工業的事業）に係る職業で、児童の健康及び福祉に有害でなく、かつ、その労働が軽易なものについては、行政官庁（所轄労働基準監督署長）の許可を受けて、満13歳以上の児童をその者の修学時間外に使用することができる。映画の製作又は演劇の事業については、満13歳に満たない児童についても、同様とする。

解答 3　×　法32条、法40条１項、法60条、則25条の2,1項。設問の労働時間の特例（１週44時間）は、満18歳に満たない者（年少者）には適用されないので、１週間について44時間まで労働させることはできない。

解答 4　×　法60条１項。満18歳に満たない者については、フレックスタイム制により労働させることもできない。

これも覚える！
満15歳以上（満15歳に達した日以後の最初の３月31日までの間を除く。）で満18歳に満たない者については、１週間48時間、１日８時間を超えない範囲内において、１箇月単位の変形労働時間制又は１年単位の変形労働時間制の規定の例により労働させることができる。

解答 5　○　法61条１項、３項、年少則５条。設問の通り正しい。

ひっかけ注意！
使用者は、満18歳に満たない者を午後10時から午前５時までの間において使用してはならないが、交替制によって使用する満16歳以上の男性については、当該時間帯に使用することができる。この場合においては、設問の場合と異なり、所轄労働基準監督署長の許可は必要ない。

問題 6
／／／

使用者は、演劇の事業に使用する満13歳に満たない児童（いわゆる子役）が演技を行う業務に従事する場合は、行政官庁の許可を受けて、その者の修学時間外において、午後10時まで使用することができる。

問題 7
／／／

使用者は、産後８週間を経過しない女性を就業させてはならない。ただし、産後６週間を経過した女性が請求した場合において、その者について使用者が支障がないと認めた業務に就かせることは、差し支えない。

問題 8
／／／

使用者は、６週間（多胎妊娠の場合にあっては、14週間）以内に出産する予定の女性が休業を請求した場合においては、その者を就業させてはならないが、ここにいう「出産」とは、妊娠４箇月以上の分娩をいい、生産のみならず、流産、死産も含まれる。

問題 9
／／／

使用者は、妊産婦については、当該妊産婦からの請求の有無にかかわらず、深夜業をさせてはならない。

問題10
／／／

労働基準法では、生後満１年に達しない生児を育てる女性は、同法第34条の休憩時間のほか、１日２回各々少なくとも30分、その生児を育てるための時間を請求することができるとしており、男性は育児時間を請求する権利を有しない。

問題11
／／／

使用者は、産後１年を経過しない女性労働者については、当該女性労働者から従事しない旨の申出があった場合には、その者をボイラーの取扱いの業務に就かせてはならない。

解答 6 × 法56条2項、法61条2項、5項、平成16.11.22厚労告407号。設問の児童を使用することができるのは、当分の間「午後9時」までとされている。

解答 7 × 法65条2項。「使用者」ではなく「医師」が支障がないと認めた業務に就かせることは、差し支えないものとされている。

解答 8 ○ 法65条1項、昭和23.12.23基発1885号。設問の通り正しい。

これも覚える！ 妊娠4箇月以上というのは、1箇月28日として計算するので、85日（28日×3箇月＋1日）以上のことである。

解答 9 × 法66条3項、昭和61.3.20基発151号・婦発69号。問題文の「請求の有無にかかわらず」が誤り。妊産婦が請求した場合には、深夜業をさせてはならない。

解答 10 ○ 法67条1項。設問の通り正しい。育児時間を請求することができるのは、生後満1年に達しない生児を育てる「女性」に限られる。

解答 11 ○ 法64条の3,1項、女性則2条1項2号、2項。設問の通り正しい。なお、産後1年を経過しない女性労働者は、ボイラーの取扱い及び溶接の業務等については、当該女性労働者がその業務に従事しない旨を申し出ない場合には、就業させることができる。

Step-Up

9 年少者、妊産婦等

問題 1 ／／／

使用者は、最低年齢の例外の規定により満15歳に達した日以後最初の３月31日が終了するまでの間の児童を使用する場合は、労働基準法第57条第１項に規定する「その年齢を証明する戸籍証明書」又は同条第２項に規定する「修学に差し支えないことを証明する学校長の証明書及び親権者又は後見人の同意書」のいずれかを、事業場に備え付けなければならない。

問題 2 ／／／

満18歳に満たない者が解雇の日から14日以内に帰郷する場合であって、使用者が、その解雇が当該満18歳に満たない者の責に帰すべき事由に基づくものであるとして所轄労働基準監督署長から解雇予告除外の認定を受けたときは、重ねて帰郷旅費支給除外の認定を受けなくても、帰郷旅費を負担する必要はない。

問題 3 ／／／

接客娯楽業の事業については、労働者に休憩を一斉に与える必要はないので、満18歳に満たない労働者についても、特段の手続きをしなくとも、休憩を一斉に与える必要はない。

問題 4 ／／／

満18歳に満たない者であっても、高度プロフェッショナル制度の下で労働することに同意した場合は、当該制度の下で労働をさせることが認められる。

進捗チェック

労基	安衛	労災	雇用	徴収

解答 1　×　法57条。最低年齢の例外の規定によって使用する児童については、労働基準法57条1項に規定する「その年齢を証明する戸籍証明書」並びに同条2項に規定する「修学に差し支えないことを証明する学校長の証明書及び親権者又は後見人の同意書」のいずれについても備付けが義務付けられている。

ひっかけ注意　労働者の年齢を確認する義務は使用者にある。

解答 2　○　法64条ただし書、年少則10条。設問の通り正しい。

所轄労働基準監督署長から解雇予告除外の認定を受けたときは、帰郷旅費支給除外の認定を受けたものとされるので、重ねて帰郷旅費支給除外の認定を受けなくても、帰郷旅費を負担する必要はない。

解答 3　×　法40条、法60条1項、則31条。休憩を一斉に与える必要のない休憩の特例が適用される業種の事業場であっても、満18歳に満たない労働者には、休憩の特例は適用されないので、休憩を一斉に与える必要がある。なお、休憩の一斉付与除外に係る労使協定を締結したときは、満18歳に満たない労働者についても休憩を一斉に与える必要はない。

解答 4　×　法60条1項。満18歳に満たない者については、高度プロフェッショナル制度の下で労働させることはできない。

労一	健保	国年	厚年	社一

Goal

問題 5
／／／

使用者は、満15歳以上で満18歳に満たない者については、満18歳に達するまでの間（満15歳に達した日以後の最初の3月31日までの間を除く。）、1週間について48時間、1日について8時間を超えない範囲内において、労働基準法第32条の2（1箇月単位の変形労働時間制）又は第32条の4及び第32条の4の2（1年単位の変形労働時間制）の規定の例により労働させることができる。

問題 6
／／／

使用者は、労働基準法第66条第2項の規定により、妊産婦が請求した場合においては、同法第33条第1項及び第3項並びに第36条第1項の規定にかかわらず、時間外労働又は休日労働をさせてはならないが、この第66条第2項の規定は、同法第41条第2号に規定する監督又は管理の地位にある妊産婦にも適用される。

問題 7
／／／

使用者は、妊娠中の女性及び産後1年を経過しない女性を、土砂が崩壊するおそれのある場所又は深さが5メートル以上の地穴における業務に就かせてはならない。

問題 8
／／／

「年次有給休暇については労働基準法39条9項においてその期間所定の賃金等を支払うべきことが定められているのに対し、同法68条の生理休暇についてはそのような規定が置かれていないことを考慮すると、その趣旨は、労働者が生理休暇の請求をすることによりその間の就労義務を免れ、その労務の不提供につき労働契約上債務不履行の責めを負うことのないことを定めたにとどまり、生理休暇が有給であることまでをも保障したものではないと解するのが相当である」とするのが最高裁判所の判例である。

進捗チェック

労基	安衛	労災	雇用	徴収

解答 5　○　法60条3項2号、則34条の2の4。設問の通り正しい。

これも覚える！

満15歳以上で満18歳に満たない者については、満18歳に達するまでの間（満15歳に達した日以後の最初の3月31日までの間を除く。）については、設問のほか、1週間の労働時間が法32条1項の労働時間（40時間）を超えない範囲内において、1週間のうち1日の労働時間を4時間以内に短縮する場合において、他の日の労働時間を10時間まで延長する変形労働が認められている。

解答 6　×　法41条2号、法66条2項、昭和61.3.20基発151号、婦発69号。監督又は管理の地位にある者等法41条該当者については、労働時間、休憩及び休日の規定が適用されないため、法41条該当者である妊産婦には、法66条2項の規定は適用されない。

解答 7　×　法64条の3,1項、女性則2条1項13号、2項。設問の業務は、妊娠中の女性に対しては就業制限業務であるが、産後1年を経過しない女性については、当該業務に就業させることができる。

解答 8　○　最三小昭和60.7.16エヌ・ビー・シー工業事件。設問の通り正しい。

労一	健保	国年	厚年	社一

Goal

問題 9　／／／

産前産後休業の日数を、就業規則の条項により賞与の額の算定に当たって欠勤扱いとすることは、賞与の額を一定の範囲内でその欠勤日数に応じて減額するにとどまるものであり、加えて、産前産後休業を取得した労働者は、法律上、その不就労期間に対応する賃金請求権を有しておらず、就業規則においても、当該不就労期間は無給とされているのであるから、産前産後休業による欠勤日数に応じて賞与の額を減額する条項は、労働者の産前産後休業を取得する権利の行使を抑制し、労働基準法が当該権利を保障した趣旨を実質的に失わせるものとまでは認められず、これをもって直ちに公序に反し無効なものということはできない、とするのが最高裁判所の判例である。

進捗チェック

労基　安衛　労災　雇用　徴収

解答 9　○　最一小平成15.12.4東朋学園事件。設問の通り正しい。

設問は、欠勤日数に応じた賞与の減額措置を定めたことについての判旨であるが、同判例では、出勤率が90%以上の従業員を賞与支給対象者としこれに満たない者には賞与を支給しないこととする旨の就業規則条項を定めたことについても判示している。
これについては、就業規則の条項により、出勤率90%未満の者には一切賞与を支給しないと定めている場合であって、出勤すべき日数に産前産後休業の日数を算入し、出勤した日数に産前産後休業の日数を含めないものとしているときは、経済的不利益は大きなものである上、90%という出勤率の数値からみて、労働者が産前産後休業を取得した場合には、それだけで同条項に該当し、賞与の支給を受けることができなくなる可能性が高いものであるので、産前産後休業を取得する権利の行使を抑制し、労働基準法が当該権利を保障した趣旨を実質的に失わせるものというべきであるから、当該就業規則の条項は、公序に反し無効であるというべきである、としている。

Basic

10 就業規則、監督等その他

問題 1

労働基準法第89条に定める就業規則の作成義務の要件である「常時10人以上の労働者を使用する」とは、10人以上の労働者を雇用する期間が1年のうち一定期間あるという意味であり、通常は8人であっても、繁忙期においてさらに2〜3人雇い入れるという場合も、これに含まれる。

問題 2

始業及び終業の時刻、所定労働時間を超える労働の有無に関する事項は、就業規則に必ず記載しなければならない絶対的必要記載事項である。

問題 3

1つの企業が2つの工場を持っており、いずれの工場も、使用している労働者は常時10人未満であるが、2つの工場を合わせて1つの企業としてみたときは常時10人以上となる場合、2つの工場がそれぞれ独立した事業場と考えられる場合でも、使用者は就業規則の作成義務を負う。

問題 4

使用者は、就業規則の作成又は変更について、当該事業場に、労働者の過半数で組織する労働組合がある場合においてはその労働組合、労働者の過半数で組織する労働組合がない場合においては労働者の過半数を代表する者の同意を得なければならない。

進捗チェック

労基	安衛	労災	雇用	徴収

解答 1　×　法89条。法89条の「常時10人以上の労働者を使用する」とは、時として10人未満となることはあっても、常態として10人以上の労働者を使用しているという意味であり、設問のように、通常は８人であっても、繁忙期においてさらに２～３人雇い入れるという場合は、これに含まれない。

解答 2　×　法89条。「所定労働時間を超える労働の有無」に関する事項は、就業規則の絶対的必要記載事項に含まれていない。

解答 3　×　法89条。就業規則の作成義務が課せられる要件である「常時10人以上の労働者を使用する」については、企業単位ではなく事業場を単位としてみるものである。したがって、設問のように２つの工場がそれぞれ独立した事業場と考えられる場合には、いずれの工場も人数要件を満たさず、就業規則の作成義務を負わない。

解答 4　×　法90条１項。就業規則の作成又は変更については、労働者の過半数で組織する労働組合がある場合においてはその労働組合、労働者の過半数で組織する労働組合がない場合においては労働者の過半数を代表する者の意見を聴かなければならないのであって、同意を得る必要はない。

ひっかけ注意！　派遣元の使用者は、就業規則を作成する場合には、当該派遣元の事業場の労働者の過半数代表者等の意見を聴かなければならないが、この場合の労働者とは、当該派遣元の事業場のすべての労働者であり、派遣中の労働者とそれ以外の労働者との両者を含むものである。

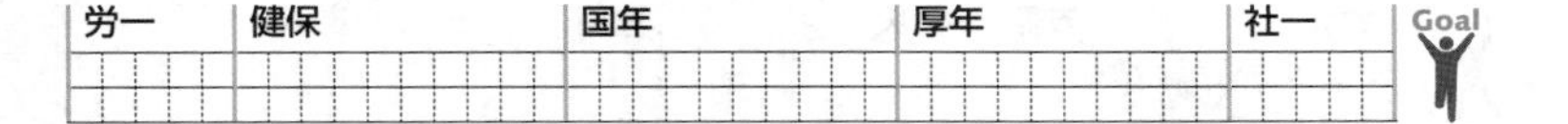

問題 5　☐／☐／☐／

就業規則で、労働者に対して減給の制裁を定める場合においては、その減給は、1回の額が平均賃金の1日分の10分の1を超え、総額が一賃金支払期における賃金の総額の半額を超えてはならない。

問題 6　☐／☐／☐／

就業規則が法令又は当該事業場について適用される労働協約に抵触する場合には、行政官庁は、当該就業規則の変更を命ずることができる。

問題 7　☐／☐／☐／

事業の附属寄宿舎に労働者を寄宿させる使用者は、事業の附属寄宿舎に寄宿する労働者の外泊について使用者の承認を受けさせることができる。

問題 8　☐／☐／☐／

使用者は、各事業場ごとにすべての各労働者について労働者名簿を調製し、労働者の氏名、生年月日、履歴その他厚生労働省令で定める事項を記入しなければならない。

問題 9　☐／☐／☐／

賃金（退職手当を除く。）の請求権は、当分の間、これを行使することができる時から2年間行わない場合においては、時効によって消滅する。

解答 5　×　法91条。設問の減給の制裁の金額は、１回の額が平均賃金の１日分の「半額」を超え、総額が一賃金支払期における賃金の総額の「10分の１」を超えてはならないとされている。

解答 6　○　法92条２項。設問の通り正しい。

解答 7　×　法94条１項、寄宿舎規程４条１号。事業の附属寄宿舎に寄宿する労働者の外泊について使用者の承認を受けさせることは、労働者の私生活の自由を侵すことになり、これをさせることはできない。

解答 8　×　法107条１項。労働者名簿の調製は、すべての各労働者について行わなければならないのではなく、「各労働者（日日雇い入れられる者を除く。）」について行わなければならないものとされている。

日日雇い入れられる者については、労働者名簿の調製義務はないが、賃金台帳の調製義務はある。

解答 9　×　法115条、法附則143条３項。賃金（退職手当を除く。）の請求権は、当分の間、これを行使することができる時から「３年間」行わない場合においては、時効によって消滅する。

請求権	消滅時効の期間
賃金請求権（退職手当請求権を除く。）	５年間（当分の間、３年間）
退職手当請求権	５年間
労働基準法の規定による災害補償その他の請求権（賃金の請求権を除く。）	２年間

Step-Up

10 就業規則、監督等その他

問題 1

派遣元の使用者は、就業規則を作成する場合には、当該派遣元の事業場の労働者の過半数代表者等の意見を聴かなければならないが、この場合の労働者とは、当該派遣元の事業場のすべての労働者であり、派遣中の労働者とそれ以外の労働者との両者を含むものである。

問題 2

同一の企業内において、常時30人の労働者を使用する本社及び常時８人の労働者を使用する支社があり、本社及び支社がそれぞれ労働基準法上の別個の事業と認められる場合においては、本社にのみ就業規則の作成義務が生じる。

問題 3

監視又は断続的労働に従事する者で、使用者が所轄労働基準監督署長の許可を受けた者については、労働時間の規定が適用されないので、就業規則にこれらの者の始業及び終業の時刻に関する事項を定めなくても、労働基準法違反とはならない。

問題 4

常時10人未満の労働者を使用する使用者は、就業規則を作成する義務がないため、労働基準法第91条の減給の制裁の限度の規定は適用されず、これを超える減給の制裁を行った場合であっても、同条違反とならない。

進捗チェック

労基	安衛	労災	雇用	徴収

解答 1 ○　法90条１項、昭和61.6.6基発333号。設問の通り正しい。

解答 2 ○　法89条。設問の通り正しい。労働基準法は１つの事業場を適用単位とするため、設問の場合は、同法89条の「常時10人以上の労働者を使用する」に該当する本社にのみ就業規則の作成義務が生じる。

就業規則の作成及び届出の義務は、１つの企業単位ではなく、各事業場ごとに課せられる。

解答 3 ×　法41条３号、法89条１号、則34条、昭和23.12.25基収4281号。設問の法41条該当者についても法89条（就業規則）の規定は適用されるので、就業規則に始業及び終業の時刻を定めておかなければならない。

解答 4 ×　法91条。法91条の就業規則とは、就業規則一般をいい、法89条の規定により常時10人以上の労働者を使用する使用者が作成する就業規則に限るものではない。また、法91条の趣旨は、減給の制裁の限度を規制することにあるため、就業規則がない場合において、同条の制限を超える減給の制裁を行ったときも、同条違反となる。

問題 5
／／／

使用者は、労働基準法第36条第１項（時間外及び休日の労働）に規定する協定及び同法第41条の２第１項（いわゆる高度プロフェッショナル制度）に規定する労使委員会の決議を労働者に周知させなければならないが、その周知は、対象労働者に対してのみ義務付けられている。

問題 6
／／／

労働基準法は、同法が定める規定に違反する行為をした者に対して罰則を定めているだけでなく、その事業主に対しても罰金刑を科すものとしているが、事業主が違反の防止に必要な措置をした場合においては、当該事業主に対しては罰金刑を科さないものとしている。

解答 5　×　法106条１項、平成12.1.1基発１号。設問の周知は、対象労働者に限らず、すべての労働者に対して行うことが義務付けられている。

解答 6　○　法121条１項。設問の通り正しい。なお、事業主が違反の計画を知りその防止に必要な措置を講じなかった場合、違反行為を知りその是正に必要な措置を講じなかった場合又は違反を教唆した場合においては、事業主も行為者として罰することとされている。

労働安全衛生法

1　安全衛生管理体制等
2　機械等及び危険・有害物に関する規制
3　労働者の就業管理・健康管理等

Basic

1 安全衛生管理体制等

問題 1 ／／／

労働安全衛生法において「事業者」とは、事業主又は事業の経営担当者その他その事業の労働者に関する事項について、事業主のために行為をするすべての者をいう。

問題 2 ／／／

機械、器具その他の設備を設計し、製造し、若しくは輸入する者、原材料を製造し、若しくは輸入する者又は建設物を建設し、若しくは設計する者は、これらの物の設計、製造、輸入又は建設に際して、これらの物が使用されることによる労働災害の発生の防止に協力するようにしなければならない。

問題 3 ／／／

事業者は、常時100人の労働者を使用する製造業の事業場においては、総括安全衛生管理者を選任しなければならない。

解答 1　×　法2条3号。労働安全衛生法において「事業者」とは、「事業を行う者で、労働者を使用するもの」をいう。設問の内容は、労働基準法の使用者の定義である。なお、「事業者」は、その事業における経営主体のことをいい、個人企業にあってはその事業主個人、会社その他の法人の場合には法人そのもの（法人の代表者ではない。）を指す。

解答 2　×　法3条2項。「労働災害の発生の防止に協力するようにしなければならない。」ではなく、「労働災害の発生の防止に資するように努めなければならない。」である。

解答 3　×　法10条1項、令2条2号。製造業の事業場の事業者は、常時300人以上の労働者を使用する場合に、総括安全衛生管理者を選任しなければならない。なお、総括安全衛生管理者を選任すべき業種と規模は下表のとおりである。

業種	使用労働者数
（屋外的産業） 林業、鉱業、建設業、運送業及び清掃業	常時100人以上
（製造工業的産業） 製造業（物の加工業を含む。）、電気業、ガス業、熱供給業、水道業、通信業、自動車整備業、機械修理業 （商業等） 各種商品卸売業、家具・建具・じゅう器等卸売業、各種商品小売業、家具・建具・じゅう器小売業、燃料小売業、旅館業、ゴルフ場業	常時300人以上
その他の業種	常時1,000人以上

問題 4
／／／

　総括安全衛生管理者は、労働安全衛生法第10条第１項各号に掲げる業務を統括管理するのに必要な知識についての研修であって厚生労働大臣が定めるものを修了したもののうちから選任しなければならない。

問題 5
／／／

　安全管理者は、少なくとも毎週１回作業場等を巡視し、設備、作業方法等に危険のおそれがあるときは、直ちに、その危険を防止するため必要な措置を講じなければならない。

問題 6
／／／

　常時60人の労働者を使用する事業場の事業者は、その業種にかかわらず、衛生管理者及び産業医を選任しなければならない。

問題 7
／／／

　常時1,000人を超える労働者を使用する事業場では、事業者は、２人以上の産業医を選任しなければならない。

問題 8
／／／

　産業医は、労働者の健康管理等を行うのに必要な医学に関する知識に基づいて、誠実にその職務を行わなければならない。

問題 9
／／／

　事業者は、常時10人以上50人未満の労働者を使用する事業場ごとに、安全衛生推進者（安全管理者を選任すべき業種以外の業種の事業場にあっては、衛生推進者）を選任しなければならない。

解答 4 × 法10条2項。「総括安全衛生管理者は、当該事業場においてその事業の実施を統括管理する者をもって充てなければならない。」とされており、特段の資格、免許等は必要とされていない。

解答 5 × 法11条1項、則6条1項。安全管理者は作業場等を巡視しなければならないが、その頻度については特に規定されていない。

ひっかけ注意 衛生管理者は、少なくとも毎週1回作業場等を巡視しなければならない。

解答 6 ○ 法12条1項、法13条1項、令4条、令5条。設問の通り正しい。

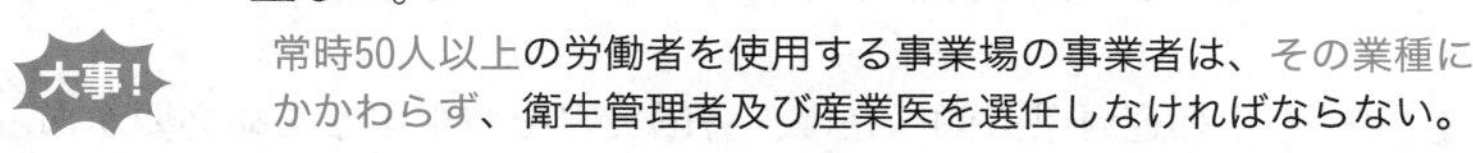

大事！ 常時50人以上の労働者を使用する事業場の事業者は、その業種にかかわらず、衛生管理者及び産業医を選任しなければならない。

解答 7 × 法13条1項、則13条1項4号。2人以上の産業医を選任しなければならないのは、常時「3,000人を超える」労働者を使用する事業場である。

解答 8 ○ 法13条3項。設問の通り正しい。

解答 9 ○ 法12条の2、則12条の2。設問の通り正しい。

これも覚える！ 安全衛生推進者又は衛生推進者の選任は、都道府県労働局長の登録を受けた者が行う講習を修了した者その他総括安全衛生管理者が統括管理すべき業務（衛生推進者にあっては、衛生に係る業務に限る。）を担当するため必要な能力を有すると認められる者のうちから行わなければならない。

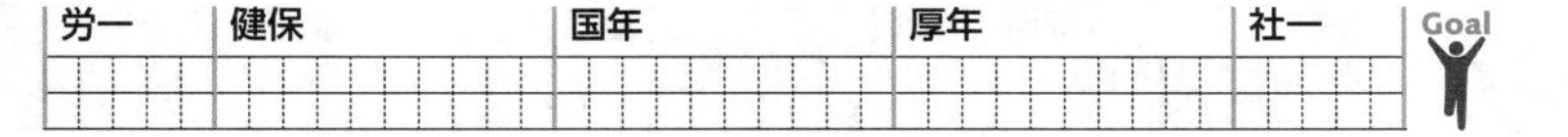

問題10 ／／／

事業者は、作業主任者を選任したときは、遅滞なく、電子情報処理組織を使用して、所定の事項を、所轄労働基準監督署長に報告しなければならない。

問題11 ／／／

事業者は、当該事業場の労働者で、作業環境測定士であるものを衛生委員会の委員として指名しなければならない。

問題12 ／／／

事業者は、安全委員会、衛生委員会又は安全衛生委員会を毎月１回以上開催するようにしなければならない。

問題13 ／／／

都道府県労働局長は、労働災害を防止するため必要があると認めるときは、統括安全衛生責任者を選任した事業者に対し、当該統括安全衛生責任者の解任を命ずることができる。

問題14 ／／／

統括安全衛生責任者を選任した特定元方事業者で、造船業に属する事業を行うものは、元方安全衛生管理者を選任しなければならない。

解答10　×　法14条、則18条。事業者は、作業主任者を選任したときは、当該作業主任者の氏名及びその者に行わせる事項を作業場の見やすい箇所に掲示する等により関係労働者に周知させなければならない。

作業主任者の選任については、所轄労働基準監督署長への報告義務はない。

解答11　×　法18条３項。作業環境測定士は、衛生委員会の委員として指名することができるのであって、必ず指名しなければならないわけではない。

解答12　○　則23条１項。設問の通り正しい。

解答13　×　法15条５項。都道府県労働局長が、統括安全衛生責任者を選任した事業者に対して当該統括安全衛生責任者の解任を命ずることができる旨の規定はない。

これも覚える！

都道府県労働局長は、労働災害を防止するため必要があると認めるときは、統括安全衛生責任者の業務の執行について、当該統括安全衛生責任者を選任した事業者に勧告することができる。

解答14　×　法15条の2,1項。元方安全衛生管理者を選任しなければならない事業者は、統括安全衛生責任者を選任した特定元方事業者であって、建設業に属する事業を行うものである。

これも覚える！

「特定元方事業者」とは、特定事業（建設業又は造船業）を行う元方事業者をいう。

問題15　事業者は、労働者が墜落するおそれのある場所、土砂等が崩壊するおそれのある場所等に係る危険を防止するため必要な措置を講じなければならない。

解答 15　○　法21条2項。設問の通り正しい。なお、設問の規定に基づく措置（場所の管理権限に基づく危険な場所への立入禁止等に係るものに限る。）について、事業者は、労働者と同じ場所で作業を行う労働者以外の一人親方等に対しても労働者と同等の保護措置を講じなければならない。

Step-Up

1 安全衛生管理体制等

問題 1
／／／

2以上の建設業に属する事業の事業者が、一の場所において行われる当該事業の仕事を共同連帯して請け負った場合においては、そのうちの一人を代表者として定め、これを都道府県労働局長に届け出なければならない。

問題 2
／／／

3人の安全管理者を選任する場合において、3人の安全管理者のうち、3人ともが労働安全コンサルタントであるときは、当該労働安全コンサルタントのうち2人については、専属の者でなくてもよい。

問題 3
／／／

常時500人の労働者を使用し、深夜業を含む業務に常時30人の労働者を従事させる事業場の事業者は、少なくとも3人の衛生管理者を選任しなければならず、その衛生管理者のうち少なくとも1人を専任の衛生管理者としなければならない。

解答 1　○　法５条１項。設問の通り正しい。設問の場合においては、当該事業をその代表者のみの事業と、当該代表者のみを当該事業の事業者と、当該事業の仕事に従事する労働者を当該代表者のみが使用する労働者とそれぞれみなして、労働安全衛生法が適用される。

解答 2　×　則４条１項２号。設問の場合、当該労働安全コンサルタントのうち「１人」については、専属の者でなくてもよい。

ひっかけ注意　２人以上の安全管理者を選任する場合において、当該安全管理者の中に労働安全コンサルタントがいるときは、当該労働安全コンサルタントのうち１人については、専属の者でなくてもよい。

解答 3　×　則７条１項４号、５号。設問の事業場の規模は、使用する労働者数が常時「200人を超え500人以下」に該当するため、少なくとも２人の衛生管理者を選任しなければならない（下表を参照）。また、「衛生管理者のうち少なくとも１人を専任の衛生管理者としなければならない」のは、常時1,000人を超える労働者を使用する事業場、又は常時500人を超える労働者を使用する事業場で坑内労働又は健康上特に有害な業務に常時30人以上の労働者を従事させるものである。なお、設問の「深夜業を含む業務」はこの「健康上特に有害な業務」には含まれていない。

事業場の規模（使用する労働者数）	衛生管理者数
常時50人以上　200人以下	１人以上
常時200人超え　500人以下	２人以上
常時500人超え　1,000人以下	３人以上
常時1,000人超え　2,000人以下	４人以上
常時2,000人超え　3,000人以下	５人以上
常時3,000人超え	６人以上

問題 4
／／／

常時50人の労働者を使用するゴルフ場業の事業場の事業者は、産業医を選任する義務があるが、厚生労働大臣の指定する者（法人に限る。）が行う労働者の健康管理等を行うのに必要な医学に関する知識についての研修を修了した医師であれば、他に資格等を有していない場合であっても、その者を産業医に選任し、当該事業場の労働者の健康管理等を行わせることができる。

問題 5
／／／

安全衛生推進者は、その事業場に専属の者を選任しなければならないが、労働安全コンサルタントから選任する場合は、その事業場に専属の者でなくてもよい。

問題 6
／／／

派遣先事業者は、派遣労働者を含めて常時使用する労働者数を算出し、それにより算定した事業場の規模等に応じて、総括安全衛生管理者、安全管理者、衛生管理者、安全衛生推進者又は衛生推進者及び産業医の選任を行わなければならない。

問題 7
／／／

事業者は、高圧室内作業（一定の作業に限る。）については、作業主任者を選任しなければならないが、当該作業主任者は、都道府県労働局長の登録を受けた者が行う技能講習を修了した者でなければならない。

進捗チェック

労基	安衛	労災	雇用	徴収

解答 4　○　法13条1項、2項、令5条、則14条2項1号。設問の通り正しい。産業医は、労働衛生コンサルタント試験に合格した医師でその試験の区分が保健衛生である者、厚生労働大臣の指定する者（法人に限る。）が行う労働者の健康管理等を行うのに必要な医学に関する知識についての研修を修了した医師、産業医科大学その他の大学であって厚生労働大臣が指定するものにおいて所定の課程を修めて卒業した者であって、その大学が行う実習を履修した医師等の中から選任しなければならない。

解答 5　○　法12条の2、則12条の3,1項2号。設問の通り正しい。なお、事業者は、安全衛生推進者を選任すべき事由が発生した日から14日以内に選任しなければならないが、選任についての報告義務はない。

安全衛生推進者の職務は、安全衛生業務について権限と責任を有する者の指揮を受けて当該業務を担当することであり、安全衛生業務の技術的事項の管理について権限と責任を有する安全管理者又は衛生管理者とは役割が異なる。

解答 6　○　法10条1項、法11条1項、法12条1項、法12条の2、法13条1項、派遣法45条1項、3項、5項、同令6条3項～5項。設問の通り正しい。

派遣元事業者については、派遣労働者を含めて常時使用する労働者数を算出し、それにより算定した事業場の規模等に応じて、総括安全衛生管理者、衛生管理者、安全衛生推進者又は衛生推進者及び産業医の選任を行うこととされている。

解答 7　×　法14条、令6条1号、則16条1項、則別表第1。設問の作業主任者は、「都道府県労働局長の登録を受けた者が行う技能講習を修了した者」ではなく、「都道府県労働局長の免許（高圧室内作業主任者免許）を受けた者」でなければならない。

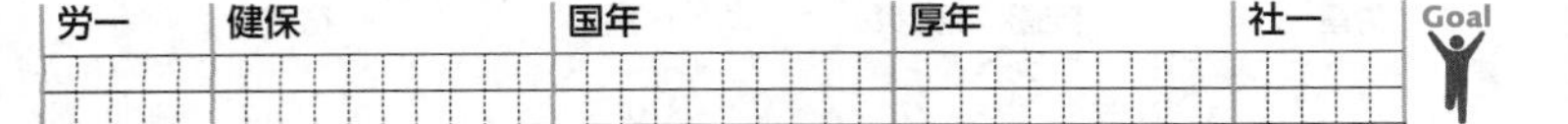

問題 8 ／／／

事業者は、ずい道等の建設の作業を行う場合において、落盤、出水等による労働災害発生の急迫した危険があるときは、直ちに作業を中止し、労働者を安全な場所に退避させなければならない。

問題 9 ／／／

衛生委員会の調査審議事項には、リスクアセスメント対象物に労働者がばく露される程度を最小限度にするために講ずる措置及び濃度基準値設定物質について、労働者がばく露される程度を濃度基準値以下とするために講ずる措置に関すること並びにリスクアセスメント対象物健康診断の実施及びその結果に基づき講ずる措置に関することが含まれている。

問題10 ／／／

労働安全衛生法第28条の２第１項に規定する事業者の行うべき調査のうち、化学物質、化学物質を含有する製剤その他の物で労働者の危険又は健康障害を生ずるおそれのあるものに係るものについては、製造業その他厚生労働省令で定める業種に属する事業者に限り、その実施が努力義務として課されている。

問題11 ／／／

業種のいかんを問わず、元方事業者は、関係請負人及び関係請負人の労働者が、当該仕事に関し、労働安全衛生法又はこれに基づく命令の規定に違反しないよう必要な指導を行わなければならず、これらの規定に違反していると認めるときは、是正のため必要な指示を行わなければならない。

解答 8　○　法25条、法27条１項、則389条の７。設問の通り正しい。設問は、法25条（事業者は、労働災害発生の急迫した危険があるときは、直ちに作業を中止し、労働者を作業場から退避させる等必要な措置を講じなければならない。）に関する必要な措置である。

解答 9　○　法18条１項４号、則22条11号。設問の通り正しい。なお、「濃度基準値設定物質」とは、リスクアセスメント対象物のうち、一定程度のばく露に抑えることにより、労働者に健康障害を生ずるおそれがない物として厚生労働大臣が定めるものをいい、「リスクアセスメント対象物健康診断」とは、リスクアセスメント対象物を製造し、又は取り扱う業務に常時従事する労働者等に対して行う医師又は歯科医師による健康診断のことをいう。

解答10　×　法28条の2,1項。設問の調査については、すべての事業者にその実施が努力義務として課されている。

これも覚える！　法28条の2,1項に規定する事業者の行うべき調査のうち、化学物質、化学物質を含有する製剤その他の物で労働者の危険又は健康障害を生ずるおそれのあるものに係るもの以外のものについては、製造業その他厚生労働省令で定める業種に属する事業者に限り、その実施が努力義務として課されている。

解答11　○　法29条１項、２項。設問の通り正しい。

ひっかけ注意　設問の規定（元方事業者の講ずべき措置等）に基づく指導・指示を行わなければならない元方事業者は、特定元方事業者に限られていないことに注意のこと。

問題12 ／／／

建設業又は造船業に属する事業を行う特定元方事業者は、その労働者及び関係請負人の労働者の作業が同一の場所において行われることによって生ずる労働災害を防止するため、仕事の工程に関する計画及び作業場所における機械、設備等の配置に関する計画を作成するとともに、当該機械、設備等を使用する作業に関し関係請負人が労働安全衛生法又は同法に基づく命令の規定に基づき講ずべき措置についての指導を行うことに関して必要な措置を講じなければならない。

問題13 ／／／

製造業に属する事業（特定事業を除く。）の元方事業者は、その労働者及び関係請負人の労働者の作業が同一の場所において行われることによって生ずる労働災害を防止するため、作業場所を巡視することに関する措置その他必要な措置を講じなければならない。

問題14 ／／／

不整地運搬車を他の事業者に貸与する者は、原則として、当該不整地運搬車の貸与を受けた事業者の事業場における当該不整地運搬車による労働災害を防止するため必要な措置を講じなければならないが、当該不整地運搬車を無償で貸与するときは、当該措置を講じなくてもよい。

解答12 ×　法30条１項５号、則638条の２。設問の計画の作成等の事項に関する措置は、建設業に属する事業を行う特定元方事業者のみに義務付けられている。

特定元方事業者の講ずべき措置は次の通りである。
①協議組織の設置及び運営を行うこと。
②作業間の連絡及び調整を行うこと。
③作業場所を巡視すること。（毎作業日に少なくとも１回）
④関係請負人が行う労働者の安全又は衛生のための教育に対する指導及び援助を行うこと。
⑤建設業に属する事業を行う特定元方事業者にあっては、仕事の工程に関する計画及び作業場所における機械、設備等の配置に関する計画を作成するとともに、当該機械、設備等を使用する作業に関し関係請負人が労働安全衛生法又は同法に基づく命令の規定に基づき講ずべき措置についての指導を行うこと。
⑥上記①～⑤のほか、労働災害を防止するため必要な事項（クレーン等の運転についての合図の統一など）

解答13 ×　法30条の2,1項。設問の元方事業者については、「作業場所を巡視することに関する措置」を講ずることは義務付けられていない。なお、「作業間の連絡及び調整を行うことに関する措置」は、講じなければならないとされている。

解答14 ○　法33条１項、令10条３号、則665条。設問の通り正しい。機械等の貸与を受けた事業者の事業場における当該機械等による労働災害を防止するため必要な措置を講じなければならない「機械等貸与者」とは、相当の対価を得て業として他の事業者に機械等を貸与する者（いわゆるリース業者）であり、無償で貸与する者は含まれない。

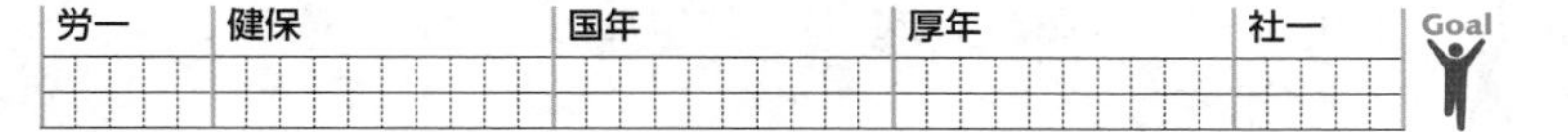

問題 15 ／／／

建築物で、政令で定めるものを他の事業者に貸与する者は、原則として、当該建築物の貸与を受けた事業者の事業に係る当該建築物による労働災害を防止するため必要な措置を講じなければならないとされている。これは、当該建築物の全部を一の事業者に貸与するときにおいても同様である。

問題 16 ／／／

一の貨物で、重量が1トン以上のものを発送しようとする者は、見やすく、かつ、容易に消滅しない方法で、当該貨物にその重量を表示しなければならない。ただし、包装されていない貨物で、その重量が一見して明らかであるものを発送しようとするときは、この限りでない。

問題 17 ／／／

ガス工作物その他政令で定める工作物を設けている者は、当該工作物の所在する場所又はその附近で工事その他の仕事を行う事業者から、当該工作物による労働災害の発生を防止するためにとるべき措置についての教示を求められたときは、これを教示しなければならない。

解答15 × 法34条。当該建築物の全部を一の事業者に貸与するときは、設問の措置を講じなくてもよい。なお、設問のその他の記述は正しい。

機械等貸与者と異なり、建築物貸与者は、有償で貸与すると無償で貸与するとを問わず、必要な措置を講ずることが義務付けられている。

解答16 ○ 法35条。設問の通り正しい。なお、「その重量が一見して明らかであるもの」とは、丸太、石材、鉄骨材等のように外観により重量の推定が可能であるものをいう。

解答17 ○ 法102条。設問の通り正しい。なお、「政令で定める工作物」とは、電気工作物、熱供給施設及び石油パイプラインのことである。

Basic

2 機械等及び危険・有害物に関する規制

問題 1 ／／／

特に危険な作業を必要とする機械等として労働安全衛生法別表第1に掲げるもので、政令で定めるもの（以下「特定機械等」という。）を製造しようとする者は、厚生労働省令で定めるところにより、あらかじめ、厚生労働大臣の許可を受けなければならない。

問題 2 ／／／

製造時等検査に合格した移動式の特定機械等について検査証を交付するのは、労働基準監督署長である。

問題 3 ／／／

動力により駆動される機械等で、作動部分上の突起物又は動力伝導部分若しくは調速部分に厚生労働省令で定める防護のための措置が施されていないものは、譲渡し、貸与し、又は譲渡若しくは貸与の目的で展示してはならない。

問題 4 ／／／

事業者は、特定機械等については、自主検査のうち、その使用する労働者で厚生労働省令で定める資格を有するもの又は検査業者が実施する特定自主検査を行わなければならない。

解答 1　×　法37条1項。特定機械等を製造しようとする者は、厚生労働省令で定めるところにより、あらかじめ、都道府県労働局長の許可を受けなければならない。

解答 2　×　法39条1項。設問の検査証を交付するのは、都道府県労働局長又は登録製造時等検査機関である。

これも覚える！　移動式以外の特定機械等については、労働基準監督署長が行う設置に係る検査に合格したときに、労働基準監督署長が検査証を交付する。

解答 3　○　法43条。設問の通り正しい。

解答 4　×　法45条1項、2項、令15条2項。特定機械等については、定期自主検査を行わなければならないが、特定自主検査を行う必要はない。

労一	健保	国年	厚年	社一	Goal

問題 5 ／／／

事業者は、リスクアセスメント対象物を製造し、又は取り扱う事業場ごとに、化学物質管理者を選任しなければならない。

問題 6 ／／／

化学物質管理者を選任した事業者は、リスクアセスメントの結果に基づく措置として、労働者に保護具を使用させるときは、保護具着用管理責任者を選任し、所定の事項を管理させなければならない。

問題 7 ／／／

新規化学物質を製造し、又は輸入しようとする事業者は、原則として、あらかじめ、厚生労働大臣の定める基準に従って有害性の調査を行い、当該新規化学物質の名称、有害性の調査の結果その他の事項を厚生労働大臣に届け出なければならない。

解答 5 ○ 則12条の5,1項。設問の通り正しい。化学物質管理者は、業種・事業場規模を問わず、次の事業場ごとに選任しなければならない。

①リスクアセスメント対象物を製造し、又は取り扱う事業場

②リスクアセスメント対象物の譲渡又は提供を行う事業場（上記①の事業場を除く。）

表示対象物及び通知対象物による危険性又は有害性等の調査（主として一般消費者の生活の用に供される製品に係るものを除く。）を「リスクアセスメント」といい、リスクアセスメントをしなければならない表示対象物及び通知対象物を「リスクアセスメント対象物」という。

解答 6 ○ 則12条の6,1項。設問の通り正しい。なお、設問の所定の事項は、①保護具の適正な選択に関すること、②労働者の保護具の適正な使用に関すること、③保護具の保守管理に関することである。

保護具着用管理責任者は、その選任すべき事由が発生した日から14日以内に、保護具に関する知識及び経験を有すると認められる者のうちから選任しなければならない。

解答 7 ○ 法57条の4,1項。設問の通り正しい。

厚生労働大臣は、新規化学物質に関する届出があった場合には、有害性の調査の結果について学識経験者の意見を聴き、当該届出に係る化学物質による労働者の健康障害を防止するため必要があると認めるときは、届出をした事業者に対し、施設又は設備の設置又は整備、保護具の備付けその他の措置を講ずべきことを勧告することができるとされている。

2 機械等及び危険・有害物に関する規制

問題 1

プレス機械又はシャーの安全装置は、労働安全衛生法第42条により、厚生労働大臣が定める規格又は安全装置を具備しなければ、譲渡し、貸与し、又は設置してはならないとされている機械等（本邦の地域内で使用されないことが明らかな場合を除く。）に該当する。

問題 2

事業者は、現に使用しているフォークリフトについては、1年を超えない期間ごとに1回、定期に、労働安全衛生規則で定める自主検査を行わなければならないとされているが、最大荷重が3トン未満のフォークリフトは除かれている。

問題 3

ベンゼンを含有する製剤を容器に入れ、又は包装して、譲渡し、又は提供する者は、原則として、その容器又は包装（容器に入れ、かつ、包装して、譲渡し、又は提供するときにあっては、その容器）に名称、人体に及ぼす作用、貯蔵又は取扱い上の注意等の一定事項を表示しなければならない。

問題 4

事業者は、リスクアセスメント対象物を製造し、又は取り扱う業務に常時従事する労働者に対し、労働安全衛生法第66条の規定による健康診断のほか、リスクアセスメント対象物に係るリスクアセスメントの結果に基づき、関係労働者の意見を聴き、必要があると認めるときは、医師又は歯科医師が必要と認める項目について、医師又は歯科医師による健康診断を行わなければならない。

進捗チェック

労基	安衛	労災	雇用	徴収

解答 1 ○ 法42条、法別表第2,5号。設問の通り正しい。

解答 2 × 法45条1項、2項、則151条の21、則151条の24,1項。フォークリフトの自主検査について、「最大荷重が3トン未満のフォークリフトは除く。」という規定はない。

解答 3 ○ 法57条1項。設問の通り正しい。ただし、その容器又は包装のうち、主として一般消費者の生活の用に供するためのものはこの限りでないとされている。なお、設問の規定は、爆発性の物、発火性の物、引火性の物その他の労働者に危険を生ずるおそれのある物若しくはベンゼン、ベンゼンを含有する製剤その他の労働者に健康障害を生ずるおそれのある物で政令で定めるもの又は法56条1項のいわゆる製造許可物質を容器に入れ、又は包装して、譲渡し、又は提供する者に対して適用がある。

解答 4 ○ 則577条の2,3項。設問の通り正しい。

濃度基準値設定物質を製造し、又は取り扱う業務（主として一般消費者の生活の用に供される製品に係るものを除く。）に従事する労働者が、厚生労働大臣が定める濃度の基準を超えてリスクアセスメント対象物にばく露したおそれがあるときは、速やかに、当該労働者に対し、医師又は歯科医師が必要と認める項目について、医師又は歯科医師による健康診断を行わなければならない。

問題 5　／／／

都道府県労働局長は、化学物質による労働災害が発生した、又はそのおそれがある事業場の事業者に対し、当該事業場において化学物質の管理が適切に行われていない疑いがあると認めるときは、当該事業場における化学物質の管理の状況について改善すべき旨を指示することができる。

問題 6　／／／

事業者は、厚生労働省令で定めるところにより、労働安全衛生法第57条第１項の政令で定める物及び通知対象物による危険性又は有害性等を調査するように努めなければならないとともに、その調査の結果に基づいて、同法又はこれに基づく命令の規定による措置を講ずるほか、労働者の危険又は健康障害を防止するため必要な措置を講ずるように努めなければならない。

問題 7　／／／

厚生労働大臣は、化学物質で、がんその他の重度の健康障害を労働者に生ずるおそれのあるものについて、当該化学物質による労働者の健康障害を防止するため必要があると認めるときは、当該化学物質を製造し、輸入し、又は使用している事業者に対し、有害性の調査（当該化学物質が労働者の健康障害に及ぼす影響についての調査をいう。）を行い、その結果を報告すべきことを指示することができる。

解答 5　×　則34条の2の10,1項。設問の改善の指示をすることができるのは、「都道府県労働局長」ではなく「労働基準監督署長」である。

解答 6　×　法57条の3,1項、2項。事業者は、設問の物（いわゆる表示対象物及び通知対象物）による危険性又は有害性等を調査しなければならないとされている（努力義務ではない。）。なお、設問後段は正しい。

解答 7　○　法57条の5,1項。設問の通り正しい。

厚生労働大臣は、設問の指示を行おうとするときは、あらかじめ、学識経験者の意見を聴かなければならない。

Basic

3 労働者の就業管理・健康管理等

問題 1

事業者は、労働者を雇い入れたときは、当該労働者に対し、その従事する業務に関する安全又は衛生のための教育を行わなければならないが、その対象となる労働者は、常時使用するものに限られる。

問題 2

派遣元事業者は、派遣労働者に対して、労働安全衛生法第59条第1項の規定に基づくいわゆる雇入れ時の安全衛生教育を行わなければならない。

問題 3

事業者は、労働者の作業内容を変更したときは、労働安全衛生規則に定める事項について安全衛生教育を行わなければならないが、当該事項の全部に関し十分な知識及び技能を有していると認められる労働者であっても、その全部の事項についての安全衛生教育を省略することはできない。

問題 4

自動車整備業の事業者は、新たに職務につくこととなった職長その他の作業中の労働者を直接指導又は監督する者（作業主任者を含む。）に対し、一定の事項について、安全又は衛生のための教育を行わなければならない。

解答 1　×　法59条1項。設問の安全衛生教育の対象となる労働者は、「常時使用するもの」に限られない。雇入れ時の安全衛生教育は、雇入れ時の健康診断と異なり、常時使用する労働者に限らず、日雇労働者、臨時に使用される者等、その雇い入れる労働者のすべてを対象として行わなければならない。

解答 2　○　法59条1項、派遣法45条。設問の通り正しい。雇入れ時の安全衛生教育は、派遣元事業者のみに実施が義務付けられている。

作業内容変更時の安全衛生教育は派遣元事業者及び派遣先事業者の双方に、特別教育及び職長教育は派遣先事業者のみに、それぞれ実施が義務付けられている。

解答 3　×　法59条2項、則35条2項。労働安全衛生規則に定める事項の全部に関し十分な知識及び技能を有していると認められる労働者については、その全部の事項についての安全衛生教育を省略することができる。

解答 4　×　法60条、令19条。設問文中のカッコ内が誤り。「作業主任者を除く。」とすると正しい記述となる。作業主任者については資格要件が定められており、職長教育の知識等は既に得ているので、対象者から除かれている。

設問の職長教育が義務付けられているのは、建設業・製造業（一定のものを除く。）・電気業・ガス業・自動車整備業・機械修理業の事業者である。

労一	健保	国年	厚年	社一

問題 5 ／／／

事業者は、中高年齢者その他労働災害の防止上その就業に当たって特に配慮を必要とする者については、これらの者の心身の条件に応じて適正な配置を行うように努めなければならない。

問題 6 ／／／

事業者は、常時使用する労働者を雇い入れるときは、当該労働者に対し、所定の項目について医師による健康診断を行わなければならないが、医師による健康診断を受けた後、1年を経過しない者を雇い入れる場合において、その者が当該健康診断の結果を証明する書面を提出したときは、当該健康診断の項目に相当する項目については、この限りでない。

問題 7 ／／／

事業者は、深夜業を含む業務に常時従事する労働者については、当該業務への配置替えの際及び6月以内ごとに1回、定期に、労働安全衛生規則に定める項目について健康診断を行わなければならない。

問題 8 ／／／

事業者は、労働者を本邦外の地域に6月以上派遣しようとするときは、あらかじめ、当該労働者に対し、定期健康診断の検査項目及び厚生労働大臣が定める項目のうち医師又は歯科医師が必要であると認める項目について、医師又は歯科医師による健康診断を行わなければならない。

解答 5　○　法62条。設問の通り正しい。なお、設問文中の「特に配慮を必要とする者」には、身体障害者、出稼労働者等がある。

解答 6　×　法66条1項、則43条。設問文中の「1年を経過しない者」を、「3月を経過しない者」とすると正しい記述となる。

解答 7　○　法66条1項、則13条1項3号ヌ、則45条1項。設問の通り正しい。深夜業を含む業務に常時従事する労働者は、設問のいわゆる特定業務従事者の健康診断の対象となる。

解答 8　×　法66条1項、則45条の2,1項。設問のいわゆる海外派遣労働者の健康診断は、定期健康診断の検査項目及び厚生労働大臣が定める項目のうち医師が必要であると認める項目について、医師により行われる。

これも覚える！　事業者は、本邦外の地域に6月以上派遣した労働者を本邦の地域内における業務に就かせるとき（一時的に就かせるときを除く。）は、当該労働者に対し、定期健康診断の検査項目及び厚生労働大臣が定める項目のうち医師が必要であると認める項目について、医師による健康診断を行わなければならない。

労一	健保	国年	厚年	社一	Goal

問題 9
／／／

事業者は、塩酸、硝酸、硫酸等歯又はその支持組織に有害な物のガス、蒸気又は粉じんを発散する場所における業務に常時従事する労働者に対し、その雇入れの際、当該業務への配置替えの際及び当該業務についた後6月以内ごとに1回、定期に、歯科医師による健康診断を行わなければならないとされている。

問題 10
／／／

都道府県労働局長は、労働者の健康を保持するため必要があると認めるときは、その事業場の産業医の意見に基づき、事業者に対し、臨時の健康診断の実施その他必要な事項を指示することができる。

問題 11
／／／

事業者は、一般健康診断若しくは労働者指定医師による健康診断又は自発的健康診断の結果、特に健康の保持に努める必要があると認める労働者に対し、医師又は保健師による保健指導を行わなければならない。

問題 12
／／／

事業者は、特定業務従事者の健康診断（定期のものに限る。）を行ったときは、その使用する労働者数にかかわらず、遅滞なく、電子情報処理組織を使用して、所定の事項を所轄労働基準監督署長に報告しなければならない。

問題 13
／／／

労働安全衛生法第66条の8第1項の規定による面接指導（以下「長時間労働者に対する面接指導」という。）の対象となる労働者は、原則として、休憩時間を除き1週間当たり40時間を超えて労働させた場合におけるその超えた時間が1月当たり80時間を超え、かつ、疲労の蓄積が認められる者である。

解答 9　○　法66条３項、令22条３項、則48条。設問の通り正しい。

解答10　×　法66条４項。都道府県労働局長による臨時の健康診断の実施の指示は、「その事業場の産業医」ではなく、「労働衛生指導医」の意見に基づき行われる。

解答11　×　法66条の7,1項。医師又は保健師による保健指導を「行わなければならない」のではなく「行うように努めなければならない」（努力義務）とされている。なお、保健指導の具体的な内容としては、日常生活面での指導や、栄養面での指導などがある。

解答12　×　則52条１項。定期健康診断又は特定業務従事者の健康診断（定期のものに限る。）に係る結果報告は、常時50人以上の労働者を使用する事業者に義務付けられている。

これも覚える！　特殊健康診断（定期のものに限る。）については、労働者数にかかわらず、結果報告をすることが義務付けられている。

解答13　○　法66条の8,1項、則52条の2,1項。設問の通り正しい。なお、長時間労働者に対する面接指導は、当該要件に該当する労働者の申出により行うものとされている。

これも覚える！　事業者は、「超えた時間」の算定を行ったときは、速やかに、その超えた時間が１月当たり80時間を超えた労働者に対し、当該労働者に係る当該超えた時間に関する情報を通知しなければならない。

労一	健保	国年	厚年	社一

Goal

問題14 ／／／

事業者は、労働安全衛生法に定める面接指導の結果については、当該面接指導の結果の記録を作成して、これを保存しなければならないが、その保存すべき年限は3年とされている。

問題15 ／／／

事業者は、事業場の規模にかかわらず、常時使用する労働者に対し、1年以内ごとに1回、定期に、医師等による心理的な負担の程度を把握するための検査（ストレスチェック）を行わなければならないとされている。

問題16 ／／／

事業者は、伝染性の疾病その他の疾病で、厚生労働省令で定めるものにかかった労働者については、あらかじめ、産業医その他専門の医師の意見をきいて、その就業を禁止しなければならない。

問題17 ／／／

事業者は、建設業又は土石採取業に属する事業の仕事（建設業に属する事業にあっては、労働安全衛生法第88条第2項の大規模建設業の仕事を除く。）で、厚生労働省令で定めるものを開始しようとするときは、その計画を当該仕事の開始の日の14日前までに、厚生労働大臣に届け出なければならない。

解答14 ×　法66条の8,3項、則52条の6,1項他。設問の記録を保存すべき年限は「5年」とされている。

解答15 ×　法66条の10,1項、法附則4条、則52条の9。問題文の「事業場の規模にかかわらず」が誤り。常時50人未満の労働者を使用する事業場については、当分の間、ストレスチェックを行うよう努めなければならないとされている。

解答16 ○　法68条、則61条2項。設問の通り正しい。

解答17 ×　法88条3項、令24条。設問の計画は、「厚生労働大臣」ではなく「労働基準監督署長」に届け出なければならないとされている。

届出の種類	届出期限	届出先	免除認定
危険・有害機械等の設置等の届出	工事開始日の30日前まで	労働基準監督署長	あり
大規模建設業の仕事の届出	仕事開始日の30日前まで	厚生労働大臣	なし
一定建設業等の仕事の届出	仕事開始日の14日前まで	労働基準監督署長	

Step-Up

3 労働者の就業管理・健康管理等

問題 1

事業者は、最大荷重が１トン未満のフォークリフトの運転（道路上を走行させる運転を除く。）の業務に労働者を就かせるときは、その業務に関する安全のための特別教育を行わなければならないが、当該特別教育を行ったときは、当該特別教育の受講者、科目等の記録を作成して、３年間保存しておかなければならない。

問題 2

事業者は、作業床の高さが５メートルの高所作業車の運転（道路上を走行させる運転を除く。）の業務については、高所作業車運転技能講習を修了した者でなければ、当該業務に就かせてはならない。

問題 3

事業者は、土石、岩石、鉱物、金属又は炭素の粉じんを著しく発散する屋内作業場のうち一定のものについて、１年以内ごとに１回、定期に、当該作業場における空気中の粉じんの濃度を測定しなければならない。

問題 4

都道府県労働局長は、作業環境の改善により労働者の健康を保持する必要があると認めるときは、労働衛生指導医の意見に基づき、事業者に対し、作業環境測定の実施その他必要な事項を指示することができる。

解答 1　○　法59条３項、則36条５号、則38条。設問の通り正しい。

安全衛生教育（雇入れ時・作業内容変更時の安全衛生教育、特別教育、職長教育）のうち、特別教育についてのみ記録の作成及び保存が義務付けられている。

解答 2　×　法61条１項、令20条15号、則41条、則別表第３。設問の就業制限の規定が適用されるのは、作業床の高さが「10メートル以上」の高所作業車の運転（道路上を走行させる運転を除く。）の業務である。

解答 3　×　法65条１項、令21条１号、粉じん則25条、同則26条１項。設問の作業場については、「６月以内」ごとに１回、定期に、当該作業場における空気中の粉じんの濃度を測定しなければならない。

設問の作業場で作業環境測定を行ったときは、その都度、所定の事項を記録して、これを７年間保存しなければならない。

解答 4　○　法65条５項。設問の通り正しい。

問題 5

／／／

定期健康診断において35歳の者については、原則として、腹囲の検査（一定の者を除く。）、胸部エックス線検査、喀痰検査、貧血検査、肝機能検査、血中脂質検査、血糖検査及び心電図検査の各検査を省略することはできない。

問題 6

／／／

派遣元事業者は、労働安全衛生規則第45条第１項に基づき、特定業務に常時従事する派遣労働者に対して、医師による健康診断を行わなければならない。

問題 7

／／／

事業者は、いわゆるパートタイム労働者に対しても、当該労働者が、期間の定めのない労働契約により使用され、その者の１週間の労働時間数が当該事業場において同種の業務に従事する通常の労働者の１週間の所定労働時間数の４分の３以上である場合には、労働安全衛生法第66条に規定する健康診断を実施しなければならない。

解答 5　×　法66条1項、則44条2項、平成22.1.25厚労告25号。「喀痰検査」については、35歳の者であっても、省略することができる場合がある。なお、その他の検査については、原則として省略することはできない。

※喀痰検査を省略することができる者
- ・胸部エックス線検査によって病変の発見されない者
- ・胸部エックス線検査によって結核発病のおそれがないと診断された者
- ・胸部エックス線検査を省略することができる者

解答 6　○　法66条1項、則45条1項、派遣法45条。設問の通り正しい。特定業務従事者の健康診断は、派遣元事業者のみに実施が義務付けられている。

特定業務従事者の健康診断以外の一般健康診断についても派遣元事業者のみに、特別の項目についての健康診断（特殊健康診断）については派遣先事業者のみに、それぞれ実施が義務付けられている。

解答 7　○　法66条、平成26.7.24基発0724第2号他。設問の通り正しい。

有期労働契約により使用されるパートタイム労働者であっても、次の①又は②のいずれかに該当する者については、1週間の労働時間数が当該事業場において同種の業務に従事する通常の労働者の1週間の所定労働時間数の4分の3以上である場合には、健康診断を実施しなければならない。

①当該有期労働契約期間が1年（特定業務従事者は6月。以下②において同じ。）以上である者

②契約の更新により1年以上使用されることが予定されている者及び1年以上引き続き使用されている者

問題 8 ／／／

健康診断の受診に要した時間に対する賃金の支払について、労働者一般に対し行われるいわゆる一般健康診断の受診に要した時間については当然には事業者の負担すべきものとされていないが、特定の有害な業務に従事する労働者に対し行われるいわゆる特殊健康診断の実施に要する時間については労働時間と解されているので、事業者の負担すべきものとされている。

問題 9 ／／／

事業者は、労働安全衛生法第66条の４（健康診断の結果についての医師等からの意見聴取）の規定による医師又は歯科医師の意見を勘案し、その必要があると認めるときは、当該労働者の同意を得て、就業場所の変更、作業の転換、労働時間の短縮、深夜業の回数の減少等の措置を講ずるほか、作業環境測定の実施、施設又は設備の設置又は整備、当該医師又は歯科医師の意見の衛生委員会若しくは安全衛生委員会又は労働時間等設定改善委員会への報告その他の適切な措置を講じなければならない。

問題10 ／／／

事業者は、研究開発に係る業務に従事する労働者については、休憩時間を除き１週間当たり40時間を超えて労働させた場合におけるその超えた時間が１月当たり100時間を超えた場合は、当該労働者からの申出により面接指導を行わなければならない。

解答 8 ○ 法66条、昭和47.9.18基発602号。設問の通り正しい。

大事！

〈労働時間と解すべきか否かの取扱い〉

安全委員会・衛生委員会・安全衛生委員会の会議の開催に要する時間	労働時間と解される※
安全衛生教育の実施に要する時間	労働時間と解される※
一般健康診断の実施に要する時間	労働時間と解されない
特殊健康診断の実施に要する時間	労働時間と解される※
研究開発業務従事者に対する面接指導の実施に要する時間	労働時間と解される※
長時間労働者に対する面接指導の実施に要する時間	労働時間と解されない
ストレスチェック及びこれに基づく面接指導の実施に要する時間	労働時間と解されない

※法定労働時間外に行った場合には割増賃金の支払が必要。

解答 9 × 法66条の5,1項。設問文中の「当該労働者の同意を得て」を「当該労働者の実情を考慮して」とすると正しい記述となる。なお、法66条の4では、事業者は、健康診断の結果（当該健康診断の項目に異常の所見があると診断された労働者に係るものに限る。）に基づき、当該労働者の健康を保持するために必要な措置について、医師又は歯科医師の意見を聴かなければならないと規定している。

解答10 × 法66条の8の2,1項、則52条の7の2。設問の場合には、当該労働者の申出によらず、医師による面接指導を行わなければならない。

問題11 ／／／

事業者は、いわゆる高度プロフェッショナル制度により労働する労働者については、その健康管理時間が1週間当たり40時間を超えた場合におけるその超えた時間が1月当たり80時間を超えるものに対し、労働者からの申出の有無にかかわらず医師による面接指導を行わなければならない。

問題12 ／／／

心理的な負担の程度を把握するための検査（以下本問において「検査」という。）を受ける労働者について解雇、昇進又は異動に関して直接の権限を持つ監督的地位にある者は、検査の実施の事務に従事してはならないので、検査を受けていない労働者を把握して、当該労働者に直接、受検を勧奨してはならない。

問題13 ／／／

厚生労働大臣は、特別安全衛生改善計画を作成した事業者が当該特別安全衛生改善計画を守っていないと認める場合において、重大な労働災害が再発するおそれがあると認めるときは、当該事業者に対し、重大な労働災害の再発の防止に関し必要な措置をとるべきことを勧告することができる。また、当該勧告を受けた事業者がこれに従わなかったときは、その旨を公表することができる。

問題14 ／／／

事業者は、労働者が事業場内における負傷、窒息又は急性中毒により4日間休業した場合には、1月から3月まで、4月から6月まで、7月から9月まで及び10月から12月までの期間における当該事実について、それぞれの期間における最後の月の翌月末日までに、電子情報処理組織を使用して、所定の事項及び休業日数を所轄労働基準監督署長に報告しなければならない。

解答11　×　法66条の８の4,1項、則52条の７の4,1項。「１月当たり80時間を超えるもの」ではなく、「１月当たり100時間を超えるもの」である。

解答12　×　法66条の10,1項、則52条の10,2項、平成27.5.1基発0501第３号。検査を受けていない労働者に対する受検の勧奨については、設問の監督的地位にある者が行っても差し支えないとされている。

解答13　○　法78条５項、６項。設問の通り正しい。

これも覚える！

厚生労働大臣は、特別安全衛生改善計画の作成又は変更の指示を受けた事業者がその指示に従わなかった場合においても、重大な労働災害が再発するおそれがあると認めるときは、当該事業者に対し、重大な労働災害の再発の防止に関し必要な措置をとるべきことを勧告することができ、当該勧告を受けた事業者がこれに従わなかったときは、その旨を公表することができる。

解答14　×　法100条１項、則97条。労働者が休業した日数が４日以上であるときは、「遅滞なく」電子情報処理組織を使用して、所定の事項を所轄労働基準監督署長に報告しなければならない。

休業の日数が４日未満の場合には、１月から３月まで、４月から６月まで、７月から９月まで及び10月から12月までの期間における当該事実について、それぞれの期間における最後の月の翌月末日までに、電子情報処理組織を使用して、所定の事項及び休業日数を所轄労働基準監督署長に報告しなければならない。

問題15 ／／／

事業者は、化学物質又は化学物質を含有する製剤を製造し、又は取り扱う業務を行う事業場において、1年以内に2人以上の労働者が同種のがんに罹患したことを把握したときは、当該罹患が業務に起因するかどうかについて、遅滞なく、医師の意見を聴かなければならない。また、当該医師が、当該がんへの罹患が業務に起因するものと疑われると判断したときは、遅滞なく、当該がんに罹患した労働者が当該事業場で従事していた業務において製造し、又は取り扱った化学物質の名称等の事項について、所轄労働基準監督署長に報告しなければならない。

問題16 ／／／

事業者は、労働安全衛生法及びこれに基づく命令の要旨を常時各作業場の見やすい場所に掲示し、又は備え付けることその他の厚生労働省令で定める方法により、労働者に周知させなければならない。

問題17 ／／／

事業者は、長時間労働者に対する面接指導の規定に違反し、面接指導を行わなかった場合には、50万円以下の罰金に処せられる。

解答15 ×　則97条の２。設問後段の、医師が当該がんへの罹患が業務に起因するものと疑われると判断したときの事業者の報告は、「所轄労働基準監督署長」ではなく「所轄都道府県労働局長」に対して行わなければならない。なお、設問前段の記述は正しい。

解答16 ○　法101条１項。設問の通り正しい。なお、設問の労働者に対する周知は、次のいずれかの方法によるものとされている。

⑴常時各作業場の見やすい場所に掲示し、又は備え付けること

⑵書面を労働者に交付すること

⑶事業者の使用に係る電子計算機に備えられたファイル又は電磁的記録媒体をもって調製するファイルに記録し、かつ、各作業場に労働者が当該記録の内容を常時確認できる機器を設置すること。

解答17 ×　法120条。設問の場合には罰則の適用はない。なお、「研究開発業務従事者に対する面接指導」及び「高度プロフェッショナル制度対象労働者に対する面接指導」の規定に違反し、実施しなかった事業者は、50万円以下の罰金に処せられる。

労働者災害補償保険法

180問

1 目的等
2 業務災害・複数業務要因災害・通勤災害
3 給付基礎日額
4 保険給付 1
5 保険給付 2
6 保険給付 3
7 通則等
8 社会復帰促進等事業
9 特別加入
10 不服申立て・雑則等

（注）本書は、本試験対策に重点をおいた教材のため、保険給付関係については、業務災害に関する保険給付を中心に構成してあるが、複数業務要因災害に関する保険給付及び通勤災害に関する保険給付についてもこれにほぼ準じていると考えて学習を進めてほしい。また、これらの保険給付の異なる点については各項目にてその都度触れてあるので参考にしてほしい。なお、本書において、業務災害に関する保険給付、複数業務要因災害に関する保険給付及び通勤災害に関する保険給付を併せて述べるときは、「〇〇（補償）等給付」というように表記する（例：療養補償給付、複数事業労働者療養給付及び療養給付を併せて「療養（補償）等給付」と表記する。）。また、葬祭料、複数事業労働者葬祭給付及び葬祭給付については、これらを併せて「葬祭料等（葬祭給付）」と表記する。

Basic

1 目的等

問題 1
／／／

労働者災害補償保険（以下「労災保険」という。）は、労災保険法第1条の目的を達成するため、業務上の事由、複数事業労働者の2以上の事業の業務を要因とする事由又は通勤による労働者の負傷、疾病、障害、死亡等に関して保険給付を行うほか、二次健康診断等給付を行うことができる。

問題 2
／／／

独立行政法人のうち行政執行法人の職員については労災保険法が適用されるが、それ以外の独立行政法人の職員については、同法は適用されない。

問題 3
／／／

労働者派遣法に規定する労働者派遣事業から労災保険適用事業に派遣され、当該派遣先の事業主の指揮命令を受けて労働に従事する労働者に係る労災保険の適用については、当該派遣先の事業に成立する労災保険の保険関係により取り扱われる。

問題 4
／／／

労災保険の暫定任意適用事業の事業主は、その事業に使用される労働者の過半数が希望するときは、労災保険の加入の申請をしなければならない。

問題 5
／／／

立木の伐採等の林業の事業であって、常時1人の労働者を使用する個人経営の事業は、労災保険の強制適用事業とされる。

解答 1 × 法２条の２。労災保険は、業務上の事由、複数事業労働者の２以上の事業の業務を要因とする事由又は通勤による労働者の負傷、疾病、障害、死亡等に関して保険給付を行うほか、「社会復帰促進等事業」を行うことができる。

これも覚える！ 労災保険法による保険給付は、業務災害に関する保険給付、複数業務要因災害に関する保険給付、通勤災害に関する保険給付及び二次健康診断等給付とする。

解答 2 × 法３条２項、独立行政法人通則法59条１項１号、平成13.2.22基発93号。行政執行法人の職員については、国家公務員災害補償法が適用されるため、労災保険法は適用されないが、行政執行法人以外の独立行政法人の職員については、労災保険法が適用される。

解答 3 × 法３条１項、労基法９条、昭和61.6.30基発383号。設問の派遣労働者は、派遣元事業主の事業に使用される労働者であるから、派遣元事業主の事業に成立する労災保険の保険関係により取り扱われる。

解答 4 ○ 整備法５条２項。設問の通り正しい。

これも覚える！ 暫定任意適用事業の事業主が、労災保険の加入申請をするにあたっては、その事業に使用される労働者の同意を得る必要はない。

解答 5 ○ 法３条１項、(44)法附則12条、整備政令17条、平成12.12.25労告120号。設問の通り正しい。

大事！ 林業の事業は、常時労働者を１人でも使用するときは、強制適用事業となる。

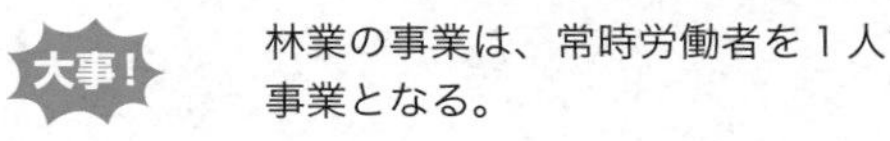

Step-Up

1 目的等

問題 1 ／／／

国庫は、予算の範囲内において、労災保険事業に要する費用の一部を負担する。

問題 2 ／／／

複数業務要因災害に関する労働者災害補償保険等関係事務の所轄は、複数事業労働者の2以上の事業のうち、当該複数事業労働者の労働時間が最も長いものの主たる事務所を管轄する都道府県労働局又は労働基準監督署とする。

問題 3 ／／／

船員法第1条に規定する船員については、労災保険法は適用されない。

問題 4 ／／／

在籍型出向労働者については、出向の目的及び出向元事業主と出向先事業主とが当該出向労働者の出向につき行った契約並びに出向先事業における出向労働者の労働の実態等に基づき、当該労働者の労働関係の所在を判断して、当該出向労働者の労災保険に係る保険関係が出向元事業と出向先事業とのいずれにあるかが決定される。

解答 1 × 法32条。国庫は、予算の範囲内において、労災保険事業に要する「費用の一部を補助することができる」とされている。

労災保険の保険料は、事業主がその全額を負担する。

解答 2 × 則1条2項。複数業務要因災害に関する労働者災害補償保険等関係事務の所轄は、複数事業労働者の2以上の事業のうち、その収入が当該複数事業労働者の生計を維持する程度が最も高いもの（「生計維持事業」という。）の主たる事務所を管轄する都道府県労働局又は労働基準監督署とする。

解答 3 × 法3条1項、船員保険法1条、同法2条1項。船員法に規定する船員についても、労災保険法は適用される。

解答 4 ○ 法3条1項、昭和35.11.2基発932号。設問の通り正しい。

これも覚える！

移籍型出向労働者の場合は、出向先とのみ労働契約関係があるので、労災保険法の適用については、出向先事業主の事業に係る保険関係により取り扱われる。

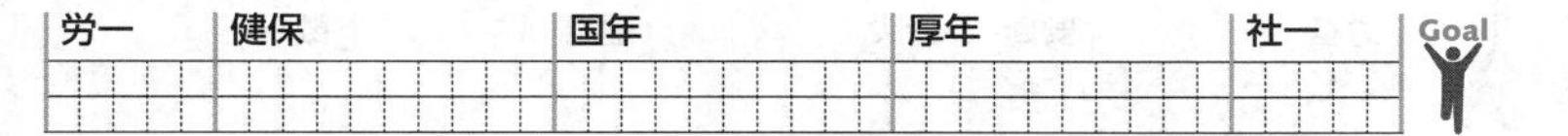

Basic

2 業務災害・複数業務要因災害・通勤災害

問題 1

／／／

事業主から出張の命令を受けた労働者が、自宅から直接出張先に行くため列車に乗車すべく自転車で駅に向かう途中で被った事故は、通勤災害としては取り扱われない。

問題 2

／／／

業務上疾病及び複数業務要因災害による疾病の範囲は、労働基準法施行規則に定められており、通勤による疾病の範囲は、労災保険法施行規則に定められている。

問題 3

／／／

労働者が、就業に関し、住居と就業の場所との間を合理的な経路及び方法により往復すること（業務の性質を有するものに限る。）は、通勤に該当する。

問題 4

／／／

派遣労働者に係る業務災害の認定に当たっては、派遣労働者が派遣元事業主との間の労働契約に基づき派遣元事業主の支配下にある場合及び派遣元事業と派遣先事業との間の労働者派遣契約に基づき派遣先事業主の支配下にある場合には、一般に業務遂行性があるものとして取り扱われる。

進捗チェック

労基	安衛	労災	雇用	徴収

解答 1　○　法７条１項１号、昭和34.7.15基収2980号。設問の通り正しい。出張中の行動は、事業主の命令に基づいて行う出張用務の関連行為であるため、自宅から直接出張先へ向かう途中で被った事故は「通勤災害」ではなく「業務災害」として取り扱われる。

通勤途中の事故であっても、事業主提供の専用交通機関で通勤する場合や突発的事故等による緊急用務の呼出しを受けて通勤する場合等は、「業務の性質を有するもの」として取り扱われる。

解答 2　×　法12条の8,2項、法20条の3,1項、法22条１項、則18条の３の６、則18条の４、労基則35条、同則別表第１の２。複数業務要因災害による疾病の範囲は、労災保険法施行規則に定められている。なお、業務上疾病及び通勤による疾病の範囲は、設問の通りである。

解答 3　×　法７条２項。設問のカッコ書が誤りである。通勤とは、労働者が、就業に関し、一定の移動を、合理的な経路及び方法により行うことをいい、業務の性質を有するものを除くものとされている。

〈通勤の対象となる移動〉
①住居と就業の場所との間の往復
②厚生労働省令で定める就業の場所から他の就業の場所への移動
③上記①の往復に先行し、又は後続する住居間の移動（一定の要件に該当するものに限る）

解答 4　○　昭和61.6.30基発383号。設問の通り正しい。

問題 5　／／／

労働者が、通勤の途中で、住居と就業の場所との間の往復の移動の経路を逸脱し、又は移動を中断した場合において、当該逸脱又は中断が、日常生活上必要な行為であって厚生労働省令で定めるものをやむを得ない事由により行うための最小限度のものであるときは、当該逸脱又は中断の間及び逸脱又は中断後に生じた災害についても、保険給付の対象となる。

問題 6　／／／

通勤による疾病については、労災保険法施行規則の規定に基づき、その具体的な疾病名が労災保険法施行規則別表に掲げられている。

解答 5 × 法7条3項。逸脱又は中断後に生じた災害については保険給付の対象となるが、逸脱又は中断の間に生じた災害については、保険給付の対象とならない。

〈日常生活上必要な行為〉

①日用品の購入その他これに準ずる行為

②職業能力開発促進法に規定する公共職業能力開発施設の行う職業訓練（職業能力開発総合大学校において行われるものを含む。）、学校教育法に規定する学校において行われる教育その他これらに準ずる教育訓練であって職業能力の開発向上に資するものを受ける行為

③選挙権の行使その他これに準ずる行為

④病院又は診療所において診察又は治療を受けることその他これに準ずる行為

⑤要介護状態にある配偶者、子、父母、孫、祖父母及び兄弟姉妹並びに配偶者の父母の介護（継続的に又は反復して行われるものに限る）

解答 6 × 法22条1項カッコ書、則18条の4。通勤による疾病については、労災保険法施行規則に、「通勤による負傷に起因する疾病その他通勤に起因することの明らかな疾病とする」と規定されているのみであり、具体的な疾病名は掲げられていない。

複数業務要因災害による疾病は、労災保険法施行規則に、「労働基準法施行規則別表第1の2第8号及び第9号に掲げる疾病その他2以上の事業の業務を要因とすることの明らかな疾病とする」と規定されている。

Step-Up

2 業務災害・複数業務要因災害・通勤災害

問題 1 ／／／

労働基準法施行規則別表第1の2各号に掲げる疾病に該当しない疾病は、業務上の疾病とは認められない。

問題 2 ／／／

「血管病変等を著しく増悪させる業務による脳血管疾患及び虚血性心疾患等の認定基準（令和3年9月14日付基発0914第1号、最終改正令和5年10月18日付基発1018第1号）」によれば、労働基準法施行規則別表第1の2第8号に掲げる疾患（過重負荷による脳・心臓疾患）に該当するかどうかは、①発症前おおむね1年間にわたって、著しい疲労の蓄積をもたらす特に過重な業務（長期間の過重業務）に就労したこと、②発症前おおむね1か月間において、特に過重な業務（短期間の過重業務）に就労したこと、③発症直前から前日までの間において、異常な出来事に遭遇したこと、の3つの認定要件を基準として判断される。

解答 1　○　法７条１項１号、法12条の8,1項、２項、労基法75条２項、労基則35条、同則別表第１の２。設問の通り正しい。

業務上疾病とは、労働基準法施行規則別表第１の２に掲げる疾病〔同別表第１号から第９号までに掲げる疾病（業務上の負傷に起因する疾病及び具体的な疾病名が掲げられている疾病)、「第10号　前各号に掲げるもののほか、厚生労働大臣の指定する疾病」及び「第11号　その他業務に起因することの明らかな疾病」〕に限られる。

解答 2　×　令和3.9.14基発0914第１号、令和5.10.18基発1018第１号。脳・心臓疾患の業務上外の認定における評価期間は、①の「長期間の過重業務」については発症前おおむね６か月間、②の「短期間の過重業務」については発症前おおむね１週間、③の「異常な出来事」については発症直前から前日までの間とされている。

問題 3　□／□／□／

「心理的負荷による精神障害の認定基準（令和5年9月1日付基発0901第2号。以下単に「精神障害認定基準」という。）」では、次のすべての要件を満たす対象疾病（一定の精神障害）は、労働基準法施行規則別表第1の2第9号に該当する業務上の疾病として取り扱うとしている。

①対象疾病を発病していること。

②対象疾病の発病前おおむね6か月の間に、業務による強い心理的負荷が認められること。

③業務以外の心理的負荷及び個体側要因により対象疾病を発病したとは認められないこと。

問題 4　□／□／□／

精神障害認定基準によれば、業務による心理的負荷の強度の判断に当たっては、「業務による心理的負荷評価表」を指標として「強」「中」「弱」の3段階に区分するが、例えば、対象疾病の発病直前の1か月におおむね160時間を超える時間外労働を行っていたときには、心理的負荷の総合評価を「強」と判断するとしている。

問題 5　□／□／□／

精神障害認定基準によれば、発病前おおむね6か月の間の出来事について評価することから、セクシュアルハラスメントを繰り返し受けて精神障害を発病した場合、発病の6か月よりも前にセクシュアルハラスメントが開始された場合であっても、6か月よりも前の出来事については、評価の対象としないとしている。

進捗チェック

労基	安衛	労災	雇用	徴収

解答 3　○　令和5.9.1基発0901第2号。設問の通り正しい。

心理的負荷の強度を判断する際には、精神障害を発病した労働者が、その出来事及び出来事後の状況を主観的にどう受け止めたかによって評価するのではなく、同じ事態に遭遇した場合、同種の労働者（精神障害を発病した労働者と職種、職場における立場や職責、年齢、経験等が類似する者）が一般的にその出来事及び出来事後の状況をどう受け止めるかという観点から評価する。

解答 4　○　令和5.9.1基発0901第2号。設問の通り正しい。

精神障害認定基準では、発病前おおむね6か月の間に、精神障害認定基準の別表1（業務による心理的負荷評価表）の「特別な出来事」に該当する業務による出来事が認められた場合には、心理的負荷の総合評価を「強」と判断するとしており、当該「特別な出来事」の類型として「極度の長時間労働」が掲げられている。具体的に「心理的負荷の総合評価を『強』とするもの」として「発病直前の1か月におおむね160時間を超えるような、又はこれに満たない期間にこれと同程度の（例えば3週間におおむね120時間以上の）時間外労働を行った」とされている。

解答 5　×　令和5.9.1基発0901第2号。ハラスメントやいじめのように出来事が繰り返されるものについては、繰り返される出来事を一体のものとして評価することとなるので、発病の6か月よりも前にそれが開始されている場合でも、発病前おおむね6か月の期間にも継続しているときは、開始時からのすべての行為を評価の対象とするとしている。

労一	健保	国年	厚年	社一

Goal

問題 6
／／／

労働者が、就業に関し、他の就業の場所から厚生労働省令で定める就業の場所へ移動する行為は、原則として通勤とされる。

問題 7
／／／

いわゆる単身赴任者の帰省先住居から赴任先住居への移動については、実態等を踏まえ、当該移動が業務に就く当日又は前日に行われた場合には、就業関連性を認めて差し支えないものとされ、当該移動が前々日以前に行われた場合には、交通機関の状況等の合理的理由がある場合に限り、就業関連性が認められる。

進捗チェック

労基	安衛	労災	雇用	徴収

解答 6　×　法7条2項2号。労働者が、「厚生労働省令で定める就業の場所」から「他の就業の場所」へ移動する行為は、原則として通勤とされる（設問は、起点と終点が逆である。）。

通勤の起点となる「厚生労働省令で定める就業の場所」とは、次の①～③の場所をいう。

①労災保険の適用事業及び労災保険に係る保険関係が成立している暫定任意適用事業に係る就業の場所

②特別加入者（通勤災害の対象外となる者を除く。）に係る就業の場所

③その他上記①又は②に類する就業の場所（具体的には、地方公務員災害補償法又は国家公務員災害補償法等による通勤災害保護制度の対象となる勤務場所又は就業の場所）

解答 7　○　法7条2項3号、則7条、平成28.12.28基発1228第1号。設問の通り正しい。

いわゆる単身赴任者の赴任先住居から帰省先住居への移動については、実態等を踏まえ、当該移動が業務に従事した当日又はその翌日に行われた場合には、就業関連性を認めて差し支えないとされているが、当該移動が翌々日以後に行われた場合には、交通機関の状況等の合理的理由があるときに限り、就業関連性が認められる。

問題 8
／／／

勤務を終えてバスで退勤すべくバス停に向かった際、親しい同僚と一緒になったので、お互いによく利用している会社の隣の喫茶店に立ち寄り、コーヒーを飲みながら雑談し、40分程度過ごした後、同僚の乗用車で合理的な経路を通って自宅まで送られた労働者が、車を降りようとした際に乗用車に追突され負傷した場合、通勤災害と認められない。

解答 8　○　法7条3項、則8条、平成28.12.28基発1228第1号。設問の通り正しい。労働者が喫茶店に立ち寄って過ごした行為は、通常通勤の途中で行うような「ささいな行為」に該当せず、また、逸脱・中断後の移動が通勤とされる「日常生活上必要な行為」とも認められないため、通勤災害と認められない。

労働者が、通常通勤の途中において、次のような「ささいな行為」を行う場合は、逸脱・中断として取り扱われない（当該「ささいな行為」を行う間も含め通勤とされる。）。
・経路の近くにある公衆便所を使用する場合
・帰途に経路の近くにある公園で短時間休息する場合
・経路上の店でタバコ、雑誌等を購入する場合
・駅構内でジュースの立飲みをする場合
・経路上の店で渇きをいやすため、ごく短時間、お茶、ビール等を飲む場合　　等

Basic

3 給付基礎日額

問題 1 ／／／

給付基礎日額は、労働基準法第12条の平均賃金に相当する額とされているが、この場合において、平均賃金を算定すべき事由の発生した日は、業務上の事由、複数事業労働者の２以上の業務を要因とする事由又は通勤による負傷若しくは死亡の原因である事故が発生した日又は業務上の事由、複数事業労働者の２以上の業務を要因とする事由又は通勤による疾病について初めて医師の診察を受けた日とされている。

問題 2 ／／／

複数事業労働者の業務上の事由による負傷、疾病、障害又は死亡により、当該複数事業労働者、その遺族その他厚生労働省令で定める者に対して保険給付を行う場合における給付基礎日額は、原則として、当該複数事業労働者を使用する事業ごとに算定した給付基礎日額に相当する額を合算した額とする。

問題 3 ／／／

給付基礎日額に１円未満の端数があるときは、これを切り捨てるものとする。

問題 4 ／／／

休業補償給付の額の算定の基礎となる給付基礎日額については、療養を開始した日から起算して１年６箇月を経過した日以後の日について支給される休業補償給付に係るものから、スライド改定が行われる。

進捗チェック

労基	安衛	労災	雇用	徴収

解答 1　×　法８条１項。平均賃金を算定すべき事由の発生した日は、「業務上の事由、複数事業労働者の２以上の業務を要因とする事由又は通勤による負傷若しくは死亡の原因である事故が発生した日」又は「診断によって業務上の事由、複数事業労働者の２以上の業務を要因とする事由又は通勤による疾病の発生が確定した日」とされている。

解答 2　○　法８条３項、則９条の２の２。設問の通り正しい。なお、複数事業労働者の２以上の事業の業務を要因とする事由又は複数事業労働者の通勤による負傷、疾病、障害又は死亡に係る給付基礎日額についても同様である。

解答 3　×　法８条の５。給付基礎日額に１円未満の端数があるときは、これを１円に切り上げるものとする。

解答 4　×　法８条の2,1項２号。休業給付基礎日額については、「療養を開始した日から起算して１年６箇月を経過した日以後」であるか同日前であるかにかかわらず、四半期ごとの平均給与額が、算定事由発生日の属する四半期（改定日額を給付基礎日額とすることとされている場合には、当該改定日額を休業補償給付の額の算定の基礎として用いるべき最初の四半期の前々四半期）の平均給与額の100分の110を超え、又は100分の90を下るに至ったときにスライド改定が行われる。

労一	健保	国年	厚年	社一	Goal

問題 5
／／／

休業補償給付の額の算定の基礎となる給付基礎日額は、四半期ごとの平均給与額が10%を超えて変動した場合に、その変動した四半期の翌四半期から、その変動した比率を基準として厚生労働大臣が定める率を乗じてスライド改定される。

問題 6
／／／

休業補償給付の額の算定の基礎となる給付基礎日額については、療養開始後6箇月を経過した日以後の休業補償給付に係るものから、年齢階層別の最低限度額及び最高限度額が適用される。

問題 7
／／／

年齢階層別の最低限度額及び最高限度額は、年金たる保険給付の額の算定の基礎となる給付基礎日額にあっては、算定事由発生日の属する年度の翌々年度の8月以後の分として支給する年金たる保険給付に係るものから適用される。

問題 8
／／／

年金たる保険給付（遺族補償年金、複数事業労働者遺族年金及び遺族年金を除く。以下本問において同じ。）の額の算定の基礎となる給付基礎日額については、当該年金たる保険給付の受給権者の8月1日における年齢をもって同日から1年間の年齢として年齢階層別の最低限度額及び最高限度額を適用する。

問題 9
／／／

障害補償一時金の額の算定の基礎となる給付基礎日額については、年金たる保険給付の額の算定の基礎となる給付基礎日額に準じて年齢階層別の最低限度額及び最高限度額が適用される。

解答 5 × 法８条の2,1項２号。休業給付基礎日額は、四半期ごとの平均給与額が10％を超えて変動した四半期の翌々四半期からスライド改定される。

解答 6 × 法８条の2,2項。休業給付基礎日額については、療養開始後１年６箇月を経過した日以後の休業補償給付に係るものから、年齢階層別の最低・最高限度額が適用される。

解答 7 × 法８条の3,2項。年金給付基礎日額に係る最低限度額及び最高限度額の適用については、「算定事由発生日の属する年度の翌々年度の８月以後の分として支給する年金たる保険給付」からではなく、支給の当初から適用される。

これも覚える！ 年金給付基礎日額に係るスライド改定については、算定事由発生日の属する年度の翌々年度の８月以後の分として支給する年金たる保険給付から行われる。

解答 8 ○ 法８条の3,2項。設問の通り正しい。

これも覚える！ 遺族（補償）等年金にあっては、受給権者たる遺族の年齢ではなく、当該支給事由に係る労働者の死亡がなかったものとして計算した場合の８月１日における当該労働者の年齢を基準とする。

解答 9 × 法８条の４。一時金たる保険給付の額の算定の基礎となる給付基礎日額については、年齢階層別の最低・最高限度額は適用されない。

これも覚える！ 一時金たる保険給付の額の算定の基礎となる給付基礎日額のスライド改定については、年金給付基礎日額のスライド改定に準じて行われる。

Step-Up

3 給付基礎日額

問題 1

／／／

平均賃金の算定期間中に業務外の事由による負傷又は疾病の療養のために休業した労働者の労働基準法第12条の規定による平均賃金相当額が、当該休業した期間の日数及び当該期間中の賃金をそれぞれ平均賃金の算定期間及び賃金の総額から控除して算定した場合における平均賃金相当額に満たない場合には、後者の額を給付基礎日額とする。

問題 2

／／／

厚生労働大臣は、年度の平均給与額が、直近の自動変更対象額が変更された年度の前年度の平均給与額を超え、又は下るに至った場合においては、その上昇し、又は低下した比率に応じて、その翌年度の８月１日以後の自動変更対象額を変更しなければならない。

問題 3

／／／

葬祭料の額の算定の基礎となる給付基礎日額については、スライド改定は行われない。

進捗チェック

労基	安衛	労災	雇用	徴収

解答 1　○　法８条２項、則９条１項１号。設問の通り正しい。労働基準法12条の規定による平均賃金相当額を給付基礎日額とすることが適当でないと認められるときは、厚生労働省令で定めるところによって政府が算定する額を給付基礎日額とするとされており、設問は当該給付基礎日額の算定の特例に関する問題である。なお、平均賃金の算定期間中に親族の疾病又は負傷等の看護のため休業した期間がある場合についても、設問と同様の取り扱いがなされる。

これも覚える！　設問のほか、労働者がじん肺又は振動障害にかかった場合における算定の特例、１年を通じて船員として船舶所有者に使用される者が、固定給のほか、船舶に乗り組むこと等により変動がある賃金が定められる場合における算定の特例がある。

解答 2　○　則９条２項。設問の通り正しい。なお、厚生労働大臣は、自動変更対象額を変更するときは、当該変更する年度の７月31日までに当該変更された自動変更対象額を告示するものとされている。

これも覚える！　自動変更対象額に５円未満の端数があるときは、これを切り捨て、５円以上10円未満の端数があるときは、これを10円に切り上げるものとする。

解答 3　×　法８条の４、則17条カッコ書。一時金たる保険給付の額の算定の基礎として用いる給付基礎日額についても、スライド改定は行われる。なお、葬祭料の額の算定の基礎となる給付基礎日額については、葬祭料を遺族補償一時金とみなしてスライド改定が行われる。

問題 4
／／／

年金たる保険給付の額の算定の基礎として用いる給付基礎日額がスライド改定される場合には、年齢階層別の最低限度額及び最高限度額を適用した後の給付基礎日額にスライド改定を行う。

解答 4　×　法８条の3,2項。設問の場合は、スライド改定後の給付基礎日額に年齢階層別の最低・最高限度額が適用される。

Basic

4 保険給付 1

問題 1

業務災害に関する保険給付は、療養補償給付、休業補償給付、障害補償給付、遺族補償給付、葬祭料、傷病補償年金及び介護補償給付であり、このうち、労働基準法に規定する災害補償の事由が生じた場合に行うものとされている保険給付は、療養補償給付、休業補償給付、障害補償給付、遺族補償給付及び葬祭料である。

療養（補償）等給付

問題 2

療養の給付は、社会復帰促進等事業として設置された病院若しくは診療所又は都道府県労働局長の指定する病院若しくは診療所、薬局若しくは訪問看護事業者（以下「指定病院等」という。）において行われる。

問題 3

療養の給付の範囲は、①診察、②薬剤又は治療材料の支給、③処置、手術その他の治療、④居宅における療養上の管理及びその療養に伴う世話その他の看護、⑤病院又は診療所への入院及びその療養に伴う世話その他の看護、⑥移送のうち、指定病院等が必要と認めるものに限られる。

問題 4

療養の給付に代えて療養の費用が支給されるのは、療養の給付をすることが困難な場合のほか、療養の給付を受けないことについてやむを得ない事情がある場合とされている。

問題 5

療養補償給付に係る請求書を所轄労働基準監督署長に提出する際は、必ず指定病院等を経由しなければならない。

進捗チェック

労基	安衛	労災	雇用	徴収

解答 1　○　法12条の8,2項。設問の通り正しい。

法12条の8,2項では、「業務災害に関する保険給付（傷病補償年金及び介護補償給付を除く。）は、労働基準法に規定する災害補償の事由又は船員法に規定する災害補償の事由が生じた場合に、補償を受けるべき労働者若しくは遺族又は葬祭を行う者に対し、その請求に基づいて行う。」と規定されている。

解答 2　○　則11条１項。設問の通り正しい。

ひっかけ注意！

指定病院等（病院、診療所、薬局又は訪問看護事業者）の指定は都道府県労働局長が行う（厚生労働大臣ではない。）。

解答 3　×　法13条２項。療養の給付の範囲は、設問の①～⑥に掲げるもののうち、政府が必要と認めるものに限られる。

解答 4　×　法13条３項、則11条の２。療養の給付に代えて療養の費用が支給されるのは、療養の給付をすることが困難な場合のほか、療養の給付を受けないことについて労働者に相当の理由がある場合とされている。

解答 5　×　則12条の2,1項。療養補償給付たる「療養の費用」の支給に係る請求書については、直接、所轄労働基準監督署長に提出するものとされている。

療養（補償）等給付たる療養の給付請求書については、指定病院等を経由して所轄労働基準監督署長に提出するものとされている。

問題 6
／／／

政府は、複数事業労働者療養給付又は療養給付を受ける労働者（一定の者を除く。）から、原則200円の一部負担金を徴収する。

休業（補償）等給付

問題 7
／／／

休業補償給付は、労働者が業務上の負傷又は疾病による療養のため労働することができないために賃金を受けない日の第４日目から支給されるが、当該休業の最初の３日間については、継続していなければ待期期間は成立しない。

問題 8
／／／

業務上の負傷により、その日の全部について労働不能である場合において、事業主から平均賃金の50％の金銭が支給されているときは、その日は「賃金を受けない日」として扱われ、休業補償給付が支給される。

解答 6　×　法31条2項、則44条の2,2項。政府は、通勤災害により「療養給付」（一定の者を除く。）を受ける労働者から一部負担金を徴収するが、複数業務要因災害により「複数事業労働者療養給付」を受ける労働者からは一部負担金を徴収しない。

政府は、療養給付を受ける労働者であっても、次の者からは一部負担金を徴収しない。
①第三者の行為によって生じた事故により療養給付を受ける者
②療養の開始後3日以内に死亡した者その他休業給付を受けない者
③同一の通勤災害に係る療養給付について既に一部負担金を納付した者
④特別加入者

解答 7　×　法14条1項、昭和40.7.31基発901号。待期期間は、継続していると断続しているとを問わず、3日で成立する。

業務上の傷病による療養のため休業する最初の3日間については、労働基準法の規定により、使用者は休業補償を行わなければならない。

解答 8　○　法14条1項、昭和40.9.15基災発14号。設問の通り正しい。所定労働時間の全部について労働不能である日における休業補償給付の支給要件たる「賃金を受けない日」とは、事業主から賃金を全く受けない日のほか、「平均賃金の60%未満の金額しか受けない日」も含まれる。

複数事業労働者の「賃金を受けない日」の判断は、まず、それぞれの事業場ごとに行い、一部の事業場でも賃金を受けない日に該当する場合には、当該日は「賃金を受けない日」に該当するものとして取り扱う〔すべての事業場において賃金を受けない日に該当しない場合は、「賃金を受けない日」に該当せず、休業（補償）等給付は行われない。〕。

傷病（補償）等年金

問題 9　／／／

業務上負傷し又は疾病にかかった労働者が、当該負傷又は疾病に係る療養の開始後１年６箇月を経過しても当該負傷又は疾病が治らない場合において、当該負傷又は疾病による障害の程度が傷病等級に該当するときは、当該労働者の請求に基づき、傷病等級に応じた傷病補償年金が支給される。

問題 10　／／／

傷病補償年金は、休業補償給付と併給されることはない。

問題 11　／／／

業務上負傷し、又は疾病にかかった労働者が、当該負傷又は疾病に係る療養の開始後３年を経過した日において、傷病補償年金を受けている場合には、労働基準法の解雇制限の規定の適用については、当該傷病補償年金を受けることとなった日にさかのぼって、使用者は労働基準法の規定による打切補償を支払ったものとみなされる。

解答 9　×　法12条の8,3項、則18条1項、則別表第2。傷病補償年金は、労働者からの請求ではなく、所轄労働基準監督署長の職権により支給決定が行われる。

解答10　○　法18条2項。設問の通り正しい。傷病補償年金を受ける者には、休業補償給付は行われない（傷病補償年金は、休業補償給付に代えて支給されるものであるから、両者が併給されることはない。）。

これも覚える！　傷病（補償）等年金は、傷病が治っていないことが支給要件の1つとされており、傷病（補償）等年金を受ける者に、療養（補償）等給付は行われる（併給される）。

解答11　×　法19条、労基法19条1項。設問の場合には、当該「3年を経過した日」において、打切補償を支払ったものとみなされる。

これも覚える！　3年を経過した日後において傷病補償年金を受けることとなった場合には、当該傷病補償年金を受けることとなった日において、打切補償を支払ったものとみなされる。

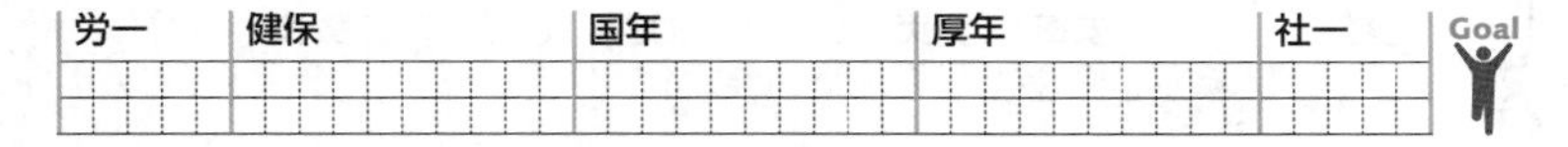

4 保険給付１

問題 1 ／／／

複数業務要因災害に関する保険給付の請求と業務災害に関する保険給付の請求は、同一の様式によって行われるため、複数事業労働者が保険給付を請求する場合は、複数業務要因災害に係る請求のみを行う意思を示す等の特段の意思表示のない限り業務災害及び複数業務要因災害に関する両保険給付を請求したものとする。

療養（補償）等給付

問題 2 ／／／

療養補償給付たる療養の費用の支給を受けようとする者が提出する請求書の記載事項のうち「負傷又は発病の年月日」及び「災害の原因及び発生状況」については、事業主の証明を受けなければならず、複数事業労働者に係る当該請求に当たっては、業務災害が発生した事業場の事業主及びそれ以外の事業場の事業主の証明を受ける必要がある。

問題 3 ／／／

療養給付を受ける労働者であって、最初に支給すべき事由の生じた日に係る休業給付について一部負担金相当額を減額した休業給付を受けたものについては、政府は、一部負担金を徴収しない。

解答 1　○　令和2.8.21基発0821第１号。設問の通り正しい。なお、設問の場合において、複数事業労働者の業務災害として認定するときは、業務災害の認定があったことをもって複数業務要因災害に関する保険給付の請求が、請求時点に遡及して消滅したものとし、複数業務要因災害に関する保険給付の不支給決定及び請求人に対する不支給決定通知は行わないものとされている。また、業務災害の不支給を決定する場合は、複数業務要因災害として認定できるか否かにかかわらず、その決定を行うとともに、請求人に対して不支給決定通知を行うこととされている。

解答 2　×　則12条２項、則12条の2,1項、２項。複数事業労働者に係る当該請求に当たっては、業務災害が発生した事業場の事業主の証明を受ければ足り、それ以外の事業場の事業主の証明を受ける必要はない。

これも覚える！　療養の費用の支給に係る請求書の記載事項のうち「傷病名及び療養の内容」及び「療養に要した費用の額（一定の費用の額を除く。）」については診療担当者の証明を受ける必要がある。

解答 3　○　法31条２項。設問の通り正しい。一部負担金は、同一の通勤災害に係る療養給付について既に一部負担金を納付した者からは徴収されないとされており、設問の者は既に最初に支給すべき休業給付の額から一部負担金相当額が控除されている（つまり既に一部負担金を納付している）ため、一部負担金の徴収対象とならない。

休業（補償）等給付

問題 4 ／／／ 複数事業労働者休業給付に係る休業の第1日目から第3日目については、事業主は、労働基準法の規定により休業補償を行う義務を負う。

問題 5 ／／／ 労働者が、業務上の負傷により療養し患部が治ゆした後、義肢の装着のため整形外科療養所に入所して再手術を行い義肢の装着を受けた場合には、当該入所期間中の休業に関し休業補償給付が支給される。

問題 6 ／／／ 休業補償給付は、労働者が業務上の傷病による療養のための労働不能の状態にあって賃金を受けることができない場合に支給されるものであるので、休日や出勤停止の懲戒処分等のため雇用契約上賃金が発生しない日については、支給されない。

問題 7 ／／／ 労働者が留置施設に留置されて懲役、禁錮又は拘留の刑の執行を受けている場合には、休業補償給付は支給されない。

解答 4　×　法20条の4、労基法76条、同法84条、令和2.8.21基発0821第1号。休業補償給付とは異なり、複数業務要因災害により複数事業労働者休業給付を受ける場合には、事業主に休業補償の義務は生じない（通勤災害により休業給付を受ける場合にも、事業主に休業補償の義務は生じない。）。

解答 5　×　法14条1項、昭和24.12.15基収3535号。治ゆ後に行う義肢装着のための再手術及び義肢の装着は、療養の範囲に属さないものとされており、設問の入所期間中の休業に対しては、休業補償給付は行われない。

解答 6　×　法14条1項、最一小判昭和58.10.13浜松労基署長（雪島鉄工所）事件。休業補償給付は、労働者が業務上の傷病による療養のために労働不能の状態にあって賃金を受けることができない場合であれば、休日、出勤停止の懲戒処分等のため雇用契約上賃金が発生しない日についても、支給される。

解答 7　○　法14条の2,1号、則12条の4,1号。設問の通り正しい。なお、休業補償給付の支給制限の対象となるのは、刑の執行のために留置等されている場合であり、いわゆる未決勾留中の者は支給制限の対象とならない。

問題 8
／／／

労働者が業務上の傷病による療養のため所定労働時間のうちその一部分についてのみ労働する日に係る休業補償給付の額は、給付基礎日額（最高限度額を給付基礎日額とすることとされている場合にあっては、当該最高限度額を適用しないこととした場合における給付基礎日額）の100分の60に相当する額から当該労働した部分についての賃金額を控除して得た額（当該控除して得た額が最高限度額を超える場合にあっては、最高限度額に相当する額）である。

傷病（補償）等年金

問題 9
／／／

傷病補償年金の傷病等級に係る障害の程度は、1年6箇月以上の期間にわたって存する障害の状態により認定するものとする。

問題 10
／／／

傷病補償年金は、労働者が所定の支給要件に該当した場合に所轄労働基準監督署長が職権で支給の決定を行うものであるため、労働者が支給の請求を行う必要はなく、また、傷病等級の変更があった場合についても、所轄労働基準監督署長により変更の決定が行われるため、労働者の請求は不要である。

解答 8　×　法14条1項ただし書。一部労働した日に係る休業補償給付の額は、給付基礎日額（最高限度額を給付基礎日額とすることとされている場合にあっては、当該最高限度額を適用しないこととした場合における給付基礎日額）から当該労働した部分についての賃金額を控除して得た額（当該控除して得た額が最高限度額を超える場合にあっては、最高限度額に相当する額）の100分の60に相当する額である。

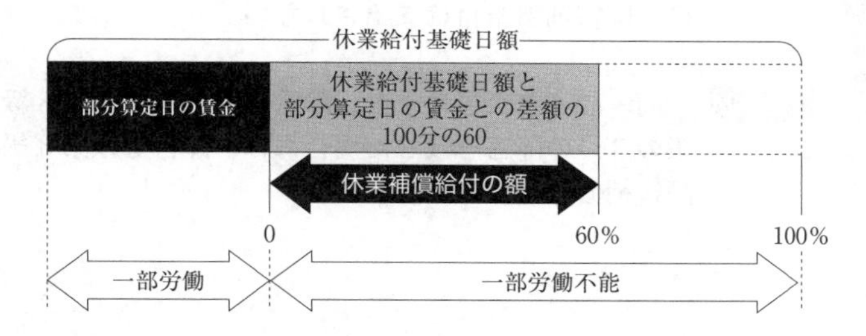

解答 9　×　則18条2項。傷病補償年金の傷病等級に係る障害の程度は、6箇月以上の期間にわたって存する障害の状態により認定するものとされている。

解答10　○　法18条の2、則18条の3。設問の通り正しい。なお、傷病等級の変更があった場合、年金額はその変更のあった月の翌月から改定される。また、傷病等級に該当しなくなった者には、傷病補償年金は支給されないが、休業補償給付の要件を満たしていれば、休業補償給付が行われる。

Basic

5 保険給付２

障害（補償）等給付

問題 1

／／／

障害補償給付に係る障害等級は、労災保険法施行規則別表第１に第１級から第14級まで定められており、業務上の負傷又は疾病により同表に掲げる身体障害と同程度の身体障害を残しても、その身体障害が同表に掲げられていない場合には、障害補償給付は支給されない。

問題 2

／／／

同一の業務災害により、障害等級第５級、第８級及び第13級の３つの障害を残した場合には、障害等級第３級に応ずる障害補償年金が支給される。

問題 3

／／／

既存の障害により障害等級第７級に応ずる障害補償年金の受給権を有する労働者が、新たな業務災害により同一の部位について障害の程度を加重し、障害等級第５級に該当する障害を残すに至ったときは、障害等級第５級に応ずる額の障害補償年金が支給される。

問題 4

／／／

障害補償年金を受ける労働者の当該障害の程度に変更があったため、新たに他の障害等級に該当するに至った場合には、新たに該当するに至った障害等級に応ずる障害補償年金又は障害補償一時金を支給するものとし、その後は、従前の障害補償年金は、支給しない。

進捗チェック

労基 安衛 労災 雇用 徴収

解答 1　×　則14条１項、４項、則別表第１。則別表第１の障害等級表に掲げられていない身体障害を残した場合であっても、その障害の程度が障害等級表に該当する程度のものであれば、同表に掲げる身体障害に準じてその障害等級を定めるものとされている。

解答 2　○　則14条３項２号。設問の通り正しい。同一の事由により、障害等級第８級以上の障害を２つ以上残した場合には、重い方の障害等級を２級繰り上げた障害等級に応ずる障害補償年金が支給される。

〈併合繰上げ（原則）〉

第13級以上が２以上	重い方を１級繰上げ
第８級以上が２以上	重い方を２級繰上げ
第５級以上が２以上	重い方を３級繰上げ

解答 3　×　法15条、則14条５項。設問の場合には、加重後の障害等級第５級に応ずる障害補償年金の額と加重前の障害等級第７級に応ずる障害補償年金の額との差額に相当する額の障害補償年金が支給される。

解答 4　○　法15条の２。設問の通り正しい。

障害補償年金を受ける労働者の変更後の障害の程度が障害等級第１級から第７級の範囲内であるときは、その変更のあった月の翌月から障害補償年金の額を改定する。

問題 5　□／□／□

障害補償一時金の支給を受けた労働者の当該障害の程度が自然的経過により増進し、新たに第７級以上の障害等級に該当するに至った場合には、現在の障害等級に応ずる障害補償年金の額から既に支給した障害補償一時金の額の25分の１に相当する額を控除した額の障害補償年金が支給される。

問題 6　□／□／□

障害補償年金前払一時金の請求は、同一の事由に関し、厚生労働省令で定める障害等級別の最高限度額を上限として、数回に分けて行うことができる。

問題 7　□／□／□

障害補償年金前払一時金の請求は、障害補償年金の請求と同時に行わなければならない。ただし、障害補償年金の支給決定の通知のあった日の翌日から起算して１年を経過する日までの間は、当該障害補償年金を請求した後においても障害補償年金前払一時金を請求することができる。

問題 8　□／□／□

障害補償年金差額一時金を受けることができる遺族として、労働者の死亡の当時その者と生計を同じくしていた労働者の弟と、生計を同じくしていなかった労働者の祖父がある場合、弟に対して障害補償年金差額一時金が支給される。

解答 5　×　法15条の２、昭和41.1.31基発73号。障害補償一時金の支給を受けた労働者の障害の程度が、再発や新たな傷病によらず自然的に変更した場合には、新たに該当することとなった障害等級に応ずる障害補償給付は支給されない。

解答 6　×　則附則27項。障害補償年金前払一時金の請求は、同一の事由に関し、１回に限り行うことができる。

解答 7　○　則附則26項。設問の通り正しい。

問題文のただし書の規定により障害補償年金の請求をした後に障害補償年金前払一時金の請求が行われる場合には、１月、３月、５月、７月、９月又は11月のうち当該障害補償年金前払一時金の請求が行われた月後の最初の月に支給する。

解答 8　○　法附則58条２項。設問の通り正しい。障害補償年金差額一時金を受けるべき遺族の順位は、死亡した障害補償年金の受給権者と生計を同じくしていた遺族のほうが、生計を同じくしていなかった遺族よりも先順位となる。

〈障害（補償）等年金差額一時金を受けることができる遺族の順位〉

①労働者の死亡の当時その者と生計を同じくしていた配偶者、子、父母、孫、祖父母及び兄弟姉妹

②労働者の死亡の当時その者と生計を同じくしていなかった配偶者、子、父母、孫、祖父母及び兄弟姉妹

労一	健保	国年	厚年	社一

Goal

介護（補償）等給付

問題 9
／／／

介護補償給付は、障害補償年金又は傷病補償年金を受ける権利を有する者が、当該年金の支給事由である障害により常時又は随時介護を要する状態にあっても、現に介護を受けていない場合には、支給されない。

問題10
／／／

介護補償給付は、障害等級第３級又は傷病等級第３級以上の障害により障害補償年金又は傷病補償年金を受ける権利を有する労働者が、当該障害により、常時又は随時介護を要する状態にあり、かつ、常時又は随時介護を受けているときに支給される。

問題11
／／／

常時介護を要する状態にある労働者に支給される介護補償給付の額は、その月に介護に要する費用として支出した額が81,290円以上である場合、親族等による介護を受けた日があるか否かにかかわらず、介護に要する費用として支出した費用の額（その額が177,950円を超えるときは、177,950円）である。

解答 9　○　法12条の8,4項。設問の通り正しい。介護補償給付は、現に常時又は随時介護を受けているときでなければ、支給されない。

解答10　×　法12条の8,4項、則18条の３の２、則別表第３。介護補償給付の支給に係る障害の程度は、障害等級第２級以上又は傷病等級第２級以上であって一定のものである必要がある。

解答11　○　則18条の３の4,1項１号。設問の通り正しい。

〈介護（補償）等給付の額（月額）〉

	常時介護	随時介護
原則	実費 （上限177,950円）	実費 （上限88,980円）
親族等による介護を受けた日がある月（支給事由が生じた月を除く）	81,290円 （最低保障）	40,600円 （最低保障）

労一	健保	国年	厚年	社一

Goal

Step-Up

5 保険給付２

障害（補償）等給付

問題 1 ／／／

同一の業務災害により、身体に第９級と第13級の２つの障害を残した場合には、重い方の障害の障害等級を１級繰り上げた障害等級第８級に応ずる障害補償一時金が支給される。

問題 2 ／／／

障害補償一時金の支給事由となった傷病が再発し、治ったが、同一の部位の障害の程度が障害等級第７級以上に該当することとなった場合には、再治ゆ後の障害等級に該当する障害補償年金の額から、既に受給した障害補償一時金の額の25分の１に相当する額を差し引いた額の障害補償年金が支給される。

問題 3 ／／／

労働者の死亡前に、当該労働者の死亡によって障害補償年金差額一時金を受けることができる遺族となるべき者を故意又は重大な過失により死亡させた者は、障害補償年金差額一時金を受けることができる遺族としない。

解答 1　×　法15条、則14条３項ただし書。設問の場合、重い方の身体障害を１級繰り上げた第８級の障害補償一時金の額が給付基礎日額の503日分であり、第９級と第13級の障害補償一時金の額（給付基礎日額の391日分と101日分）を合算した額が第８級の障害補償一時金の額に満たないことから、第９級と第13級の障害補償一時金の合算額が支給される。

解答 2　○　法15条、則14条５項、昭和41.1.31基発73号。設問の通り正しい。障害補償一時金の支給を受けた者の傷病が再発し、再治ゆ後残った同一部位の障害の程度が以前の障害の程度より悪化した場合には、加重の取扱いに準じ、差額相当額の支給が行われる。

これも覚える！　障害（補償）等年金の受給権者の傷病が再発した場合は、従前の障害（補償）等年金は失権し、再治ゆ後の障害等級に応ずる障害（補償）等給付が支給される。

解答 3　×　法附則58条５項。労働者の死亡前に、当該労働者の死亡によって障害補償年金差額一時金を受けることができる先順位又は同順位の遺族となるべき者を故意に死亡させた者は、障害補償年金差額一時金を受けることができる遺族としない。

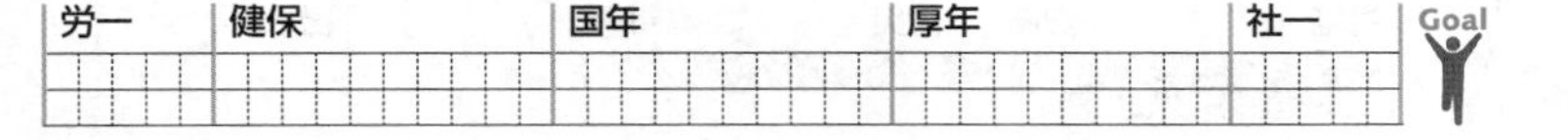

介護（補償）等給付

問題 4 ／／／

障害者の日常生活及び社会生活を総合的に支援するための法律に規定する障害者支援施設に入所している間（生活介護を受けている場合に限る。）は、介護補償給付は支給されない。

問題 5 ／／／

介護補償給付を支給すべき事由が生じた月において、介護に要する費用を支出して介護を受けた日はないが、親族等による介護を受けた日があるときは、特定障害の程度が常時介護を要する状態に該当する場合にあっては、81,290円が介護補償給付として支給される。

問題 6 ／／／

障害補償年金を受ける権利を有する者が介護補償給付を受けようとするときは、当該障害補償年金の請求と同時に、又は請求をした後に、介護補償給付の請求をしなければならない。

解答 4　○　法12条の8,4項1号。設問の通り正しい。

以下に掲げる期間は、介護（補償）等給付は支給されない。
①障害者支援施設に入所している間（生活介護を受けている場合に限る。）
②障害者支援施設（生活介護を行うものに限る。）に準ずる施設として厚生労働大臣が定めるものに入所している間
③病院又は診療所に入院している間

解答 5　×　法19条の2、則18条の3の4,1項2号。介護補償給付の額は、原則実費とされているが、親族等による介護を受けた日がある月については最低保障が行われる。ただし、「介護補償給付を支給すべき事由が生じた月」（介護を受け始めた月）については最低保障は行われないため、設問の場合、当該月について介護補償給付は支給されない。

解答 6　○　則18条の3の5,1項。設問の通り正しい。

傷病（補償）等年金を受ける権利を有する者に支給する介護（補償）等給付についても、労働者からの請求が必要であり、その請求は、当該傷病（補償）等年金の支給決定を受けた後に行うものとされている。

労一	健保	国年	厚年	社一

Goal

6 保険給付3

遺族（補償）等給付

問題 1
／／／

労働者が業務上死亡し、その死亡の当時その収入によって生計を維持していた配偶者は、年齢要件及び障害要件を問われることなく、遺族補償年金を受けることができる遺族となる。

問題 2
／／／

労働者の死亡の当時胎児であった子が出生したときは、その子は、労働者の死亡の当時にさかのぼって遺族補償年金の受給資格者となる。

問題 3
／／／

死亡した労働者の子である遺族補償年金の受給権者であって、当該労働者の死亡の当時から引き続き厚生労働省令で定める障害の状態にあるものが婚姻したときは、当該遺族補償年金の受給権は消滅する。

問題 4
／／／

遺族補償年金を受ける権利を有する子が、死亡労働者の父（子にとっては祖父）の養子となったときであっても、養子となったことを理由に当該子の有する遺族補償年金の受給権は消滅しない。

問題 5
／／／

遺族補償年金を受ける権利は、その権利を有する子が、労働者の死亡当時から引き続き厚生労働省令で定める障害の状態にある場合には、当該子が20歳に達したときに、その受給権は、消滅する。

解答 1　×　法16条の2,1項。妻の場合は、設問の通りであるが、妻以外の者の場合は、年齢要件又は障害要件が問われる。

妻については、生計維持要件のみ満たせば、年齢や障害状態は問われないが、妻以外の遺族については、生計維持要件のほかに、年齢要件又は障害要件を満たす必要がある。

解答 2　×　法16条の2,2項。労働者の死亡の当時胎児であった子が出生したときは、将来に向かって、その子は、労働者の死亡の当時その収入によって生計を維持していた子とみなされるため、出生のときから受給資格者となる。

解答 3　○　法16条の4,1項２号。設問の通り正しい。設問の子が婚姻したときは、当該子が厚生労働省令で定める障害の状態にある場合であっても、受給権は消滅する。

解答 4　○　法16条の４。設問の通り正しい。

ひっかけ注意⚠

遺族（補償）等年金の受給権は、受給権者が、直系血族又は直系姻族以外の者の養子（事実上養子縁組関係と同様の事情にある者を含む。）となったときは消滅するが、直系血族又は直系姻族の養子となっても、そのことを理由に消滅することはない。

解答 5　×　法16条の4,1項５号。設問の場合は、当該子が、労働者の死亡当時から引き続き一定の障害の状態にある限り、当該受給権は消滅しない。

労一	健保	国年	厚年	社一

Goal

問題 6　／／／

労働者の死亡の当時、その収入によって生計を維持していた遺族が、障害の状態にない55歳の母のみであった場合、当該母が60歳に達する月までの間は、遺族補償年金の支給が停止され、当該支給停止期間中は、遺族補償年金前払一時金の請求をすることはできない。

問題 7　／／／

遺族補償年金前払一時金の額は、給付基礎日額の200日分、400日分、600日分、800日分、1,000日分又は1,200日分に相当する額とする。

問題 8　／／／

転給により遺族補償年金の受給権者となった者は、遺族補償年金前払一時金の請求をすることはできない。

問題 9　／／／

遺族補償年金の受給権を有する死亡した労働者の妻が再婚し、当該遺族補償年金の受給権が消滅した場合であっても、他に遺族補償年金の受給権者がないときは、当該再婚した妻に、遺族補償一時金が支給されることがある。

解答 6 × 法附則60条1項、(40)法附則43条1項、3項。遺族補償年金前払一時金については、いわゆる若年支給停止の規定はないため、設問の母は、遺族補償年金の支給が停止されている間であっても、遺族補償年金前払一時金を請求することができる。

解答 7 × 則附則31項。遺族補償年金前払一時金の額は、給付基礎日額の200日分、400日分、600日分、800日分又は1,000日分に相当する額とするとされており、これらの額のうち、受給権者の選択する額が支給される。

解答 8 × 則附則33項、昭和50.1.4基発2号。遺族補償年金前払一時金の請求は、同一の事由に関し、1回に限り行うことができるため、転給によって遺族補償年金の受給権者となった者は、先順位者が遺族補償年金前払一時金の請求をしていない場合には、遺族補償年金前払一時金の請求をすることができ得る。

解答 9 ○ 法16条の6,1項2号、法16条の7,1項1号。設問の通り正しい。設問の妻に支給された遺族補償年金の額と遺族補償年金前払一時金の額との合計額が給付基礎日額の1,000日分未満であれば、妻に対して遺族補償一時金としてその差額が支給される。

問題10 ／／／

遺族補償一時金を受けることができる遺族として、労働者の死亡の当時その収入によって生計を維持していなかった父と、その収入によって生計を維持していた弟がいるときは、父に遺族補償一時金が支給される。

葬祭料等（葬祭給付）

問題11 ／／／

葬祭料は、死亡した労働者の収入によって生計を維持していた者であって、葬祭を行ったものに対して、その請求に基づき支給される。

問題12 ／／／

葬祭料の額は、315,000円に給付基礎日額の30日分を加えた額（その額が給付基礎日額の60日分を超える場合には、給付基礎日額の60日分）とされている。

解答10 ○　法16条の７。設問の通り正しい。兄弟姉妹は、生計維持関係の有無にかかわらず最後順位である。

〈遺族（補償）等一時金を受けることができる遺族の順位〉
①配偶者
②労働者の死亡の当時その収入によって生計を維持していた子、父母、孫及び祖父母
③労働者の死亡の当時その収入によって生計を維持していなかった子、父母、孫及び祖父母（②、③は記載順）
④兄弟姉妹

解答11 ×　法12条の8,2項。葬祭料は葬祭を行う者に対して支給されるものであり、死亡した労働者の収入によって生計を維持していた者である必要はなく、また、実際に「葬祭を行った」者である必要もない。

解答12 ×　法17条、則17条。葬祭料の額は、315,000円に給付基礎日額の30日分を加えた額（その額が給付基礎日額の60日分に満たない場合には、給付基礎日額の60日分）とする。

〈葬祭料等（葬祭給付）の額〉
・315,000円＋給付基礎日額の30日分
・給付基礎日額の60日分
｝いずれか高い方

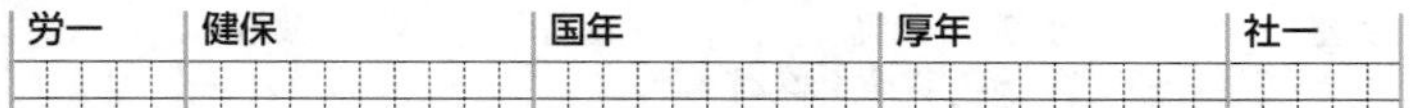

二次健康診断等給付

問題13
／／／

二次健康診断等給付は、一次健康診断において、血圧検査、血液検査その他業務上の事由による脳血管疾患及び心臓疾患の発生にかかわる身体の状態に関する検査であって、厚生労働省令で定めるものが行われた場合において、当該検査を受けた労働者がそのいずれかの項目に異常の所見があると診断されたときに、当該労働者（一定の者を除く。）に対し、その請求に基づいて行う。

問題14
／／／

二次健康診断等給付は、一次健康診断の結果その他の事情により既に脳血管疾患又は心臓疾患の症状を有すると認められる労働者に対しては、行われない。

問題15
／／／

二次健康診断等給付のうち二次健康診断については、1年度につき2回まで受けることができる。

解答13　×　法26条１項。二次健康診断等給付は、検査を受けた労働者がそのいずれの項目にも異常の所見があると診断されたときに、労働者の請求に基づいて行われる。

これも覚える!　二次健康診断等給付は、社会復帰促進等事業として設置された病院若しくは診療所又は都道府県労働局長の指定する病院若しくは診療所（「健診給付病院等」という。）において行われる。

労災

解答14　○　法26条１項カッコ書。設問の通り正しい。

二次健康診断の結果その他の事情により既に脳血管疾患又は心臓疾患の症状を有すると認められる者に対しては、当該二次健康診断に係る特定保健指導は行われない。

解答15　×　法26条２項１号。二次健康診断は、１年度（４月１日から翌年３月31日まで）につき１回に限り受けることができる。

これも覚える!　特定保健指導は、二次健康診断につき１回に限られる。

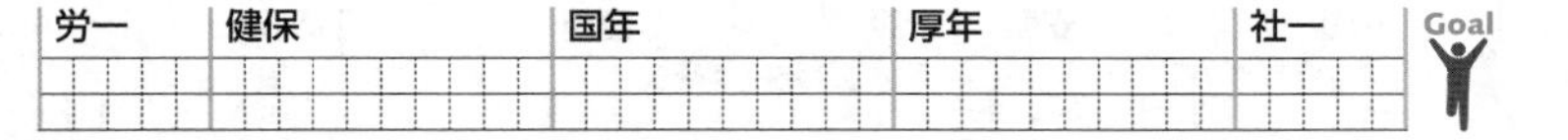

Step-Up

6 保険給付3

遺族（補償）等給付

問題 1 ／／／

遺族補償年金の要件である「労働者の死亡の当時その収入によって生計を維持していた」とは、労働者の収入によって生計の一部を営んでいた関係があれば足りるものとされ、消費生活の大部分を営んでいたことまでは必要とされない。

問題 2 ／／／

事実上婚姻関係と同様の事情にあった者は、遺族補償年金を受けることができる配偶者に含まれるが、いわゆる重婚的内縁関係にあった者は、遺族補償年金を受けることができる配偶者と取り扱われることはない。

問題 3 ／／／

遺族補償年金を受けることができる遺族として、死亡した労働者の62歳の父、56歳の母、5歳の子、17歳の妹（どの遺族も障害状態になく、生計を同じくしている。）がいる場合、給付基礎日額の223日分の遺族補償年金が、5歳の子に支給される。

問題 4 ／／／

遺族補償年金を受けることができる遺族として、死亡した労働者の56歳の母と79歳の祖父（共に障害の状態になく、生計を同じくしている。）がいる場合、給付基礎日額の153日分の遺族補償年金が祖父に支給されるが、母が60歳に達したときは、その月の翌月から給付基礎日額の201日分の遺族補償年金が母に支給される。

進捗チェック

労基	安衛	労災	雇用	徴収

解答 1　○　法16条の2,1項、昭和41.1.31基発73号。設問の通り正しい。

これも覚える！
「労働者の死亡の当時その収入によって生計を維持していた」ことの認定は、当該労働者との同居の事実の有無、当該労働者以外の扶養義務者の有無その他必要な事項を基礎として厚生労働省労働基準局長が定める基準によって行う。

解答 2　×　平成10.10.30基発627号。いわゆる重婚的内縁関係にあった者であっても、届出による婚姻関係がその実体を失って形骸化し、かつ、その状態が固定化して近い将来解消される見込みがなかった場合に限り、遺族補償年金を受けることができる配偶者となる。

解答 3　○　法16条の2,1項、３項、法16条の3,1項、(40)法附則43条１項、法別表第１。設問の通り正しい。設問の場合、56歳の母は、遺族補償年金の額の算定の基礎には含まれない(遺族補償年金の額については、解答５ 大事！参照)。

これも覚える！
遺族（補償）等年金の額の計算の基礎に含まれなかった60歳未満の受給資格者が、その後60歳に達したときは、そのときから計算の基礎に含まれる。

解答 4　×　法16条の2,1項、３項、法16条の3,1項、(40)法附則43条１項、２項、法別表第１。設問の母が60歳に達しても、遺族補償年金を受けることのできる遺族の順位は繰り上がらない。したがって、遺族補償年金の受給権者は祖父のままである。なお、遺族補償年金の額については、設問の通りである。

問題 5

遺族補償年金を受ける権利を有する遺族が、死亡した労働者の53歳の妻（障害の状態にはない。）であり、かつ、当該妻と生計を同じくしている遺族補償年金を受けることができる遺族がない場合、当該妻が55歳に達した月の翌月から遺族補償年金の額が増額改定される。

問題 6

労働者の死亡の当時胎児であった子が障害等級第５級以上に該当する障害の状態で出生して遺族補償年金の受給権を取得した場合、その障害の状態が継続しているときであっても、当該受給権は、18歳に達した日以後の最初の３月31日が終了したときは、消滅する。

問題 7

遺族補償年金を受ける権利を有する者の所在が１年以上明らかでない場合には、当該遺族補償年金は、同順位者があるときは同順位者の、同順位者がないときは次順位者の申請によって、その申請のあった月の翌月から、その支給が停止される。

進捗チェック

労基	安衛	労災	雇用	徴収

解答 5 ○　法16条の3,4項１号、法別表第１。設問の通り正しい。設問の妻に対しては、55歳に達する月まで給付基礎日額の153日分の遺族補償年金が支給され、55歳に達した月の翌月から給付基礎日額の175日分の遺族補償年金が支給される。

〈遺族（補償）等年金の額〉

遺族の数	遺族（補償）等年金の額
１人	給付基礎日額の153日分 （55歳以上の妻又は障害等級第５級以上の障害の状態にある妻は175日分）
２人	給付基礎日額の201日分
３人	〃　223日分
４人以上	〃　245日分

解答 6 ○　法16条の2,1項２号、４号、２項、法16条の4,1項５号。設問の通り正しい。労働者の死亡の当時胎児であった子が出生したときは、将来に向かって、労働者の死亡の当時その収入によって生計を維持していたものとみなされるが、労働者の死亡の当時から引き続き障害の状態にあるものとはみなされないため、18歳に達した日以後の最初の３月31日が終了したときに、受給権が消滅する。

解答 7 ×　法16条の5,1項、昭和41.1.31基発73号。設問の場合、その所在が明らかでない間（つまり、所在不明となったときにさかのぼり）、その支給が停止される。

所在不明により遺族（補償）等年金の支給を停止された遺族は、いつでも、その支給の停止の解除を申請することができ、その場合は、その停止が解除された月の翌月分から支給が再開される（所在が明らかとなったときにさかのぼらない。）。

問題 8　／／／

遺族補償年金を受けることができる遺族が、遺族補償年金を受けることができる先順位又は同順位の他の遺族を故意又は重大な過失により死亡させたときは、その者は、遺族補償年金を受けることができる遺族でなくなる。

二次健康診断等給付

問題 9　／／／

二次健康診断等給付の範囲は、二次健康診断及び特定保健指導とし、特定保健指導とは、二次健康診断の結果に基づき、脳血管疾患及び心臓疾患の発生の予防を図るため、面接により行われる医師又は看護師による保健指導をいう。

問題 10　／／／

二次健康診断等給付を受けようとする者は、天災その他請求をしなかったことについてやむを得ない理由があるときを除き、一次健康診断の結果を知った日から3箇月以内に、所定の事項を記載した請求書を、健診給付病院等を経由して、所轄都道府県労働局長に提出しなければならない。

解答 8 × 法16条の9,4項。遺族補償年金を受けることができる遺族が、遺族補償年金を受けることができる先順位又は同順位の他の遺族を「故意に」死亡させたときは、その者は、遺族補償年金を受けることができる遺族でなくなる(「重大な過失」とは規定されていない。)。

遺族(補償)等年金を受けることができる遺族でなくなるのは、先順位又は同順位の他の遺族を故意に死亡させたときである。

解答 9 × 法26条2項。特定保健指導とは、二次健康診断の結果に基づき、脳血管疾患及び心臓疾患の発生の予防を図るため、面接により行われる医師又は保健師による保健指導をいう。

二次健康診断とは、脳血管及び心臓の状態を把握するために必要な検査(一次健康診断に係る検査を除く。)であって厚生労働省令で定めるものを行う医師による健康診断をいう。

解答 10 × 則18条の19,1項、4項。二次健康診断等給付の請求は、天災その他請求をしなかったことについてやむを得ない理由があるときを除き、「一次健康診断を受けた日」から3箇月以内に行わなければならない。

ひっかけ注意

二次健康診断等給付に係る請求書は、「所轄労働基準監督署長」ではなく、「所轄都道府県労働局長」に提出する。

7 通則等

問題 1

╱╱╱

年金たる保険給付の支給を停止すべき事由が生じたときは、その事由が生じた月からその事由が消滅した月の前月までの間は、支給しない。

問題 2

╱╱╱

年金たる保険給付は、原則として、毎年2月、4月、6月、8月、10月及び12月の6期に、それぞれその月分までを支払う。

問題 3

╱╱╱

船舶に乗っていて、その船舶の航行中に行方不明となった労働者の生死が3箇月間不明の場合には、遺族補償給付、葬祭料、遺族給付及び葬祭給付の支給に関する規定の適用については、労働者が行方不明となった日から3箇月を経過した日に、当該労働者は死亡したものと推定する。

問題 4

╱╱╱

未支給の保険給付（遺族補償年金、複数事業労働者遺族年金及び遺族年金を除く。）を自己の名で請求することができるのは、死亡した者の配偶者、子、父母、孫、祖父母、兄弟姉妹又はこれらの者以外の3親等内の親族であって、その者の死亡当時その者と生計を同じくしていたものである。

解答 1　×　法9条2項。年金たる保険給付の支給を停止すべき事由が生じたときは、その事由が生じた月の翌月からその事由が消滅した月までの間は、支給しないとされている。

これも覚える！　年金たる保険給付の支給は、支給すべき事由が生じた月の翌月から始め、支給を受ける権利が消滅した月で終わるものとする。

解答 2　×　法9条3項。年金たる保険給付は、毎年2月、4月、6月、8月、10月及び12月の6期に、それぞれその前月分までを支払う。

支給を受ける権利が消滅した場合におけるその期の年金たる保険給付は、支払期月でない月であっても、支払うものとする。

解答 3　×　法10条。設問の場合は、労働者が行方不明となった日に、当該労働者は死亡したものと推定する。なお、障害補償年金差額一時金及び障害年金差額一時金については、遺族補償給付及び遺族給付とみなして、死亡の推定の規定が適用される。

これも覚える！　複数業務要因災害に関する保険給付については、死亡の推定の規定は適用されない。

解答 4　×　法11条1項。未支給の保険給付〔遺族（補償）等年金を除く。〕を自己の名で請求することができるのは、死亡した者の配偶者、子、父母、孫、祖父母又は兄弟姉妹であって、その者の死亡当時その者と生計を同じくしていたものである。

問題 5
／／／

遺族補償年金を受ける権利を有する者が死亡した場合において、その死亡した者に支給すべき遺族補償年金でまだその者に支給しなかったものがあるときは、その者の配偶者、子、父母、孫、祖父母又は兄弟姉妹であって、その者の死亡当時その者と生計を同じくしていたものは、自己の名で、その未支給の遺族補償年金の支給を請求することができる。

問題 6
／／／

休業補償給付を受ける労働者が、契約期間の満了によって退職した場合には、療養のため労働することができないために賃金を受けない状態にあるとはいえず、当該退職日の翌日に休業補償給付を受ける権利は消滅する。

問題 7
／／／

保険給付を受ける権利は、譲り渡し、担保に供し、又は差し押さえることができない。ただし、遺族補償給付、複数事業労働者遺族給付又は遺族給付について、先順位の遺族がその受ける権利を次順位の遺族に譲り渡す場合はこの限りでない。

問題 8
／／／

年金たる保険給付の受給権者は、毎年、厚生労働大臣が指定する日までに、所定の事項を記載した報告書を、所轄労働基準監督署長に提出しなければならない。ただし、所轄労働基準監督署長があらかじめその必要がないと認めて通知したとき又は厚生労働大臣が住民基本台帳法の規定により当該報告書と同一の内容を含む機構保存本人確認情報の提供を受けることができるとき若しくは番号利用法の規定により当該報告書と同一の内容を含む利用特定個人情報の提供を受けることができるときは、この限りでない。

解答 5　×　法11条1項。遺族補償年金については、当該遺族補償年金を受けることができる他の遺族（死亡した受給権者と同順位の受給権者が他にあるときはその者、また、同順位者がなく後順位の受給資格者があるときは次順位の受給資格者）が未支給の遺族補償年金の請求権者となる。

解答 6　×　法12条の5,1項。保険給付を受ける権利は、労働者の退職によって変更されることはない。したがって、支給要件に該当する限り休業補償給付は支給される。

解答 7　×　法12条の5,2項。保険給付を受ける権利は、譲り渡し、担保に供し、又は差し押さえることができないとされており、設問のような例外はない。

これも覚える！　租税その他の公課は、保険給付として支給を受けた金品を標準として課することはできない。

解答 8　○　法12条の7、則21条1項。設問の通り正しい。

これも覚える！　「厚生労働大臣が指定する日」とは以下の通りである。

受給権者の生年月日※のある月	指定日
1月から6月までの月	6月30日
7月から12月までの月	10月31日

※遺族（補償）等年金の受給権者については、その支給事由に係る死亡労働者の生年月日

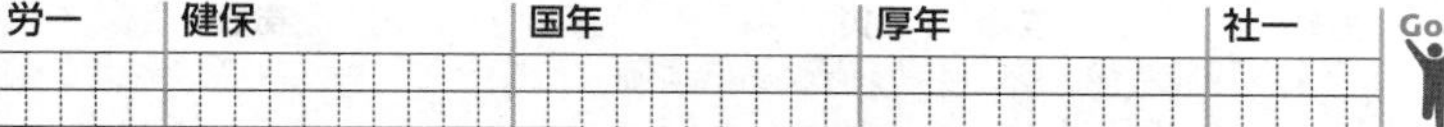

問題 9 ／／／

遺族補償年金を受ける権利を有する労働者が障害補償年金を受ける権利を有することとなり、かつ、遺族補償年金を受ける権利が消滅した場合において、その消滅した月の翌月以後の分として遺族補償年金が支払われたときは、その支払われた遺族補償年金は、障害補償年金の内払とみなされる。

問題 10 ／／／

遺族補償年金の受給権者が死亡したため、その支給を受ける権利が消滅したにもかかわらず、その死亡した日の属する月の翌月以後の分として遺族補償年金の過誤払が行われた場合において、当該過誤払による返還金に係る債権に係る債務の弁済をすべき者に、障害補償年金を支払う事由があるときは、当該障害補償年金の金額をその過誤払による返還金債権の金額に充当することができる。

問題 11 ／／／

労災保険の年金たる保険給付を受けることができる者が、同一の事由により厚生年金保険法の規定による年金たる保険給付を受けることができる場合には、厚生年金保険法の規定による年金たる保険給付が支給され、労災保険の年金たる保険給付は支給されない。

解答 9　×　法12条2項カッコ書。受給権消滅による内払処理は、同一の傷病に係る保険給付間で行われるものであり、遺族補償年金はその対象とならない。

解答 10　×　法12条の2、則10条の2。過誤払による返還金債権の金額に充当することができる保険給付は、年金たる保険給付の受給権者の死亡に関連する保険給付であり、全く別の事由により支給される保険給付は、その対象とならない。

解答 11　×　法別表第1。設問の場合は、労災保険の年金たる保険給付は、所定の調整率を乗じて減額して支給される。なお厚生年金保険法の規定による年金たる保険給付は全額支給される。

〈調整率〉

<table>
<tr><th></th><th>障害厚生年金</th><th>障害基礎年金</th><th>障害厚生年金＋
障害基礎年金</th></tr>
<tr><td>障害(補償)等年金</td><td>0.83</td><td rowspan="2">0.88</td><td rowspan="2">0.73</td></tr>
<tr><td>傷病(補償)等年金
休業(補償)等給付</td><td>0.88</td></tr>
</table>

<table>
<tr><th></th><th>遺族厚生年金</th><th>遺族基礎年金
又は寡婦年金</th><th>遺族厚生年金＋
遺族基礎年金</th></tr>
<tr><td>遺族(補償)等年金</td><td>0.84</td><td>0.88</td><td>0.80</td></tr>
</table>

問題12 ／／／

労災保険の保険給付を受ける権利を有する者が、厚生年金保険法の規定による老齢厚生年金を受けることができる場合には、労災保険の保険給付は調整率を乗じて減額支給される。

問題13 ／／／

労働者が、故意に負傷、疾病、障害若しくは死亡又はその直接の原因となった事故を生じさせたときは、政府は、保険給付の全部又は一部を行わないことができる。

問題14 ／／／

労働者が故意の犯罪行為又は重大な過失により、負傷、疾病、障害若しくは死亡又はこれらの原因となった事故を生じさせたときは、政府は、保険給付の全部又は一部を行わないことができる。

問題15 ／／／

政府が、保険給付の支払を一時差し止めることができるのは、保険給付を受ける権利を有する者が、正当な理由がなくて、労災保険法の規定による届出をしない場合に限られている。

問題16 ／／／

政府は、事業主が、重大とはいえない過失により、労災保険に係る保険関係成立届を提出していない場合において、当該未提出期間（一定の期間を除く。）中に生じた事故について保険給付を行ったときは、その要した費用について当該事業主から一定の額を徴収する。

解答12 ×　法別表第１。併給調整が行われるのは同一の事由により支給される保険給付である。したがって、老齢厚生年金との併給調整が行われることはない。

解答13 ×　法12条の２の2,1項。労働者が、故意に負傷、疾病、障害若しくは死亡又はその直接の原因となった事故を生じさせたときは、政府は、保険給付を行わない。

解答14 ○　法12条の２の2,2項。設問の通り正しい。

〈「故意の犯罪行為又は重大な過失」による支給制限〉

保険給付	具体的な支給制限の内容
休業(補償)等給付 障害(補償)等給付 傷病(補償)等年金	保険給付のつど所定給付額の30％を減額(ただし、年金給付については、療養開始日後３年以内の期間に係る分に限る)

解答15 ×　法47条の３。設問の場合のほか、正当な理由がなくて、書類その他の物件の提出をしないとき、行政庁の報告等又は出頭の命令、受診命令に従わないときについても、保険給付の支払を一時差し止めることができる。

解答16 ×　法31条１項１号。費用徴収が行われるのは、事業主の「故意又は重大な過失」による場合であって、単なる「過失」による場合ではない。

政府は、事業主が故意又は重大な過失により労災保険に係る保険関係成立の届出をしていない期間（一定の期間を除く。）中に生じた事故について保険給付を行ったときは、所定の価額の限度で、その保険給付に要した費用に相当する金額の全部又は一部を事業主から徴収することができる。

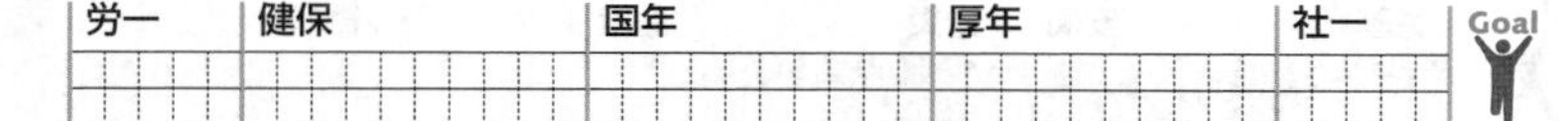

問題17 ／／／

偽りその他不正の手段により保険給付を受けた者があるときは、政府は、その保険給付に要した費用に相当する金額及び当該額の2倍に相当する額をその者から徴収することができる。

問題18 ／／／

偽りその他不正の手段により保険給付を受けた者がある場合において、事業主が虚偽の報告又は証明をしたためその保険給付が行われたものであるときは、政府は、その事業主に対し、保険給付を受けた者と連帯して徴収金を納付すべきことを命ずることができる。

問題19 ／／／

保険給付の原因である事故が第三者の行為によって生じた場合において、保険給付を受けるべき者が当該第三者から同一の事由について損害賠償を受けることができるときは、政府は、その価額の限度で保険給付をしないことができる。

問題20 ／／／

保険給付の原因である事故が第三者の行為によって生じたときは、保険給付を受けるべき者の事業主は、その事実、第三者の氏名及び住所（第三者の氏名及び住所がわからないときは、その旨）並びに被害の状況を、遅滞なく、所轄労働基準監督署長に届け出なければならない。

解答17　×　法12条の3,1項。設問の場合、政府は、「保険給付に要した費用に相当する金額の全部又は一部」を徴収することができるとされている。

解答18　○　法12条の3,2項。設問の通り正しい。

解答19　×　法12条の4,2項。設問の場合において、保険給付を受けるべき者が当該第三者から同一の事由について損害賠償を受けたときは、政府は、その価額の限度で保険給付をしないことができる。なお、政府は、保険給付の原因である事故が第三者の行為によって生じた場合において、保険給付をしたときは、その給付の価額の限度で、保険給付を受けた者が第三者に対して有する損害賠償の請求権を取得する。

解答20　×　則22条。設問の場合には、「保険給付を受けるべき者」が届け出るのであって、「事業主」が届け出るのではない。

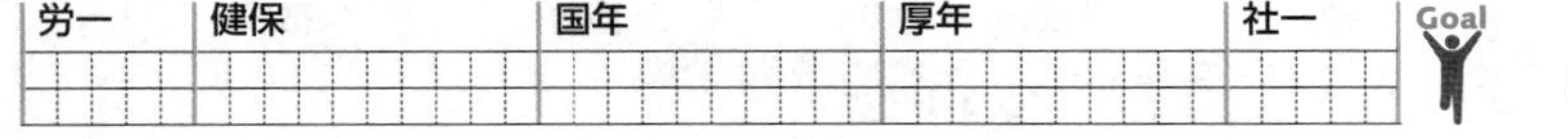

問題21 ／／／

遺族補償年金の受給権者であって、前払一時金を請求することができる者が、同一の事由について、事業主から損害賠償（当該遺族補償年金によって塡補される損害を塡補する部分に限る。）を受けることができるときは、当該事業主は、当該遺族の遺族補償年金の受給権が消滅するまでの間、前払一時金の最高限度額の損害発生時の法定利率による現価の限度で、その損害賠償の履行をしないことができる。

解答21　○　法附則64条1項1号。設問の通り正しい。

事業主の損害賠償の履行が猶予される場合において、遺族（補償）等年金又は遺族（補償）等年金前払一時金の支給が行われたときは、事業主は、当該遺族（補償）等年金又は遺族（補償）等年金前払一時金の額の損害発生時の法定利率による現価の限度で、その損害賠償の責めを免れる。

労一	健保	国年	厚年	社一

Goal

Step-Up

7 通則等

問題 1 ／／／

未支給の保険給付（遺族補償年金、複数事業労働者遺族年金及び遺族年金を除く。以下本問において同じ。）を受ける権利を有する者が死亡した場合において、その死亡した者に支給すべき未支給の保険給付でまだその者に支給しなかったものがあるときは、その者の相続人が、その未支給の保険給付の請求権者となる。

問題 2 ／／／

租税その他の公課は、保険給付として受けた金品を標準として課することができないが、休業補償給付については、被災労働者の所得を保障するものであるため、例外的に所得税が課せられる。

問題 3 ／／／

労災保険に関する書類には、印紙税が課されない。

問題 4 ／／／

傷病補償年金の受給権者が死亡したためその支給を受ける権利が消滅したにもかかわらず、その死亡の日の属する月の翌月以後の分として当該傷病補償年金の過誤払が行われた場合において、当該過誤払による返還金債権に係る債務の弁済をすべき者に対して当該受給権者の死亡を支給事由とする葬祭料を支払うべきときは、当該葬祭料の支払金の金額を、当該過誤払による返還金債権の金額に充当することができる。

問題 5 ／／／

障害補償年金の支給を受ける権利を有する者が、同一の事由について国民年金法第30条の4の規定による障害基礎年金（20歳前傷病による障害基礎年金）を受けることができるときであっても、障害補償年金は減額されない。

進捗チェック

労基	安衛	労災	雇用	徴収

解答 1 ○ 法11条、民法896条他、昭和41.1.31基発73号。設問の通り正しい。未支給給付の請求権者が、その未支給給付を受けないうちに死亡した場合には、その死亡した未支給給付の請求権者の相続人が請求権者となる。

未支給給付の請求権者がない場合には、保険給付の本来の死亡した受給権者の相続人がその未支給給付の請求権者となる。

解答 2 × 法12条の６。保険給付として支給を受けた金品を標準として、租税その他の公課を課することはできない。したがって、休業補償給付について、所得税が課せられることはない。

解答 3 ○ 法44条。設問の通り正しい。

解答 4 ○ 法12条の２、則10条の2,1号、昭和55.12.5基発673号。設問の通り正しい。

過誤払による返還金債権の金額に充当することができるのは、過誤払された年金たる保険給付の受給権者の死亡に係る保険給付〔遺族（補償）等年金、遺族（補償）等一時金、葬祭料等（葬祭給付）、障害（補償）等年金差額一時金〕及び遺族（補償）等年金の受給権者が死亡した場合の同一の事由による遺族（補償）等年金の同順位の受給権者に支給すべき遺族（補償）等年金である。

解答 5 ○ 法別表第１、国年法36条の2,1項。設問の通り正しい。国民年金法30条の４の規定による障害基礎年金は、労災保険の年金たる保険給付を受けることができるときは支給停止されるため、労災保険側の調整は行われず、労災保険の年金たる保険給付は全額支給される。

労一	健保	国年	厚年	社一

Goal

問題 6 ／／／

労災保険法第12条の２の２第１項においては「労働者が、故意に負傷、疾病、障害若しくは死亡又はその直接の原因となった事故を生じさせたときは、政府は、保険給付を行わない。」と規定しているが、ここでいう「故意」とは、自分の行為が一定の結果を生ずるであろうことを認識し、かつ、この結果を生ずることを認容することをいうため、労働者が自殺をした場合は、「故意」によるものであり、政府が保険給付を行うことはない。

問題 7 ／／／

常時介護を要する状態にある労働者が、正当な理由がなくて療養に関する指示に従わないことにより、障害の程度を増進させ、又はその回復を妨げたときであっても、介護補償給付については、支給制限は行われない。

問題 8 ／／／

政府は、事業主が、行政機関から保険手続に関する指導を受けたにもかかわらず、その後10日以内に保険関係成立届を提出していない場合において、当該未提出期間（一定の期間を除く。）中に生じた事故について保険給付を行ったときは、原則「故意」と認定した上で、保険給付の額の100％相当額を当該事業主から徴収する。

問題 9 ／／／

事業主が一般保険料を納付しない期間（督促状に指定する期限後の期間に限る。）中に生じた複数業務要因災害又は通勤災害の原因である事故について政府が保険給付を行った場合は、業務災害の場合と同様に事業主からの費用徴収の対象となる。

解答 6 × 法12条の2の2,1項、平成11.9.14基発545号、令和5.9.1基発0901第2号。業務による心理的負荷によって一定の精神障害が発病したと認められる者が自殺を図った場合には、精神障害によって正常の認識、行為選択能力が著しく阻害され、又は自殺行為を思いとどまる精神的な抑制力が著しく阻害されている状態で自殺が行われたものと推定し、原則として業務起因性が認められ、必ずしも「故意」によるものとは扱われない。したがって、保険給付が行われることがある。

解答 7 ○ 法12条の2の2,2項、昭和52.3.30基発192号、平成8.3.1基発95号。設問の通り正しい。

故意の犯罪行為若しくは重過失又は療養に関する指示違反があった場合でも、療養（補償）等給付、介護（補償）等給付、遺族（補償）等給付、葬祭料等（葬祭給付）及び二次健康診断等給付は支給制限の対象とはならない。

解答 8 ○ 法31条1項1号、令和5.7.20基発0720第1号。設問の通り正しい。

これも覚える!

事業主が、行政機関から保険手続に関する指導を受けてはいないが、保険関係成立後1年を経過してもなお保険関係成立届を提出していなかった場合は、原則「重大な過失」と認定した上で、保険給付の額の40%相当額を事業主から徴収する。

解答 9 ○ 法31条1項2号。設問の通り正しい。なお、一般保険料滞納期間（督促状に指定する期限後の期間に限る。）中の事故の場合、保険給付の額に滞納率（40%が上限）を乗じて得た額が、支給のつど、事業主から徴収される。

これも覚える!

療養（補償）等給付、介護（補償）等給付及び二次健康診断等給付については、事業主からの費用徴収の対象とならない。

問題10 ／／／

政府は、保険給付の原因である事故が第三者の行為によって生じた場合において、保険給付をしたときは、その給付の価額の限度で、保険給付を受けた者が第三者に対して有する損害賠償の請求権を取得する。この場合において、対象となる保険給付は、災害発生後7年以内に支給事由が生じた保険給付（年金たる保険給付については、この7年以内に支払うべきものに限る。）とされている。

問題11 ／／／

政府は、保険給付の原因である事故が第三者の行為によって生じた場合において、保険給付を受けるべき者が当該第三者から同一の事由について損害賠償を受けたときは、その価額の限度で保険給付をしないことができる。この場合において、対象となる保険給付は、災害発生後5年以内に支給事由が生じた保険給付（年金たる保険給付については、この5年以内に支払うべきものに限る。）とされている。

問題12 ／／／

第三者の行為によって生じた事故により労働者が死亡し、遺族補償年金の受給権者である労働者の妻が当該第三者から同一の事由について損害賠償を受けた場合は、政府は、その価額の限度で、保険給付をしないことができるが、その妻が失権した後の後順位の受給権者に対する遺族補償年金については、支給調整は行われない。

問題13 ／／／

自動車損害賠償保障法第16条第1項の規定により保険会社に対して損害賠償の支払請求権を有する被害者に対し、同一の事由に基づき保険給付が行われた場合には、政府は、被害者である受給権者が保険会社に対して有する損害賠償の請求権を取得することはできないものとされている。

解答10　×　法12条の4,1項、令和2.3.30基発0330第33号。設問の場合において、対象となる保険給付は、災害発生後5年以内に支給事由が生じた保険給付（年金たる保険給付については、この5年以内に支払うべきものに限る。）とされている。

解答11　×　法12条の4,2項、平成25.3.29基発0329第11号。設問の場合において、対象となる保険給付は、災害発生後7年以内に支給事由が生じた保険給付（年金たる保険給付については、この7年以内に支払うべきものに限る。）とされている。

解答12　×　法12条の4,2項、平成8.3.5基発99号。転給者に支給される遺族補償年金についても、支給調整の対象となる。

解答13　×　法12条の4,1項、昭和38.6.17基発687号。設問の場合、政府は、受給権者が保険会社に対して有する損害賠償の請求権を取得し、求償が行われる。

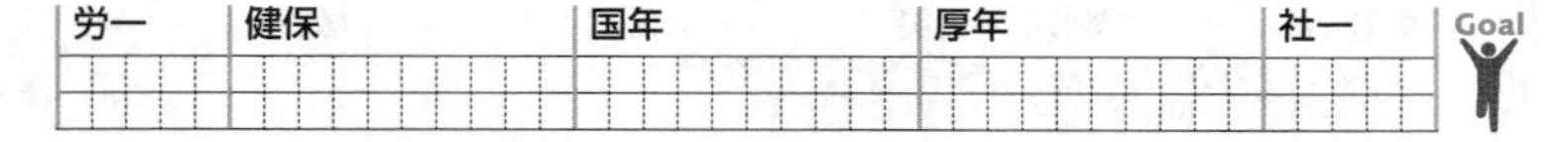

問題 14　／／／

遺族補償年金の受給権者が同一の事由について事業主から損害賠償を受けた場合であっても、遺族補償年金前払一時金については、支給調整は行われない。

問題 15　／／／

企業内の災害補償制度が、労働協約、就業規則等からみて労災保険の保険給付と重なる損害塡補の性質を有するものであることが明らかに認められる場合には、当該保険給付について支給調整が行われる。

解答14 ○ 法附則64条２項３号。設問の通り正しい。

障害（補償）等年金又は遺族（補償）等年金（年金給付）の受給権者が、同一の事由について事業主から損害賠償を受けた場合であっても、以下のものについては、支給調整は行われない。

①各月に支給されるべき年金給付の額の合計額が、厚生労働省令で定める算定方法に従い当該年金給付に係る前払一時金給付の最高限度額に相当する額に達するまでの間についての年金給付
②障害（補償）等年金差額一時金及び遺族（補償）等年金の受給権者が全員失権した場合に支給される遺族（補償）等一時金
③前払一時金給付

解答15 ○ 法附則64条、昭和56.10.30基発696号、平成5.3.26発基29号。設問の通り正しい。

保険給付に「上積みして」支給される企業内労災補償については、原則として支給調整は行われない。

労一	健保	国年	厚年	社一

Basic

8 社会復帰促進等事業

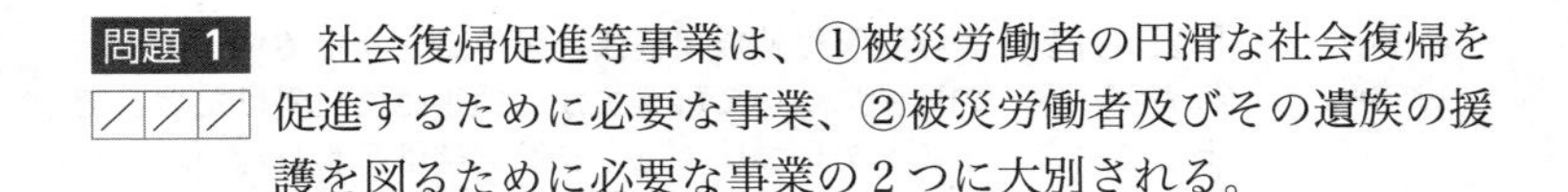

問題 1 ／／／

社会復帰促進等事業は、①被災労働者の円滑な社会復帰を促進するために必要な事業、②被災労働者及びその遺族の援護を図るために必要な事業の２つに大別される。

問題 2 ／／／

社会復帰促進等事業は、業務災害を被った労働者及びその遺族に関する事業であり、複数業務要因災害又は通勤災害を被った労働者及びその遺族は対象とされていない。

問題 3 ／／／

特別支給金は、二次健康診断等給付を除くすべての保険給付に対応して支給される。

問題 4 ／／／

特別支給金の支給に関する事務は、独立行政法人労働者健康安全機構が行うものとされている。

問題 5 ／／／

休業特別支給金の額は、原則として、１日につき算定基礎日額の100分の20に相当する額である。

問題 6 ／／／

傷病特別支給金の額は、傷病等級に応じて算定基礎日額の245日分から313日分に相当する額である。

進捗チェック

労基	安衛	労災	雇用	徴収

解答 1　×　法29条1項。社会復帰促進等事業は、設問の事業（①社会復帰促進事業、②被災労働者等援護事業）のほか「労働者の安全及び衛生の確保、保険給付の適切な実施の確保並びに賃金の支払の確保を図るために必要な事業（安全衛生確保等事業）」を含めた3つに大別される。

解答 2　×　法29条1項。社会復帰促進等事業は、労災保険の適用事業に係る労働者及びその遺族について、行うことができるとされており、複数業務要因災害又は通勤災害を被った労働者及び遺族も対象とされている。

解答 3　×　支給金則2条～5条の2、同則7条～11条、同則附則6項。二次健康診断等給付のほか、療養（補償）等給付、介護（補償）等給付及び葬祭料等（葬祭給付）に対応する特別支給金もない。

解答 4　×　法29条1項、則1条3項。特別支給金の支給に関する事務は、都道府県労働局長の指揮監督を受けて、所轄労働基準監督署長が行う。

これも覚える！　政府は、社会復帰促進等事業のうち、独立行政法人労働者健康安全機構法に掲げるもの（未払賃金の立替払等）を独立行政法人労働者健康安全機構に行わせるものとする。

解答 5　×　支給金則3条1項。休業特別支給金の額は、原則として、「休業給付基礎日額」の100分の20に相当する額である。

解答 6　×　支給金則5条の2,1項、同則別表第1の2。傷病特別支給金の額は、傷病等級に応じて114万円（第1級）、107万円（第2級）及び100万円（第3級）の定額である。

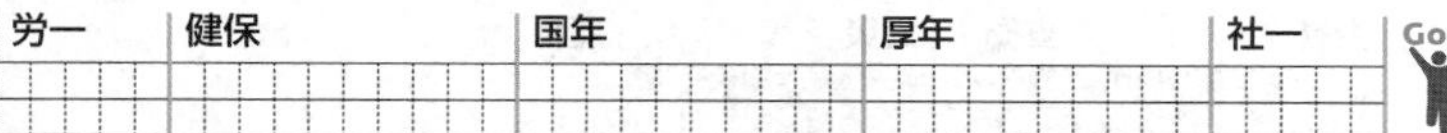

問題 7 ／／／

障害特別支給金は、障害の程度が障害等級第１級から第７級に該当する場合には年金として、第８級から第14級に該当する場合には一時金として支給される。

問題 8 ／／／

遺族特別支給金を受ける遺族が２人以上ある場合、各遺族が受給できる遺族特別支給金の額は、300万円をその人数で除して得た額である。

問題 9 ／／／

特別支給金の額の算定に用いる算定基礎年額（複数事業労働者に係る特別支給金の額の算定に用いる算定基礎年額を除く。）は、原則として、負傷又は発病の日以前１年間（雇入後１年に満たない者については、雇入後の期間）に当該労働者に対して支払われた特別給与の総額とするが、当該額が、次の①又は②のうち、いずれか低い額を超える場合には、その低い額を算定基礎年額とする。

①給付基礎日額×365×100分の20に相当する額

②150万円

問題10 ／／／

障害特別支給金の支給の申請は、障害に係る負傷又は疾病が治った日の翌日から起算して２年以内に行わなければならない。

解答 7 × 支給金則４条１項、同則別表第１。障害特別支給金は、本体の障害（補償）等給付が年金であるか一時金であるかにかかわらず、障害等級別に定額の一時金として支給される。

解答 8 ○ 支給金則５条３項。設問の通り正しい。

遺族特別支給金は、同一の事由について１回に限り支給されるため、転給によって遺族（補償）等年金の受給権者となった者や、全員失権により遺族（補償）等一時金の受給権者となった者には支給されない。

解答 9 ○ 支給金則６条１項、３項、５項。設問の通り正しい。つまり、負傷又は発病の日以前１年間（原則）に支払われた特別給与の総額、問題文①又は②のうち、最も低い額が算定基礎年額となる。

複数事業労働者に係る特別支給金の額の算定に用いる算定基礎年額は、原則として、当該複数事業労働者を使用する事業ごとに算定した算定基礎年額に相当する額を合算した額とするが、当該額が、問題文①又は②のうち、いずれか低い額を超える場合には、その低い額を算定基礎年額とする。

解答 10 × 支給金則４条８項。障害特別支給金の支給の申請は、障害に係る負傷又は疾病が治った日の翌日から起算して５年以内に行わなければならない。

休業特別支給金の申請期限は２年、休業特別支給金以外の特別支給金の申請期限は５年である。

Step-Up

8 社会復帰促進等事業

問題 1

□／□／□／

休業特別支給金の支給を受けようとする者は、その申請の際に、特別給与の総額について事業主の証明を受けた上で、所轄労働基準監督署長に届け出なければならない。

問題 2

□／□／□／

特別支給金は、原則として、これを受けることのできる者の申請に基づき支給されるものであるが、傷病補償年金、複数事業労働者傷病年金又は傷病年金の支給の決定を受けた者については、当分の間、傷病特別支給金の申請があったものとして扱って差し支えないとされている。

問題 3

□／□／□／

傷病特別支給金を受けた者が同一の傷病につき障害特別支給金を受けることとなった場合には、現在の身体障害の該当する障害等級に応ずる額の障害特別支給金が支給される。

問題 4

□／□／□／

労働者が業務上死亡し、その父（労働者の死亡当時57歳で、障害状態ではない。）が遺族補償年金の受給権者となった場合、当該父に支給すべき遺族補償年金及び遺族特別年金は、その者が60歳に達する月までの間は、その支給が停止される。

進捗チェック

労基	安衛	労災	雇用	徴収

解答 1　○　支給金則12条。設問の通り正しい。

ひっかけ注意

特別給与の総額の届出は、最初の休業特別支給金の申請の際に行えば、以後は行わなくてもよく、この届出を行った者及びその遺族が、特別給与を算定基礎とする特別支給金の申請を行う場合には、申請書記載事項のうち、特別給与の総額については記載する必要がないものとして取り扱われる。

解答 2　○　支給金則５条の２、昭和56.6.27基発393号。設問の通り正しい。

これも覚える！

傷病特別年金の支給の申請については、当分の間、休業特別支給金の支給の申請の際に特別給与の総額についての届出を行っていない者を除き、傷病（補償）等年金の支給決定を受けた者は、傷病特別年金の支給の申請を行ったものとして取り扱って差し支えないとされている。

解答 3　×　支給金則４条３項。傷病特別支給金を受けた者が同一の傷病による障害につき障害特別支給金を受ける場合には、当該障害特別支給金の額が既に支給された傷病特別支給金の額を超えるときに限り、その差額に相当する額の障害特別支給金が支給される。

解答 4　○　支給金則13条２項。設問の通り正しい。遺族補償年金のいわゆる若年支給停止期間中は、遺族特別年金の支給も停止される。

ひっかけ注意

遺族（補償）等年金前払一時金が支給されたことにより遺族（補償）等年金が支給停止されている場合でも、遺族特別年金は支給停止されない（特別年金には前払一時金制度がないため。）。

問題 5
／／／
障害補償年金の受給権者が定期報告書を提出しないために、当該障害補償年金の支払が一時差し止められる場合であっても、同一の事由に基づき支給される障害特別年金については一時差止めは行われない。

問題 6
／／／
厚生年金保険法の規定による障害厚生年金又は国民年金法の規定による障害基礎年金と併給される場合における傷病特別年金は、傷病補償年金と同様に減額調整される。

問題 7
／／／
特別支給金を支給する業務災害の原因となった事故が、事業主の故意又は重大な過失により生じたものであっても、事業主は、当該特別支給金の支給に要した費用に相当する額の全部又は一部を徴収されることはない。

問題 8
／／／
社会復帰促進等事業としての労災就労保育援護費の支給は、要保育児たる子と生計を同じくする傷病補償年金、障害補償年金又は遺族補償年金の受給権者等であって、就労のため当該要保育児を幼稚園等に預けている者等のうち、所定の要件を満たす者に対し行われる。

解答 5 × 法47条の３、支給金則20条。定期報告書を提出しないことにより保険給付の支払が一時差し止められる場合には、特別支給金についても一時差止めが行われる。

解答 6 × 支給金則20条。特別支給金は、保険給付と異なり、他の社会保険の給付との併給調整は行われない。

解答 7 ○ 法31条１項３号、支給金則20条。設問の通り正しい。事業主の故意又は重大な過失により生じた業務災害の原因である事故について、保険給付に要した費用は事業主からの費用徴収の対象となるが、特別支給金に要した費用は費用徴収の対象とならない。

解答 8 ○ 則34条１項、２項、令和5.3.31基発0331第47号。設問の通り正しい。

労災就労保育援護費の額は、要保育児１人につき、月額9,000円とされている。なお、同じく社会復帰促進等事業（被災労働者等援護事業）として労災就学援護費の支給が行われており、その額は、在学者等１人につき月額15,000円～39,000円とされている。

Basic

9 特別加入

問題 1　中小事業主等の特別加入の申請をすることができる事業主は、厚生労働省令で定める数以下の労働者を使用する事業（以下「特定事業」という。）の事業主であって、労働保険事務組合に労働保険事務の処理を委託するものに限られる。

問題 2　いわゆる一人親方の特別加入の申請は、当該一人親方が、所定の事項を記載した申請書を所轄労働基準監督署長を経由して、所轄都道府県労働局長に提出することによって行わなければならない。

問題 3　一人親方等は、異なる種類の事業又は作業に関して2以上の一人親方等の団体の構成員となっている場合には、当該2以上の一人親方等の団体に関し、重ねて特別加入することができる。

問題 4　日本国内において行われる継続事業から、海外において行われる有期事業に労働者として派遣される者は、労災保険に特別加入することができない。

問題 5　海外派遣者の特別加入者（複数事業労働者でない者とする。）に係る給付基礎日額は、原則として、労働基準法第12条の平均賃金に相当する額である。

進捗チェック

労基　安衛　労災　雇用　徴収

解答 1　○　法33条1号、法34条1項。設問の通り正しい。

〈特定事業〉

事業の種類	使用労働者数
①金融業、保険業、不動産業又は小売業	常時50人以下
②卸売業又はサービス業	常時100人以下
③上記①②以外の事業	常時300人以下

解答 2　×　法33条3号、法35条1項、則46条の23,1項。一人親方の特別加入の申請は、一人親方本人ではなく、一人親方等の団体が、当該団体の主たる事務所の所在地を管轄する労働基準監督署長を経由して、当該事務所の所在地を管轄する都道府県労働局長に申請書を提出することによって行う。

解答 3　○　法35条2項、平成13.3.30基発233号。設問の通り正しい。

これも覚える！

一人親方等として特別加入している者は、同一の種類の事業又は同一の種類の作業に関しては、当該特別加入に係る団体以外の団体を通じたとしても、重ねて特別加入することはできない。

解答 4　×　法33条7号。海外派遣者の特別加入については、日本国内において行われる事業は継続事業でなければならないが、海外で行われる事業については、継続事業であるか有期事業であるかを問わないため、設問の者は労災保険に特別加入することができる。

解答 5　×　法36条1項2号、則46条の25の3。特別加入者としての給付基礎日額は、3,500円から25,000円（16段階）のうちから、特別加入しようとする者の希望する額に基づいて、厚生労働大臣（委任により都道府県労働局長）が定めることとされている。

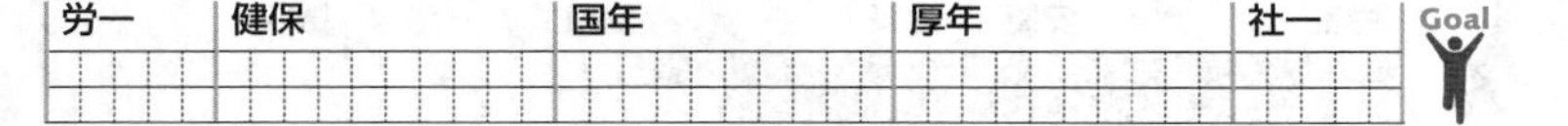

問題 6 ／／／

特別加入者（複数事業労働者でないものとする。）に係る保険給付の額の算定の基礎として用いる給付基礎日額についても、スライド改定が行われ、また、年齢階層別の最低限度額及び最高限度額の適用がある。

問題 7 ／／／

特別加入した中小事業主は、その者が行う事業に使用される労働者とみなされ、当該事業について成立する保険関係に基づき、労災保険のすべての保険給付が行われる。

問題 8 ／／／

一人親方等の特別加入者のうち、自動車を使用して行う旅客若しくは貨物の運送の事業又は原動機付自転車若しくは自転車を使用して行う貨物の運送の事業又は漁船による水産動植物の採捕の事業（船員が行う事業を除く。）を労働者を使用しないで行うことを常態とする者及びこれらの者が行う事業に従事する者など、住居と就業の場所との間の往復の状況等を考慮して厚生労働省令で定める者については、通勤災害に関する保険給付は行われない。

問題 9 ／／／

特別加入者が、特別加入した保険関係に基づき障害補償年金を受けることとなった場合、同一の事由により、障害特別支給金を受けることはできるが、障害特別年金を受けることはできない。

解答 6　×　法34条1項3号、法35条1項6号、法36条1項2号、則46条の20、則46条の24、則46条の25の3。特別加入者としての給付基礎日額については、年齢階層別の最低・最高限度額の適用はない（スライド改定は行われる。）。

解答 7　×　法34条1項、平成20.4.1基発0401042号。特別加入者については、二次健康診断等給付は行われない。

これも覚える！　特別加入者に係る業務災害、複数業務要因災害及び通勤災害の認定は、厚生労働省労働基準局長の定める基準によって行う。

解答 8　○　法35条1項本文カッコ書、則46条の22の2。設問の通り正しい。

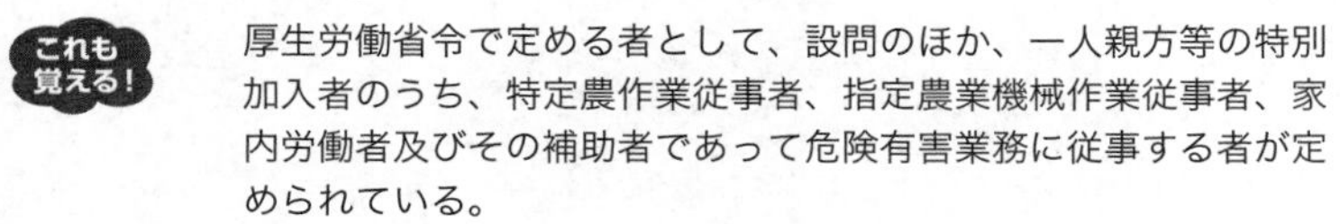

これも覚える！　厚生労働省令で定める者として、設問のほか、一人親方等の特別加入者のうち、特定農作業従事者、指定農業機械作業従事者、家内労働者及びその補助者であって危険有害業務に従事する者が定められている。

解答 9　○　支給金則19条。設問の通り正しい。特別加入者には、定率・定額の特別支給金は支給されるが、特別給与を算定基礎とする特別支給金は支給されない。

これも覚える！　複数事業労働者であって、「特別加入者」であると同時に「事業に使用される労働者」である者については、労働者として支給を受ける特別給与に対応する部分について、特別給与を算定基礎とする特別支給金が支給される。

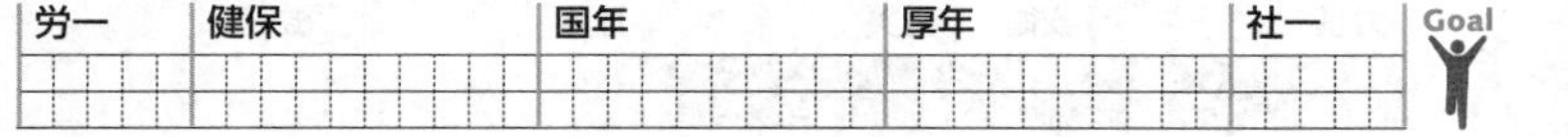

問題10
／／／

特別加入している中小事業主の業務災害の原因である事故が当該事業主の故意又は重大な過失によって生じたものであるときは、保険給付に要した費用の全部又は一部が徴収される。

解答10 × 法34条1項4号。設問の場合には、政府はその事故に係る保険給付の全部又は一部を行わないことができるとされている（特別加入者については、「費用徴収」ではなく「支給制限」が行われる。）。

事業主の故意又は重大な過失による事故に係る支給制限については、第1種特別加入者に対してのみ行われるが、特別加入保険料の滞納期間中の事故に係る支給制限については、第1種、第2種、第3種特別加入者に対して行われる。

Step-Up

9 特別加入

問題 1

／／／

中小事業主等の特別加入においては、事業主（事業主が法人その他の団体であるときは、代表者）と当該事業主が行う事業に従事する者（労働者である者を除く。）とを包括して加入しなければならないとされており、いかなる場合であっても、当該事業に従事する者のみを特別加入させることは認められない。

問題 2

／／／

海外派遣者について、派遣先の海外の事業が特定事業に該当するものであっても、その海外の事業の代表者として派遣される者は、特別加入の対象とならない。

問題 3

／／／

特別加入者に係る休業補償給付は、業務上負傷し、又は疾病にかかり、療養のため当該事業に従事することができないために所定の給付基礎日額に相当する額の収入が失われた場合に限り、支給される。

問題 4

／／／

中小事業主等として特別加入をしている者が、労災保険法の規定に違反したため政府にその特別加入の承認を取り消された場合には、当該特別加入期間中に生じた事故に係る保険給付を受ける権利は消滅する。

解答 1　×　法33条1号、2号、法34条1項、平成15.5.20基発0520002号。中小事業主が、①病気療養中等のため実際には就業しない場合、②事業主の立場において行う事業主本来の業務のみに従事する場合には、就業実態のない事業主として当該事業主を包括加入の対象から除外し、当該事業主が行う事業に従事する者（労働者である者を除く。）のみを特別加入させることができる。

解答 2　×　法33条7号カッコ書、平成11.12.3基発695号。派遣先の海外の事業が特定事業に該当する場合は、当該事業に使用される労働者として派遣されるときに限らず、当該事業の事業主その他労働者以外のものとして派遣されるときも特別加入の対象となる。

解答 3　×　平成13.3.30基発233号。特別加入者に係る休業補償給付は、所得の喪失の有無にかかわらず、療養のため業務遂行性の認められる範囲の業務又は作業について全部労働不能であることが支給要件とされている。

解答 4　×　法34条3項、4項。特別加入の承認を取り消された場合であっても、保険給付を受ける権利は変更されないので、当該特別加入期間中に生じた事故に係る保険給付を受ける権利は消滅しない。

労一	健保	国年	厚年	社一

問題 5
／／／

いわゆる一人親方等の団体が、当該団体に係る一人親方等の一部の者から保険料相当額の交付を受けていないために、政府に対して保険料の一部を滞納している場合には、当該団体全体として一部滞納となり、その期間中に、保険料相当額を当該団体に交付している一人親方等について保険給付の原因である事故が生じたときであっても、政府は、保険給付の全部又は一部を行わないことができる。

解答 5　○　法35条1項7号、平成13.3.30基発233号。設問の通り正しい。ここにいう「保険料の滞納」とは、一人親方等の団体が政府との関係で保険料を滞納している場合をいい、当該団体が一人親方等から保険料として金銭の交付を受けているか否かは問題とならない。したがって、設問のように当該団体が保険料の一部を滞納している期間中に事故が生じたときは、支給制限の対象となる。

労一	健保	国年	厚年	社一

Goal

Basic

10 不服申立て・雑則等

問題 1

／／／

保険給付に関する決定に不服のある者は、労働者災害補償保険審査官に対して審査請求をすることができ、その決定に不服があるときは、労働保険審査会に対して再審査請求をすることができる。

問題 2

／／／

保険給付に関する決定について不服があり、労働者災害補償保険審査官に対して審査請求をしている者は、審査請求を行った日から１箇月を経過しても審査請求についての決定がないときは、労働者災害補償保険審査官が審査請求を棄却したものとみなすことができる。

問題 3

／／／

療養補償給付たる療養の費用の支給を受ける権利の時効は、療養に要する費用を支払った日の翌日から進行する。

問題 4

／／／

休業補償給付を受ける権利の時効は、業務上の負傷又は疾病に係る療養のため労働することができないために賃金を受けない日ごとにその翌日から進行する。

進捗チェック

労基	安衛	労災	雇用	徴収

解答 1　○　法38条１項。設問の通り正しい。なお、労働者災害補償保険審査官の決定に不服のある者は、労働保険審査会に対して再審査請求をするか、又は処分取消しの訴えを提起することができる。

保険給付に関する決定の処分の取消しの訴えは、当該処分についての審査請求に対する労働者災害補償保険審査官の決定を経た後でなければ、提起することができない。

解答 2　×　法38条１項、２項。保険給付に関する決定に係る審査請求を行った日から「３箇月」を経過しても審査請求についての決定がないときは、労働者災害補償保険審査官が審査請求を棄却したものとみなすことができる。

解答 3　○　法42条１項、法43条。設問の通り正しい。なお、現物給付である療養補償給付たる療養の給付については、時効の問題は生じない。

療養（補償）等給付、休業（補償）等給付、葬祭料等（葬祭給付）、介護（補償）等給付及び二次健康診断等給付を受ける権利は、これらを行使することができる時から２年を経過したとき、障害（補償）等給付及び遺族（補償）等給付を受ける権利は、これらを行使することができる時から５年を経過したときは、時効によって消滅する。

解答 4　○　法42条１項、法43条。設問の通り正しい。

問題 5 傷病補償年金を受ける権利は、5年を経過したときは、時効によって消滅する。

問題 6 遺族補償年金及び遺族補償一時金を受ける権利は、これらを行使することができる時から5年を経過したときは、時効によって消滅する。

問題 7 葬祭料を受ける権利は、葬祭を行う者が葬祭を行った日の翌日から起算して2年を経過したときは、時効によって消滅する。

進捗チェック

労基	安衛	労災	雇用	徴収

解答 5 × 法42条1項、昭和52.3.30基発192号。傷病補償年金は、所轄労働基準監督署長の職権により支給決定されるため、時効の問題は生じない。

傷病（補償）等年金の支給決定後の支払期月ごとに生ずる支払請求権（支分権）の消滅時効は、会計法の規定により、5年である。

解答 6 ○ 法42条1項。設問の通り正しい。

遺族（補償）等年金前払一時金を受ける権利は、これを行使することができる時から2年を経過したときに、時効によって消滅する。

解答 7 × 法42条1項、法43条。葬祭料の時効の起算日は、「労働者が死亡した日の翌日」である。

葬祭料等（葬祭給付）は、労働者の死亡によりその権利が発生するものであるから、「葬祭を行った日」の翌日ではなく、「労働者が死亡した日」の翌日から受給権の消滅時効が進行する。

Step-Up

10 不服申立て・雑則等

問題 1

／／／

業務上外の認定に関し不服のある者は、労働者災害補償保険審査官に対して審査請求をすることができる。

問題 2

／／／

保険給付に関する決定についての審査請求に係る労働者災害補償保険審査官の決定に不服のある者は、審査請求についての決定書の謄本が送付された日の翌日から起算して2月を経過したときは、原則として、労働保険審査会に対して再審査請求をすることはできない。

問題 3

／／／

二次健康診断等給付を受ける権利は、労働者が一次健康診断を受けた日の翌日から起算して2年を経過したときは、時効によって消滅する。

問題 4

／／／

行政庁は、労働者を使用する者に対して、労災保険法の施行に関し必要な報告を命ずることができるが、当該命令に違反し、報告をせず、又は虚偽の報告をした場合には、6月以下の懲役又は30万円以下の罰金に処せられる。

進捗チェック

労基	安衛	労災	雇用	徴収

解答 1　×　法38条１項。業務上外の認定に関する不服については、労働者災害補償保険審査官に対する審査請求の対象とならない。労災保険法38条１項では、「保険給付に関する決定に不服のある者は、労働者災害補償保険審査官に対して審査請求をし、その決定に不服のある者は、労働保険審査会に対して再審査請求をすることができる。」と規定されているが、「保険給付に関する決定」とは、直接、受給権者の権利に法律的効果を及ぼす処分でなければならず、したがって、決定の前提にすぎない単なる要件事実の認定（例えば、業務上外、給付基礎日額、傷病の治ゆ日等の認定）は、ここにいう決定ではない。

解答 2　○　法38条１項、労審法38条１項。設問の通り正しい。

労働者災害補償保険審査官に対する審査請求は、審査請求人が原処分のあったことを知った日の翌日から３月を経過したときは、原則としてすることができない。

解答 3　×　法42条１項、法43条、平成20.4.1基発0401042号。二次健康診断等給付を受ける権利の時効は、労働者が一次健康診断の結果を了知し得る日の翌日から進行する。

解答 4　○　法46条、法51条。設問の通り正しい。

事業主等が一定の違反行為をした場合は、６月以下の懲役又は30万円以下の罰金に処せられる。また、事業主等以外の者が一定の違反行為をした場合は、６月以下の懲役又は20万円以下の罰金に処せられる。

問題 5 ／／／ 労災保険に係る保険関係が成立し、又は成立していた事業の事業主は、労災保険に関する書類を、その完結の日から5年間保存しなければならない。

進捗チェック

労基	安衛	労災	雇用	徴収

解答 5　×　則51条。書類の保存期間は、完結の日から3年間である。

雇用保険法

1 総則
（被保険者・届出等）

2 失業等給付１
（求職者給付）

3 失業等給付２・育児休業等給付
（就職促進給付等）

4 雇用保険二事業等

1 総則（被保険者・届出等）

※ 問題13においては、特例高年齢被保険者は考慮しないものとする。

問題 1
／／／

雇用保険は、労働者が失業した場合及び労働者について雇用の継続が困難となる事由が生じた場合に必要な給付を行うほか、労働者が自ら職業に関する教育訓練を受けた場合並びに労働者が子を養育するための休業及び所定労働時間を短縮することによる就業をした場合に必要な給付を行うことにより、労働者の生活及び雇用の安定を図るとともに、求職活動を容易にする等その就職を促進し、あわせて、労働者の職業の安定に資するため、失業の予防、雇用状態の是正及び雇用機会の増大、労働者の能力の開発及び向上その他労働者の福祉の増進を図ることを目的とする。

問題 2
／／／

雇用保険の事務の一部は、政令で定めるところにより、都道府県知事が行うこととすることができる。

問題 3
／／／

雇用保険は、その目的を達成するため、失業等給付及び育児休業給付を行うほか、二事業として、雇用福祉事業及び職業訓練事業を行うことができる。

問題 4
／／／

雇用保険法において「失業」とは、被保険者について、事業主との雇用関係が終了することをいう。

解答 1 ○ 法1条。設問の通り正しい。

解答 2 ○ 法2条2項。設問の通り正しい。

これも覚える！ 雇用保険は、政府が管掌する。

解答 3 × 法3条。二事業として、雇用安定事業及び能力開発事業を行うことができる。

解答 4 × 法4条3項。雇用保険法において「失業」とは、被保険者が離職し、労働の意思及び能力を有するにもかかわらず、職業に就くことができない状態にあることをいう。なお、設問の記述は雇用保険法における「離職」の定義である。

問題 5
／／／

株式会社の代表取締役は、被保険者となる場合がある。

問題 6
／／／

法人である事業主の事業は、農林・畜産・養蚕・水産の事業であって常時５人未満の労働者を雇用する場合であっても、当然に雇用保険の適用事業となる。

問題 7
／／／

１週間の所定労働時間が20時間未満である者については、特例高年齢被保険者となる者及び日雇労働被保険者に該当することとなる者を除き、雇用保険法は適用されない。

解答 5　×　法4条1項、行政手引20351。株式会社の代表取締役は、被保険者とならない。

これも覚える！　株式会社の取締役は、原則として、被保険者としないが、取締役であって同時に会社の部長、支店長、工場長等従業員としての身分を有する者は、報酬支払等の面からみて労働者的性格の強い者であって、雇用関係があると認められるものに限り被保険者となる。

解答 6　○　法附則2条、令附則2条。設問の通り正しい。

解答 7　○　法6条1項1号。設問の通り正しい。

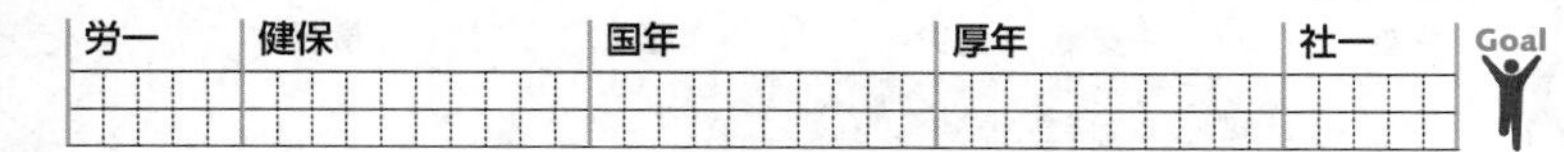

問題 8

高年齢被保険者とは、原則として、60歳以上の被保険者（短期雇用特例被保険者及び日雇労働被保険者を除く。）をいう。

問題 9

季節的に雇用される者であって、4か月以内の期間を定めて雇用されるものは、短期雇用特例被保険者となり得る。

解答 8　×　法37条の2,1項。高年齢被保険者とは、原則として、65歳以上の被保険者（短期雇用特例被保険者及び日雇労働被保険者を除く。）をいう。

・原則の高年齢被保険者
　65歳以上の被保険者（短期雇用特例被保険者及び日雇労働被保険者を除く。）を高年齢被保険者という。
・特例高年齢被保険者
　次の①～③に掲げる要件のいずれにも該当する者は、厚生労働省令で定めるところにより、厚生労働大臣に申し出て、当該申出を行った日から高年齢被保険者（特例高年齢被保険者）となることができる。
①２以上の事業主の適用事業に雇用される65歳以上の者であること。
②１の事業主の適用事業における１週間の所定労働時間が20時間未満であること。
③２の事業主の適用事業（申出を行う労働者の１の事業主の適用事業における１週間の所定労働時間が５時間以上であるものに限る。）における１週間の所定労働時間の合計が20時間以上であること。

解答 9　×　法38条１項。季節的に雇用される者であって、４か月以内の期間を定めて雇用されるものは、短期雇用特例被保険者とならない。短期雇用特例被保険者となるのは、被保険者であって、季節的に雇用されるもののうち、次のいずれにも該当しない者（日雇労働被保険者を除く。）である。
①４箇月以内の期間を定めて雇用される者
②１週間の所定労働時間が20時間以上30時間未満である者

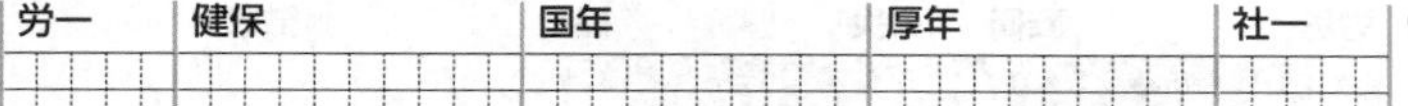

問題10 ／／／

日々雇用される者でなければ日雇労働被保険者となることはない。

問題11 ／／／

事業主は、その雇用する労働者が当該事業主の行う適用事業に係る被保険者となったことについて、当該事実のあった日の翌日から起算して10日以内に、雇用保険被保険者資格取得届をその事業所の所在地を管轄する公共職業安定所の長に提出しなければならない。

問題12 ／／／

事業主は、被保険者が雇用保険被保険者離職票の交付を希望しないときは、雇用保険被保険者資格喪失届に雇用保険被保険者離職証明書を添えないことができるが、離職の日において60歳以上である被保険者については、本人が雇用保険被保険者離職票の交付を希望しない場合であっても、雇用保険被保険者離職証明書を添えなければならないと規定されている。

解答10　×　法42条、法43条。「30日以内の期間を定めて雇用される者」も日雇労働被保険者となり得る。

雇用保険において日雇労働者とは、次のいずれかに該当する労働者をいう。
①日々雇用される者
②30日以内の期間を定めて雇用される者
ただし、前２月の各月において18日以上同一の事業主の適用事業に雇用された者及び同一の事業主の適用事業に継続して31日以上雇用された者は、引き続き日雇労働被保険者となることについて公共職業安定所長の認可を受けた者を除き、日雇労働者とならない。

解答11　×　法７条、則６条１項。雇用保険被保険者資格取得届は、当該事実のあった日の属する月の翌月10日までに提出しなければならない。なお、当該資格取得届は、年金事務所を経由して提出することができる。また、当該届書を健康保険法及び厚生年金保険法の規定による被保険者資格取得届と併せて提出する場合には、所轄労働基準監督署長又は年金事務所を経由して提出することができる。

解答12　×　則７条１項、３項。設問の「60歳以上」は正しくは「59歳以上」である。

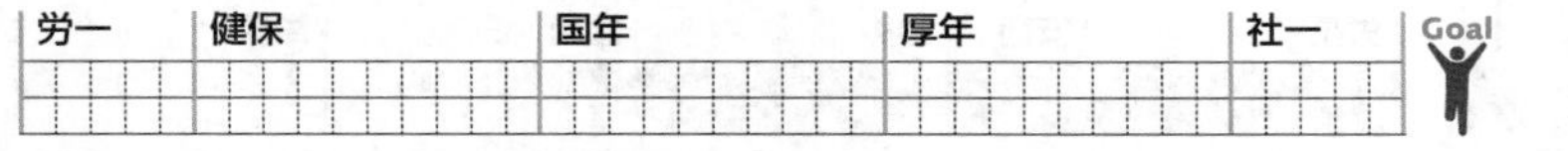

問題13 ／／／

事業主は、その雇用する被保険者を当該事業主の一の事業所から他の事業所に転勤させたときは、速やかに、雇用保険被保険者転勤届を転勤後の事業所の所在地を管轄する公共職業安定所の長に提出しなければならない。

問題14 ／／／

日雇労働被保険者（日雇労働被保険者の任意加入の認可を受けた者を除く。）は、その該当するに至った日から起算して5日以内に、日雇労働被保険者資格取得届をその者の住所又は居所を管轄する公共職業安定所の長に提出しなければならない。

問題15 ／／／

事業主は、事業所を設置したときは、その設置の日の翌日から起算して5日以内に、所定の事項を記載した届書を、事業所の所在地を管轄する公共職業安定所の長に提出しなければならない。

解答13 × 法7条、則13条1項。設問の転勤届は、「当該事実のあった日の翌日から起算して10日以内に」転勤後の事業所の所在地を管轄する公共職業安定所の長に提出しなければならない。

転勤前の事業所と転勤後の事業所とが同一の公共職業安定所の管轄内であっても、雇用保険被保険者転勤届の提出は必要である。

解答14 ○ 則1条5項1号、則71条1項。設問の通り正しい。

設問の「日雇労働被保険者資格取得届」は、日雇労働被保険者本人が、その者の住所又は居所を管轄する公共職業安定所の長（管轄公共職業安定所長）に提出しなければならない。

解答15 × 則141条1項。設問の「5日以内」を「10日以内」と読み替えると、正しい記述となる。

当該届書は、年金事務所を経由して提出することができる。また、次に掲げる区分に応じ、当該区分ごとに定める届書と併せて提出するときは、所轄労働基準監督署長又は年金事務所を経由して提出することができる。

・適用事業所設置届…健康保険及び厚生年金保険の新規適用届又は労働保険の保険関係成立届（一定のものを除く。）
・適用事業所廃止届…健康保険及び厚生年金保険の適用事業所全喪届

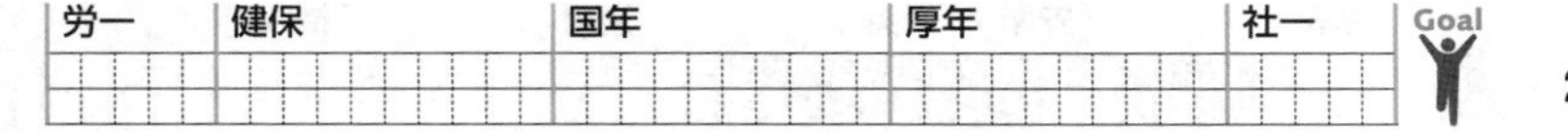

問題16 ／／／ 被保険者となったこと又は被保険者でなくなったことの確認の請求は、口頭で行うことはできない。

解答16　×　法８条、則８条１項。被保険者となったこと又は被保険者でなくなったことの確認の請求は、文書又は口頭で行うものとされており、口頭で行うことができる。

・日雇労働被保険者については、被保険者となったことの確認を請求することはできない。
・特例高年齢被保険者となる申出又は特例高年齢被保険者になるための要件を満たさなくなった旨の申出を行った労働者については、設問の確認が行われたものとみなされる。

Step-Up

1 総則（被保険者・届出等）

問題 1 ／／／

個人経営のかきの養殖の事業であって、年間を通じて事業は行われるが、季節の影響を強く受け、収穫期以外の期間は5人未満の労働者を雇用し、収穫期は5人以上の労働者を雇用することが通例である場合には、「常時5人以上」の労働者を雇用する事業と解され、当該事業は雇用保険の強制適用事業に当たると解される。

問題 2 ／／／

事業主が適用事業に該当する部門（以下「適用部門」という。）と暫定任意適用事業に該当する部門（以下「非適用部門」という。）とを兼営している場合は、それぞれの部門が独立した事業と認められる場合は、適用部門のみが適用事業となる。

問題 3 ／／／

労働者が長期欠勤している場合であっても、雇用関係が存続する限り、賃金の支払を受けていると否とを問わず被保険者となる。

問題 4 ／／／

適用事業に雇用される労働者が事業主の命により日本国の領域外にある適用事業主の支店、出張所等に転勤した場合には、被保険者となり得るが、現地で採用される者は、国籍のいかんにかかわらず被保険者とならない。

問題 5 ／／／

日本国に在住する外国人は、外国公務員及び外国の失業補償制度の適用を受けていることが立証された者を除き、国籍（無国籍を含む。）のいかんを問わず被保険者となり得る。

進捗チェック

労基　安衛　労災　雇用　徴収

解答 1　×　法5条1項、法附則2条1項2号、令附則2条、昭和53.9.22雇保発32号。設問の事業は、「常時5人以上」の労働者を雇用する事業とは解されず、暫定任意適用事業に当たると解される。

解答 2　○　行政手引20106。設問の通り正しい。なお、事業主が適用部門と非適用部門とを兼営している場合において、一方が他方の一部門にすぎず、それぞれの部門が独立した事業と認められない場合であって、主たる業務が適用部門であるときは、当該事業主の行う事業全体が適用事業となる。

解答 3　○　法4条1項、行政手引20352。設問の通り正しい。

これも覚える！

上記の長期欠勤期間は、基本手当の所定給付日数等を決定するための基礎となる算定基礎期間に算入される。

解答 4　○　法4条1項、行政手引20352。設問の通り正しい。

これも覚える！

・適用事業に雇用される労働者が事業主の命により日本国の領域外に出張して就労する場合は、被保険者となり得る。
・適用事業に雇用される労働者が事業主の命によりその者が日本国の領域外にある他の事業主の事業に出向し、雇用された場合でも、国内の出向元事業主との雇用関係が継続している限り被保険者となり得る。なお、雇用関係が継続しているかどうかは、その契約内容による。

解答 5　○　法4条1項、行政手引20352。設問の通り正しい。

問題 6

在宅勤務者（労働日の全部又はその大部分について事業所への出勤を免除され、かつ、自己の住所又は居所において勤務することを常とする者をいう。）であっても、事業所勤務労働者との同一性が確認できれば、原則として被保険者となり得る。

問題 7

学校教育法に規定する学校の学生又は生徒であっても、卒業を予定している者であって、適用事業に雇用され、卒業した後も引き続き当該事業に雇用されることとなっているものは、被保険者となり得る。

問題 8

都道府県の事業に雇用される者のうち、離職した場合に、他の法令等に基づいて支給を受けるべき諸給与の内容が、求職者給付及び就職促進給付の内容を超えると認められるものは、当該都道府県の長が雇用保険法を適用しないことについて、厚生労働大臣に申請し、その承認を受けた場合には、その承認を受けた日から雇用保険法は適用されない。

解答 6 ○ 法4条1項、行政手引20351。設問の通り正しい。なお、設問の「事業所勤務労働者との同一性」とは、所属事業所において勤務する他の労働者と同一の就業規則等の諸規定(その性質上在宅勤務者に適用できない条項を除く。)が適用されること〔在宅勤務者に関する特別の就業規則等(労働条件、福利厚生が他の労働者とおおむね同等以上であるものに限る。)が適用される場合を含む。〕をいう。

解答 7 ○ 法6条4号、則3条の2,1号。設問の通り正しい。いわゆる昼間学生は、原則として適用除外となるが、設問の者など一定の者は被保険者となり得る。

学校教育法に規定する学校の学生又は生徒であっても、次の者は、被保険者となり得る。
①卒業を予定している者であって、適用事業に雇用され、卒業した後も引き続き当該事業に雇用されることとなっているもの
②休学中の者
③定時制の課程に在学する者
④上記の①〜③に準ずる者として厚生労働省職業安定局長が定めるもの

解答 8 × 法6条6号、則4条1項2号、2項。設問の場合には、その承認の申請がなされた日から雇用保険法は適用されない。なお、雇用保険法を適用しないことについて承認をしない旨の決定があったときは、その承認の申請がなされた日にさかのぼって雇用保険法が適用される。

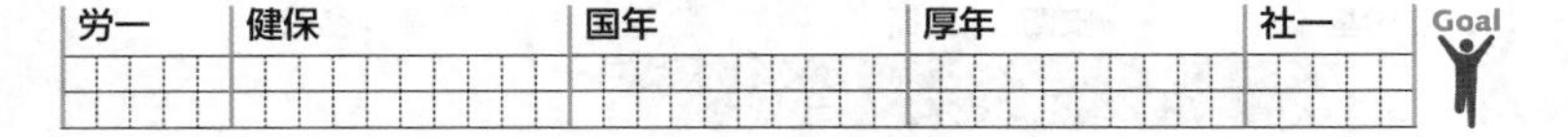

問題 9
／／／

３箇月の期間を定めて１週間の所定労働時間が35時間で季節的に雇用される者が、雇用契約の更新により引き続き２箇月の雇用契約を締結した場合は、当該更新に係る雇用契約を締結した日から被保険者資格を取得する。

問題10
／／／

日雇労働被保険者が前２月の各月において18日以上同一の事業主の適用事業に雇用された場合において、公共職業安定所長の認可を受けたときは、その者は、引き続き、日雇労働被保険者となることができる。

問題11
／／／

被保険者となったことの届出は、特定法人にあっては、原則として、雇用保険被保険者資格取得届の提出に代えて、当該資格取得届に記載すべき事項を電子情報処理組織を使用して提出することにより行うものとされている。

問題12
／／／

雇用保険被保険者証の交付を受けた者が、当該雇用保険被保険者証を滅失し、又は損傷したときの再交付の申請は、雇用保険被保険者証再交付申請書を、その者の選択する公共職業安定所の長に提出することにより行わなければならない。

問題13
／／／

特例高年齢被保険者は、その雇用される事業主の一の事業所から他の事業所に転勤したときは、当該事実のあった日の翌日から起算して10日以内に、転勤後の事業所の名称及び所在地並びに被保険者の氏名等を記載した届書を、転勤後の事業所の所在地を管轄する公共職業安定所の長に提出しなければならない。

進捗チェック

労基	安衛	労災	雇用	徴収

解答 9　×　法6条3号、法38条1項、平成22.4.1厚労告154号、行政手引20555。設問の場合は、「当該更新に係る雇用契約を締結した日」ではなく、当初定められた期間を超えた日である4箇月目の初日から被保険者資格を取得する。

これも覚える！
当初定められた期間を超えて引き続き雇用される場合であっても、当初の期間と新たに予定された雇用期間が通算して4箇月を超えない場合には、被保険者資格を取得しない。

解答 10　○　法43条2項、行政手引90301。設問の通り正しい。

日雇労働被保険者が前2月の各月において18日以上同一の事業主の適用事業に雇用された場合又は同一の事業主の適用事業に継続して31日以上雇用された場合は、原則として、一般被保険者等に切り替えられることとされているが、公共職業安定所長の認可を受けたときには、その者は、引き続き、日雇労働被保険者となることができるとされている。

解答 11　○　則6条9項。設問の通り正しい。

解答 12　○　則1条5項4号、則10条3項。設問の通り正しい。

解答 13　×　則65条の10,1項。設問の特例高年齢被保険者の転勤に関する届書は、「転勤後の事業所の所在地を管轄する公共職業安定所の長」ではなく、「管轄公共職業安定所（その者の住所又は居所を管轄する公共職業安定所）の長」に提出しなければならない。

問題14 ／／／

日雇労働被保険者は、日雇労働被保険者資格継続の認可を受けようとするときは、その者が前２月の各月において18日以上雇用された又は継続して31日以上雇用された適用事業の事業所の所在地を管轄する公共職業安定所の長又はその者の住所又は居所を管轄する公共職業安定所の長に、日雇労働被保険者資格継続認可申請書に日雇労働被保険者手帳を添えて、当該事業所の事業主を経由して提出しなければならない。

問題15 ／／／

二の事業所が一の事業所に統合された場合は、主たる事業所と従たる事業所のいずれにおいても事業所の廃止の届出を行わなければならない。

問題16 ／／／

事業主は、その氏名若しくは住所又は事業の種類等に変更があったときは、その変更があった事項及び変更の年月日を記載した届書を、変更があった日の翌日から起算して10日以内に、その事業所の所在地を管轄する公共職業安定所の長に提出しなければならない。

解答14 ○ 則74条1項。設問の通り正しい。なお、やむを得ない理由のため当該事業主を経由して当該申請書を提出することが困難であるときは、当該事業主を経由しないで提出することができる。

解答15 × 則141条、行政手引22101。事業所の統合が行われた場合における事業所の廃止の届出は、従たる事業所について行い、主たる事業所については、行う必要がない。

二の事業所が一の事業所に統合された場合は、統合後の事業所と統合前の二の事業所のうち主たる事業所を同一のものとして取り扱う。

解答16 ○ 則142条1項。設問の通り正しい。

設問の事業主事業所各種変更届は、年金事務所を経由して提出することができるが、所轄労働基準監督署長を経由して提出することはできない。

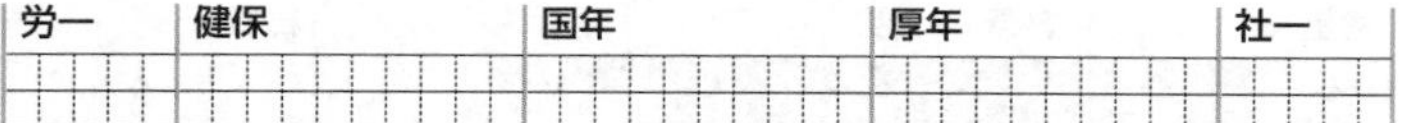

2 失業等給付１（求職者給付）

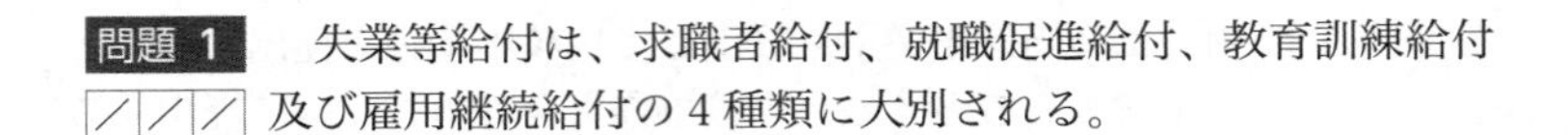

問題 1 ／／／

失業等給付は、求職者給付、就職促進給付、教育訓練給付及び雇用継続給付の４種類に大別される。

問題 2 ／／／

就職促進給付の支給を受ける者は、必要に応じ職業能力の開発及び向上を図りつつ、誠実かつ熱心に求職活動を行うことにより、職業に就くように努めなければならない。

問題 3 ／／／

求職者給付には、基本手当、技能習得手当、寄宿手当及び傷病手当がある。

問題 4 ／／／

倒産・解雇等により離職し、失業した者については、離職の日以前１年間に被保険者期間が通算して６か月以上あれば、離職の日以前２年間に被保険者期間が通算して12か月以上なくても、基本手当の受給要件を満たすこととなる。

問題 5 ／／／

被保険者期間は、離職の日からさかのぼって被保険者であった期間を１箇月ごとに区分し、各区分期間のうちに賃金支払基礎日数が15日以上あるものを「１箇月」として計算する。

解答 1 ○　法10条１項。設問の通り正しい。

ひっかけ注意　育児休業等給付は、失業等給付には含まれない。

解答 2 ×　法10条の２。設問の規定は、「求職者給付」の支給を受ける者に適用される。

解答 3 ○　法10条２項。設問の通り正しい。

解答 4 ○　法13条１項、２項。設問の通り正しい。なお、特定理由離職者が失業した場合においても同様である。

解答 5 ×　法14条１項、行政手引50103。被保険者期間は、離職の日からさかのぼって被保険者であった期間を１箇月ごとに区分し、各区分期間のうちに賃金支払基礎日数が「11日以上あるものを「１箇月」として計算する。また、被保険者資格取得日からその日後における最初の喪失応当日の前日までの期間の日数が15日以上であり、かつ、賃金支払基礎日数が11日以上であるときは、当該期間を「２分の１箇月」の被保険者期間として計算する。

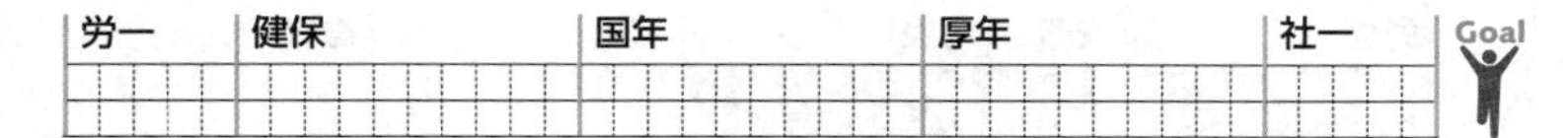

問題 6
／／／

被保険者期間を計算する場合において、最後に被保険者となった日前に、当該被保険者が特例受給資格を取得したことがあるときは、当該特例受給資格に係る離職の日以前における被保険者であった期間は、被保険者期間の計算の基礎となる被保険者であった期間に含めない。

問題 7
／／／

基本手当は、受給資格を有する者が失業していることについての認定を受けた日に限って支給される。

問題 8
／／／

失業の認定は、求職の申込みを受けた公共職業安定所において、原則として、受給資格者が離職した日の翌日から起算して4週間に1回ずつ直前の28日の各日について行うものとする。

問題 9
／／／

公共職業安定所長の指示した公共職業訓練等を受ける受給資格者に係る失業の認定は、1月に1回、直前の月に属する各日（既に失業の認定の対象となった日を除く。）について行われる。

問題10
／／／

受給資格者は、失業の認定を受けようとするときは、失業の認定日に、管轄公共職業安定所に出頭し、原則として、雇用保険被保険者証を添えて失業認定申告書を提出した上、職業の紹介を求めなければならない。

解答 6　○　法14条２項１号、行政手引50103。設問の通り正しい。

最後に被保険者となった日前に、当該被保険者が受給資格、高年齢受給資格又は特例受給資格を取得したことがある場合には、当該受給資格、高年齢受給資格又は特例受給資格に係る離職の日以前における被保険者であった期間は、被保険者期間の計算の基礎となる被保険者であった期間に含めない。

解答 7　○　法15条１項。設問の通り正しい。

失業していることの認定（失業の認定）を受けようとする受給資格者は、離職後、管轄公共職業安定所に出頭し、求職の申込みをした上、雇用保険被保険者離職票を提出しなければならない。

解答 8　×　法15条３項。失業の認定は、原則として、「離職した日の翌日」ではなく、「離職後最初に公共職業安定所に出頭した日」から起算して４週間に１回ずつ直前の28日の各日について行うものとする。

解答 9　○　法15条３項ただし書、則24条１項。設問の通り正しい。

解答 10　×　則22条１項。失業認定申告書に添える書類は「雇用保険被保険者証」ではなく、「雇用保険受給資格者証」である。なお、当該受給資格者が雇用保険受給資格通知の交付を受けた場合にあっては、雇用保険受給資格者証の添付に代えて、個人番号カードを提示することとされている。

問題11 ／／／

公共職業安定所の紹介によらず求人者に面接するため失業の認定日に管轄公共職業安定所に出頭することができない受給資格者は、その旨を管轄公共職業安定所の長に申し出ることにより、失業の認定日の変更の扱いを受けることができる。

問題12 ／／／

受給資格者は、疾病又は負傷のために失業の認定日に管轄公共職業安定所に出頭することができなかった場合において、その期間が継続して15日未満であるときは、出頭することができなかった理由を記載した証明書を提出することによって、失業の認定を受けることができる。

問題13 ／／／

受給資格者が、疾病又は負傷によって失業の認定日に公共職業安定所に出頭することができない場合は、その代理人を出頭させて失業の認定を受けることができる。

問題14 ／／／

失業の認定は、厚生労働省令で定めるところにより、受給資格者が求人者に面接したこと、公共職業安定所その他の職業安定機関若しくは職業紹介事業者等から職業を紹介され、又は職業指導を受けたことその他求職活動を行ったことを確認して行うものとする。

問題15 ／／／

賃金日額は、原則として、算定対象期間において被保険者期間として計算された最後の3箇月間に支払われた賃金（臨時に支払われる賃金及び3箇月を超える期間ごとに支払われる賃金を除く。）の総額をその期間の総日数で除して得た額とする。

解答11　○　法15条3項ただし書、則23条1項1号、行政手引51351。設問の通り正しい。

公共職業安定所の紹介により求人者に面接するため失業の認定日に出頭することができない受給資格者は、その理由を記載した証明書を提出することにより、失業の認定を受けることもできる。

解答12　○　法15条4項1号、則25条1項。設問の通り正しい。

解答13　×　則22条1項、行政手引51252。失業の認定は、受給資格者本人の求職の申込みによって行われるものであるから、設問の場合であっても代理人を出頭させて失業の認定を受けることはできない。

これも覚える！

未支給の失業等給付を請求しようとする場合（受給資格者が死亡した場合）又は公共職業訓練等を行う施設に入校中の場合については、代理人による失業の認定が認められている。

解答14　○　法15条5項。設問の通り正しい。

これも覚える！

管轄公共職業安定所長は、求職活動の内容を確認する際には、受給資格者に対し、職業紹介又は職業指導を行うものとする。

解答15　×　法17条1項。賃金日額は、原則として、算定対象期間において被保険者期間として計算された最後の6箇月間に支払われた賃金（臨時に支払われる賃金及び3箇月を超える期間ごとに支払われる賃金を除く。）の総額を180で除して得た額とする。

※　以下「2 失業等給付1」において、「基準日」とは「基本手当の受給資格に係る離職の日」のことであり、「就職困難者」とは雇用保険法第22条第2項に規定する「厚生労働省令で定める理由により就職が困難な者」のことである。

問題16　／／／

基準日において60歳未満である受給資格者の基本手当の日額は、その者について算定された賃金日額に、その賃金日額に応じて100分の80から100分の45までの範囲で定められた率を乗じて得た額であり、また、基準日において60歳以上65歳未満である受給資格者の基本手当の日額は、その者について算定された賃金日額に、その賃金日額に応じて100分の80から100分の50までの範囲で定められた率を乗じて得た額である。

問題17　／／／

基準日において45歳以上65歳未満であって算定基礎期間が1年以上の就職困難者である受給資格者の受給期間は、基準日の翌日から起算して1年に30日を加えた期間であり、基準日において45歳以上60歳未満であって算定基礎期間が20年以上の特定受給資格者（特定受給資格者とみなされる者を含む。）の受給期間は、基準日の翌日から起算して1年に60日を加えた期間である。

解答16　×　法16条。基準日において60歳未満である受給資格者の基本手当の日額は、その者について算定された賃金日額に、その賃金日額に応じて100分の80から100分の50までの範囲で定められた率を乗じて得た額であり、また、基準日において60歳以上65歳未満である受給資格者の基本手当の日額は、その者について算定された賃金日額に、その賃金日額に応じて100分の80から100分の45までの範囲で定められた率を乗じて得た額である。

解答17　×　法20条1項2号、3号、法附則4条1項。基準日において45歳以上65歳未満であって算定基礎期間が1年以上の就職困難者である受給資格者の受給期間は、基準日の翌日から起算して1年に「60日」を加えた期間であり、基準日において45歳以上60歳未満であって算定基礎期間が20年以上の特定受給資格者（特定受給資格者とみなされる者を含む。）の受給期間は、基準日の翌日から起算して1年に「30日」を加えた期間である。

問題18 ／／／

60歳以上の定年に達したことにより離職した受給資格者(就職困難者でないものとする。)が、当該離職後一定の期間求職の申込みをしないことを希望する場合において、管轄公共職業安定所の長にその旨を申し出たときは、基本手当の受給期間は、原則として、基準日の翌日から起算して1年に求職の申込みをしないことを希望する一定の期間（4年を限度とする。）を加算した期間となる。

問題19 ／／／

基本手当は、受給資格者が当該基本手当の受給資格に係る離職後最初に公共職業安定所に求職の申込みをした日以後において、失業している日（疾病又は負傷のため職業に就くことができない日を含む。）が通算して7日に満たない間は、支給しない。

問題20 ／／／

算定基礎期間が10年未満である一般の受給資格者（特定受給資格者（特定受給資格者とみなされる者を含む。）及び就職困難者に該当しない受給資格者をいうものとする。）に係る所定給付日数は、当該受給資格に係る離職の日における年齢にかかわらず、90日である。

解答18 × 法20条２項、則31条の2,1項、則31条の3,1項。設問文のうち「(４年を限度とする。)」が誤りである。求職の申込みをしないことを希望する一定の期間は「４年」ではなく「１年」を限度とする。なお、算定基礎期間が１年以上である就職困難者にあっては、原則として、「基準日の翌日から起算して１年に60日を加えた期間」に求職の申込みをしないことを希望する一定の期間（１年を限度とする。）を加算した期間が受給期間となる。

設問の申出は、原則として、当該申出に係る離職の日の翌日から起算して２箇月以内にしなければならない。

解答19 ○ 法21条。設問の通り正しい。

待期期間には、疾病又は負傷のため職業に就くことができない日も含まれる。

解答20 ○ 法22条１項３号。設問の通り正しい。

〈一般の受給資格者の所定給付日数〉

算定基礎期間	10年未満	10年以上 20年未満	20年以上
全年齢	90日	120日	150日

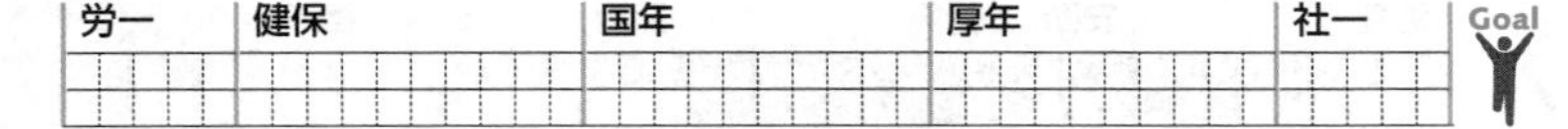

問題21　☐／☐／☐／

基準日において25歳であり、かつ、算定基礎期間が３年である特定受給資格者に係る所定給付日数は、90日である。

問題22　☐／☐／☐／

基準日において45歳であり、かつ、就職困難者である受給資格者に係る所定給付日数は、算定基礎期間が１年以上であるときは330日、１年未満であるときは150日である。

問題23　☐／☐／☐／

公共職業安定所長の指示した公共職業訓練等（その期間が２年を超えるものを除く。）を受けるために待期している受給資格者に対しては、当該待期している期間のうちの当該公共職業訓練等を受け始める日の前日までの引き続く90日間の期間内の失業している日について、その所定給付日数を超えて基本手当を支給する。

解答21　○　法22条１項３号、法23条１項５号。設問の通り正しい。

〈特定受給資格者の所定給付日数〉

<table>
<tr><th>年齢＼算定基礎期間</th><th>１年未満</th><th>１年以上
５年未満</th><th>５年以上
10年未満</th><th>10年以上
20年未満</th><th>20年以上</th></tr>
<tr><td>30歳未満</td><td rowspan="5">90日</td><td>90日</td><td>120日</td><td>180日</td><td>——</td></tr>
<tr><td>30歳以上35歳未満</td><td>120日</td><td rowspan="2">180日</td><td>210日</td><td>240日</td></tr>
<tr><td>35歳以上45歳未満</td><td>150日</td><td>240日</td><td>270日</td></tr>
<tr><td>45歳以上60歳未満</td><td>180日</td><td>240日</td><td>270日</td><td>330日</td></tr>
<tr><td>60歳以上65歳未満</td><td>150日</td><td>180日</td><td>210日</td><td>240日</td></tr>
</table>

解答22　×　法22条２項１号。設問の者に係る所定給付日数は、算定基礎期間が１年以上であるときは「360日」である。なお、算定基礎期間が１年未満であるときは150日であるとの記述は正しい。

〈就職困難者である受給資格者の所定給付日数〉

<table>
<tr><th>年齢＼算定基礎期間</th><th>１年未満</th><th>１年以上</th></tr>
<tr><td>45歳未満</td><td rowspan="2">150日</td><td>300日</td></tr>
<tr><td>45歳以上65歳未満</td><td>360日</td></tr>
</table>

解答23　○　法24条１項、令４条、行政手引52353。設問の通り正しい。なお、この場合の訓練延長給付は、所定給付日数分の基本手当の支給終了後もなお公共職業訓練等を受講するために待期している期間について行われるものであり、法21条に規定する待期期間（離職後最初に公共職業安定所に求職の申込みをした日以後通算して７日の失業期間）について行われるものではない。

問題24　就職困難者である受給資格者に対して行われる個別延長給付は、90日が限度とされる。
／／／

問題25　広域延長給付又は全国延長給付が行われる場合、所定給付日数を超えて基本手当が支給される日数は、広域延長給付、全国延長給付ともに90日が限度とされている。
／／／

解答24　×　法24条の2,2項、３項１号。就職困難者である受給資格者に対して行われる個別延長給付は、60日が限度とされる。

【個別延長給付の適用対象者】

個別延長給付は、次の①②のいずれかに該当する受給資格者であって、かつ、公共職業安定所長が指導基準に照らして再就職を促進するために必要な職業指導を行うことが適当であると認めたものについて行われる。

①就職困難者である受給資格者以外の受給資格者のうち特定理由離職者（希望に反して契約更新がなかったことにより離職した者に限る。）である者又は特定受給資格者であって、次のいずれかに該当するもの

ⓐ心身の状況が厚生労働省令で定める基準に該当する者

ⓑ雇用されていた適用事業が激甚災害の被害を受けたため離職を余儀なくされた者又は激甚災害法の規定により離職したものとみなされた者であって、政令で定める基準に照らして職業に就くことが特に困難であると認められる地域として厚生労働大臣が指定する地域内に居住する者

ⓒ雇用されていた適用事業が激甚災害その他の災害（厚生労働省令で定める災害に限る。）の被害を受けたため離職を余儀なくされた者又は激甚災害法の規定により離職したものとみなされた者（上記ⓑに該当する者を除く。）

②就職困難者である受給資格者であって、上記①ⓑに該当するもの

解答25　○　法25条１項、法27条１項、令６条３項、令７条２項。設問の通り正しい。

問題26 ／／／
広域延長給付を受けている受給資格者について訓練延長給付が行われることとなったときは、当該訓練延長給付が行われる間は、広域延長給付は行われない。

問題27 ／／／
傷病手当は、受給資格者が、離職後公共職業安定所に出頭し、求職の申込みをした後において、疾病又は負傷のために継続して15日以上職業に就くことができない場合に、基本手当の支給を受けることができない日について支給される。

問題28 ／／／
傷病手当の日額は、基本手当の日額に10分の８を乗じて得た額に相当する額とされている。

問題29 ／／／
受講手当の支給額は、日額500円である。

問題30 ／／／
高年齢求職者給付金を受給するためには、原則として、離職の日以前１年間に被保険者期間が通算して６箇月以上なければならない。

解答 26 ×　法28条 1 項、 2 項。広域延長給付を受けている受給資格者については、当該広域延長給付が終わった後でなければ訓練延長給付は行われない。

延長給付の優先順位は、次に掲げる通りであり、優先順位の高い延長給付を受けている間は、優先順位の低い延長給付は行われず、優先順位の高い延長給付が終わった後に行われることとなる。

〈延長給付の優先順位〉

個別延長給付
地域延長給付 → 広域延長給付 → 全国延長給付 → 訓練延長給付

高 ──────────→ 低

解答 27 ○　法37条 1 項、行政手引53002、53003。設問の通り正しい。

傷病手当は、受給資格者が次のいずれにも該当する場合に支給される。

①離職後公共職業安定所に出頭し、求職の申込みをしていること
②疾病又は負傷のため継続して15日以上職業に就くことができないこと
③②の状態が①の後において生じたものであること

解答 28 ×　法37条 3 項。傷病手当の日額は、基本手当の日額に相当する額とされている。

解答 29 ○　則57条 2 項。設問の通り正しい。

技能習得手当は、受講手当と通所手当の 2 種類とされている。

解答 30 ○　法37条の3,1項。設問の通り正しい。

問題31 ／／／

特例一時金の額は、原則として、特例受給資格者を受給資格者とみなして算定した基本手当の日額の30日分（当分の間は、40日分）とされている。

問題32 ／／／

特例一時金の受給期限は、離職の日の翌日から起算して６箇月を経過する日とされている。

問題33 ／／／

日雇労働求職者給付金のいわゆる普通給付を受けるためには、日雇労働被保険者が失業した場合において、その失業の日の属する月以前２月間に、その者について印紙保険料が通算して26日分以上納付されていることが必要である。

問題34 ／／／

日雇労働求職者給付金は、各週（日曜日から土曜日までの７日をいう。）につき日雇労働被保険者が職業に就かなかった日の最初の日の分については、支給されない。

問題35 ／／／

日雇労働求職者給付金のいわゆる普通給付は、日雇労働被保険者が失業した日の属する月における失業の認定を受けた日について、その月の前２月間に、その者について納付されている印紙保険料が通算して30日分であるときには、その月において通算して14日分を限度として支給される。

解答31 ○ 法40条1項、法附則8条。設問の通り正しい。

就職困難者である者に対する特例一時金の額も、就職困難者以外の者と同様である。

解答32 ○ 法40条3項、行政手引55151。設問の通り正しい。なお、特例一時金については、「疾病又は負傷等により職業に就くことができない期間」があっても、受給期限の延長は認められない（高年齢求職者給付金についても同様。）。

解答33 × 法45条。「その失業の日の属する月以前2月間」ではなく「その失業の日の属する月の前2月間」に、その者について印紙保険料が通算して26日分以上納付されていることが必要である。

解答34 ○ 法50条2項、法55条4項。設問の通り正しい。

「職業に就かなかった日」とは、必ずしも失業していた日であることを要しないため、その日については労働の意思、能力は問われず、単に職業に就かなかった事実があればよい。

解答35 × 法45条、法50条1項、行政手引90553。設問の場合は、その月において通算して「13日分」を限度として支給される。日雇労働求職者給付金の普通給付の支給日数は、前2月間の印紙保険料納付日数に応じ、次の表の通りである。

〈日雇労働求職者給付金の支給日数（普通給付）〉

前2月間の印紙保険料納付日数	支給日数
通算して26日～31日	13日
通算して32日～35日	14日
通算して36日～39日	15日
通算して40日～43日	16日
通算して44日以上	17日

問題36 ／／／

日雇労働求職者給付金のいわゆる特例給付を受ける者の失業の認定は、管轄公共職業安定所において、原則として、特例給付を受けることの申出をした日から起算して4週間に1回ずつ行われる。

解答 36　○　則79条１項。設問の通り正しい。

日雇労働求職者給付金のいわゆる普通給付を受ける者の失業の認定は、求職の申込みをした公共職業安定所〔その者の選択する公共職業安定所（日雇派遣労働者にあっては、厚生労働省職業安定局長の定める公共職業安定所）〕において、原則として、日々その日について行われる。

Step-Up

2 失業等給付１（求職者給付）

問題 1

算定対象期間は、原則として、離職の日以前２年間とされているが、当該期間内に事業主の責めに帰すべき事由による休業により労働基準法第26条の規定に基づく休業手当の支給を受けていた日数が50日ある場合には、50日を２年に加算した期間とされる。

問題 2

試算された被保険者期間が12箇月（受給要件の特例が適用される場合は６箇月）に満たない場合は、賃金支払基礎日数が11日以上であるもの又は賃金支払の基礎となった時間数が80時間以上であるものを１箇月として計算し、被保険者資格取得日からその日後における最初の喪失応当日の前日までの期間の日数が15日以上であり、かつ、当該期間内における賃金支払基礎日数が11日以上であるとき又は賃金の支払の基礎となった時間数が80時間以上であるときは、当該期間を２分の１箇月の被保険者期間として計算する。

問題 3

被保険者期間を計算する場合において、育児休業給付金の支給を受けたことがある場合は、当該給付の支給に係る休業の期間は被保険者であった期間に含まれる。

進捗チェック

労基	安衛	労災	雇用	徴収

解答 1　×　法４条４項、法13条１項、行政手引50152、50501。設問の「休業手当」は雇用保険法上では賃金と認められることから、当該休業は「賃金の支払を受けることができなかった」場合には該当しないことになり、したがって、受給要件の緩和（算定対象期間の延長）の対象とはならない。

解答 2　○　法14条３項。設問の通り正しい。

解答 3　○　法14条２項。設問の通り正しい。

被保険者期間を計算する場合において、次に掲げる期間は、被保険者であった期間に含めない。

①最後に被保険者となった日前に、当該被保険者が受給資格、高年齢受給資格又は特例受給資格をすでに取得したことがある場合には、その各資格に係る離職の日以前における被保険者であった期間

②被保険者となったことの確認があった日の２年前の日（特例対象者にあっては、賃金台帳、源泉徴収票等により確認される被保険者の負担すべき労働保険料の額に相当する額がその者に支払われた賃金から控除されていたことが明らかとなる最も古い日）前における被保険者であった期間

問題 4
／／／

受給資格者が職業に就くためその他やむを得ない理由のため、管轄公共職業安定所の長に失業の認定日の変更の申出を行った場合において、管轄公共職業安定所の長は、申出を受けた日がやむを得ない理由のため出頭できない失業の認定日前の日であるときは、当該失業の認定日における失業の認定の対象となる日のうち、当該申出を受けた日前の各日について、失業の認定を行うものとする。

問題 5
／／／

基本手当に係る失業の認定に当たっては、失業の認定日において、原則として、認定対象期間に求職活動を行った実績（求職活動実績）が２回以上あることを確認できることが必要とされているが、公共職業安定所において求人情報を閲覧することは、求職活動実績に含まれる。

問題 6
／／／

基準日における年齢が45歳の受給資格者Ｘと60歳の受給資格者Ｙについて、それぞれ賃金日額の年齢階層別の最高限度額の適用を受ける場合、Ｘの基本手当の日額はＹの基本手当の日額よりも低くなる。

解答 4　○　法15条３項ただし書、則23条１項１号、則24条２項１号。設問の通り正しい。

失業の認定日の変更があった場合における失業の認定は、その申出を受けた日において、次に掲げる日について行う。

①申出を受けた日がやむを得ない理由のため出頭できない失業の認定日前の日であるとき
…当該失業の認定日における失業の認定の対象となる日のうち、当該申出を受けた日前の各日

②申出を受けた日がやむを得ない理由のため出頭できない失業の認定日後の日であるとき
…当該失業の認定日における失業の認定の対象となる日及び当該失業の認定日から当該申出を受けた日の前日までの各日

解答 5　×　則28条の2,1項、行政手引51254。公共職業安定所において求人情報を閲覧することは、求職活動実績に含まれない。なお、設問の「認定対象期間」とは、原則として前回の認定日から今回の認定日の前日までの期間（法32条の給付制限の対象となっている期間を含む。）をいう。また、求職活動実績が原則として２回以上あることを確認できることが必要とされる旨の記述は正しい。

単なる、職業紹介機関への登録、知人への紹介依頼、公共職業安定所・新聞・インターネット等での求人情報の閲覧等だけでは求職活動実績には該当しない。

解答 6　×　法16条、法17条４項２号、令和6.7.30厚労告250号。設問の場合、Ｘの基本手当の日額はＹの基本手当の日額よりも高くなる。Ｘは45歳以上60歳未満、Ｙは60歳以上65歳未満であることから、賃金日額の最高限度額はＸの方が高く、また、基本手当の日額の算定にあたって賃金日額に乗じる率（給付率）もＸは100分の50、Ｙは100分の45とＸの方が高い。

問題 7
／／／

受給資格者が、失業の認定に係る期間中に自己の労働によって収入を得た場合において、その収入の 1 日分に相当する額から控除額を控除した額と基本手当の日額との合計額が賃金日額の100分の80を超える場合においては、当該超える額が基礎日数分の基本手当として支給される。

問題 8
／／／

受給期間内に、疾病又は負傷により引き続き30日以上職業に就くことができない期間がある者は、その申出によって、その期間を加えて最高 4 年まで受給期間を延長することができるが、傷病手当の支給を受ける場合における当該傷病手当に係る疾病又は負傷は延長の対象とならない。

問題 9
／／／

定年退職者等に係る受給期間延長の申出は、原則として、当該申出に係る離職の日の翌日から起算して 1 箇月以内に受給期間延長申請書に雇用保険被保険者離職票を添えて管轄公共職業安定所の長に提出することによって行うものとされている。

解答 7　×　法19条 1 項 2 号。受給資格者が、失業の認定に係る期間中に自己の労働によって収入を得た場合において、その収入の 1 日分に相当する額から控除額を控除した額と基本手当の日額との合計額が賃金日額の100分の80を超えるときは、当該超える額（超過額）を基本手当の日額から控除した残りの額が基礎日数分の基本手当として支給される。

なお、当該超過額が基本手当の日額以上であるときは、基礎日数分の基本手当は支給されない。

解答 8　○　法20条 1 項、則30条 1 号、行政手引50271。設問の通り正しい。

解答 9　×　則31条の3,1項、2 項。設問の「1 箇月」を「2 箇月」と読み替えると、正しい記述となる。

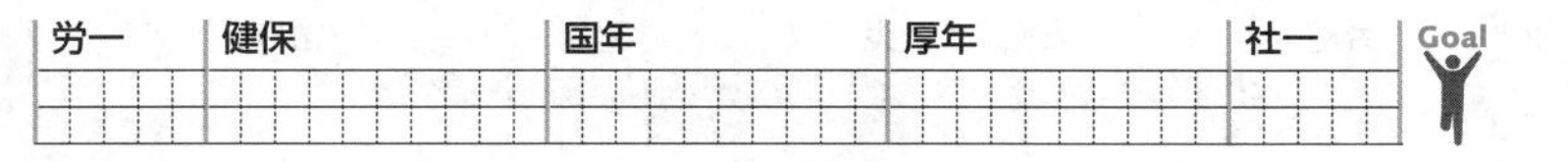

問題 10　／／／

受給資格者であって、受給期間が1年（傷病等による受給期間の延長又は定年退職者等の受給期間の特例の適用はないものとする。）である者が、基準日後に事業を開始し、その実施期間が5年である場合は、他の要件を満たす限り、実施期間のうち4年間は受給期間に算入されない。

問題 11　／／／

受給資格者であって、基準日後において実施期間が30日以上である事業を開始したものが、当該事業について再就職手当の支給を受けていた場合には、雇用保険法第20条の2に定める事業開始等による受給期間の特例の規定は適用されない。

問題 12　／／／

受給資格者が、求職の申込みをした日以後5日間の失業の認定を受けた後に再就職し、新たな受給資格を得ることなく再び失業して求職の申込みをした場合は、当該求職の申込みの日を含めて2日間の失業の認定を受けたときには、待期期間が満了する。

進捗チェック

労基	安衛	労災	雇用	徴収

解答10 ×　法20条の２。設問はいわゆる受給期間の特例に関するものであるが、当該受給期間の特例により受給期間に算入しないこととされる期間は、「実施期間（当該実施期間の日数が４年から法20条１項〔原則の受給期間（傷病等による受給期間の延長がある場合は当該延長後の期間）〕及び同条２項（定年退職者等の受給期間の特例）の規定により算定される期間の日数を除いた日数を超える場合における当該超える日数を除く。）」である。

設問においては、４年から受給期間である１年を除いた日数（３年分）を超える日数（２年分）は、特例の対象となる実施期間から除かれる（受給期間に含まれる）ため、受給期間に算入されない期間は３年間である。

解答11 ○　法20条の２、則31条の4,2号。設問の通り正しい。

解答12 ○　法21条、行政手引51102。設問の通り正しい。

これも覚える！　待期は、１受給期間内に１回をもって足りる。なお、待期は、求職の申込み日から進行する。

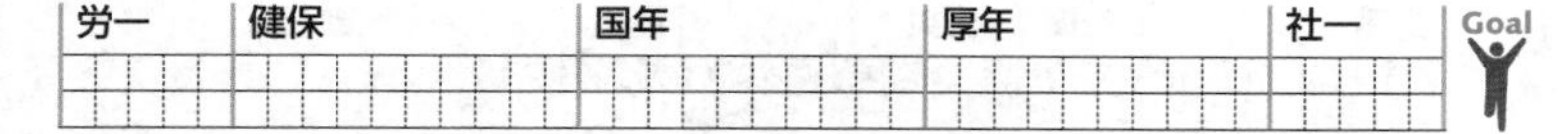

問題13　／／／

事業主Aのところで一般被保険者として1年間雇用されたのち離職し、当該離職に基づく基本手当を受給することなく、離職後1年以内に事業主Bに一般被保険者として4年雇用された者の算定基礎期間は、5年となる。なお、この者は育児休業給付金及び出生時育児休業給付金の支給を受けたことがないものとする。

問題14　／／／

算定基礎期間が1年未満である受給資格者については、年齢、離職理由及び就職困難者に該当するか否かを問わず、所定給付日数は一律に90日とされている。

問題15　／／／

算定基礎期間が3年である特定受給資格者の場合、基準日において30歳である者の所定給付日数と35歳である者の所定給付日数は、ともに120日である。

問題16　／／／

解雇により離職した者であっても、当該解雇が自己の責めに帰すべき重大な理由によるものである場合には、特定受給資格者とならない。

問題17　／／／

就職困難者以外の受給資格者であって、期間の定めのある労働契約が1回以上更新され、雇用された時点から継続して3年以上雇用されており、労働契約の更新を当該受給資格者が希望していたにもかかわらず、契約更新がなされなかったことにより離職したものは、特定受給資格者となる。

解答13　○　法22条3項、法61条の7,9項、法61条の8,6項。設問の通り正しい。

算定基礎期間とは、基準日まで引き続いて同一の事業主の適用事業に被保険者として雇用された期間のみに限らず、離職後1年以内に被保険者資格を再取得した場合には、その前後の被保険者として雇用された期間をも通算したものをいう。
ただし、次の期間は、算定基礎期間には算入されない。
①基本手当又は特例一時金の支給を受けたことがある場合には、これらの給付の受給資格又は特例受給資格に係る離職の日以前の被保険者であった期間
②育児休業給付金又は出生時育児休業給付金の支給を受けたことがある場合は、これら給付の支給に係る休業の期間

解答14　×　法22条1項3号、2項、法23条1項。算定基礎期間が1年未満の就職困難者である受給資格者にあっては、年齢を問わず「150日」とされている。Basic 解答22 の表参照。

解答15　×　法23条1項3号ニ、4号ニ。算定基礎期間が3年である特定受給資格者の場合、基準日において30歳である者の所定給付日数は120日、35歳である者の所定給付日数は150日とされている。Basic 解答21 表参照。

解答16　○　法23条2項2号カッコ書、則36条1号カッコ書。設問の通り正しい。

解答17　○　法23条2項2号、則36条7号、行政手引50305。設問の通り正しい。

定年退職後の再雇用時に契約更新の上限が定められているような場合など、あらかじめ定められていた再雇用期限の到来に伴い離職した場合は、特定受給資格者とならない。

問題18 ／／／

離職の日の属する月の前6月のうちいずれかの月において1月当たり100時間以上、時間外労働及び休日労働が行われたことにより離職した就職困難者以外の受給資格者は、特定受給資格者となる。

問題19 ／／／

賃金（退職手当を除く。）の額の3割を上回る額が支払期日までに支払われなかったことにより離職した就職困難者以外の受給資格者は、特定受給資格者となる。

問題20 ／／／

全国延長給付は、失業の状況が全国的に著しく悪化し、連続する4月間の失業の状況が政令で定める状態にあり、かつ、その状態が継続すると認められる場合において、受給資格者の就職状況からみて必要があると認めるときに、期間を指定して行われるものである。

問題21 ／／／

地域延長給付が行われる場合における、所定給付日数を超えて基本手当を支給する日数は、60日（基準日において35歳以上60歳未満で、かつ、算定基礎期間が10年以上であるものにあっては、30日）が限度とされる。

解答18　○　法23条２項２号、則36条５号ロ。設問の通り正しい。

解答19　×　法23条２項２号、則36条３号。賃金（退職手当を除く。）の額を３で除して得た額を上回る額が支払期日までに支払われなかったことにより離職した就職困難者以外の受給資格者は、特定受給資格者となる。

解答20　○　法27条１項、令７条１項。設問の通り正しい。

全国延長給付が行われるのは、連続する４月間の各月における全国平均の基本手当の受給率が４％を超え、同期間の各月における初回受給率が低下する傾向になく、かつ、これらの状態が継続すると認められる場合である。

解答21　×　法附則５条２項。設問の「10年」を「20年」と読み替えると、正しい記述となる。

【地域延長給付の適用対象者】

地域延長給付は、受給資格に係る離職の日が令和９年３月31日以前である受給資格者〔就職困難者である受給資格者以外の受給資格者のうち特定理由離職者（希望に反して契約更新がなかったことにより離職した者に限る。）である者及び特定受給資格者に限る。〕であって、厚生労働省令で定める基準に照らして雇用機会が不足していると認められる地域として厚生労働大臣が指定する地域内に居住し、かつ、公共職業安定所長が指導基準に照らして再就職を促進するために必要な職業指導を行うことが適当であると認めたもの（個別延長給付を受けることができる者を除く。）について行われる。

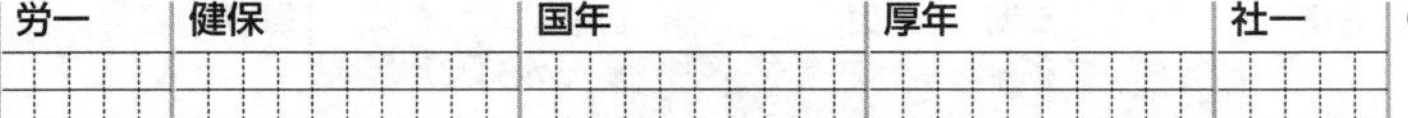

問題22　疾病又は負傷のために基本手当の支給を受けることができないことについての認定を受けた日について、傷病手当と労働者災害補償保険法の規定による休業補償給付の支給を受けることができる場合には、傷病手当は支給されない。

問題23　延長給付に係る基本手当を受給中の受給資格者に対して、傷病手当が支給されることはない。

問題24　受講手当は、受給資格者が公共職業安定所長の指示した所定の公共職業訓練等を受けた日であっても、その者に自己の労働による収入があったことにより基本手当が支給されないこととなった日については、支給されない。

問題25　寄宿手当は、受給資格者が、公共職業安定所長の指示した公共職業訓練等（その期間が２年を超えるものを除く。）を受けるため、その者により生計を維持されている同居の親族（事実上婚姻関係と同様の事情にある者を含む。）と別居して寄宿している期間について支給される。

問題26　高年齢受給資格者の高年齢求職者給付金の支給に係る失業の認定があった日が令和６年10月16日であり、かつ、受給期限日が同年10月31日であった場合の高年齢求職者給付金の額は、当該高年齢受給資格者を受給資格者とみなした場合にその者に支給されることとなる基本手当の日額の16日分となる。

解答22　○　法37条８項。設問の通り正しい。

解答23　○　法37条４項、行政手引53004。設問の通り正しい。

解答24　×　則57条１項、行政手引52851。「自己の労働による収入があったことにより基本手当が支給されないこととなった日」であっても、所定の要件を満たしていれば受講手当の支給対象となる。

解答25　○　法24条１項、法36条２項、令４条１項。設問の通り正しい。

解答26　○　法37条の4,1項、行政手引54215。設問の通り正しい。

高年齢求職者給付金の額は、基本手当の日額に、算定基礎期間が１年以上の場合は50日、１年未満の場合は30日を乗じて得た額とされているが、失業の認定があった日から受給期限日までの日数がこれらの日数に満たない場合には、当該認定のあった日から当該受給期限日までの日数に相当する日数を乗じて得た額となる。

労一	健保	国年	厚年	社一

Goal

問題27　特例受給資格者が、特例一時金の支給を受ける前に公共職業安定所長の指示した公共職業訓練等（その期間が30日（当分の間は40日）以上２年以内であるものに限る。）を受ける場合において、当該者が当該公共職業訓練等を受講中に疾病又は負傷により継続して15日以上職業に就くことができなくなったときは、当該者に対して傷病手当が支給される。

問題28　特例受給資格者が、求職の申込みの日以後、失業の認定があった日の前日までの間に自己の労働によって収入を得た場合、その収入の額によっては、特例一時金が減額され、又は支給されないことがある。

問題29　日雇労働被保険者が失業した日の属する月における失業の認定を受けた日について、その月の前２月間に、その者について納付されている印紙保険料が第１級印紙保険料が24日分、第２級印紙保険料が６日分であった場合、日雇労働求職者給付金のいわゆる普通給付として第１級給付金（日額7,500円）が支給される。

解答27　×　法24条1項、法41条、令4条1項、行政手引56401。設問の者に対しては、傷病手当は支給されない。特例受給資格者が、特例一時金の支給を受ける前に公共職業安定所長の指示した公共職業訓練等〔その期間が30日（当分の間は40日）以上2年以内であるものに限る。〕を受ける場合には、特例一時金を支給しないものとし、その者を受給資格者とみなして、当該公共職業訓練等を受け終わる日までの間に限り、受給資格者に対する求職者給付を支給することとされているが、当該求職者給付は基本手当、技能習得手当及び寄宿手当に限られており、傷病手当は支給されない。

解答28　×　法38条3項、行政手引55357。特例一時金については、求職の申込みの日以後、失業の認定があった日の前日までの間に自己の労働による収入がある場合であっても、減額は行われない（高年齢求職者給付金についても同様。）。

解答29　○　法48条1号。設問の通り正しい。

日雇労働求職者給付金（普通給付）の日額は、前2月間に納付された印紙保険料の等級と納付日数に応じ、次の通り決定される。

前2月間の保険料の等級別納付状況	等級区分	日額
通算して26日分以上のうち、第1級印紙保険料が24日分以上	第1級給付金	7,500円
通算して26日分以上のうち、第1級と第2級印紙保険料が合計24日分以上	第2級給付金	6,200円
通算して26日分以上のうち、第1級、第2級及び第3級の順に選んだ24日分の印紙保険料の平均額が第2級印紙保険料の日額（146円）以上		
上記以外	第3級給付金	4,100円

問題30　／／／

日雇労働求職者給付金のいわゆる特例給付の支給を受けるためには、少なくとも、継続する６月間（基礎期間）の最後の月の翌月以後４月間（特例給付について申出をした日が当該４月の期間内にあるときは、同日までの間）に、日雇労働求職者給付金のいわゆる普通給付の支給を受けていないことが必要である。

問題31　／／／

基本手当の受給資格者が日雇労働被保険者として就業し、基本手当と日雇労働求職者給付金のいずれの受給要件も満たした場合においては、当該者には基本手当が支給され、日雇労働求職者給付金は支給されない。

解答30　×　法53条1項3号。設問の「4月」（2箇所）を「2月」に読み替えると、正しい記述となる。

〈特例給付の受給要件〉

①継続する6月間（基礎期間）に印紙保険料が各月11日分以上、かつ、通算して78日分以上納付されていること

②基礎期間のうち、後の5月間に日雇労働求職者給付金のいわゆる普通給付又は特例給付の支給を受けていないこと

③基礎期間の最後の月の翌月以後2月間（申出をした日が当該2月の期間内にあるときは、同日までの間）に日雇労働求職者給付金のいわゆる普通給付の支給を受けていないこと

解答31　×　法46条、法55条4項。設問のように基本手当の受給資格者が日雇労働被保険者として就業し、基本手当と日雇労働求職者給付金のいずれの受給要件も満たした場合においては、必ずしも基本手当が支給され、日雇労働求職者給付金は支給されないわけではない。この場合は、基本手当の支給を受けたときは、その支給の対象となった日については日雇労働求職者給付金は支給されず、日雇労働求職者給付金の支給を受けたときは、その支給の対象となった日については基本手当は支給されないこととされている。

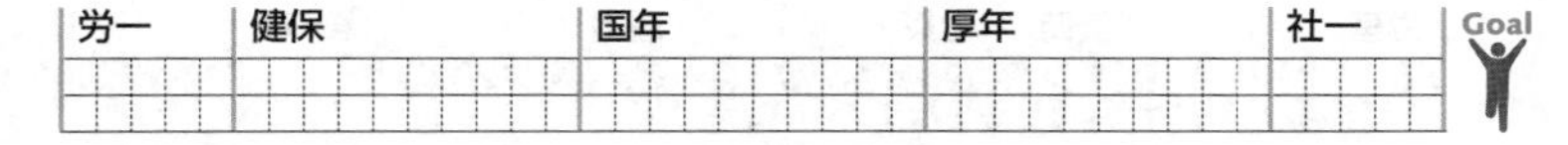

3 失業等給付２・育児休業等給付（就職促進給付等）

就職促進給付

問題 1
／／／
就職促進給付は、就業促進手当、移転費及び求職活動支援費の３種類である。

問題 2
／／／
受給資格者が自ら事業を開始した場合は、就業促進手当の支給対象とならない。

問題 3
／／／
高年齢受給資格者、特例受給資格者又は日雇受給資格者のうち、一定の要件に該当するものについては、再就職手当が支給され得る。

問題 4
／／／
再就職手当の支給を受けるためには、受給資格者が安定した職業に就いた日の前日における基本手当の支給残日数が、当該受給資格に基づく所定給付日数の３分の１以上、かつ45日以上であることを必要とする。

解答 1　○　法10条４項。設問の通り正しい。

解答 2　×　法56条の3,1項、則82条１項２号、則82条の２。就業促進手当のうち再就職手当は、受給資格者が自ら事業を開始した場合であっても、所定の要件を満たせば支給される。なお、就業促進定着手当及び常用就職支度手当については、自ら事業を開始した者は、支給対象とならない。

解答 3　×　法56条の3,1項１号。再就職手当の支給対象となり得るのは「受給資格者」のみであり、高年齢受給資格者、特例受給資格者又は日雇受給資格者は再就職手当の支給対象とならない。

解答 4　×　法56条の3,1項１号。再就職手当が支給されるためには、少なくとも、厚生労働省令で定める安定した職業に就いた日の前日における基本手当の支給残日数が当該受給資格に基づく所定給付日数の**3分の1以上**でなければならない(「かつ45日以上」という要件はない。)。

問題 5　／／／

再就職手当の額は、基本手当日額に支給残日数に相当する日数に10分の７（支給残日数が当該受給資格に基づく所定給付日数の３分の２以上である者にあっては、10分の６）を乗じて得た数を乗じて得た額である。

問題 6　／／／

就業促進定着手当の額は、再就職手当に係る基本手当日額に支給残日数に相当する日数に10分の４を乗じて得た数を乗じて得た額が上限とされる。

問題 7　／／／

受給資格者が常用就職支度手当の支給を受けるためには、厚生労働省令で定める安定した職業に就いた日の前日における基本手当の支給残日数が、当該受給資格に基づく所定給付日数の３分の１未満であることを必要とする。

問題 8　／／／

常用就職支度手当は、離職前の事業主に再び雇用された場合には支給されない。

解答 5　×　法56条の3,3項１号。再就職手当の額は、基本手当日額に支給残日数に相当する日数に「10分の６」（支給残日数が当該受給資格に基づく所定給付日数の３分の２以上である者にあっては、「10分の７」）を乗じて得た数を乗じて得た額である。

支給残日数	再就職手当の額
所定給付日数の３分の２未満	基本手当日額×支給残日数×10分の６
所定給付日数の３分の２以上	基本手当日額×支給残日数×10分の７

同一の事業主の適用事業にその職業に就いた日から引き続いて６箇月以上雇用される者であって厚生労働省令で定めるものにあっては、一定の方法により計算した額（就業促進定着手当）が加算される。

解答 6　×　法56条の3,3項１号。設問の「10分の４」を「10分の２」と読み替えると正しい記述となる。

【就業促進定着手当の上限額】
基本手当日額×（支給残日数×10分の２）

解答 7　○　法56条の3,1項２号。設問の通り正しい。常用就職支度手当は、厚生労働省令で定める安定した職業に就いた受給資格者等（受給資格者にあっては、当該職業に就いた日の前日における基本手当の支給残日数が当該受給資格に基づく所定給付日数の３分の１未満である者に限る。）であって、身体障害者その他の就職が困難な者として厚生労働省令で定めるものに対して、公共職業安定所長が厚生労働省令で定める基準に従って必要があると認めたときに、支給される。

解答 8　○　法56条の3,1項２号、則82条２項２号。設問の通り正しい。

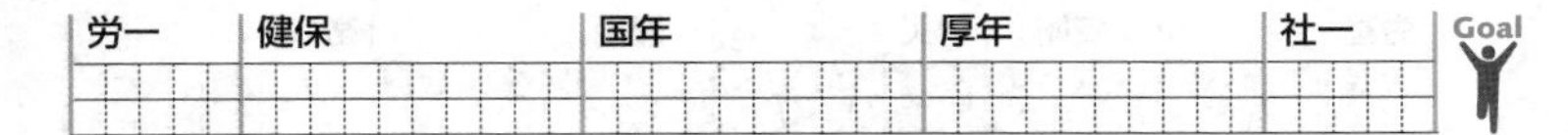

問題 9 ／／／

受給資格者等が厚生労働省令で定める安定した職業に就いた日前３年以内の就職について就業促進手当の支給を受けたことがあるときは、常用就職支度手当は、支給されない。

問題 10 ／／／

移転費は、鉄道賃、船賃、航空賃、車賃、宿泊料及び移転料の６種類とされている。

問題 11 ／／／

広域求職活動費は、受給資格者等が、雇用保険法第33条第１項の規定による期間（いわゆる離職理由による給付制限の期間）中に広域求職活動を開始した場合には、支給されない。

問題 12 ／／／

短期訓練受講費の額として算定された額が4,000円を超えないときは、短期訓練受講費は支給されない。

解答 9　○　法56条の3,2項、則82条の４。設問の通り正しい。

大事！

【常用就職支度手当の支給要件】

常用就職支度手当は、一定の受給資格者等が安定した職業に就いた場合であって、次のいずれにも該当する場合に支給される。ただし、安定した職業に就いた日前３年以内の就職について就業促進手当の支給を受けたことがあるときは支給されない。

①公共職業安定所又は職業紹介事業者等の紹介により１年以上引き続き雇用されることが確実であると認められる職業に就いた受給資格者等であって、常用就職支度手当を支給することが当該受給資格者等の職業の安定に資すると認められるものであること

②離職前の事業主に再び雇用されたものではないこと

③待期及び離職理由又は職業紹介拒否等による給付制限の期間が経過した後職業に就いたこと

解答10　×　則87条１項。移転費は、鉄道賃、船賃、航空賃、車賃、移転料及び「着後手当」の６種類とされている（「宿泊料」は移転費に含まれない。）。

解答11　×　則96条１項。広域求職活動費は、受給資格者等が、離職理由による給付制限の期間中に広域求職活動を開始した場合であっても、支給され得る。

解答12　×　則100条の３。設問のような短期訓練受講費の下限額の規定はないので、誤り。短期訓練受講費の額は、受給資格者等が教育訓練の受講のために支払った費用〔入学料（受講の開始に際し納付する料金をいう。）及び受講料に限る。〕の額に100分の20を乗じて得た額（その額が10万円を超えるときは、10万円）とされている。

教育訓練給付

※　以下 **教育訓練給付** において、「教育訓練」とは、雇用保険法第60条の２第１項の規定に基づき厚生労働大臣が指定する教育訓練のことであり、「基準日」とは、教育訓練を開始した日のことである。

問題13　教育訓練給付金は、基準日に一般被保険者でない者には支給されない。

問題14　特定一般教育訓練に係る教育訓練給付金は、支給要件期間が３年（当分の間、当該教育訓練を開始した日前に教育訓練給付金の支給を受けたことがない者については２年）以上あることが支給の要件とされている。

問題15　支給要件期間は、過去に教育訓練給付金の支給を受けたことがあるときは、当該教育訓練給付金に係る教育訓練を修了した日以前の被保険者であった期間を除いて算定する。

解答13 × 法60条の2,1項。教育訓練給付金は、基準日に一般被保険者である者に限らず、基準日に高年齢被保険者である者、又は一般被保険者若しくは高年齢被保険者であった者であって、基準日が当該基準日の直前の一般被保険者若しくは高年齢被保険者でなくなった日から１年以内（原則）にあるものにも支給され得る。

解答14 × 法60条の2,1項、法附則11条、則101条の２の7,2号,3号、則附則24条。設問文のカッコ書が誤りである。特定一般教育訓練については、当分の間、当該教育訓練を開始した日前に教育訓練給付金の支給を受けたことがない者については支給要件期間が「１年」以上あることが支給の要件とされている。

〈支給要件期間〉

一般教育訓練・特定一般教育訓練	３年以上(１年以上※)
専門実践教育訓練	３年以上(２年以上※)

※(　)内は基準日前に教育訓練給付金の支給を受けたことがない者

解答15 × 法60条の2,2項２号。過去に教育訓練給付金の支給を受けたことがあるときは、当該教育訓練給付金に係る教育訓練を開始した日前（基準日前）の被保険者であった期間を除いて算定する。

雇用

労一	健保	国年	厚年	社一

Goal

問題16 ／／／　一般教育訓練に係る教育訓練給付金の支給を受けようとする者は、当該教育訓練給付金の支給に係る一般教育訓練を開始した日の翌日から起算して１箇月以内に、教育訓練給付金支給申請書に所定の書類を添えて管轄公共職業安定所の長に提出しなければならない。

問題17 ／／／　教育訓練支援給付金の日額は、基本手当の日額に相当する額に100分の80を乗じて得た額とされている。

雇用継続給付

問題18 ／／／　雇用継続給付は、高年齢雇用継続基本給付金及び高年齢再就職給付金（高年齢雇用継続給付）並びに介護休業給付金とされている。

問題19 ／／／　短期雇用特例被保険者及び日雇労働被保険者に対して高年齢雇用継続給付が支給されることがある。

問題20 ／／／　高年齢雇用継続基本給付金は、少なくとも、支給対象月に支払われた賃金の額が、みなし賃金日額に30を乗じて得た額の100分の64に相当する額を下るに至った場合でなければ支給されない。

問題21 ／／／　高年齢再就職給付金は、就職日の前日における基本手当の支給残日数が100日未満である者に対しては支給されない。

解答16　×　則101条の２の11,1項。設問の届出は、「一般教育訓練を開始した日」ではなく「一般教育訓練を修了した日」の翌日から起算して１箇月以内に行わなければならない。

解答17　×　法附則11条の2,3項。教育訓練支援給付金の日額は、基本手当の日額に相当する額に100分の60を乗じて得た額とされている。

解答18　○　法10条６項。設問の通り正しい。

解答19　×　法61条１項、法61条の2,1項。短期雇用特例被保険者及び日雇労働被保険者に対しては、高年齢雇用継続給付は支給されない。

解答20　×　法61条１項。高年齢雇用継続基本給付金は、少なくとも、支給対象月に支払われた賃金の額が、みなし賃金日額に30を乗じて得た額の「100分の75」に相当する額を下るに至った場合でなければ支給されない。

解答21　○　法61条の2,1項１号。設問の通り正しい。

高年齢再就職給付金は、就職日の前日における基本手当の支給残日数が100日以上である場合でなければ支給されない。

問題22
／／／

　高年齢雇用継続基本給付金及び高年齢再就職給付金のいずれについても、支給対象月において非行、疾病その他の厚生労働省令で定める理由により支払を受けることができなかった賃金がある場合には、その支払を受けたものとみなして賃金額を算定する。

問題23
／／／

　高年齢再就職給付金の支給期間は、基本手当の支給残日数が100日以上200日未満の場合は、就職日の属する月から当該就職日の翌日から起算して１年を経過する日の属する月までであるが、当該期間の途中で65歳となるときは、65歳に達する日の属する月までとされている。

問題24
／／／

　被保険者（短期雇用特例被保険者及び日雇労働被保険者を除く。問題25及び問題28において同じ。）の兄弟姉妹は、当該被保険者が同居し、かつ、扶養している場合でなければ、介護休業給付金の対象家族とされない。

問題25
／／／

　被保険者が介護休業給付金の支給を受けたことがある場合において、同一の対象家族について当該被保険者が４回以上の介護休業をした場合における４回目以後の介護休業については、介護休業給付金は支給されない。

解答22　○　法61条１項カッコ書。設問の通り正しい。

「厚生労働省令で定める理由」には、「非行、疾病」のほか、「負傷」や「事業所の休業」等がある。

解答23　○　法61条の2,2項。設問の通り正しい。

基本手当の支給残日数が200日以上の場合の支給期間は、就職日の属する月から当該就職日の翌日から起算して２年を経過する日の属する月（その月が65歳に達する日の属する月後であるときは、65歳に達する日の属する月）までである。

解答24　×　法61条の4,1項、則101条の17。介護休業給付金において「対象家族」とは、被保険者の配偶者、父母、子、祖父母、兄弟姉妹及び孫並びに配偶者の父母をいい、設問の兄弟姉妹が対象家族とされるためには、被保険者が同居し、かつ、扶養しているという要件は必要ない。

解答25　○　法61条の4,6項。設問の通り正しい。

被保険者が介護休業について介護休業給付金の支給を受けたことがある場合において、当該被保険者が次の①又は②のいずれかに該当する介護休業をしたときは、介護休業給付金は、支給されない。

①同一の対象家族について当該被保険者が４回以上の介護休業をした場合における４回目以後の介護休業

②同一の対象家族について当該被保険者がした介護休業ごとに、当該介護休業を開始した日から当該介護休業を終了した日までの日数を合算して得た日数が93日に達した日後の介護休業

労一	健保	国年	厚年	社一

Goal

問題26 ／／／

介護休業給付金が支給されるためには、支給単位期間において公共職業安定所長が就業をしていると認める日数が10日（10日を超える場合にあっては、公共職業安定所長が就業をしていると認める時間が80時間）以下であることが必要である。

育児休業等給付

問題27 ／／／

育児休業等給付は、育児休業給付、出生後休業支援給付及び育児時短就業給付とする。

問題28 ／／／

被保険者が育児休業について育児休業給付金の支給を受けたことがある場合において、当該被保険者が同一の子について３回以上の育児休業（厚生労働省令で定める場合に該当するものを除く。）をした場合における３回目以後の育児休業については、育児休業給付金は、支給されない。なお、同一の子について出生時育児休業給付金の支給を受けたことはないものとする。

問題29 ／／／

出生時育児休業給付金の額は、原則として、休業開始時賃金日額に支給日数を乗じて得た額の100分の67に相当する額である。

解答 26　×　法61条の4,1項、則101条の16,1項。介護休業給付金が支給されるためには、支給単位期間において公共職業安定所長が就業をしていると認める日数が10日以下であることが必要であり、10日を超える場合にあっては、「公共職業安定所長が就業をしていると認める時間が80時間以下」であったとしても、当該支給単位期間においては、介護休業給付金は支給されない。

ひっかけ注意

育児休業給付金については、支給単位期間において公共職業安定所長が就業をしていると認める日数が、10日（10日を超える場合にあっては、公共職業安定所長が就業をしていると認める時間が80時間）以下でなければならないとされている。

解答 27　○　法61条の6,1項。設問の通り正しい。

⑴　育児休業給付は、次のとおりとする。
　① 育児休業給付金
　② 出生時育児休業給付金
⑵　出生後休業支援給付は、出生後休業支援給付金とする。
⑶　育児時短就業給付は、育児時短就業給付金とする。

解答 28　○　法61条の7,2項。設問の通り正しい。なお、当該「３回」の通算には、同一の子について出生時育児休業給付金の支給を受けていた場合であっても、出生時育児休業を取得した回数は含めないこととされている。

解答 29　○　法61条の8,4項。設問の通り正しい。

給付通則

問題30 ／／／

未支給の失業等給付の支給を請求しようとする者は、受給資格者等が死亡したことを知った日の翌日から起算して1箇月以内に、未支給失業等給付請求書を死亡者に係る公共職業安定所の長に提出しなければならない。

問題31 ／／／

求職者給付は、租税その他の公課の対象とならないが、就職促進給付、教育訓練給付及び雇用継続給付については、租税その他の公課の対象となる。

給付制限

問題32 ／／／

公共職業訓練受講後の訓練延長給付を受けている受給資格者が、正当な理由がなく、公共職業安定所長の指示した公共職業訓練等を受けることを拒んだときは、その拒んだ日から起算して3箇月間に限って、基本手当は支給されない。

問題33 ／／／

偽りその他不正の行為により求職者給付又は就職促進給付の支給を受け、又は受けようとした者には、これらの給付の支給を受け、又は受けようとした日から起算して1箇月以上3箇月以内の間で公共職業安定所長の定める期間は、基本手当を支給しない。ただし、やむを得ない理由がある場合には、基本手当の全部又は一部を支給することができる。

解答30 ×　則17条の2,1項。未支給の失業等給付に係る請求書は、受給資格者等が死亡した日の翌日から起算して6箇月以内に提出しなければならない。

未支給給付の請求、不正受給による給付の返還命令・納付命令、受給権の保護及び公課の禁止の規定は、育児休業等給付についても準用される。

解答31 ×　法10条１項、法12条。租税その他の公課は、失業等給付として支給を受けた金銭を標準として課することができないとされており、就職促進給付、教育訓練給付及び雇用継続給付も失業等給付に該当するので、租税その他の公課の対象とならない。

解答32 ×　法29条１項。設問の場合、原則としてその拒んだ日以後、基本手当は支給されない。

解答33 ×　法34条１項。偽りその他不正の行為により求職者給付又は就職促進給付の支給を受け、又は受けようとした者には、これらの給付の支給を受け、又は受けようとした日以後、基本手当を支給しない。ただし、やむを得ない理由がある場合には、基本手当の全部又は一部を支給することができる。

労一	健保	国年	厚年	社一	Goal

問題34 日雇労働求職者給付金の支給を受けることができる者が、正当な理由がなく、公共職業安定所の紹介する業務に就くことを拒んだときは、その拒んだ日から起算して7日間は、日雇労働求職者給付金は支給されない。

解答34　○　法52条１項、法55条４項。設問の通り正しい。

3 失業等給付2・育児休業等給付（就職促進給付等）

就職促進給付

問題 1

／／／

再就職手当は、雇入れをすることを待期期間中に約した事業主に雇用された場合であっても、所定の要件を満たしていれば支給される。

問題 2

／／／

所定給付日数が150日である受給資格者が、厚生労働省令で定める安定した職業に就いた場合であって、当該受給資格に係る基本手当の支給残日数が100日であるときに支給される再就職手当の額は、基本手当日額に60を乗じて得た額である。

問題 3

／／／

就業促進定着手当は、「再就職手当の支給に係る同一の事業主の適用事業にその職業に就いた日から6箇月間に支払われた賃金を雇用保険法第17条に規定する賃金とみなして同条の規定を適用した場合に算定されることとなる賃金日額に相当する額（みなし賃金日額）」が「当該再就職手当に係る基本手当日額の算定の基礎となった賃金日額（算定基礎賃金日額）」を下回る場合でなければ支給されない。

問題 4

／／／

常用就職支度手当は、受給資格者等が離職理由による給付制限期間中に職業に就いた場合には、支給されない。

解答 1 ○ 法56条の3,1項1号、則82条1項。設問の通り正しい。

再就職手当は、雇入れをすることを求職の申込日前に約した事業主に雇用された場合には支給されないが、「待期期間中」に雇入れをすることを約した事業主に雇用された場合には、所定の要件を満たしていれば支給される。

解答 2 × 法56条の3,1項1号、3項1号。設問の場合、支給残日数が所定給付日数の3分の2以上であるので、再就職手当の額は、基本手当日額に70〔支給残日数(100日)×10分の7〕を乗じて得た額となる。

解答 3 ○ 法56条の3,3項1号、則83条の2。設問の通り正しい。

就業促進定着手当を受給するためには、再就職の日から同一事業主の適用事業に引き続いて6箇月以上被保険者として雇用されていることが必要であり、事業を開始したことにより再就職手当を受給した場合には、就業促進定着手当を受給することはできない。

解答 4 ○ 法56条の3,1項2号、則82条2項4号。設問の通り正しい。Basic 解答 8 大事! 参照。

労一	健保	国年	厚年	社一

Goal

問題 5　／／／

所定給付日数が360日であり、基本手当の支給残日数が80日である受給資格者に支給される常用就職支度手当の額は、基本手当日額に90に10分の４を乗じて得た数を乗じて得た額である。

問題 6　／／／

移転費は、受給資格者等が公共職業安定所、特定地方公共団体若しくは職業紹介事業者の紹介した職業に就くためにその住所又は居所を変更する場合であっても、その者の雇用期間が１年未満であるときは、支給されない。

問題 7　／／／

移転費として支給される着後手当の額は、親族を随伴する場合にあっては76,000円、親族を随伴しない場合にあっては38,000円とされており、鉄道賃の額の計算の基礎となる距離によって異なることはない。

解答 5 ○　法56条の3,3項２号イ、則83条の６。設問の通り正しい。常用就職支度手当の額は、次の計算式で算定して得た額である。設問の者は、所定給付日数が360日（270日以上）であるため、下表の※印により算定される。

〈常用就職支度手当の額〉

	区分	常用就職支度手当の額
①	受給資格者（支給残日数90日以上） 高年齢受給資格者・特例受給資格者・日雇受給資格者	基本手当日額等×（90×10分の４）
②	受給資格者（支給残日数45日以上90日未満）	基本手当日額×（支給残日数×10分の４）
③	受給資格者（支給残日数45日未満）	基本手当日額×（45×10分の４）
※所定給付日数が270日以上の受給資格者にあっては、支給残日数にかかわらず①の「基本手当日額×（90×10分の４）」になる。		

解答 6 ○　法58条１項、則86条。設問の通り正しい。

解答 7 ×　則90条。着後手当の額は、親族を随伴する場合にあっては76,000円（鉄道賃の額の計算の基礎となる距離が100キロメートル以上である場合は、95,000円）、親族を随伴しない場合にあっては38,000円（鉄道賃の額の計算の基礎となる距離が100キロメートル以上である場合は、47,500円）とされている。

雇用

労一	健保	国年	厚年	社一

Goal

問題 8

移転費の支給を受けた受給資格者等は、公共職業安定所、特定地方公共団体若しくは職業紹介事業者の紹介した職業に就かなかったとき、又は公共職業安定所長の指示した公共職業訓練等を受けなかったときは、その事実が確定した日の翌日から起算して10日以内に移転費を支給した公共職業安定所長にその旨を届け出るとともに、その支給を受けた移転費に相当する額を返還しなければならない。

問題 9

広域求職活動費は、鉄道賃、船賃、航空賃、車賃及び宿泊料の５種類とされている。

問題 10

広域求職活動費のうち、宿泊料の額は、１泊8,700円（一定地域については7,800円）とし、この額に鉄道賃の計算の基礎となる距離及び訪問事業所の数に応じて定められた宿泊数を乗じて得た額とされる。

問題 11

高年齢受給資格者、特例受給資格者又は日雇受給資格者が求職活動関係役務利用費の支給を申請する場合には、当該求職活動関係役務利用費の支給に係る保育等サービスを利用した日の翌日から起算して４箇月以内に、求職活動支援費（求職活動関係役務利用費）支給申請書を管轄公共職業安定所の長に提出するものとされている。

解答 8　○　則95条１項。設問の通り正しい。

解答 9　○　則97条１項。設問の通り正しい。

ひっかけ注意！
移転費と異なり、広域求職活動費には「移転料」、「着後手当」はない。Basic 解答10 参照。

解答 10　○　則98条２項。設問の通り正しい。

解答 11　○　則100条の8,1項、３項。設問の通り正しい。

これも覚える！
受給資格者にあっては、求職活動支援費（求職活動関係役務利用費）支給申請書の提出は、基本手当の失業の認定の対象となる日について、当該失業の認定を受ける日にしなければならない。

教育訓練給付

問題12　／／／

　基準日が直前の一般被保険者又は高年齢被保険者でなくなった日から１年以内にあるものは、基準日において一般被保険者又は高年齢被保険者でなくても教育訓練給付金の支給対象者となり得るが、当該１年の期間内に、妊娠、出産、育児、疾病、負傷その他管轄公共職業安定所長がやむを得ないと認める理由により引き続き30日以上教育訓練を開始することができない日がある場合には、その旨を申し出ることにより、その教育訓練を開始できない日数を１年に加算することができる（加算された期間が４年を超えるときは、４年とする）。

問題13　／／／

　教育訓練給付金の額は、教育訓練給付対象者が教育訓練の受講のために支払った費用（厚生労働省令で定める範囲内のものに限る。）の額（当該教育訓練の受講のために支払った費用の額であることについて当該教育訓練に係る指定教育訓練実施者により証明がされたものに限る。）に100分の20以上100分の70以下の範囲内において厚生労働省令で定める率を乗じて得た額（その額が厚生労働省令で定める額を超えるときは、その定める額）とする。

解答12　×　法60条の2,1項２号、則101条の２の５。設問の「４年」（２箇所）を「20年」と読み替えると、正しい記述となる。

解答13　×　法60条の2,4項。設問の、教育訓練の受講のために支払った費用の額に乗じる割合は、「100分の20以上100分の70以下」ではなく「100分の20以上100分の80以下」の範囲内において厚生労働省令で定める率である。

問題 14　／／／

教育訓練給付対象者が一般教育訓練の受講のために支払った費用（厚生労働省令で定める範囲内のものに限る。）の額（当該教育訓練の受講のために支払った費用の額であることについて当該教育訓練に係る指定教育訓練実施者により証明がされたものに限る。）が２万円である場合、教育訓練給付金として4,000円が支給される。

問題 15　／／／

一般教育訓練に係る教育訓練給付金の算定の基礎となる、教育訓練の受講のために支払った費用として認められるものは、入学料及び最大１年分の受講料（短期訓練受講費の支給を受けているものを除く。）に限られる。

問題 16　／／／

教育訓練給付対象者であって、特定一般教育訓練に係る教育訓練給付金の支給を受けようとするもの（特定一般教育訓練受講予定者）は、当該特定一般教育訓練を開始する日の14日前までに、教育訓練給付金及び教育訓練支援給付金受給資格確認票に所定の書類を添えて管轄公共職業安定所の長に提出しなければならない。

解答14　×　法60条の2,5項、則101条の２の7,1号、則101条の２の９。設問の場合は、教育訓練給付金は支給されない。教育訓練給付金の額として算定された額が4,000円を超えないときは、教育訓練給付金は支給されないこととされている。設問の場合は、教育訓練給付対象者が一般教育訓練の受講のために支払った費用（厚生労働省令で定める範囲内のものに限る。）の額（当該教育訓練の受講のために支払った費用の額であることについて当該教育訓練に係る指定教育訓練実施者により証明がされたものに限る。）が２万円であり、一般教育訓練に係る教育訓練給付金の支給率は100分の20であることから、教育訓練給付金の額として算定された額は「4,000円」であり、4,000円を超えないため、教育訓練給付金は支給されない。

解答15　×　法60条の2,4項、則101条の２の2,1項６号、則101条の２の６。設問のほか、一般教育訓練の受講開始日前１年以内にキャリアコンサルタントが行うキャリアコンサルティングを受けた場合は、その費用（その額が２万円を超えるときは、２万円）についても当該教育訓練の受講のために支払った費用の範囲に含まれる。

解答16　○　則101条の２の11の2,1項。設問の通り正しい。

管轄公共職業安定所の長は、教育訓練給付金及び教育訓練支援給付金受給資格確認票を提出した特定一般教育訓練受講予定者が教育訓練給付対象者であって支給要件期間が３年以上であるものと認めたときは、教育訓練給付金を支給する旨等を通知しなければならない。

問題17　教育訓練支援給付金は、基本手当が支給される期間であっても、教育訓練を受けるために必要であると認められるときは、支給されることがある。

雇用継続給付

問題18　支給対象月に支払われた賃金の額が、みなし賃金日額に30を乗じて得た額の100分の64に相当する額未満であった場合の高年齢雇用継続基本給付金の額は、当該賃金の額に100分の10を乗じて得た額であるが、当該算定された額が賃金日額の最低限度額（2,869円）を超えないときは、当該支給対象月について高年齢雇用継続基本給付金は支給されない。

問題19　みなし賃金日額に30を乗じて得た額が30万円であって、支給対象月の所定の賃金月額が18万円であるところ、疾病による欠勤により賃金額が３万円減額された月の高年齢雇用継続基本給付金の支給額は18,000円である。

解答17　×　法附則11条の2,4項。教育訓練支援給付金は、基本手当が支給される期間については支給されない。設問のような「教育訓練を受けるために必要であると認められるときは、支給される」とする規定はない。

基本手当が支給される期間、基本手当の待期期間、就職拒否等又は離職理由による給付制限期間については、教育訓練支援給付金は支給されない。

解答18　×　法18条３項、法61条５項１号、６項、令和6.7.30厚労告250号。当該算定された額が賃金日額の最低限度額（2,869円）の100分の80に相当する額（2,295円）を超えないときは、当該支給対象月について高年齢雇用継続基本給付金は支給されない。

解答19　×　法61条１項、５項１号、則101条の3,2号。設問の場合、疾病のため支払を受けることができなかった賃金の支払を受けたものとみなして算定した賃金の額（18万円）に基づき支給要件及び支給率をみる（Basic 問題22 参照）ので、高年齢雇用継続基本給付金は支給され、支給率は100分の10となる（18万円÷30万円＜64％）が、支給額については、疾病のため支払を受けることができなかった賃金は加算せず、実際に支払われた賃金額により算定するため、(18万円－３万円)×100分の10＝「15,000円」となる。

問題 20
／／／

被保険者（短期雇用特例被保険者及び日雇労働被保険者を除く。問題21 及び 問題26 において同じ。）が初めて高年齢再就職給付金の支給を受けるため、事業所の所在地を管轄する公共職業安定所の長に支給申請書を提出するに当たっては、雇用保険被保険者六十歳到達時等賃金証明書を添付しなければならない。

問題 21
／／／

基本手当の受給資格者であって、９月10日に60歳に達した者が、その翌々月の11月３日に再就職し、被保険者資格を取得した場合に他の要件を満たしていれば、当該11月について、高年齢再就職給付金が支給される。

問題 22
／／／

令和７年２月１日に対象家族を介護するための休業を初めて取得し、同月28日に当該介護休業を終了した一般被保険者について、当該休業期間中に事業主から賃金が支払われなかった場合における介護休業給付金の額は、休業開始時賃金日額に28を乗じて得た額の100分の67に相当する額となる。

解答20　×　則101条の7,1項。設問の場合においては、雇用保険被保険者六十歳到達時等賃金証明書を添付する必要はない。

初めて高年齢雇用継続基本給付金を受けようとする場合には、支給申請書に雇用保険被保険者六十歳到達時等賃金証明書を添付しなければならない。

解答21　×　法61条の2,1項、２項。高年齢再就職給付金が支給される「再就職後の支給対象月」は、その月の初日から末日まで引き続いて、被保険者であることが必要である。設問の場合、11月の途中に被保険者資格を取得していることから、当該11月には、高年齢再就職給付金は支給されない。

解答22　○　法61条の4,4項、法附則12条。設問の通り正しい。設問の場合、介護休業を終了した日の属する支給単位期間であるため、介護休業給付金の額の計算において用いる「支給日数」は、当該介護休業を開始した日から当該介護休業を終了した日までの日数であり、具体的には、令和７年２月１日から同月28日までの「28日」となる。また、その額は、当分の間、休業開始時賃金日額に支給日数を乗じて得た額の100分の67に相当する額とされている。したがって、設問の介護休業給付金の額は、休業開始時賃金日額に28を乗じて得た額の100分の67に相当する額となる。

・介護休業給付金の額は、原則として、一支給単位期間について、休業開始時賃金日額に支給日数を乗じて得た額の100分の40（当分の間は、100分の67）に相当する額である。
・支給日数は、支給単位期間の区分に応じて、次のように定められている。
①下記②に掲げる支給単位期間以外の支給単位期間…30日
②当該介護休業を終了した日の属する支給単位期間
…当該支給単位期間における当該介護休業を開始した日又は休業開始応当日から当該介護休業を終了した日までの日数

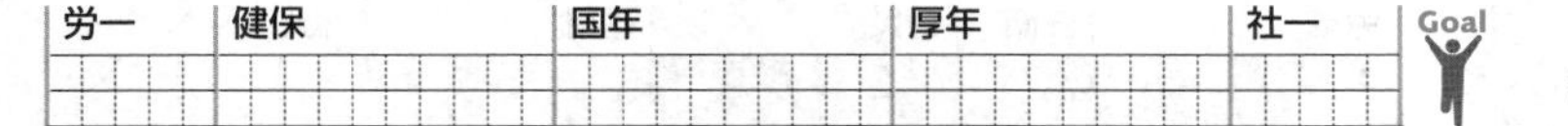

問題23　介護休業給付金の額の算定の基礎となる休業開始時賃金日額は、30歳未満の受給資格者に係る賃金日額の最高限度額を上限とする。

問題24　事業主は、その雇用する高年齢被保険者が、介護休業を開始した場合にあっては、雇用保険被保険者休業開始時賃金証明書を、その事業所を管轄する公共職業安定所の長に提出する必要はない。

問題25　介護休業給付金支給申請書の提出は、介護休業を終了した日（当該休業に係る最後の支給単位期間の末日をいう。）以後の日において雇用されている場合に、当該休業を終了した日の翌日から起算して１箇月を経過する日の属する月の末日までにしなければならない。

育児休業給付

問題26　出生後休業支援給付金の支給に係る「出生後休業」とは、被保険者が、厚生労働省令で定めるところにより、対象期間内にその子を養育するための休業をいうが、当該「対象期間」とは、被保険者がその子について労働基準法の規定による産後休業をしなかったときは、出産予定日に当該子が出生した場合においては、その子の出生の日から起算して８週間を経過する日の翌日までの期間とされる。

解答23　×　法61条の4,4項、行政手引59803。介護休業給付金に係る休業開始時賃金日額は、「45歳以上60歳未満」の受給資格者に係る賃金日額の最高限度額を上限とする。

解答24　×　則14条の2,1項。高年齢被保険者についても介護休業給付金の対象者であるので、介護休業を開始したときは、雇用保険被保険者休業開始時賃金証明書を提出しなければならない。なお、特例高年齢被保険者にあっては、特例高年齢被保険者本人が雇用保険被保険者休業開始時賃金証明書を管轄公共職業安定所の長に提出することとされている。

解答25　×　則101条の19,1項。設問の場合、介護休業給付金支給申請書の提出は、当該休業を終了した日の翌日から起算して2箇月を経過する日の属する月の末日までにしなければならない。

解答26　○　法61条の8,1項、法61条の10,1項、7項1号。設問の通り正しい。

対象期間（出産予定日＝出生日の場合）
- 被保険者がその子について労働基準法の規定による産後休業をしなかったとき
  …その子の出生の日から起算して8週間を経過する日の翌日までの期間
- 被保険者がその子について労働基準法の規定による産後休業をしたとき
  …その子の出生の日から起算して16週間を経過する日の翌日までの期間

労一	健保	国年	厚年	社一

問題27 ／／／

育児時短就業給付金の額は、支給対象月に支払われた賃金の額が、育児時短就業開始時賃金日額に30を乗じて得た額の100分の90に相当する額未満である場合においては、当該支給対象月に支払われた賃金の額に100分の10を乗じて得た額とされる。

給付通則

問題28 ／／／

受給資格者等が死亡し、その者に支給されるべき失業等給付でまだ支給されていないものがある場合において、その者の死亡の当時その者と生計を同じくしていた遺族として、婚姻の届出をしていないがその者と事実上の婚姻関係にあったＸ、両者の子Ｙ及びその者の母Ｚがあるときは、Ｘは自己の名で、その未支給の失業等給付の支給を請求することができる。

問題29 ／／／

政府は、偽りその他不正の行為により失業等給付の支給を受けた者に対して、支給した失業等給付の全部又は一部を返還することを命ずることができ、また、当該偽りその他不正の行為により支給を受けた失業等給付の額の３倍に相当する額以下の金額を納付することを命ずることができる。

解答27 ○　法61条の12,6項1号。設問の通り正しい。

解答28 ○　法10条の3,1項、2項。設問の通り正しい。

未支給の失業等給付の請求権者は、配偶者（婚姻の届出をしていないが、事実上婚姻関係と同様の事情にあった者を含む。）、子、父母、孫、祖父母又は兄弟姉妹であって、その者の死亡の当時その者と生計を同じくしていたものとされており、当該未支給の失業等給付の支給を受けるべき者の順位も、この順序によるとされている。

解答29 ×　法10条の4,1項。「3倍」ではなく、「2倍」に相当する額以下の金額を納付することを命ずることができる。

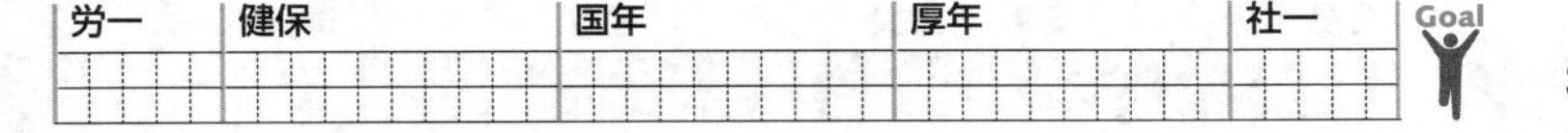

給付制限

問題30　／／／

教育訓練給付金に係る教育訓練を基準日（基本手当の受給資格に係る離職の日）前１年以内に受けたことがある被保険者が自己の責めに帰すべき重大な理由によって解雇された場合においては、離職理由による給付制限は行われない。

解答30　×　法33条１項２号。教育訓練を基準日前１年以内に受けたことがある被保険者が自己の責めに帰すべき重大な理由によって解雇された場合においては、離職理由による給付制限が行われる。なお、教育訓練を基準日前１年以内に受けたことがある被保険者が正当な理由がなく自己の都合によって退職した場合においては、離職理由による給付制限は行われない。

被保険者が、自己の責めに帰すべき重大な理由によって解雇された場合、又は被保険者が正当な理由がなく自己の都合によって退職した場合には、待期期間が満了した後１箇月以上３箇月以内の間で公共職業安定所長の定める期間は、基本手当は支給されない（離職理由による給付制限）。

ただし、次の①～③の者にあっては、右欄に掲げる期間について、離職理由による給付制限は行われない。

	区分	離職理由による給付制限が行われない期間
①	公共職業安定所長の指示した公共職業訓練等を受ける受給資格者（下記②に該当する者を除く。）	左記の公共職業訓練等を受ける期間及び受け終わった日後の期間
②	教育訓練給付金に係る教育訓練その他の厚生労働省令で定める訓練を基準日前１年以内に受けたことがある受給資格者（正当な理由がなく自己の都合によって退職した者に限る。下記③において同じ。）	全期間
③	教育訓練給付金に係る教育訓練その他の厚生労働省令で定める訓練を基準日以後に受ける受給資格者（上記②に該当する者を除く。）	左記の教育訓練等を受ける期間及び受け終わった日後の期間

問題31
□／□／□／

いわゆる離職理由による給付制限が行われる場合において、当該給付制限期間に21日及び当該受給資格に係る所定給付日数に相当する日数を加えた期間が１年（当該基本手当の受給資格に係る離職の日において45歳以上65歳未満であって算定基礎期間が１年以上の就職困難者にあっては、１年に60日を加えた期間）を超えるときは、当該受給資格者の受給期間は、当初の受給期間に当該超える期間を加えた期間とされる。

問題32
□／□／□／

受給資格者が、偽りその他不正の行為によって求職者給付又は就職促進給付の支給を受け、又は受けようとした場合は、これらの給付の支給を受け、又は受けようとした日以後、傷病手当は支給しない。ただし、やむを得ない理由がある場合には、傷病手当の全部又は一部を支給することができる。

問題33
□／□／□／

日雇労働求職者給付金の支給を受けることができる者が公共職業安定所の紹介する業務に就くことを拒んだときは、正当な理由がある場合等一定の場合を除き、その拒んだ日から起算して１箇月以上３箇月以内の間で公共職業安定所長の定める期間は、日雇労働求職者給付金は支給されない。

解答31　○　法33条３項、則48条の２。設問の通り正しい。

解答32　○　法34条１項、法37条９項。設問の通り正しい。傷病手当については、基本手当の給付制限の規定が準用されている。

解答33　×　法52条１項、法55条４項。設問の場合は、「その拒んだ日から起算して１箇月以上３箇月以内の間で公共職業安定所長の定める期間」ではなく、「その拒んだ日から起算して７日間」は、日雇労働求職者給付金は支給されない。

Basic

4 雇用保険二事業等

問題 1
／／／

政府は、被保険者、被保険者であった者及び被保険者になろうとする者（以下「被保険者等」という。）に関し、失業の予防、雇用状態の是正、雇用機会の増大その他雇用の安定を図るため、雇用安定事業を行うことができる。

問題 2
／／／

雇用保険二事業（就職支援法事業を除く。）又は当該事業に係る施設は、被保険者等以外の者に利用させることはできない。

問題 3
／／／

国庫は、就職促進給付及び教育訓練給付に要する費用の一部を負担する。

進捗チェック

労基	安衛	労災	雇用	徴収

解答 1　○　法62条1項。設問の通り正しい。

法63条1項では、政府は、被保険者等に関し、職業生活の全期間を通じて、これらの者の能力を開発し、及び向上させることを促進するため、能力開発事業を行うことができるとされている。

解答 2　×　法65条。雇用保険二事業（就職支援法事業を除く。）又は当該事業に係る施設は、被保険者等の利用に支障がなく、かつ、その利益を害しない限り、被保険者等以外の者に利用させることができる。

解答 3　×　法66条1項。「就職促進給付」及び「教育訓練給付」については、国庫負担はない。国庫は、求職者給付（高年齢求職者給付金を除く。）及び雇用継続給付（介護休業給付金に限る。）、育児休業給付並びに就職支援法事業の職業訓練受講給付金の支給に要する費用の一部を負担する。

問題 4
／／／

国庫は、育児休業給付に要する費用の8分の1を負担する。

問題 5
／／／

国庫は、毎年度、予算の範囲内において、就職支援法事業に要する費用（職業訓練受講給付金に要する費用を除く。）及び雇用保険事業（出生後休業支援給付及び育児時短就業給付に係る事業を除く。）の事務の執行に要する経費を負担する。

問題 6
／／／

被保険者の資格の取得又は喪失の確認、失業等給付及び育児休業等給付（以下「失業等給付等」という。）に関する処分又は不正受給による失業等給付の返還命令若しくは納付命令（育児休業等給付において準用する場合を含む。）の処分に不服のある者は、労働保険審査会に対して審査請求をし、その決定に不服のある者は、厚生労働大臣に対して再審査請求をすることができる。

進捗チェック

労基	安衛	労災	雇用	徴収

解答 4　○　法66条1項4号。設問の通り正しい。

〈国庫負担の割合〉

<table>
<tr><th colspan="2">給付の種類</th><th>国庫負担割合</th></tr>
<tr><td rowspan="2">(1)下記(2)以外の求職者給付（高年齢求職者給付金を除く。）</td><td>①雇用情勢及び雇用保険の財政状況が悪化している場合</td><td>4分の1</td></tr>
<tr><td>②上記①以外の場合</td><td>40分の1</td></tr>
<tr><td rowspan="2">(2)日雇労働求職者給付金・広域延長給付受給者に係る求職者給付</td><td>①雇用情勢及び雇用保険の財政状況が悪化している場合</td><td>3分の1</td></tr>
<tr><td>②上記①以外の場合</td><td>30分の1</td></tr>
<tr><td colspan="2">(3)雇用継続給付（介護休業給付金に限る。）</td><td>8分の1 ※1</td></tr>
<tr><td colspan="2">(4)育児休業給付</td><td>8分の1</td></tr>
<tr><td colspan="2">(5)就職支援法事業の職業訓練受講給付金</td><td>2分の1 ※2</td></tr>
<tr><td colspan="3">※1　当分の間、その100分の55（令和6年度から令和8年度までの各年度においては、100分の10)
※2　当分の間、その100分の55</td></tr>
</table>

解答 5　○　法66条5項。設問の通り正しい。

「職業訓練受講給付金に要する費用」が除かれているのは、「予算の範囲内」ではなく、その2分の1（当分の間は、その100分の55）を国庫が負担すると規定されているからである。

解答 6　×　法69条1項。設問の場合、「雇用保険審査官」に対して審査請求をし、その決定に不服のある者は、「労働保険審査会」に対して再審査請求をすることができる。

問題 7　／／／

被保険者資格の取得又は喪失の確認に関する処分が確定したときは、当該処分についての不服を当該処分に基づく失業等給付等に関する処分についての不服の理由とすることができない。

問題 8　／／／

失業等給付等の支給を受け、又はその返還を受ける権利及び不正受給による失業等給付の返還命令等の規定（育児休業等給付において準用する場合を含む。）により納付をすべきことを命ぜられた金額を徴収する権利は、これらを行使することができる時から２年を経過したときは、時効によって消滅する。

解答 7　○　法70条。設問の通り正しい。

解答 8　○　法74条。設問の通り正しい。

労一	健保	国年	厚年	社一

Goal

Step-Up

4 雇用保険二事業等

問題 1 ／／／

政府は、被保険者及び被保険者であった者の就職に必要な能力を開発し、及び向上させるため、能力開発事業として、職業訓練の実施等による特定求職者の就職の支援に関する法律に規定する認定職業訓練を行う者に対して、同法の規定による助成を行うこと及び特定求職者に対して、職業訓練受講給付金を支給することができる。

問題 2 ／／／

政府は、独立行政法人高齢・障害・求職者雇用支援機構法及びこれに基づく命令で定めるところにより、雇用安定事業及び能力開発事業の一部を独立行政法人高齢・障害・求職者雇用支援機構に行わせるものとする。

問題 3 ／／／

雇用安定事業及び能力開発事業は、被保険者等の職業の安定を図るため、労働生産性の向上に資するものとなるよう留意しつつ、行われるものとする。

問題 4 ／／／

偽りその他不正の行為により雇用調整助成金の支給を受けた事業主がある場合には、都道府県労働局長は、その者に対して、支給した雇用調整助成金の全部又は一部を返還することを命ずることができ、また、当該偽りその他不正の行為により支給を受けた雇用調整助成金については、当該返還を命ずる額の２割に相当する額以下の金額を納付することを命ずることができる。

問題 5 ／／／

雇用保険法には罰則が定められており、事業主又は労働保険事務組合が一定の違反行為を行った場合には、６箇月以下の懲役又は50万円以下の罰金に処するものとされている。

解答 1 × 法64条。設問のいわゆる就職支援法事業は、被保険者であった者及び被保険者になろうとする者の就職に必要な能力を開発し、及び向上させるために行われる。

解答 2 ○ 法62条3項、法63条3項。設問の通り正しい。

解答 3 ○ 法64条の2。設問の通り正しい。

解答 4 ○ 則140条の3,1項。設問の通り正しい。

ひっかけ注意⚠ 偽りその他不正の行為により失業等給付の支給を受けた者に対する納付命令（3 失業等給付2・育児休業等給付 Step-Up 問題29）と混同しないように注意すること。

解答 5 × 法83条、法84条。事業主又は労働保険事務組合が一定の違反行為を行った場合には、6箇月以下の懲役又は30万円以下の罰金に処するものとされている。

労一	健保	国年	厚年	社一

問題 6

／／／

事業主及び労働保険事務組合は、雇用保険に関する書類（雇用安定事業又は能力開発事業に関する書類及び労働保険徴収法又は同法施行規則による書類を除く。）をその完結の日から2年間（被保険者に関する書類にあっては、3年間）保管しなければならない。

解答 6　×　則143条。被保険者に関する書類にあっては、その完結の日から「3年間」ではなく「4年間」保管しなければならない。

労働保険の保険料の徴収等に関する法律

180問

1 総則
（労働保険の適用・保険関係の成立及び消滅・保険関係の一括）

2 労働保険料の額

3 労働保険料の納付等
（一般保険料の納付等・労災保険のメリット制・印紙保険料の納付・特例納付保険料）

4 労働保険事務組合等
（督促・費用の負担・雑則等・労働保険事務組合）

1 総則（労働保険の適用・保険関係の成立及び消滅・保険関係の一括）

労働保険の適用・保険関係の成立及び消滅

問題 1 ／／／

法人である事業主が行う農業の事業については、常時労働者を使用する場合には、労災保険及び雇用保険において強制適用事業とされる。

問題 2 ／／／

個人経営の林業の事業については、常時労働者を使用しているものでなければ労災保険において強制適用事業とされない。

問題 3 ／／／

有期事業とは、事業の期間が予定される事業をいう。

問題 4 ／／／

国、都道府県及び市町村の行う事業については、当該事業を労災保険に係る保険関係及び雇用保険に係る保険関係ごとに別個の事業とみなして労働保険の保険料の徴収等に関する法律（以下「徴収法」という。）を適用する。

解答 1　○　労災法３条１項、(44)同法附則12条、雇用法５条１項、同法附則２条１項、整備政令17条。設問の通り正しい。法人である事業主の事業については、常時労働者を使用する場合には、その事業の種類にかかわらず、労災保険及び雇用保険の両保険において強制適用事業とされる。

解答 2　×　労災法３条１項、(44)同法附則12条、整備政令17条、平成12.12.25労告120号。個人経営の林業の事業については、常時労働者を使用しているものでなくても、１年以内の期間において使用労働者数が延300人以上のものであれば、労災保険において強制適用事業とされる。

個人経営の林業の事業については、常時労働者を使用するもの又は１年以内の期間において使用労働者延人員300人以上のものである場合には、労災保険において強制適用事業とされる。

解答 3　○　法７条２号。設問の通り正しい。

継続事業とは、「事業の期間が予定されない事業」をいう。
また、有期事業という概念は労災保険に係る保険関係についての概念であり、雇用保険に係る保険関係については有期事業という概念は存在しない。

解答 4　×　法39条１項。「国の行う事業」については、労災保険が適用除外とされており、労災保険に係る保険関係が成立する余地がないため、二元適用事業とはされていない。なお、都道府県及び市町村の行う事業は、二元適用事業とされている。

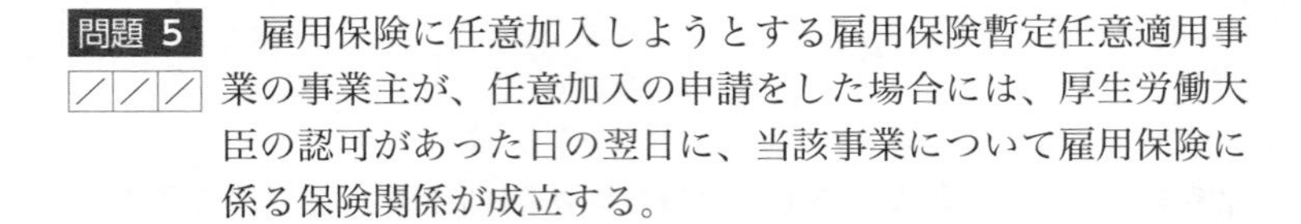

問題 5　□□□

雇用保険に任意加入しようとする雇用保険暫定任意適用事業の事業主が、任意加入の申請をした場合には、厚生労働大臣の認可があった日の翌日に、当該事業について雇用保険に係る保険関係が成立する。

問題 6　□□□

労災保険暫定任意適用事業の事業主は、労災保険の加入の申請をするに当たっては、その事業に使用される労働者の同意を得なければならない。

問題 7　□□□

労災保険又は雇用保険に係る保険関係が成立した事業の事業主は、その成立した日の属する月の翌月10日までに、保険関係成立届を所轄労働基準監督署長又は所轄公共職業安定所長に提出しなければならない。

問題 8　□□□

労災保険暫定任意適用事業の事業主は、その事業に使用される労働者の過半数が希望する場合には、労災保険の加入の申請をしなければならない。

問題 9　□□□

労災保険に係る保険関係が成立している事業のうち建設の事業又は立木の伐採の事業に係る事業主は、労災保険関係成立票を見やすい場所に掲げなければならない。

問題10　□□□

労働保険の保険関係が成立している事業が廃止され、又は終了したときは、その事業についての保険関係は、その翌日に消滅する。

解答 5　×　法附則2条1項。設問の場合は、厚生労働大臣の「認可があった日」に、当該事業について雇用保険に係る保険関係が成立する。

解答 6　×　整備法5条。労災保険暫定任意適用事業の事業主は、労災保険の加入の申請をするに当たり、その事業に使用される労働者の同意を得る必要はない。

これも覚える!　雇用保険の加入申請の場合は、労働者に保険料負担が発生するため、労働者の2分の1以上の同意を得る必要がある。

解答 7　×　法4条の2,1項、則4条2項。保険関係成立届は「その成立した日の翌日から起算して10日以内」に提出しなければならない。

解答 8　○　整備法5条2項。設問の通り正しい。

これも覚える!　雇用保険暫定任意適用事業の事業主は、その事業に使用される労働者の2分の1以上が希望するときは、加入の申請をしなければならない。

解答 9　×　則77条。労災保険関係成立票を見やすい場所に掲げなければならないのは、「建設の事業」に係る事業主のみであり、「立木の伐採の事業」については規定されていない。

解答10　○　法5条。設問の通り正しい。

労一	健保	国年	厚年	社一

Goal

問題11 ／／／

雇用保険に係る保険関係が成立している雇用保険暫定任意適用事業の事業主は、当該保険関係の消滅の申請をしようとするときは、その事業に使用される労働者の４分の３以上の同意を得なければならない。

問題12 ／／／

労災保険に係る保険関係が成立している事業が、その使用する労働者数の減少により労災保険暫定任意適用事業に該当するに至ったときは、事業主は任意加入申請書を所轄都道府県労働局長に提出し、任意加入の認可を受けなければならない。

保険関係の一括

問題13 ／／／

事業主が同一人である２以上の有期事業が有期事業の一括の要件を満たす場合は、当該事業主が所定の事項を所轄労働基準監督署長に届け出ることにより、有期事業の一括が行われることとなる。

問題14 ／／／

有期事業のうち立木の伐採の事業について有期事業の一括が行われるための事業規模の要件は、概算保険料の額に相当する額が160万円未満であるか、又は素材の見込生産量が1,000立方メートル未満であることとされている。

解答11　○　法附則4条2項。設問の通り正しい。

労災保険に係る保険関係が成立している労災保険暫定任意適用事業の事業主が当該保険関係の消滅の申請をしようとするときは、その事業に使用される労働者の過半数の同意を得なければならない。

解答12　×　整備法5条3項。労災保険に係る保険関係が成立している事業が、労災保険暫定任意適用事業に該当するに至ったときは、その翌日に、その事業につき任意加入の認可があったものとみなされ、保険関係は引き続き成立する（擬制任意適用事業という。）ため、あらためて任意加入の手続をする必要はない。

解答13　×　法7条、昭和40.7.31基発901号。有期事業の一括は、届け出ることによって行われるのではなく、法律上当然に行われる。

解答14　×　法7条3号、則6条1項。設問の立木の伐採の事業について有期事業の一括が行われるための規模要件は、概算保険料の額に相当する額が160万円未満であり、かつ、素材の見込生産量が1,000立方メートル未満であることとされている。

有期事業のうち建設の事業について有期事業の一括が行われるための事業規模の要件は、概算保険料の額に相当する額が160万円未満であり、かつ、請負金額（消費税等相当額を除く。）が1億8,000万円未満であることとされている。

問題15 ／／／ 労災保険に係る保険関係が成立している建設の事業が有期事業の一括の対象となるには、当該事業が数次の請負によって行われていなければならない。

問題16 ／／／ 有期事業の一括により一の事業とみなされる事業に係る労働保険事務については、労働保険料の納付の事務を取り扱う一の事務所の所在地を管轄する都道府県労働局長及び労働基準監督署長を、それぞれ、所轄都道府県労働局長及び所轄労働基準監督署長とする。

問題17 ／／／ 有期事業の一括により一の事業とみなされる事業についての事業主は、次の保険年度の6月1日から起算して50日以内又は保険関係が消滅した日から起算して40日以内に、一括有期事業報告書を所轄都道府県労働局歳入徴収官に提出しなければならない。

問題18 ／／／ 労災保険に係る保険関係が成立している建設の事業及び立木の伐採の事業については、当該事業が数次の請負によって行われる場合、法律上当然にその事業を一の事業とみなし、元請負人のみがその事業の事業主となる。

解答15 × 法7条、則6条1項、2項。有期事業の一括において、建設の事業が数次の請負によって行われていることは要件とされていない。

ひっかけ注意⚠ 請負事業の一括においては、労災保険に係る保険関係が成立している建設の事業が、数次の請負によって行われることが要件とされている。

解答16 ○ 則6条3項。設問の通り正しい。

これも覚える! 有期事業の一括により一の事業とみなされる事業については、原則として継続事業とみなされ、労働保険料の申告及び納付は保険年度単位で行われる。

解答17 × 則34条。有期事業の一括により一の事業とみなされる事業についての事業主は、次の保険年度の6月1日から起算して「40日」以内又は保険関係が消滅した日から起算して「50日」以内に、一括有期事業報告書を所轄都道府県労働局歳入徴収官に提出しなければならない。つまり、一括有期事業報告書は、確定保険料申告書を提出する際に提出することとなる。

解答18 × 法8条1項、則7条。請負事業の一括の対象となるのは、労災保険に係る保険関係が成立している事業のうち「建設の事業」が数次の請負によって行われる場合に限られ、「立木の伐採の事業」は対象となっていない。

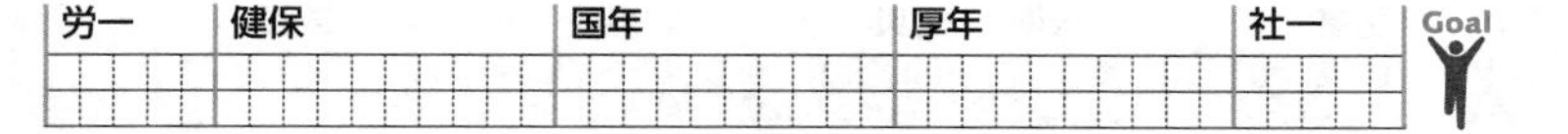

問題19 ／／／

請負事業の一括が行われている事業において、下請負事業の分離を行う場合は、当該下請負事業については、概算保険料の額に相当する額が160万円以上であり、かつ、請負金額（消費税等相当額を除く。）が1億8,000万円以上でなければならない。

問題20 ／／／

労災保険に係る保険関係が成立している建設の事業が数次の請負によって行われる場合において、一定の規模に該当する下請負人の請負に係る事業に関し、下請負事業の分離の認可を受けようとするときは、当該下請負人が、原則として、保険関係が成立した日の翌日から起算して10日以内に、当該下請負人を事業主とする認可申請書を所轄都道府県労働局長に提出しなければならない。

問題21 ／／／

請負事業の一括が行われる場合であっても、雇用保険に係る保険関係については元請負事業に一括されることなく、それぞれの事業ごとに徴収法が適用される。

問題22 ／／／

継続事業の一括を行うためには、それぞれの事業が厚生労働省令で定める規模以下であり、かつ、同一の都道府県内で行われていることが要件とされている。

問題23 ／／／

事業主が同一人である2以上の継続事業であって、労災保険及び雇用保険に係る保険関係が成立している一元適用事業であるものは、労災保険率表に掲げる労災保険率を同じくする場合には、一括することができる。

解答19　×　法8条2項、則9条。下請負事業の分離を行う場合は、当該下請負事業は概算保険料の額に相当する額が160万円以上であるか、又は請負金額（消費税等相当額を除く。）が1億8,000万円以上であればよい。

下請負事業の分離の認可を受けるためには、下請負人の請負に係る事業が有期事業の一括の要件に該当しない規模であることを要する。

解答20　×　法8条2項、則8条、則9条。設問の認可申請は、元請負人及び下請負人が共同で行わなければならない。

解答21　○　法8条、則7条。設問の通り正しい。

解答22　×　法9条、則10条。設問のような規定はない。継続事業の一括において、事業の規模及び地域の範囲についての要件は定められていない。

解答23　×　法9条、則10条1項1号ハ、2号。設問の2以上の継続事業は、労災保険率表に掲げる「労災保険率」ではなく、「事業の種類」を同じくする場合に、一括することができる。

問題24　／／／

　事業主が同一人である継続事業であって、労災保険及び雇用保険に係る保険関係が成立している一元適用事業であるものと、雇用保険に係る保険関係が成立している二元適用事業であるものについては、所定の要件を満たしていれば、継続事業の一括の対象となる。

問題25　／／／

　継続事業の一括について厚生労働大臣の認可があったときは、徴収法の規定の適用については、当該認可に係る２以上の事業に使用されるすべての労働者は、これらの事業のうち厚生労働大臣が指定するいずれか一の事業に使用される労働者とみなされる。

解答24 × 法9条、則10条1項1号。設問の事業を一括することはできない。

継続事業の一括は、それぞれの事業が、次の①～③のいずれか1つのみに該当することが要件とされている。

①労災保険に係る保険関係が成立している事業のうち二元適用事業

②雇用保険に係る保険関係が成立している事業のうち二元適用事業

③一元適用事業であって労災保険及び雇用保険に係る保険関係が成立しているもの

解答25 ○ 法9条。設問の通り正しい。なお、設問の場合においては、厚生労働大臣が指定する一の事業以外の事業に係る保険関係は、消滅する。

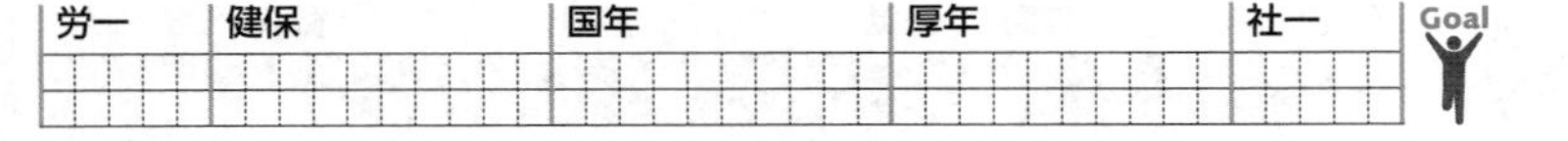

労働保険の適用・保険関係の成立及び消滅

問題 1

常時5人未満の労働者を使用する個人経営の水産の事業であって、総トン数5トン以上の漁船により、河川、湖沼又は特定水面において主として操業するもの（船員を使用して行う船舶所有者の事業を除く。）は、労災保険において強制適用事業とされる。

問題 2

港湾労働法第2条第2号の港湾運送の行為を行う事業は、当該事業を労災保険に係る保険関係及び雇用保険に係る保険関係ごとに別個の事業とみなして徴収法を適用する。

解答 1 × (44)労災法附則12条、整備政令17条、平成12.12.25労告120号。設問の事業は、労災保険において「暫定任意適用事業」とされる。設問の事業は、常時5人未満の労働者を使用する個人経営の水産の事業のうち、総トン数5トン以上の漁船による水産の事業ではあるが、河川、湖沼又は特定水面において主に操業するものであり、また、船員を使用して行う船舶所有者の事業にも該当しないので、強制適用事業ではなく、暫定任意適用事業である。

〈個人経営の水産業に関する強制適用事業・暫定任意適用事業〉

<table>
<tr><th colspan="3">常時使用労働者数・事業形態</th><th>労災</th><th>雇用</th></tr>
<tr><td colspan="3">5人以上</td><td colspan="2">強制</td></tr>
<tr><td rowspan="4">5人未満</td><td colspan="2">特定危険有害作業</td><td>強制</td><td>任意</td></tr>
<tr><td rowspan="2">5トン以上の漁船</td><td>①下記②以外</td><td>強制</td><td>任意</td></tr>
<tr><td>②河川、湖沼、特定水面</td><td colspan="2">任意</td></tr>
<tr><td colspan="2">5トン未満の漁船</td><td colspan="2">任意</td></tr>
</table>

※「任意」であっても、船員を使用する事業は強制適用事業となる。

解答 2 ○ 法39条1項、則70条2号。設問の通り正しい。設問の事業は、二元適用事業とされる。

次の事業は、二元適用事業とされている。
①都道府県及び市町村の行う事業
②都道府県に準ずるもの及び市町村に準ずるものの行う事業
③港湾労働法2条2号の港湾運送の行為を行う事業
④農林、畜産、養蚕、水産（船員が雇用される事業を除く。）の事業
⑤建設の事業

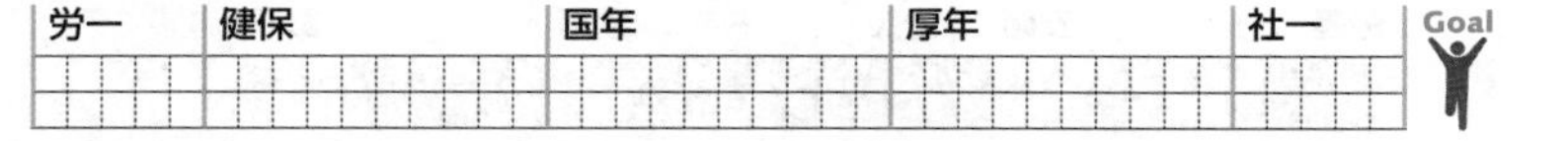

問題 3
／／／

労災保険又は雇用保険の適用事業に該当する事業については、適用事業が開始された日に労災保険又は雇用保険に係る保険関係が法律上当然に成立するが、暫定任意適用事業が適用事業に該当するに至ったときは、事業主が保険関係成立届を提出した日に、当該事業につき労災保険又は雇用保険に係る保険関係が成立する。

問題 4
／／／

労災保険及び雇用保険に係る保険関係が成立した一元適用事業であって、労働保険事務組合に労働保険事務の処理を委託するものの事業主は、保険関係成立届を所轄公共職業安定所長に提出しなければならない。

問題 5
／／／

労災保険及び雇用保険に係る保険関係が成立した一元適用事業であって、労働保険事務組合に労働保険事務の処理を委託していない継続事業の事業主が、保険関係成立届を健康保険及び厚生年金保険の新規適用届又は雇用保険の適用事業所設置届に併せて提出する場合においては、年金事務所又は所轄公共職業安定所長を経由して所轄労働基準監督署長へ提出することができる。

解答 3　×　法3条、法4条、法附則3条、整備法7条。設問の後半について、暫定任意適用事業が適用事業に該当するに至ったときは、「適用事業に該当するに至った日」に、当該事業につき労災保険又は雇用保険に係る保険関係が法律上当然に成立する。なお、設問の前半は正しい。

労災保険又は雇用保険の適用事業に該当する事業についての保険関係は、①適用事業が開始された日、又は②暫定任意適用事業が適用事業に該当するに至った日に法律上当然に成立するのであり、保険関係成立届の提出によって成立するのではない。

解答 4　○　法4条の2,1項、則1条1項3号、則4条2項。設問の通り正しい。

解答 5　○　法4条の2,1項、則1条1項2号、則4条2項、則78条2項1号。設問の通り正しい。

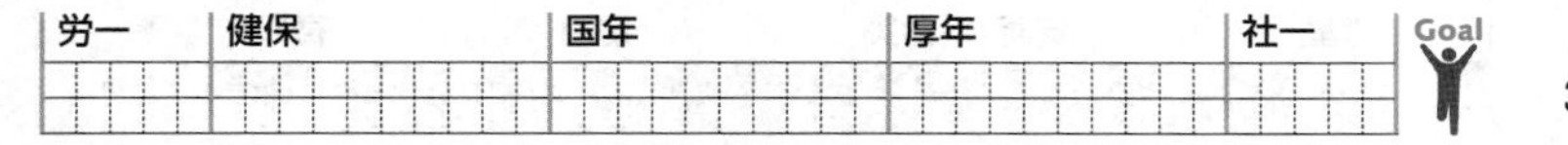

問題 6
／／／

労働保険の保険関係が成立している事業の事業主は、事業に係る労働者数に変更があったときは、その変更を生じた日の翌日から起算して10日以内に、名称、所在地等変更届を所轄労働基準監督署長又は所轄公共職業安定所長に提出しなければならない。

問題 7
／／／

事業主は、あらかじめ代理人を選任した場合には、徴収法施行規則によって事業主が行わなければならない事項を、その代理人に行わせることができるが、代理人を選任し、又は解任したときは、代理人選任・解任届により、その旨を所轄労働基準監督署長又は所轄公共職業安定所長に届け出なければならない。

問題 8
／／／

労働保険の保険関係が成立している法人が解散した場合、その後清算結了までの間に労働者を使用する場合であっても、法人の解散の日の翌日に保険関係が消滅する。

解答 6　×　法４条の2,2項、則５条１項、２項。事業に係る労働者数に変更があった場合には、名称、所在地等変更届を提出する必要はない。

保険関係が成立している事業の事業主は、保険関係の成立の届出に係る事項のうち①事業主の氏名又は名称及び住所又は所在地、②事業の名称、③事業の行われる場所、④事業の種類、⑤有期事業にあっては事業の予定される期間、に変更があったときは、変更を生じた日の翌日から起算して10日以内に、名称、所在地等変更届により、その旨を所轄労働基準監督署長又は所轄公共職業安定所長に届け出なければならない。

解答 7　○　則73条。設問の通り正しい。

徴収

解答 8　×　法５条、適用手引１編２章３ハ。保険関係が成立している事業は、その事業の廃止又は終了の日の翌日に、その事業についての保険関係は法律上当然に消滅するが、「単に営業廃止の法律上の手続が完了したときをもって直ちに事業の廃止又は終了とみるべきでなく、現に事実上その事業の活動が停止され、その事業における労働関係が消滅したときをもって事業の廃止又は終了があったと解すべきである。」とされているので、設問の場合、法人が解散したからといって、直ちにその事業が廃止されたことにはならず、事実上労働関係が消滅する日（特別の事情がない限り清算結了の日）の翌日に保険関係が消滅する。

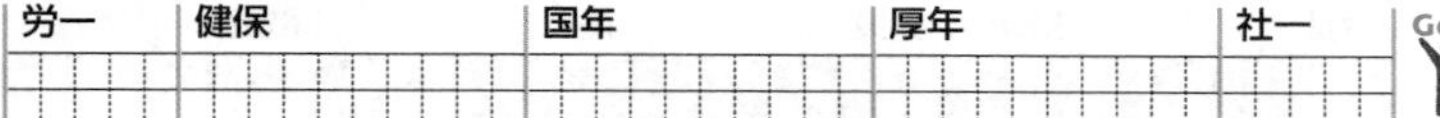

問題 9 ／／／

労災保険暫定任意適用事業の事業主が、当該事業につき、労災保険の加入の申請をする際には、当該事業に使用される労働者の過半数の同意を得たことを証明することができる書類を添付しなければならない。

問題 10 ／／／

労災保険に係る保険関係が成立している労災保険暫定任意適用事業の事業主は、その事業に使用される労働者の過半数の同意を得ることにより、いつでも当該保険関係の消滅の申請をすることができる。

問題 11 ／／／

雇用保険に係る保険関係が成立している雇用保険暫定任意適用事業の事業主は、当該保険関係が成立した後1年を経過していない場合には、当該保険関係の消滅の申請をすることができない。

解答 9　×　整備法5条1項、整備省令1条。労災保険の任意加入の申請については、労働者の同意が必要とされていないので、設問の書類の添付は不要である。

これも覚える!

雇用保険暫定任意適用事業の事業主が、当該事業につき、雇用保険の加入の申請をする際には、当該事業に使用されている労働者の2分の1以上の同意を得たことを証明することができる書類を添付しなければならない。

解答10　×　整備法8条1項、2項。労災保険に係る保険関係が成立している労災保険暫定任意適用事業の事業主が、当該保険関係の消滅の申請をするには、設問の労働者の同意のほか、擬制任意適用事業以外の事業にあっては保険関係が成立した後1年を経過していること、及び特別保険料が徴収される場合には特別保険料の徴収期間を経過していることが必要である。

労災保険に係る保険関係が成立している労災保険暫定任意適用事業の事業主が保険関係の消滅の申請をする場合には、次の①～③の要件に該当していなければならない。

①その事業に使用される労働者の過半数の同意を得ること。
②擬制任意適用事業以外の事業にあっては、保険関係が成立した後1年を経過していること。
③特別保険料が徴収される場合には、特別保険料の徴収期間を経過していること。

解答11　×　法附則4条。設問のような規定はない。雇用保険に係る保険関係が成立している雇用保険暫定任意適用事業の事業主は、当該事業に使用される労働者の4分の3以上の同意を得れば、当該保険関係の消滅の申請をすることができる。

保険関係の一括

問題12　同一の事業主が元請負人として実施している建設の事業Aと下請負人として実施している建設の事業Bがある場合、Bが他の要件を満たしていれば、AとBは一の事業とみなされ、有期事業の一括の対象とされる。

問題13　当初、事業規模が一定以上であったため有期事業の一括の対象とされず、独立の有期事業として保険関係が成立した事業が、その後事業規模に変更等があり、一括の要件を満たすこととなったときは、その時点から一括の対象事業とされる。

問題14　下請負事業の分離の認可を受けようとする元請負人及び下請負人は、保険関係が成立した日の翌日から起算して10日以内に、下請負人を事業主とする認可申請書を所轄都道府県労働局長に提出しなければならないが、天災、不可抗力等の客観的理由、事業開始前に請負方式の特殊性から下請負契約が成立しない等の理由、又は法令の不知等の理由等のやむを得ない理由により、期限内に申請書を提出することができない場合には、期限後であっても提出することができる。

解答12　×　法7条、昭和40.7.31基発901号。建設の事業が数次の請負によって行われるときは、請負事業の一括の規定により元請負人の事業主がその事業の事業主とされるため、下請負人として実施している事業については、事業主が同一人であることの要件を満たさず、設問のAとBの事業は有期事業の一括の対象とならない。

解答13　×　法7条、昭和40.7.31基発901号。当初、独立の有期事業として保険関係が成立した事業は、その後事業の規模に変更等があった場合でも、一括の対象とはされない。

これも覚える！　有期事業の一括の対象とされた個々の事業について、その後事業の規模等に変更等があった場合でも、あくまで当初の一括の扱いによることとし、新たに独立の有期事業としては取り扱わない。

解答14　×　法8条2項、法45条、則8条、則76条1号、昭和47.11.24労徴発41号。「法令の不知等の理由」は「やむを得ない理由」には含まれない。なお、その他の記述については設問の通りである。

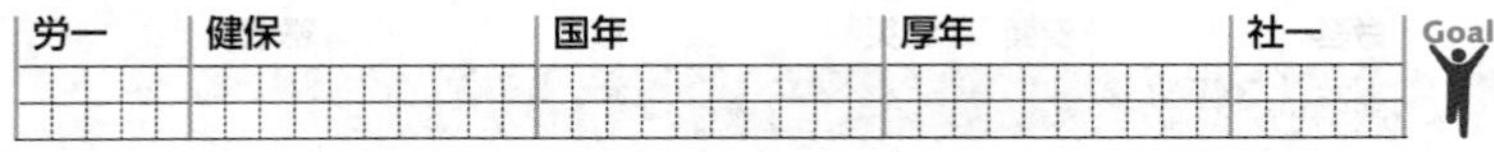

問題15 ／／／ 厚生労働省令で定める事業が数次の請負によって行われる場合の元請負人及び下請負人が、下請負事業の分離の認可を受けた場合、当該下請負人の請負に係る事業を一の事業とみなし、当該下請負人が当該事業の事業主として保険料の納付義務を負うこととなり、更に当該下請負人以外の下請負人及びその使用する労働者に対して、労働関係の当事者としての使用者となる。

問題16 ／／／ 継続事業の一括扱いは、指定事業の事務能力に応じ、一括される事業の範囲を定めるべきものであり、必ずしもすべての事業を一括する趣旨ではないため、支店、支社等において、その下部機構の事務を集中管理している場合には、当該支店、支社等を指定事業としてその下部機構を一括することができる。

問題17 ／／／ 継続事業の一括においては、それぞれの事業が、労災保険率表に掲げる事業の種類を同じくすることが認可の要件の1つとされているが、雇用保険に係る保険関係が成立している二元適用事業については、この要件は必要とされない。

問題18 ／／／ 継続事業の一括の認可を受けた事業主は、当該認可に係る事業のうち、指定事業以外の事業の名称又は当該事業の行われる場所に変更があったときは、遅滞なく、継続被一括事業名称・所在地変更届を、変更があった事業の所在地を管轄する都道府県労働局長に提出しなければならない。

解答15 ×　法８条。設問の後半が誤り。下請負事業の分離の認可を受けた場合は、当該下請負人の請負に係る事業について、当該下請負人を元請負人とみなして独立の保険関係を成立させ、当該下請負人が当該事業の事業主として保険料の納付等の義務を負うが、当該下請負人が当該下請負人以外の下請負人及びその使用する労働者に対して労働関係の当事者としての使用者となるわけではない。

解答16 ○　法９条、昭和40.7.31基発901号。設問の通り正しい。

解答17 ×　法９条、則10条１項、昭和40.7.31基発901号。雇用保険に係る保険関係が成立している二元適用事業が一括される場合においても、設問の要件を満たさなければならない。

解答18 ×　則10条４項。継続被一括事業名称・所在地変更届は、「指定事業」の所在地を管轄する都道府県労働局長に提出しなければならない。

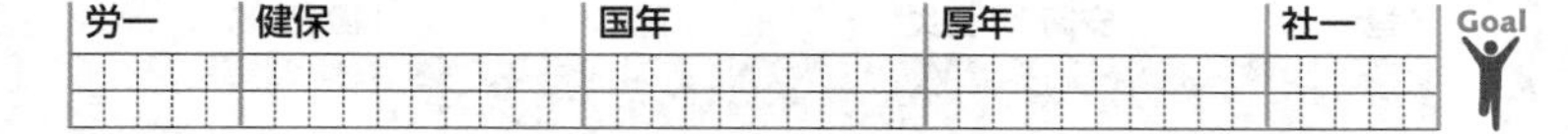

問題19 ／／／

継続事業の一括が行われている事業に係る労災保険及び雇用保険の給付に関する事務並びに雇用保険の被保険者に関する事務は、指定事業の所在地を管轄する労働基準監督署長又は公共職業安定所長が行う。

解答19 × 法9条、昭和40.7.31基発901号、昭和42.4.4基災発9号、行政手引22003。継続事業の一括の規定は、労災保険及び雇用保険の給付に関する事務並びに雇用保険の被保険者に関する事務については適用されず、それぞれの事業場（被一括事業の事業場）の所在地を管轄する労働基準監督署長（二次健康診断等給付を除く。）又は公共職業安定所長がこれらの事務を行う。

継続事業の一括の認可があった場合であっても、雇用保険の被保険者に関する届出の事務等は、個々の事業所ごとに行わなければならない。

2 労働保険料の額

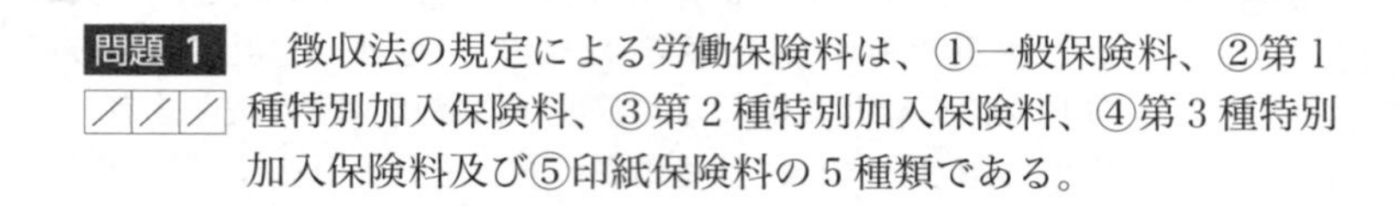

問題 1 ／／／

徴収法の規定による労働保険料は、①一般保険料、②第1種特別加入保険料、③第2種特別加入保険料、④第3種特別加入保険料及び⑤印紙保険料の5種類である。

問題 2 ／／／

一元適用事業であって、雇用保険法の適用を受けない者を使用するものについては、当該事業を労災保険に係る保険関係及び雇用保険に係る保険関係ごとに別個の事業とみなして一般保険料の額を算定する。

問題 3 ／／／

賃金総額については、10円未満の端数があるときは、その端数を切り捨てた額を一般保険料の額の算定の基礎とする。

問題 4 ／／／

徴収法において「賃金」とは、賃金、給料、手当、賞与その他名称のいかんを問わず、労働の対償として事業主が労働者に支払うすべてのものをいう。

問題 5 ／／／

賃金のうち通貨以外のもので支払われるものの範囲は、食事、被服及び住居の利益のほか、厚生労働大臣の定めるところによるとされている。

問題 6 ／／／

賃金のうち通貨以外のもので支払われるものの評価に関し必要な事項は、厚生労働大臣が定めることとされている。

解答 1　×　法10条2項。徴収法の規定による労働保険料には、設問のほか「特例納付保険料」があり、全部で6種類である。

解答 2　○　整備省令17条1項。設問の通り正しい。

労災保険及び雇用保険に係る保険関係が成立している一元適用事業の一般保険料の額の算定は、原則として賃金総額に一般保険料率（労災保険率＋雇用保険率）を乗じることによって行うこととされているが、両保険の適用を受ける労働者の範囲が異なるために賃金総額が一致しない場合は、それぞれの賃金総額にそれぞれの保険料率を乗じて得た額の合計金額を一般保険料の額とする。

解答 3　×　法11条1項、則11条2号。「10円未満」ではなく、「1,000円未満」である。

解答 4　×　法2条2項。徴収法において「賃金」とは、「賃金、給料、手当、賞与その他名称のいかんを問わず、労働の対償として事業主が労働者に支払うもの（通貨以外のもので支払われるものであって、厚生労働省令で定める範囲外のものを除く。）をいう。」とされている。

解答 5　×　法2条2項、則3条。「厚生労働大臣」ではなく、「所轄労働基準監督署長又は所轄公共職業安定所長」の定めるところによるとされている。解答6 大事! 参照。

解答 6　○　法2条3項。設問の通り正しい。

〈通貨以外のもので支払われる賃金の範囲と評価〉

・範囲…食事、被服及び住居の利益のほか、所轄労働基準監督署長又は所轄公共職業安定所長の定めるところによる。
・評価…必要な事項は、厚生労働大臣が定める。

問題 7　□／□／□

労働基準法第20条の規定により支払われる解雇予告手当は、一般保険料の額の算定の基礎となる賃金総額に含めなければならない。

問題 8　□／□／□

労働基準法第26条の規定により支払われる休業手当は、一般保険料の額の算定の基礎となる賃金総額に含めなければならない。

問題 9　□／□／□

労災保険に係る保険関係が成立している事業のうち、①請負による建設の事業、②立木の伐採の事業、③造林の事業、木炭若しくは薪を生産する事業その他の林業の事業（立木の伐採の事業を除く。）、又は④水産動植物の採補若しくは養殖の事業であって、賃金総額を正確に算定することが困難なものについては、賃金総額の特例が認められている。

問題10　□／□／□

労災保険に係る保険関係が成立している請負による建設の事業であって、賃金総額を正確に算定することが困難なものについては、請負金額（消費税等相当額を除く。）を当該事業の賃金総額とする。

問題11　□／□／□

労災保険に係る保険関係が成立している立木の伐採の事業であって、賃金総額を正確に算定することが困難なものについては、所轄都道府県労働局長が定める素材1立方メートルを生産するために必要な労務費の額に、生産するすべての素材の材積を乗じて得た額を賃金総額とする。

解答 7 × 法２条２項、法11条２項、昭和23.8.18基収2520号。解雇予告手当は、賃金とは認められず、一般保険料の額の算定の基礎となる賃金総額には含めない。

解答 8 ○ 法２条２項、法11条２項、昭和25.4.10基収950号。設問の通り正しい。

解答 9 ○ 法11条３項、則12条。設問の通り正しい。

ひっかけ注意

労災保険に係る保険関係が成立している事業のうち、設問の①～④の事業であっても、賃金総額を正確に算定することができる事業については、賃金総額の特例は適用しない。

解答 10 × 法11条３項、則12条１号、則13条１項。設問の場合には、その事業の種類に従い、「請負金額（消費税等相当額を除く。）に労務費率を乗じて得た額」を当該事業の賃金総額とする。

解答 11 ○ 則12条２号、則14条。設問の通り正しい。

これも覚える！

労災保険に係る保険関係が成立している林業の事業（立木の伐採の事業を除く。）であって、賃金総額を正確に算定することが困難なものについては、厚生労働大臣が定める平均賃金に相当する額に、それぞれの労働者の使用期間の総日数を乗じて得た額の合算額を賃金総額とする。

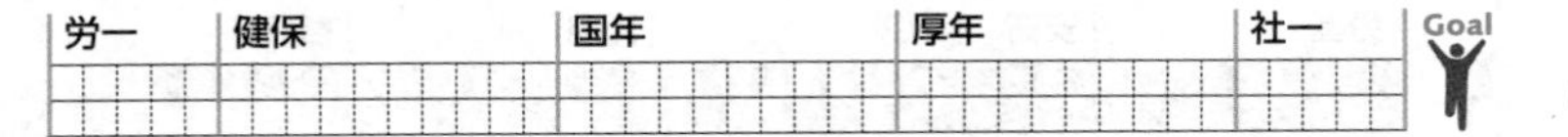

問題 12　海外派遣者たる特別加入者に係る第３種特別加入保険料の額は、賃金総額に第３種特別加入保険料率を乗じて算定される。

問題 13　印紙保険料の額は、日雇労働被保険者１人につき、賃金の日額に応じ第１級から第３級までの３つの等級区分により定められている。

解答12 × 法14条の2,1項、則23条の2、則別表第4、労災保険法36条1項。第3種特別加入保険料の額は、「賃金総額」ではなく、「特別加入保険料算定基礎額の総額」に第3種特別加入保険料率を乗じて算定される。

特別加入保険料算定基礎額は、給付基礎日額を365倍した額である。

解答13 ○ 法22条1項。設問の通り正しい。印紙保険料の額は、日雇労働被保険者1人につき、以下のように賃金の日額に応じ第1級から第3級までの3つの等級区分により定められている。

等級	賃金の日額	印紙保険料の額
1	11,300円以上	176円
2	8,200円以上11,300円未満	146円
3	8,200円未満	96円

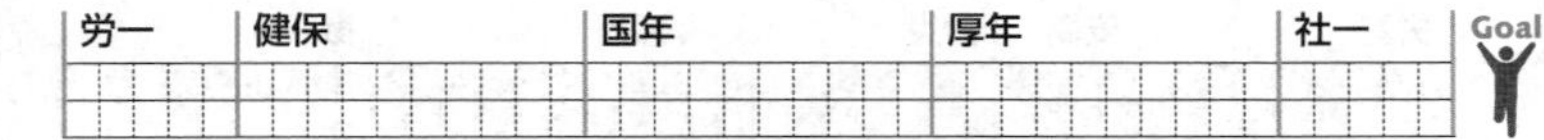

Step-Up

2 労働保険料の額

問題 1

現物給与の価額の適用に当たっては、労働者の勤務地が所在する都道府県の現物給与の価額を適用することとされているが、派遣労働者については、派遣元と派遣先の事業所が所在する都道府県が異なる場合は、派遣元事業所が所在する都道府県の現物給与の価額を適用する。

問題 2

事業主が結婚祝金、死亡弔慰金等を支給するに当たり、あらかじめ支給要件が労働協約、就業規則、労働契約等によって明確となっている場合には、その額を一般保険料の額の算定の基礎となる賃金総額に含めなければならない。

問題 3

さかのぼって昇給決定したが個々人に対する昇給額が未決定のまま離職した者について、離職後支払われる昇給差額は、一般保険料の額の算定の基礎となる賃金総額に含めない。

解答 1　○　法２条３項、令和6.3.1厚労告50号。設問の通り正しい。

解答 2　×　法２条２項、法11条２項、昭和22.9.13発基17号、昭和25.2.16基発127号。結婚祝金、死亡弔慰金等は、個人的、臨時的な吉凶禍福に対して支給されるものであり、労働協約、就業規則、労働契約等によってあらかじめ支給条件が明確となっている場合であっても、これを賃金としては取り扱わないとされているので、一般保険料の額の算定の基礎となる賃金総額には含めない。

解答 3　×　法２条２項、法11条２項、昭和32.12.27失保収652号。設問の「離職後支払われる昇給差額」が、個々人に対して昇給するということ及びその計算方法を決定しており、ただその計算の結果が離職時までにまだ算出されていないというものであれば、事業主としては支払義務が確定したものとなるから、賃金と認められ、これを一般保険料の額の算定の基礎となる賃金総額に含めるものとされている。

問題 4　労働基準法第76条に規定する休業補償は、一般保険料の額の算定の基礎となる賃金総額には含めないが、業務上の負傷により休業している労働者に対して、事業主が就業規則等に基づいて休業補償の名目で、平均賃金の100分の60を上回る支給を行っている場合には、その上回る部分については、賃金総額に含めなければならない。

問題 5　事業主が、社会保険料、所得税等の労働者負担分を労働協約等の定めによって義務づけられて負担した場合には、その負担額に相当する額は、一般保険料の額の算定の基礎となる賃金総額に含める。

問題 6　退職金については、労働者の在職中に、退職金相当額を賃金又は賞与に上乗せして前払いした場合には、その支払った退職金相当額は、一般保険料の額の算定の基礎となる賃金総額に含めない。

解答 4　×　法２条２項、法11条２項、昭和25.12.27基収3432号。労働基準法76条の休業補償は、労働不能による賃金喪失に対する保障であり労働の対償ではないので、徴収法上の賃金ではない。また、労働基準法76条で定められている100分の60の割合は、同法１条の規定により最低基準であると考えるべきであるから、当該事業場において100分の60を上回る制度を設けている場合は、その上回る部分を含めて全額を休業補償とみるべきであるとされている。したがって、設問の100分の60を上回る部分についても賃金総額には含めない。

解答 5　○　法２条２項、法11条２項、昭和51.3.31労徴発12号、昭和63.3.14基発150号。設問の通り正しい。設問の場合の負担額に相当する額は、賃金と解されるので、一般保険料の額の算定の基礎となる賃金総額に含めることとなる。

解答 6　×　法２条２項、法11条２項、平成15.10.1基徴発1001001号。設問の場合の退職金相当額は、原則として賃金総額に含めなければならない。

退職を事由として支払われる退職金であって、退職時に支払われるもの又は事業主の都合等により退職前に一時金として支払われるものについては、一般保険料の額の算定の基礎となる賃金総額に含めないが、労働者の在職中に、退職金相当額の全部又は一部を給与や賞与に上乗せするなどして前払いされる場合は、労働の対償としての性格が明確であり、労働者の通常の生計にあてられる経常的な収入としての意義を有することから、原則として、一般保険料の額の算定の基礎となる賃金総額に含める。

労一	健保	国年	厚年	社一

問題 7　／／／

継続事業において、令和７年３月末日に支払が確定した賃金を令和７年４月15日に支払う場合、当該賃金は令和７年度の概算保険料の基礎となる賃金総額に含めるものとされている。

問題 8　／／／

労働者が賃金締切日前に死亡したため支払われていない賃金がある場合、当該賃金は、保険料の徴収の対象とはならない。

問題 9　／／／

賃金総額の特例が適用される請負による建設の事業において、事業主が注文者等から工事用物の支給を受けた場合には、支給された物の価額に相当する額（消費税等相当額を除く。）を請負代金の額（消費税等相当額を除く。）に加算した額を請負金額（消費税等相当額を除く。）とし、これに所定の労務費率を乗じて得た額を賃金総額とする。

問題10　／／／

労災保険率は、政令で定めるところにより、労災保険法の適用を受ける全ての事業の過去５年間の業務災害、複数業務要因災害及び通勤災害に係る災害率並びに二次健康診断等給付に要した費用の額、社会復帰促進等事業として行う事業の種類及び内容その他の事情を考慮して厚生労働大臣が定める。

解答 7　×　法11条２項、法19条１項、昭和24.10.5基災収5178号。「令和７年度の概算保険料」ではなく、「令和６年度の確定保険料」である。保険年度の末日までに支払が確定した賃金であれば、現実にはまだ支払われていないものであっても、その保険年度の保険料の算定の基礎となる賃金総額に含めるものとされている。

解答 8　×　法２条２項、昭和32.12.27失保収652号。労働者が賃金締切日前に死亡したため支払われていない賃金がある場合は、死亡前の労働の対償としての賃金の支払義務は死亡時に確立しているから、当該賃金は、保険料の徴収の対象となる。

徴収

解答 9　○　法11条３項、則12条１号、則13条１項、２項１号、昭和58.2.21労告14号。設問の通り正しい。

これも覚える！

賃金総額の特例が適用される機械装置の組立て又はすえ付けの事業において、事業主が注文者等から当該組立て又はすえ付ける機械装置の支給を受けた場合には、当該機械装置の価額は請負代金の額※には加算せず、また、その請負代金の額に機械装置の価額が含まれている場合には、その機械装置の価額に相当する額※をその請負代金の額※から控除した額を請負金額※として、これに所定の労務費率を乗じて得た額を賃金総額とする。
※消費税等相当額を除く。

解答10　×　法12条２項。「過去５年間」ではなく「過去３年間」である。

労災保険率は、事業の種類ごとに、現在、最高1000分の88から最低1000分の2.5の間で定められている。

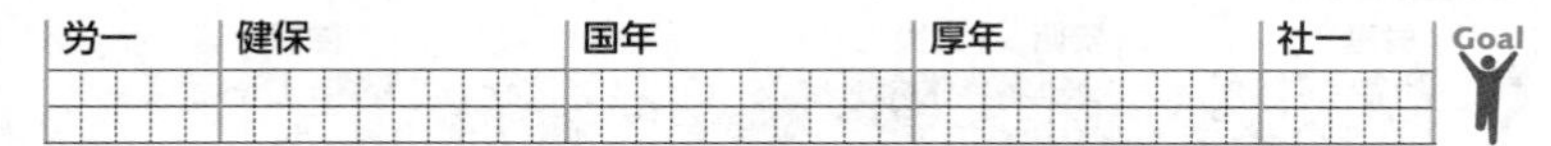

問題 11 ／／／ 労働者派遣事業に対する労働保険の適用については、労災保険及び雇用保険の双方とも、派遣元事業主の事業が適用事業とされるが、労災保険率及び雇用保険率については、いずれも派遣先の事業の種類に応じた率が適用される。

問題 12 ／／／ 農林、畜産、養蚕、水産の事業のうち、季節的に休業し、又は事業の規模が縮小することのない事業として厚生労働大臣が指定する事業については、一般の事業と同じ失業等給付費等充当徴収保険率が適用される。

問題 13 ／／／ 第1種特別加入保険料率は、特別加入する中小事業主等に係る事業についての労災保険率と同一の率から労災保険法の適用を受けるすべての事業の過去3年間の二次健康診断等給付に要した費用の額、社会復帰促進等事業として行う事業の種類及び内容その他の事情を考慮して厚生労働大臣の定める率（現在は零）を減じた率である。

解答11　×　昭和61.6.30発労徴41号・基発383号。労働者派遣事業に対する労働保険の適用については、設問の通り派遣元事業主の事業が適用事業となるが、派遣労働者に係る保険料率の適用に関しては、①労災保険率については、派遣先での作業実態に基づき労災保険率適用事業細目表により事業の種類を決定して、労災保険率表による労災保険率を適用し、②雇用保険率については、原則として、一般の事業の雇用保険率（派遣元事業主の事業に係る雇用保険率）が適用されることとなる。

解答12　○　法12条4項1号、平成28.12.21厚労告427号。設問の通り正しい。

設問の厚生労働大臣が指定する事業は、次の①～④の通りである。
①牛馬育成、酪農、養鶏又は養豚の事業
②園芸サービスの事業
③内水面養殖の事業
④特定の船員が雇用される事業

解答13　×　法13条、則21条の2。第1種特別加入保険料率は、特別加入する中小事業主等に係る事業についての労災保険率と同一の率から「労災保険法の適用を受けるすべての事業の過去3年間の二次健康診断等給付に要した費用の額」を考慮して厚生労働大臣の定める率を減じた率とされており、「社会復帰促進等事業として行う事業の種類及び内容その他の事情」は、考慮する事項に含まれない。

徴収

問題 14　継続事業において、ある保険年度に第1種特別加入者となった者が1人おり、その者について第1種特別加入者とされた期間が5月20日から翌年2月10日までであった場合、当該保険年度における第1種特別加入保険料の額は、その者に係る特別加入保険料算定基礎額を12で除して得た額（1円未満の端数は、1円に切り上げる。）に9を乗じて得た額に第1種特別加入保険料率を乗じて得た額である。

解答14　×　法13条、則21条１項、平成7.3.30労徴発28号。設問の継続事業の場合は、５月と翌年の２月において「１月未満の端数を１月とする」処理を行うので、当該保険年度中に第１種特別加入者とされた期間の月数は、「10」となる。したがって、設問の第１種特別加入保険料の額は、特別加入保険料算定基礎額を12で除して得た額（１円未満の端数は、１円に切り上げる。）に、「９」ではなく「10」を乗じて得た額に、第１種特別加入保険料率を乗じて得た額となる。

継続事業において、保険年度の中途に新たに特別加入者となった者又は特別加入者でなくなった者に係る特別加入保険料算定基礎額は、特別加入保険料算定基礎額を12で除して得た額（１円未満の端数は、１円に切り上げる。）に、その者が当該保険年度中に特別加入者とされた期間の月数（その月数に１月未満の端数があるときは、これを１月とする。）を乗じて得た額とする。

徴収

労一	健保	国年	厚年	社一

Goal

問題 15　／／／

交通運輸事業を営む個人事業主が、労災保険法第34条第1項の規定に基づき、令和X年4月17日に中小事業主等の特別加入の承認を受けた。当該事業に係る労災保険率は1000分の4、当該特別加入者の給付基礎日額は12,000円である場合、当該事業主に係る令和X年度の第1種特別加入保険料の額は、17,520円となる。

問題 16　／／／

第2種特別加入保険料率は、事業又は作業の種類にかかわらず、徴収法施行規則において同一の率と定められている。

解答15　○　法13条、則21条1項、則21条の2、則別表第1、第4。設問の通り正しい。第1種特別加入保険料の額は、特別加入保険料算定基礎額の総額に第1種特別加入保険料率を乗じて得た額であり、特別加入保険料算定基礎額は、給付基礎日額を365倍した額である。また、保険年度の中途に中小事業主等の特別加入の承認があった場合の当該保険年度の第1種特別加入保険料の額の算定については、特別加入保険料算定基礎額を12で除して得た額（1円未満の端数は、1円に切り上げる。）に、その者が当該保険年度中に第1種特別加入者とされた期間の月数（その月数に1月未満の端数があるときは、これを1月とする。）を乗じて得た額を用いる。設問の場合は、4月において「1月未満の端数を1月とする」処理を行うので、当該保険年度において第1種特別加入者とされた期間の月数は12月となり、また、第1種特別加入保険料率は、その中小事業主が行う事業に係る労災保険率と同一の率であるため、設問の事業主についての令和X年度の第1種特別加入保険料の額は、12,000円×365×1/12×12×4/1000＝17,520円となる。

解答16　×　法14条1項、則23条、則別表第5。第2種特別加入保険料率は、徴収法施行規則別表第5において、事業又は作業の種類に応じてそれぞれ定められており、事業又は作業の種類にかかわらず同一の率と定められているのではない。

第2種特別加入保険料率は、一人親方等の特別加入者に係る事業又は作業と同種若しくは類似の事業又は作業を行う事業についての業務災害、複数業務要因災害及び通勤災害に係る災害率（通勤災害に関する保険給付を受けることができない者に関しては、当該業務災害及び複数業務要因災害に係る災害率）、社会復帰促進等事業として行う事業の種類及び内容その他の事情を考慮して厚生労働大臣の定める率であり、事業又は作業の種類に応じ、現在、最高1000分の52から最低1000分の3までの率が定められている。

徴収

労一	健保	国年	厚年	社一

問題 17

／／／

第３種特別加入保険料率は、海外派遣者が海外において従事している事業と同種又は類似の日本国内で行われている事業についての業務災害、複数業務要因災害及び通勤災害に係る災害率、社会復帰促進等事業として行う事業の種類及び内容その他の事情を考慮して厚生労働大臣の定める率とされ、現在、厚生労働大臣の定める率は、事業の業種にかかわらず一律に1000分の３とされている。

進捗チェック

労基	安衛	労災	雇用	徴収

解答17　○　法14条の2,1項、則23条の３。設問の通り正しい。

労一	健保	国年	厚年	社一

3 労働保険料の納付等（一般保険料の納付等・労災保険のメリット制・印紙保険料の納付・特例納付保険料）

一般保険料の納付等

問題 1 ／／／

継続事業（一括有期事業を含む。以下「3 労働保険料の納付等」において同じ。）の事業主は、保険年度の中途に保険関係が成立したものを除き、保険年度ごとに、概算保険料を概算保険料申告書に添えて、その保険年度の6月1日から50日以内に納付しなければならない。

問題 2 ／／／

保険年度の中途に保険関係が成立した継続事業の事業主は、当該事業についての概算保険料を概算保険料申告書に添えて、当該保険関係が成立した日から20日以内に納付しなければならない。

問題 3 ／／／

労災保険及び雇用保険に係る保険関係が成立している一元適用事業であって、労働保険事務組合に労働保険事務の処理を委託しないものの事業主は、概算保険料を口座振替により納付する場合には、その一般保険料に係る概算保険料申告書を、所轄労働基準監督署長を経由して所轄都道府県労働局歳入徴収官に提出することができるが、日本銀行を経由して所轄都道府県労働局歳入徴収官に提出することはできない。

問題 4 ／／／

継続事業において、当該保険年度の賃金総額（その額に1,000円未満の端数があるときは、その端数を切り捨てる。以下本問において同じ。）の見込額が、直前の保険年度の賃金総額の100分の200以下である場合には、直前の保険年度の賃金総額を用いて概算保険料の額を計算する。

進捗チェック

労基	安衛	労災	雇用	徴収

解答 1　×　法15条1項。「50日以内」ではなく「40日以内」である。

大事!

〈概算保険料の申告・納期限〉

継続事業	前保険年度より保険関係が引き続く事業	保険年度の6月1日から40日以内（当日起算）
	保険年度の中途に保険関係が成立した事業	保険関係が成立した日から50日以内（翌日起算）
有期事業		保険関係が成立した日から20日以内（翌日起算）

解答 2　×　法15条1項。「20日以内」ではなく「50日以内」である。解答 1 大事! 参照。

解答 3　○　則38条1項、2項7号。設問の通り正しい。概算保険料を口座振替により納付する場合には、概算保険料申告書の提出について、日本銀行を経由して行うことはできない。

解答 4　×　法15条1項、則11条2号、則24条1項。「100分の200以下」ではなく、「100分の50以上100分の200以下」である。

問題 5 ／／／

4年間にわたる建設の有期事業（一括有期事業を除く。）を行う事業主が概算保険料として納付すべき一般保険料の額は、各保険年度ごとに算定し、当該保険年度に使用するすべての労働者の賃金総額（その額に1,000円未満の端数があるときは、その端数は切り捨てる。以下本問において同じ。）の見込額に当該事業についての一般保険料率を乗じて得た額となる。この場合において、賃金総額の見込額が、直前の保険年度の賃金総額の100分の50以上100分の200以下であるときは、直前の保険年度の賃金総額を当該保険年度の賃金総額の見込額とする。

問題 6 ／／／

前保険年度から引き続き労災保険及び雇用保険に係る保険関係が成立している継続事業（当該事業に係る労働保険事務の処理を労働保険事務組合に委託していないものとする。）であって、納付すべき概算保険料の額が40万円以上のものについての事業主は、当該概算保険料の延納の申請をすることができる。

問題 7 ／／／

10月1日に労災保険に係る保険関係のみが成立した継続事業の場合、納付すべき概算保険料の額が20万円以上であっても、当該保険年度において、原則としてその延納は認められないが、当該事業に係る労働保険事務の処理が労働保険事務組合に委託されている場合であれば、延納の申請をすることができる。

解答 5　×　法15条2項1号。設問の事業のような一括有期事業以外の有期事業については、概算保険料として納付すべき一般保険料の額を、各保険年度ごとではなく、その「全期間について算定」し、賃金総額の見込額は「全期間において使用する」すべての労働者の賃金総額の見込額を算定の基礎とする。また年度という概念がないため、賃金総額の見込額として直前の保険年度の賃金総額を用いることはない。なお、有期事業として取り扱われるのは、労災保険に係る保険関係のみであるから、一般保険料率＝労災保険率となる。

有期事業（一括有期事業を除く。）については、各保険年度ごとに算定するのではないことに注意。

解答 6　○　法18条、則27条1項。設問の通り正しい。

大事！

継続事業（一括有期事業を含む。）の場合、次の⑴及び⑵の要件を満たしていれば、概算保険料申告書を提出する際に申請することにより、概算保険料を延納することができる。

⑴次のいずれかに該当していること。

①納付すべき概算保険料の額が40万円（労災保険に係る保険関係又は雇用保険に係る保険関係のみが成立している事業については、20万円）以上の事業であること。

②労働保険事務組合に労働保険事務の処理を委託している事業であること。

⑵当該保険年度において10月1日以降に保険関係が成立した事業ではないこと。

解答 7　×　法18条、則27条1項。10月1日以降に保険関係が成立した継続事業については、労働保険事務組合への事務処理委託の有無にかかわらず、当該保険年度において概算保険料の延納は認められない。解答 6 大事！参照。

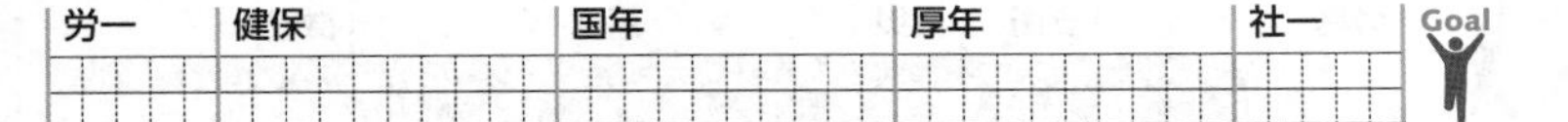

問題 8 ／／／

事業の期間が６月である有期事業（一括有期事業を除く。）の事業主は、概算保険料の額が75万円以上である場合、又は当該事業主が労働保険事務組合に労働保険事務の処理を委託している場合は、申請をすることにより概算保険料の延納が認められる。

問題 9 ／／／

事業主は、保険料算定基礎額の見込額が増加した場合において、増加後の保険料算定基礎額の見込額が増加前の保険料算定基礎額の見込額の100分の200を超えるか、又は増加後の保険料算定基礎額の見込額に基づき算定した概算保険料の額と既に納付した概算保険料の額との差額が13万円以上であるときは、増加概算保険料を納付しなければならない。

問題10 ／／／

政府は、保険年度の中途に、一般保険料率、第１種特別加入保険料率、第２種特別加入保険料率又は第３種特別加入保険料率の引上げを行ったときは、労働保険料を追加徴収するが、当該追加徴収される概算保険料は増加額の多少にかかわらず徴収される。

問題11 ／／／

継続事業（保険年度の中途に保険関係が消滅したものを除く。）の事業主は、保険年度ごとに、確定保険料申告書を、次の保険年度の６月１日から40日以内に提出しなければならない。

問題12 ／／／

有期事業の事業主は、確定保険料申告書を、保険関係が消滅した日から20日以内に提出しなければならない。

解答 8　×　法18条、則28条1項。事業の全期間が6月以内である場合には、概算保険料を延納することはできない。

有期事業（一括有期事業を除く。）の場合、次の⑴及び⑵の要件を満たしていれば、概算保険料申告書を提出する際に申請することにより、概算保険料を延納することができる。
⑴次のいずれかに該当していること。
①納付すべき概算保険料の額が75万円以上の事業であること。
②労働保険事務組合に労働保険事務の処理を委託している事業であること。
⑵事業の全期間が6月以内のものではないこと。

解答 9　×　法16条、則25条1項。増加概算保険料は、増加後の保険料算定基礎額の見込額が増加前の保険料算定基礎額の見込額の100分の200を超え、「かつ」、増加後の保険料算定基礎額の見込額に基づき算定した概算保険料の額と既に納付した概算保険料の額との差額が13万円以上であるときに納付しなければならない。

解答 10　○　法17条1項。設問の通り正しい。

政府が、保険年度の中途に、一般保険料率、第1種特別加入保険料率、第2種特別加入保険料率又は第3種特別加入保険料率の引下げを行った場合であっても、引き下げられた保険料の額に相当する部分の還付を行うとする規定はない。

解答 11　○　法19条1項。設問の通り正しい。

保険年度の中途に保険関係が消滅した継続事業の事業主は、当該保険関係が消滅した日から50日以内に、確定保険料申告書を提出しなければならない。

解答 12　×　法19条2項。「20日以内」ではなく、「50日以内」である。

労一	健保	国年	厚年	社一

Goal

問題13 ／／／

事業主は、既に納付した概算保険料の額と確定保険料の額が同一であり納付すべき労働保険料がない場合であっても、確定保険料申告書を所轄都道府県労働局歳入徴収官に提出しなければならないが、この場合は、日本銀行を経由して提出することはできない。

問題14 ／／／

継続事業の事業主は、既に納付した概算保険料の額が確定保険料の額に足りない場合はその不足額を、確定保険料申告書に添えて納付しなければならないが、当該概算保険料について延納が認められていた場合には、当該不足額についても延納の申請をすることができる。

問題15 ／／／

事業主が提出した概算保険料申告書の記載に誤りがあるため、政府が概算保険料の額を決定し、これを当該事業主に通知した場合において、納付した概算保険料の額が政府の決定した概算保険料の額に足りないときは、当該事業主は、その不足額を、その通知を受けた日から15日以内に納付しなければならない。

問題16 ／／／

事業主が概算保険料申告書を提出しなかったため、政府が概算保険料の額を認定決定し、これを当該事業主に通知した場合には、当該事業主は認定決定された概算保険料の額及び当該保険料の額（その額に1,000円未満の端数があるときは、その端数は切り捨てる。）に100分の10を乗じて得た額の追徴金を納付しなければならない。

解答13　○　法19条1項、則38条1項、2項4号、7号。設問の通り正しい。事業主は、既に納付した概算保険料の額が確定保険料の額以上であり納付すべき労働保険料がない場合は、確定保険料申告書を所轄都道府県労働局歳入徴収官に提出するに当たって、日本銀行を経由することはできない。

確定保険料申告書は、納付した概算保険料の額が確定保険料の額以上の場合（納付すべき労働保険料がない場合）であっても、提出しなければならない。

解答14　×　法18条、法19条1項、3項。確定保険料は延納することはできないため、設問の不足額について延納することはできない。

解答15　○　法15条3項、4項。設問の通り正しい。

認定決定された概算保険料の納付は、納付書によって行わなければならない。

解答16　×　法15条3項、4項、法21条。概算保険料の認定決定の場合は、追徴金は徴収されない。

確定保険料について認定決定が行われた場合は、原則として追徴金が徴収される。

労一	健保	国年	厚年	社一

Goal

問題17 ／／／

口座振替により概算保険料を納付している事業主は、増加概算保険料についても、口座振替により納付することができる。

労災保険のメリット制

問題18 ／／／

いわゆる継続事業のメリット制は、その適用を受けることができる事業であって、連続する3保険年度中の最後の保険年度の末日（以下、「基準日」という。）において労災保険に係る保険関係成立後3年以上経過したものについて、その連続する3保険年度の間におけるいわゆるメリット収支率を基礎として運用される。

問題19 ／／／

有期事業の一括により一の継続事業とみなされる建設の事業及び立木の伐採の事業については、連続する3保険年度中のいずれかの保険年度の確定保険料の額が40万円未満の場合は、継続事業のメリット制の適用対象事業とはならない。

問題20 ／／／

厚生労働大臣は、メリット制が適用される継続事業において、メリット収支率が100分の85以上、又は100分の75以下である場合には、当該事業についての基準日の属する保険年度の次の次の保険年度の労災保険率を一定の範囲内で引き上げ又は引き下げることができる。

解答17　×　法21条の2,1項、則38条の4。増加概算保険料については、口座振替による納付の対象とならない。

口座振替により納付することができる労働保険料は、納付書によって行われる次のものである。
①概算保険料（延納により納付する場合を含む。）
②確定保険料

解答18　○　法12条3項。設問の通り正しい。

解答19　○　法12条3項3号、則17条3項。設問の通り正しい。設問の事業については、連続する3保険年度中の各保険年度において、確定保険料の額が40万円以上でなければ、継続事業のメリット制の適用対象事業とはならない。

解答20　×　法12条3項。「100分の85以上、又は100分の75以下」ではなく、「100分の85を超え、又は100分の75以下」である。

問題21 ／／／

一括有期事業以外の有期事業であって、労災保険に係る保険関係が成立している建設の事業については、請負金額（消費税等相当額を除く。）が1億1,000万円以上であり、かつ、確定保険料の額が40万円以上である場合に限り、有期事業のメリット制の適用対象事業となり得る。

問題22 ／／／

有期事業のメリット制とは、所定の期間に係るメリット収支率に応じて、労災保険率を上げ下げする制度である。

印紙保険料の納付

問題23 ／／／

事業主は、日雇労働被保険者を使用した場合には、印紙保険料納付計器により印紙保険料を納付する場合を除き、その者を使用する日ごとに、雇用保険印紙をその使用した日の日雇労働被保険者手帳における該当日欄にはり、消印することにより印紙保険料を納付しなければならない。

問題24 ／／／

事業主は、厚生労働省令で定めるところにより、印紙保険料納付計器を厚生労働大臣の承認を受けて設置した場合には、当該印紙保険料納付計器により、日雇労働被保険者が所持する日雇労働被保険者手帳に納付すべき印紙保険料の額に相当する金額を表示して納付印を押すことによって印紙保険料を納付することができる。

問題25 ／／／

事業主は、雇用保険印紙を購入しようとするときは、雇用保険印紙購入通帳の雇用保険印紙購入申込書に必要事項を記入し、所轄公共職業安定所の窓口に提出しなければならない。

解答 21　×　法20条１項、則35条１項。設問の事業については、請負金額（消費税等相当額を除く。）が１億1,000万円以上であるか、「又は」確定保険料の額が40万円以上であれば、有期事業のメリット制の適用対象事業となり得る。

解答 22　×　法20条１項。有期事業のメリット制とは、「労災保険率」ではなく、「確定保険料の額」を上げ下げする制度である。なお、継続事業のメリット制とは、労災保険率を上げ下げする制度である。

解答 23　×　法23条１項、２項、則40条１項。印紙保険料の納付は、日雇労働被保険者に賃金を支払う都度、その使用した日数に相当する枚数の雇用保険印紙をその使用した日の日雇労働被保険者手帳における該当日欄にはり、消印して行わなければならない。

解答 24　○　法23条３項。設問の通り正しい。

これも覚える！

事業主は、印紙保険料納付計器の設置の承認を受けようとする場合には、印紙保険料納付計器設置承認申請書を、当該印紙保険料納付計器を設置しようとする事業場の所在地を管轄する公共職業安定所長を経由して、当該事業場の所在地を管轄する都道府県労働局歳入徴収官に提出しなければならない。

解答 25　×　則43条１項。雇用保険印紙購入申込書は、雇用保険印紙を販売する「日本郵便株式会社の営業所（郵便の業務を行うものに限る。）」に提出することとされている。

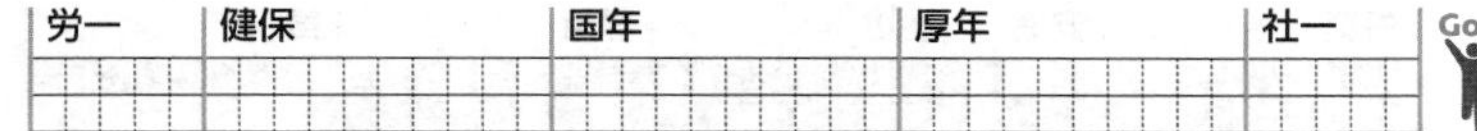

問題26 ／／／

雇用保険印紙購入通帳の交付を受けている事業主は、印紙保険料納付状況報告書により、毎月における雇用保険印紙の受払状況を翌月末日までに、所轄都道府県労働局歳入徴収官に報告しなければならないが、日雇労働被保険者を1人も使用せず、印紙の受払いのない月については、報告する必要はない。

問題27 ／／／

事業主が、正当な理由がないと認められるにもかかわらず、印紙保険料の納付を怠ったときは、政府は、納付すべき印紙保険料の額（その額に1,000円未満の端数があるときは、その端数は、切り捨てる。）の100分の10に相当する額の追徴金を徴収する。ただし、納付を怠った印紙保険料の額が1,000円未満であるときは、この限りでない。

特例納付保険料

問題28 ／／／

特例納付保険料に係る対象事業主は、雇用保険法に規定する特例対象者を雇用していた事業主であって、雇用保険に係る保険関係が成立していたにもかかわらず、当該特例対象者に係る被保険者資格取得届を提出していなかったものである。

問題29 ／／／

特例納付保険料の額は、徴収法第26条第1項に規定する厚生労働省令で定めるところにより算定した基本額に、当該額に100分の10を乗じて得た額を加算した額とされている。

解答26　×　法24条、則54条。雇用保険印紙購入通帳の交付を受けている事業主は、日雇労働被保険者を１人も使用せず、雇用保険印紙の受払いのない月であっても、その旨を翌月末日までに報告しなければならない。

解答27　×　法25条２項。設問の場合に徴収される追徴金の額は、納付すべき印紙保険料の額（1,000円未満切捨て）の「100分の10」ではなく、「100分の25」に相当する額である。なお、設問後段は正しい。

【追徴金の額】
- 確定保険料の認定決定…納付すべき額（1,000円未満切捨て）の100分の10
- 印紙保険料の認定決定…納付すべき額（1,000円未満切捨て）の100分の25

解答28　×　法26条１項。「当該特例対象者に係る被保険者資格取得届」ではなく、「保険関係成立届」である。

解答29　○　法26条１項、則56条、則57条。設問の通り正しい。

Step-Up

3 労働保険料の納付等（一般保険料の納付等・労災保険のメリット制・印紙保険料の納付・特例納付保険料）

一般保険料の納付等

※ 以下において保険料の納期限は、日曜日、国民の祝日に関する法律に規定する休日その他一般の休日又は土曜日に当たらないものとする。

問題 1 ／／／

労災保険に係る保険関係が成立している事業のうち二元適用事業についての一般保険料に係る概算保険料申告書は、所轄労働基準監督署長を経由して所轄都道府県労働局歳入徴収官に提出することはできない。

問題 2 ／／／

一元適用事業であって労働保険事務組合に労働保険事務の処理を委託するものの一般保険料や、一元適用事業についての第1種特別加入保険料は、労働基準監督署収入官吏に納付することができない。

解答 1　×　則38条１項、２項５号。設問の概算保険料申告書は、所轄労働基準監督署長を経由して所轄都道府県労働局歳入徴収官に提出することができる。なお、設問の概算保険料申告書は、日本銀行を経由して所轄都道府県労働局歳入徴収官に提出することもできるが、労働保険料の納付を金融機関に委託して行う場合（口座振替納付の場合）には、日本銀行を経由して提出することはできない。

解答 2　○　則38条３項２号。設問の通り正しい。設問の一般保険料及び第１種特別加入保険料は、日本銀行又は都道府県労働局収入官吏に納付しなければならない。

日本銀行又は都道府県労働局収入官吏に納付しなければならないとされている一般保険料及び特別加入保険料は、以下の通りである。

①一元適用事業であって労働保険事務組合に労働保険事務の処理を委託するものの一般保険料
②一元適用事業であって労働保険事務組合に労働保険事務の処理を委託しないもののうち、雇用保険に係る保険関係のみが成立している事業についての一般保険料
③雇用保険に係る保険関係が成立している事業のうち二元適用事業についての一般保険料
④一元適用事業についての第１種特別加入保険料

問題 3　前保険年度より保険関係が引き続く一元適用事業である継続事業の事業主であって、労働保険事務組合に労働保険事務の処理を委託しているものについては、社会保険適用事業所の事業主である場合には、一般保険料に係る概算保険料申告書（口座振替による納付を行う場合に提出するものを除く。）を、年金事務所を経由して所轄都道府県労働局歳入徴収官に提出することができる。

問題 4　A社は、平成XX年４月１日に設立された卸売業を営む株式会社である。A社の令和X1年度の賃金総額が6,000万円、翌令和X2年度の賃金総額の見込額が8,000万円であった場合、A社の令和X2年度の概算保険料の額は117万円である。なお、令和X2年度の労災保険率は1000分の３、雇用保険率は1000分の16.5であるものとする。

解答 3 × 則38条１項、２項２号カッコ書、３号。設問の事業主は、労働保険事務組合に労働保険事務の処理を委託しているため、一般保険料に係る概算保険料申告書を年金事務所を経由して提出することはできない。

次のすべてを満たす場合は、労働保険料申告書の提出を、年金事務所を経由して行うことができる。

①概算保険料申告書（増加概算保険料申告書を除く。）又は確定保険料申告書であること。
②社会保険適用事業所の事業主であること。
③継続事業についての一般保険料に係るものであること。
④労働保険事務組合に労働保険事務の処理を委託していないこと。
⑤労働保険料の納付を口座振替により金融機関に委託して行うものでないこと。
⑥６月１日から40日以内に提出するものであること。

解答 4 ○ 法11条１項、２項、法12条１項１号、４項、法15条１項１号、則24条１項、則別表第１。設問の通り正しい。設問の事業の令和X2年度の賃金総額の見込額（8,000万円）は、令和X1年度の賃金総額（6,000万円）の100分の50以上100分の200以下の範囲内であるから、令和X2年度の概算保険料の額は、令和X1年度の賃金総額（6,000万円）を賃金総額の見込額として計算する。したがって、令和X2年度の概算保険料の額は、下記の計算式により求められる。

6,000万円×（３＋16.5）／1000＝117万円

問題 5

／／／

前保険年度から引き続き労災保険及び雇用保険に係る保険関係が成立している継続事業であって、労働保険事務組合に労働保険事務の処理を委託していないものについて、概算保険料の延納が認められている事業主は、当該保険年度の概算保険料を３回に分けて納付することができるが、その納期限は、７月10日、11月30日及び翌年１月31日である。

解答 5　×　法18条、則27条。設問の場合の納期限は、7月10日、「10月31日」及び翌年1月31日である。

前保険年度から保険関係が引き続く継続事業については、次の3期に分けて概算保険料を納付することができる。

期の区分	第1期 4/1～7/31	第2期 8/1～11/30	第3期 12/1～翌年3/31
納期限	6月1日から起算して40日以内	10月31日 (11月14日※)	翌年1月31日 (翌年2月14日※)

※(　)内は、労働保険事務組合に労働保険事務の処理が委託されている場合の納期限である。

問題 6

／／／

8月5日に労災保険及び雇用保険に係る保険関係が成立した継続事業であって、労働保険事務組合に労働保険事務の処理を委託しているものについて、納付すべき概算保険料の額が36万円である場合、事業主は概算保険料申告書を提出する際に延納の申請を行うことにより、当該概算保険料を9月24日及び翌年2月14日までに、それぞれ18万円ずつ納付することができる。

解答 6　○　法18条、則27条。設問の通り正しい。設問の場合は、労働保険事務組合に労働保険事務の処理を委託しているので、納付すべき概算保険料の額にかかわらず延納の申請をすることができ、8月5日に保険関係が成立していることから、概算保険料を2回に分けて納付することができる。最初の期分の概算保険料は、保険関係が成立した日の翌日（8月6日）から起算して50日以内（9月24日まで）に、第2期分の概算保険料は労働保険事務組合に労働保険事務の処理を委託しているので翌年2月14日までに、それぞれ18万円ずつを納付しなければならない。

保険関係が成立した日	分割回数	各期の区分		納期限
4月1日〜5月31日	3	第1期	保険関係成立日〜7月31日	保険関係成立日の翌日から起算して50日以内
		第2期	8月1日〜11月30日	10月31日（11月14日※）
		第3期	12月1日〜翌年3月31日	翌年1月31日（翌年2月14日※）
6月1日〜9月30日	2	第1期	保険関係成立日〜11月30日	保険関係成立日の翌日から起算して50日以内
		第2期	12月1日〜翌年3月31日	翌年1月31日（翌年2月14日※）

※(　) 内は、労働保険事務組合に労働保険事務の処理が委託されている場合の納期限である。

徴収

問題 7

5月15日に事業を開始し、翌年の3月25日に事業が終了する予定の有期事業であって、労働保険事務組合に労働保険事務の処理を委託しているものについて、納付すべき概算保険料の額が69万円である場合、事業主は概算保険料申告書を提出する際に延納の申請を行うことにより、その概算保険料を3回に分けて納付することができるが、当該事業主は、当該概算保険料を6月4日、10月31日及び翌年1月31日までに、それぞれ23万円ずつ納付しなければならない。

解答 7 ○ 法18条、則28条。設問の通り正しい。設問の有期事業は、事業の全期間が6月以内の事業ではなく、また、労働保険事務組合に労働保険事務の処理を委託しているため、概算保険料の額が75万円未満であっても、概算保険料を延納することができる。設問の場合は、3回に分けて納付することができるが、最初の期分の概算保険料は、保険関係が成立した日の翌日（5月16日）から起算して20日以内（6月4日まで）に納付しなければならず、また、労働保険事務組合に労働保険事務の処理を委託している事業主であっても、各期の納期限は、労働保険事務組合に労働保険事務の処理を委託していない事業主と同じである。
設問の場合の延納の期の区分と納期限は次の通りであり、それぞれの期の納付額は、69万円÷3＝23万円である。
・第1期…5/15～7/31（納期限：6/4）
・第2期…8/1～11/30（納期限：10/31）
・第3期…12/1～翌年3/25（納期限：翌年1/31）

問題 8

3月10日に事業を開始し、翌々年の2月8日に事業を終了する予定の有期事業であって、納付すべき概算保険料の額が420万円である場合、事業主は概算保険料申告書を提出する際に延納の申請を行うことにより、当該概算保険料を7回に分けて、それぞれ60万円ずつ納付することができる。

解答 8　×　法18条、則28条。設問の場合は延納の申請を行うことにより、当該概算保険料を「6回に分けて、それぞれ70万円ずつ」納付することができる。設問の場合は、保険関係が成立した日（3月10日）から、その日の属する延納に係る期の末日（3月31日）までの期間が2月以内であるため、その期を1期として成立させず、保険関係が成立した日（3月10日）から7月31日までを最初の期とし、8月1日から11月30日までを第2期、12月1日から翌年3月31日までを第3期、翌年4月1日から7月31日までを第4期、翌年8月1日から11月30日までを第5期、翌年12月1日から翌々年2月8日までを第6期として、6回に分けて概算保険料を納付することができ、それぞれの期の納付額は、420万円÷6＝70万円である。

なお、設問の場合の延納の期の区分と納期限は次の通りである。

・第1期…3/10～7/31（納期限：3/30）
・第2期…8/1～11/30（納期限：10/31）
・第3期…12/1～翌年3/31（納期限：翌年1/31）
・第4期…翌年4/1～同7/31（納期限：翌年3/31）
・第5期…翌年8/1～同11/30（納期限：翌年10/31）
・第6期…翌年12/1～翌々年2/8（納期限：翌々年1/31）

徴収

労一	健保	国年	厚年	社一

Goal

問題 9　概算保険料100万円を３期に分けて納付する場合、第１期及び第２期の納付額は各333,333円、第３期の納付額は333,334円である。

問題 10　労災保険又は雇用保険の一方のみの保険関係が成立していた事業が、労災保険及び雇用保険の両保険に係る保険関係が成立するに至ったため当該事業に係る一般保険料率が変更した場合において、変更後の一般保険料率に基づき算定した概算保険料の額が既に納付した概算保険料の額の100分の200以上であり、かつ、その差額が13万円以上であるときには、その日から30日以内に、増加概算保険料を申告・納付しなければならない。

解答 9　×　則27条２項、則28条２項、国等の債権債務等の金額の端数計算に関する法律３条、昭和43.3.12基発123号。延納による各期の納付額は、概算保険料の額を期の数で除して得た額であるが、１円未満の端数を生じたときは、第１期分に加えて納付することとなる。設問の場合は、100万円÷３＝333,333.333…円となり、1,000,000円－333,333円×２＝333,334円により、第１期の納付額は「333,334円」、第２期及び第３期の納付額は各「333,333円」となる。

延納の場合の納付額は、概算保険料の額を期の数で除して得た額であるが、概算保険料の額を期の数で除して得た額に、１円未満の端数を生じたときは、第１期分に加えて納付する。

解答 10　×　法附則５条、則附則４条。増加概算保険料は、設問のように成立している保険関係が拡大したことにより一般保険料率が変更した場合においても、所定の要件を満たした場合にはその日から30日以内に納付しなければならないが、増加概算保険料の納付が必要となるのは、変更後の一般保険料率に基づき算定した概算保険料の額が既に納付した概算保険料の額の100分の200を超え、かつ、その差額が13万円以上である場合である。

問題11 ／／／ 　概算保険料の延納が認められている継続事業の事業主（労働保険事務組合に労働保険事務の処理を委託しているものとする。）について、7月25日に保険料算定基礎額の増加が見込まれ、増加概算保険料の納付要件に該当する場合には、延納の申請を行うことにより、当該増加概算保険料を3回に分けて納付することができる。

問題12 ／／／ 　政府は、増加概算保険料の納付要件に該当しているにもかかわらず事業主が増加概算保険料申告書を提出しないとき、又は増加概算保険料申告書の記載に誤りがあると認めるときは、労働保険料の額を決定し、これを事業主に通知することとされている。

問題13 ／／／ 　所轄都道府県労働局歳入徴収官は、保険年度の中途において一般保険料率、第1種特別加入保険料率、第2種特別加入保険料率又は第3種特別加入保険料率の引上げを行ったため、労働保険料を追加徴収しようとする場合には、事業主に対して、その納付すべき労働保険料の額を通知するが、当該通知を受けた事業主は、所轄都道府県労働局歳入徴収官が通知を発する日から起算して30日を経過した日までに、当該追加徴収に係る労働保険料を納付しなければならない。

解答 11　○　則30条。設問の通り正しい。概算保険料の延納をする事業主については、増加概算保険料についても申請により延納することができるが、増加概算保険料の延納については、最初の期が2月を超えていなくても1つの期として成立するため、設問の場合は、3回に分けて納付することができる。

設問の場合の延納の期の区分と納期限は次の通りである。なお、当該延納に係る第2期以降の納期限については、継続事業であって労働保険事務組合に労働保険事務の処理を委託している場合には、委託していない場合よりも納期限が遅く設定されている。

・第1期… 7/25～7/31（納期限：8/24）
・第2期… 8/1～11/30（納期限：11/14）
・第3期…12/1～翌年3/31（納期限：翌年2/14）

解答 12　×　法16条。増加概算保険料については、設問のようないわゆる認定決定は行われない。

解答 13　○　法17条、則26条。設問の通り正しい。

問題14 ／／／ 政府は、事業主が概算保険料申告書を提出しないとき又は概算保険料申告書の記載に誤りがあると認めるときは、労働保険料の額を決定し、これを事業主に通知するとされているが、当該通知は、納入告知書により行われる。

問題15 ／／／ 継続事業の事業主は、5月15日に事業を廃止したときは、その年の7月3日までに、確定保険料申告書を提出しなければならない。

問題16 ／／／ 事業主が納付した概算保険料の額が確定保険料の額を超える場合において、当該事業主が確定保険料申告書を提出する際にその超える額の還付を請求したときは、所轄都道府県労働局歳入徴収官は、その超える額を還付するものとする。

問題17 ／／／ 納付した概算保険料の額が確定保険料の額を超える場合であって、事業主がその超過額の還付を請求しないときに、当該事業主に未納の一般拠出金がある場合であっても、一般拠出金は労働保険料その他徴収法の規定による徴収金には含まれないため、所轄都道府県労働局歳入徴収官は、その超過額を未納の一般拠出金に充当することはできない。

解答14　×　法15条3項、則38条4項。設問の概算保険料の認定決定に係る通知は、「納入告知書」によっては行われない。なお、認定決定された概算保険料の納付は、納付書によって行わなければならない。

これも覚える！
納入告知書によって通知されるものは、次の通りである。
- ・認定決定に係る確定保険料・追徴金の額
- ・有期事業のメリット制の適用により徴収する差額
- ・認定決定に係る印紙保険料・追徴金の額
- ・対象事業主の申出に係る特例納付保険料の額

解答15　×　法5条、法19条1項。設問の事業主は、確定保険料申告書をその年の「7月3日」ではなく「7月4日」までに提出しなければならない。保険年度の中途に保険関係が消滅した場合の確定保険料申告書の提出期限は、保険関係が消滅した日（当日起算）から50日以内である。設問の場合、事業を廃止した日の翌日（5月16日）に保険関係が消滅するので、確定保険料申告書の提出期限は、5月16日から起算して50日目である「7月4日」となる。

解答16　×　法19条6項、則36条1項。「所轄都道府県労働局歳入徴収官」ではなく、「官署支出官又は所轄都道府県労働局資金前渡官吏」である。

解答17　×　則37条1項。設問の超過額は、次の保険年度の概算保険料若しくは未納の労働保険料その他徴収法の規定による徴収金又は未納の一般拠出金（石綿による健康被害の救済に関する法律の規定により労災保険適用事業主から徴収する一般拠出金をいう。）等に充当するものとされている。

徴収

労一	健保	国年	厚年	社一	Goal

労災保険のメリット制

問題18　継続事業のメリット制が適用される事業の要件である①100人以上の労働者を使用する事業及び②20人以上100人未満の労働者を使用する事業であって所定の要件を満たすものの労働者数には、第1種特別加入者は含まないものとされている。

問題19　令和4年7月1日に労災保険に係る保険関係が成立した継続事業であって、当初から100人以上の労働者を使用しているものは、令和7年3月31日時点において継続事業のメリット制の適用対象とはならない。

問題20　メリット収支率の算定に当たって、遺族補償年金及び遺族特別年金の額については、その算定の基礎に含まれない。

解答18 ×　法12条３項１号、２号、昭和40.11.1基発1454号。第１種特別加入者は含まれる。第１種特別加入者については、その事業に使用される労働者とみなされることから、メリット制適用の要件となる労働者数に含めることとされている。

解答19 ○　法12条３項。設問の通り正しい。設問の事業は、令和７年３月31日時点において、労災保険に係る保険関係が成立した後３年以上経過していないため、継続事業のメリット制の適用対象とはならない。

継続事業のメリット制の適用対象となるには、連続する３保険年度中の最後の保険年度に属する３月31日（「基準日」という。）において労災保険に係る保険関係が成立した後３年以上経過している事業でなければならない。

解答20 ×　法12条３項、法20条１項、則18条、則18条の２。メリット収支率の算定に当たって、遺族補償年金及び遺族特別年金の額は、算定の基礎に含まれる。メリット収支率の算定において、遺族補償年金については給付基礎日額を、遺族特別年金については算定基礎日額をそれぞれ平均賃金とみなして、同一の事由について労働基準法79条（遺族補償）の規定を適用することとした場合に行われることとなる遺族補償の額に相当する額を算定の基礎に含めることとされている。

徴収

労一	健保	国年	厚年	社一

Goal

問題21

メリット収支率の算定に当たっては、特定疾病にかかった者に係る保険給付及び特別支給金の額は、その算定の基礎となる保険給付等の額には含まないこととされているが、この特定疾病には、建設の事業におけるいわゆる非災害性腰痛が含まれる。

問題22

有期事業の一括が行われる建設の事業についてメリット制が適用される場合において、連続する3保険年度中のいずれかの保険年度の確定保険料の額が40万円以上100万円未満であるときは、当該事業についての労災保険率から非業務災害率を減じた率を100分の40の範囲内において引き上げ又は引き下げた率に非業務災害率を加えた率が、当該連続する3保険年度の最後の保険年度に属する3月31日の属する保険年度の次の次の保険年度の労災保険率とすることができると規定されている。

問題23

有期事業におけるメリット収支率は、当該事業開始の日から、当該事業の終了日後6箇月を経過した日前までの期間について算定される。

解答21　×　法12条３項、法20条１項、則17条の２。非災害性腰痛は「建設の事業」ではなく、「港湾貨物取扱事業又は港湾荷役業」において、特定疾病として定められている。

〈特定疾病〉

疾病名	事業の種類
非災害性腰痛	港湾貨物取扱事業又は港湾荷役業
振動障害	林業又は建設の事業
じん肺症	建設の事業
肺がん・中皮腫	建設の事業 港湾貨物取扱事業又は港湾荷役業
騒音性難聴	建設の事業

解答22　×　法12条３項、則20条、別表第３の２。設問中の「100分の40」（メリット増減率）を「100分の30」とすると正しい記述になる。有期事業の一括が行われる建設の事業及び立木の伐採の事業については、下記の区分に応じた範囲内において引き上げ又は引き下げることと規定されている。

事業の区分			メリット増減率
一括有期事業	連続する３保険年度中の各保険年度の確定保険料の額が100万円以上	建設の事業	40%
		立木の伐採の事業	35%
	連続する３保険年度中のいずれかの保険年度の確定保険料の額が40万円以上100万円未満	建設の事業	30%
		立木の伐採の事業	

解答23　×　法20条１項。有期事業におけるメリット収支率は、当該事業の開始の日から、当該事業の終了日後３箇月又は９箇月を経過した日前までの期間について算定される。

徴収

労一　健保　国年　厚年　社一　Goal

問題24 ／／／

有期事業のメリット制の適用により確定保険料の額が引き下げられた場合、その引き下げられた額と当該確定保険料の差額について、事業主が所轄都道府県労働局歳入徴収官の通知を受けた日の翌日から起算して10日以内に還付の請求をしたときは、官署支出官又は所轄都道府県労働局資金前渡官吏は、その差額を還付するものとされている。

印紙保険料の納付

問題25 ／／／

請負事業の一括により元請負人が事業主とされている場合には、当該事業に係る労働者のうち下請負人が使用する労働者で日雇労働被保険者であるものの印紙保険料についても、当該元請負人が納付しなければならない。

問題26 ／／／

日雇労働被保険者を４日間雇用する事業主が、賃金を最終日の４日目にまとめて支払う場合、雇用保険印紙による印紙保険料の納付については、当該最終日に、その者の日雇労働被保険者手帳に４日分の雇用保険印紙をはり、これに消印をすることによって印紙保険料を納付すればよい。

問題27 ／／／

雇用保険印紙購入通帳の有効期間の更新を受けようとする事業主は、当該雇用保険印紙購入通帳の有効期間が満了する日の翌日の２月前から当該期間が満了する日までの間に、当該雇用保険印紙購入通帳を添えて、雇用保険印紙購入通帳更新申請書を所轄公共職業安定所長に提出して、新たに雇用保険印紙購入通帳の交付を受けなければならない。

解答24　○　法20条3項、則36条1項。設問の通り正しい。なお、事業主から還付の請求がない場合には、所轄都道府県労働局歳入徴収官は、その差額を未納の労働保険料等に充当するものとされている。

解答25　×　法23条1項カッコ書。請負事業の一括が適用されている場合であっても、下請負人が使用する日雇労働被保険者に係る印紙保険料については、当該下請負人が納付しなければならない。

解答26　○　法23条2項、則40条1項。設問の通り正しい。事業主は、日雇労働被保険者に賃金を支払う都度、その者に係る印紙保険料を納付しなければならないとされているので、日雇労働被保険者への賃金の支払いを後払いとしたり、一定の日数分を一度に支払ったときは、現実に賃金が支払われるときに、雇用保険印紙の貼付及び消印を行えばよいこととなる。

解答27　×　則42条4項、平成元.2.18発労徴6号。「2月前」ではなく、「1月前」である。雇用保険印紙購入通帳は、交付日の属する保険年度に限り有効であるので、設問の事業主は、有効期間満了日の翌日の1月前から有効期間満了日までの間（3月1日から3月31日まで）に、雇用保険印紙購入通帳更新申請書を所轄公共職業安定所長に提出して、新たに雇用保険印紙購入通帳の交付を受けなければならない。

問題28 ／／／

日雇労働被保険者を使用する事業主は、その保有する雇用保険印紙の等級に相当する賃金日額の日雇労働被保険者を使用しなくなったときは、その使用しなくなった日から6月間に限り、雇用保険印紙を販売する日本郵便株式会社の営業所（郵便の業務を行うものに限る。）に雇用保険印紙購入通帳を提出し、その保有する雇用保険印紙の買戻しを申し出ることができる。

問題29 ／／／

事業主が印紙保険料の納付を怠った場合には、所轄都道府県労働局歳入徴収官は調査を行い、印紙保険料の額を決定して、納入告知書により通知を行うこととされているが、当該決定された印紙保険料の納期限は、通知を受けた日から15日以内とされている。

特例納付保険料

問題30 ／／／

特例納付保険料の対象となるのは、その徴収する権利が時効によって消滅していない保険料に限られる。

解答28　×　則43条2項2号。設問の場合、事業主は、雇用保険印紙の買戻しを申し出ることができるが、その期間は、保有する雇用保険印紙の等級に相当する賃金日額の日雇労働被保険者を使用しなくなった日から6月間に限られてはいない。なお、設問の場合には、買戻しの事由に該当することについて、あらかじめ所轄公共職業安定所長の確認を受けなければならない。

〈雇用保険印紙の買戻し〉

買戻し事由	要件
①雇用保険に係る保険関係が消滅したとき	あらかじめ所轄公共職業安定所長の確認を受ける
②日雇労働被保険者を使用しなくなったとき （保有する雇用保険印紙の等級に相当する賃金日額の日雇労働被保険者を使用しなくなったときを含む）	
③雇用保険印紙が変更されたとき	変更日から6月間

解答29　×　法25条1項、則38条5項、平成15.3.31基発0331002号。「通知を受けた日から15日以内」ではなく、「政府が調査決定をした日から20日以内の休日でない日」である。なお、納入告知書による通知については、解答14 これも覚える！参照。

認定決定された印紙保険料は、雇用保険印紙による納付はできず、現金により納付しなければならない。

解答30　×　法26条1項。特例納付保険料の対象となるのは、その徴収する権利が時効によって消滅している保険料に限られる。なお、徴収する権利が時効によって消滅していない保険料については、確定保険料額に係る認定決定をし、徴収することとなる。

問題31 ／／／

厚生労働大臣は、特例納付保険料に係る対象事業主に対して、やむを得ない事情のため勧奨を行うことができない場合を除き、特例納付保険料の納付を勧奨しなければならず、勧奨を受けた対象事業主は、特例納付保険料を納付する旨を、厚生労働大臣に対し、書面により申し出なければならない。

問題32 ／／／

所轄都道府県労働局歳入徴収官は、特例納付保険料の納付の申出をした対象事業主から特例納付保険料を徴収しようとする場合には、通知を発する日から起算して30日を経過した日をその納期限と定め、当該事業主に、特例納付保険料の額及び納期限を納入告知書により通知しなければならない。

解答31　×　法26条２項、３項。勧奨を受けた対象事業主は、特例納付保険料を納付する旨を、厚生労働大臣に対し、書面により「申し出ることができる」とされている。

解答32　○　法26条４項、則38条５項、則59条。設問の通り正しい。特例納付保険料の通知は、納入告知書によって行われる。解答14 これも覚える！ 参照。

Basic

4 労働保険事務組合等（督促・費用の負担・雑則等・労働保険事務組合）

督促・費用の負担・雑則等

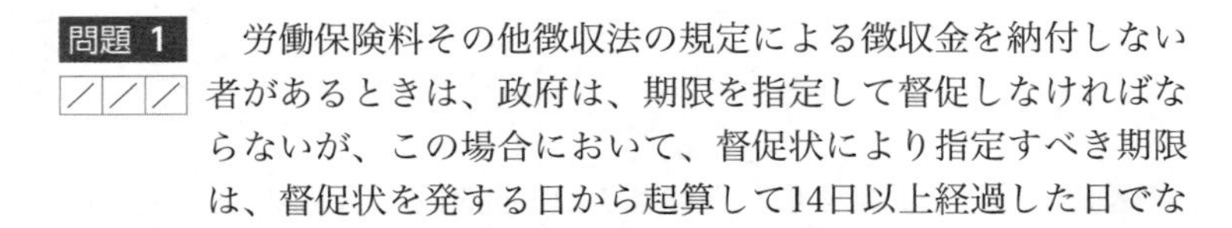

問題 1 ／／／

労働保険料その他徴収法の規定による徴収金を納付しない者があるときは、政府は、期限を指定して督促しなければならないが、この場合において、督促状により指定すべき期限は、督促状を発する日から起算して14日以上経過した日でなければならない。

問題 2 ／／／

政府により労働保険料の納付の督促を受けた者が、その指定の期限までに労働保険料を納付しないときは、政府は、国税滞納処分の例によって、これを処分する。

問題 3 ／／／

督促状の指定期限までに労働保険料を納付しないときは、原則として、督促状の指定期限の翌日からその完納又は財産差押えの日までの日数に応じて計算した延滞金が徴収される。

問題 4 ／／／

追徴金をその納期限までに納付しなかったため督促を受けた事業主が、督促状に指定する期限までに当該追徴金を納付しなかった場合には、当該追徴金について延滞金が課される。

問題 5 ／／／

労働保険料その他徴収法の規定による徴収金の先取特権の順位は、国税及び地方税に次ぐものとされている。

問題 6 ／／／

一般保険料の額のうち、労災保険に応ずる部分については、事業主がその全額を負担することとされているが、海外派遣者の特別加入に係る第3種特別加入保険料については、当該海外派遣者がその全額を負担することとされている。

解答 1　×　法27条1項、2項。「14日以上」ではなく、「10日以上」である。

解答 2　○　法27条3項。設問の通り正しい。

解答 3　×　法28条1項。延滞金の計算の基礎となる期間は、「督促状の指定期限の翌日からその完納又は財産差押えの日まで」ではなく、「(本来の) 納期限の翌日からその完納又は財産差押えの日の前日まで」である。

解答 4　×　法28条1項。追徴金は労働保険料ではないので、追徴金について延滞金が課されることはない。

解答 5　○　法29条。設問の通り正しい。

解答 6　×　法31条3項。海外派遣者の特別加入に係る第3種特別加入保険料についても、国内の派遣元事業主がその全額を負担することとされている。

徴収

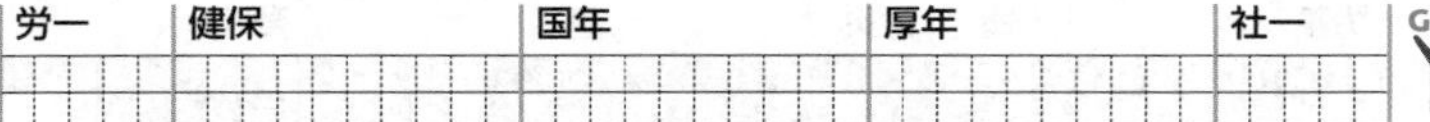

問題 7 ／／／

一般保険料の額のうち雇用保険率に応ずる部分の額は、事業主と被保険者とがそれぞれ2分の1ずつ負担するものとされている。

問題 8 ／／／

雇用保険の日雇労働被保険者は、印紙保険料の額の2分の1の額を負担するものとされており、一般保険料については負担することを要しない。

問題 9 ／／／

事業主は、被保険者に賃金を支払う際に、当該被保険者が負担すべき一般保険料の額に相当する額を当該賃金から控除する場合には、その控除額を当該被保険者に知らせなければならないが、口頭で知らせても差し支えないとされている。

問題10 ／／／

事業主は、提出した概算保険料申告書の記載に誤りがあるとして、いわゆる認定決定に係る通知を受けた場合において、当該処分に不服があるときは、都道府県労働局歳入徴収官に対して審査請求をすることができる。

問題11 ／／／

労働保険料その他徴収法の規定による徴収金を徴収し、又はその還付を受ける権利は、これらを行使することができる時から2年を経過したときは、時効によって消滅する。

解答 7　×　法31条1項、3項。一般保険料の額のうち雇用保険率に応ずる部分の額については、被保険者は、雇用保険率に応ずる部分の額から二事業費に係る額を減じた額の2分の1を負担し、残りの部分を事業主が負担するものとされている。

解答 8　×　法31条2項。日雇労働被保険者は、設問のほか、一般保険料の額の被保険者負担分（一般保険料の額のうち雇用保険率に応ずる部分の額から二事業費に係る額を減じた額の2分の1の額）についても負担しなければならない。

解答 9　×　法32条1項、則60条1項。設問の控除額の通知は、口頭では足りず、「労働保険料控除に関する計算書（書面）」によって行わなければならない。

これも覚える!　事業主は、被保険者の負担すべき額を賃金から控除する場合には、一般保険料控除計算簿を作成し、事業場ごとにこれを備えなければならない。なお、この保険料控除計算簿は、形式のいかんを問わないので、賃金台帳をもってこれに代えることができる。

解答10　×　行審法2条、法4条3号。設問の場合には、行政不服審査法に基づき、「厚生労働大臣」に対して審査請求をすることができる。なお、直ちに処分の取消しの訴えを提起することもできる。

解答11　○　法41条1項。設問の通り正しい。

徴収

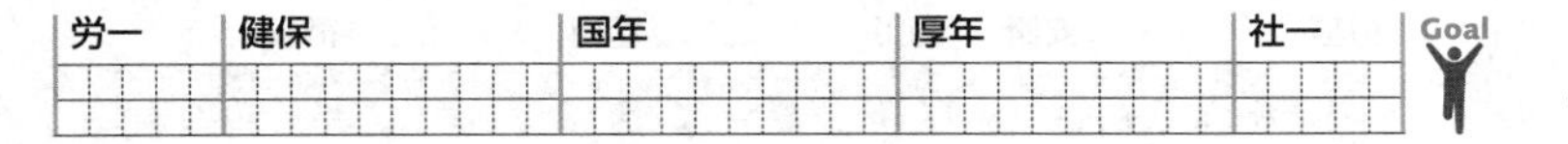

問題12 ／／／ 事業主若しくは事業主であった者又は労働保険事務組合若しくは労働保険事務組合であった団体は、徴収法又は徴収法施行規則による書類を、その完結の日から5年間保存しなければならない。

労働保険事務組合

問題13 ／／／ 常時100人以下の労働者を使用する不動産業の事業主は、労働保険事務組合に労働保険事務の処理を委託することができる。

問題14 ／／／ 有期事業の事業主は、労働保険事務組合に労働保険事務の処理を委託することはできない。

問題15 ／／／ 労働保険事務組合に労働保険事務の処理を委託することができる事業主は、当該労働保険事務組合である団体等の構成員である事業主に限られ、当該団体等の構成員である事業主以外の事業主については、当該労働保険事務組合に労働保険事務の処理を委託することができない。

解答12　×　則72条。書類の保存期間は、その完結の日から「３年間」（雇用保険被保険者関係届出事務等処理簿は「４年間」）である。

解答13　×　法33条１項、則62条２項。不動産業の事業主については、常時50人以下の労働者を使用する場合に労働保険事務組合に労働保険事務の処理を委託することができる。

〈委託事業主の範囲〉

	主たる事業の種類	使用する労働者数
①	金融業若しくは保険業、不動産業又は小売業	常時50人以下
②	卸売業又はサービス業	常時100人以下
③	①②以外の事業	常時300人以下

解答14　×　法33条１項、則62条、平成12.3.31発労徴31号。有期事業の事業主であっても、所定の要件を満たせば労働保険事務組合に労働保険事務の処理を委託することができる。

解答15　×　法33条１項、則62条１項。労働保険事務組合である団体等の構成員である事業主以外の事業主であっても、労働保険事務の処理を当該事業主の団体等に委託することが必要であると認められるものについては、その労働保険事務組合に労働保険事務の処理を委託することができる。

「委託することが必要であると認められるもの」とは、具体的には、労働保険事務組合に労働保険事務の処理を委託しなければ労働保険への加入が困難であるもの、及び労働保険事務の処理を委託することにより当該事業における負担が軽減されると認められるものをいう。

問題16　□／□／□／

労働保険事務組合に労働保険事務の処理を委託することができる事業主は、原則として、労働保険事務組合の主たる事務所が所在する都道府県に主たる事務所を持つ事業の事業主とされている。

問題17　□／□／□／

事業主は、労働保険事務組合に労働保険事務の処理を委託したときは、遅滞なく、労働保険事務等処理委託届を、当該労働保険事務組合の主たる事務所の所在地を管轄する都道府県労働局長に提出しなければならない。

問題18　□／□／□／

労働保険事務組合が事業主の委託を受けて処理することができる労働保険事務とは、労働保険料の納付その他の労働保険に関する事項（印紙保険料に関する事項を含む。）である。

問題19　□／□／□／

労災保険の保険給付並びに雇用保険の失業等給付等の請求書等に係る事務手続及びその代行は、労働保険事務組合が事業主の委託を受けて処理することができる業務に含まれない。

解答16　×　法33条１項。設問のような地域的範囲は定められていない。

解答17　×　則64条１項。「労働保険事務組合」は、事業主から労働保険事務の処理の委託があったときは、遅滞なく、労働保険事務等処理委託届を、その主たる事務所の所在地を管轄する都道府県労働局長に提出しなければならない。

「労働保険事務等処理委託（解除）届」は、委託を受けた「労働保険事務組合」が提出するのであって、「委託事業主」が提出するのではない。

解答18　×　法33条１項。設問のカッコ内が誤り。労働保険料の納付その他の労働保険に関する事項のうち、「印紙保険料に関する事項」については、労働保険事務組合への委託事務の範囲からは除かれている。

雇用保険印紙購入通帳の交付の申請などは、印紙保険料に関する事項なので、労働保険事務組合は処理することができない。

解答19　○　法33条１項、平成12.3.31発労徴31号。設問の通り正しい。

これも覚える！

労災保険の社会復帰促進等事業として行う特別支給金の申請書並びに雇用保険の二事業（雇用安定事業及び能力開発事業）に係る事務手続及びその代行についても、労働保険事務組合の受託業務の範囲には含まれない。

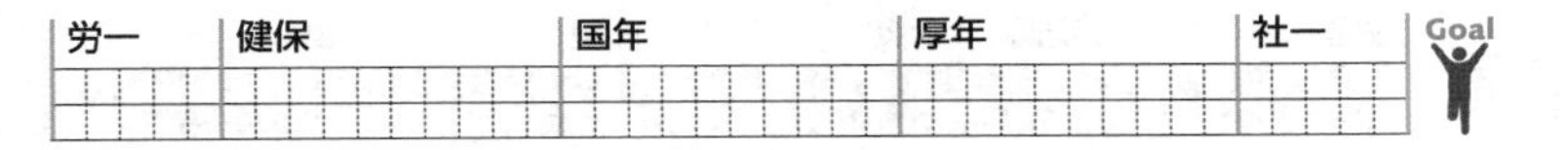

問題20 ／／／ 労働保険事務組合の認可を受けようとする事業主の団体又はその連合団体は、法人でなければならない。

問題21 ／／／ 厚生労働大臣は、労働保険事務組合がその行うべき労働保険事務の処理を怠ったときは、その認可を取り消すことができるが、この場合の認可の取消しは、当該労働保険事務組合に対し文書をもって行うものとされている。

問題22 ／／／ 労働保険事務組合は、事業主の委託を受けてする労働保険事務の処理の業務を廃止しようとするときは、30日前までに、その旨を厚生労働大臣に届け出なければならない。

問題23 ／／／ 政府が、労働保険事務組合に労働保険事務の処理を委託した事業主に対してすべき労働保険料についての督促を、労働保険事務組合に対して行った場合、労働保険事務組合に労働保険事務の処理を委託した事業主と当該労働保険事務組合との間の委託契約の内容によっては、この督促の効果が当該委託事業主に及ばないことがある。

問題24 ／／／ 労働保険事務組合が労働保険料に係る報奨金の交付を受けるためには、納付すべき労働保険料についてすべて督促されることなく完納していなければならない。

解答20 × 法33条2項、平成12.3.31発労徴31号。労働保険事務組合の認可を受けようとする事業主の団体等は、法人であるか否かは問われていない。なお、法人でない団体等にあっては、代表者の定めがあることのほか、団体等の事業内容、構成員の範囲その他団体等の組織、運営方法等が定款等において明確に定められ、団体性が明確であることを要するとされている。

解答21 ○ 法33条4項、則67条。設問の通り正しい。

これも覚える！

労働保険事務組合の主たる事務所の所在地を管轄する都道府県労働局長は、労働保険事務組合の認可の取消しがあったときは、その旨を、当該労働保険事務組合に労働保険事務の処理を委託している事業主に通知しなければならない。

解答22 × 法33条3項。「30日前」ではなく、「60日前」である。

これも覚える！

この届出は、業務を廃止する旨の届書を、その主たる事務所の所在地を管轄する公共職業安定所長又は労働基準監督署長を経由して都道府県労働局長に提出することによって行わなければならない。

解答23 × 法34条、平成12.3.31発労徴31号。設問の督促の効果については、当該労働保険事務組合と当該委託事業主の間の委託契約の内容のいかんにかかわらず、当該委託事業主に及ぶこととなる。

大事！

政府は、労働保険事務組合に労働保険事務の処理を委託した事業主に対してすべき労働保険関係法令の規定による労働保険料の納入の告知その他の通知（設問の督促も含まれる。）及び還付金の還付については、これを労働保険事務組合に対してすることができ、労働保険事務組合に対してしたこれらの通知等は、当該委託事業主に対してしたものとみなされる。

解答24 × 整備法23条。納付すべき労働保険料が督促することなく完納されたときに限らず、その納付の状況が著しく良好であると認められる場合にも報奨金の交付の対象となる。

問題25　／／／

労働保険事務組合は、労働保険料に係る報奨金の交付を受けようとするときは、所定の事項を記載した申請書を10月15日までに所轄公共職業安定所長に提出しなければならない。

解答25　×　報奨金省令2条1項。「所轄公共職業安定所長」ではなく、「所轄都道府県労働局長」に提出しなければならない。

4 労働保険事務組合等（督促・費用の負担・雑則等・労働保険事務組合）

督促・費用の負担・雑則等

問題 1 ／／／

政府は、督促状の指定期限までに労働保険料を納付しない者があるときは、原則として、労働保険料の額に、納期限の翌日からその完納又は財産差押えの日の前日までの期間の日数に応じ、年14.6％（当該納期限の翌日から３月を経過する日までの期間については、年7.3％）の割合を乗じて計算した延滞金を徴収する。

問題 2 ／／／

事業主が労働保険料を納期限までに納付せず、督促を受けた場合であっても、督促状に指定された期限の前日までに当該労働保険料を完納したときは、延滞金は徴収されないが、督促状に指定された期限の当日に当該保険料を完納したときは、延滞金が徴収される。

問題 3 ／／／

事業主が労働保険料を滞納したため督促を受け、延滞金が徴収されることとなった場合において、滞納している労働保険料の額の一部につき納付したときは、その納付の日の前日までの期間に係る延滞金の額の計算の基礎となる労働保険料の額は、その納付のあった労働保険料の額を控除した額とされる。

解答 1　×　法28条1項。延滞金の割合が年7.3％となるのは、当該納期限の翌日から「2月」を経過する日までの期間である。なお、その他の記述は正しい。

これも覚える！　当分の間、各年の延滞税特例基準割合（租税特別措置法に規定する延滞税特例基準割合をいう。）が年7.3％の割合に満たない場合には、その年中においては、年14.6％の割合にあっては当該延滞税特例基準割合に年7.3％の割合を加算した割合とし、年7.3％の割合にあっては当該延滞税特例基準割合に年1％の割合を加算した割合（当該加算した割合が年7.3％の割合を超える場合には、年7.3％の割合）とする特例が設けられている。

解答 2　×　法28条1項、5項1号。「督促状に指定した期限までに労働保険料その他徴収法の規定による徴収金を完納したとき」については、延滞金を徴収しないとされているため、「期限の当日」に完納したときも、延滞金は徴収されない。

解答 3　×　法28条2項。設問の場合において、滞納している労働保険料の額の一部につき納付したときは、その納付の日以後の期間に係る延滞金の額の計算の基礎となる労働保険料の額は、その納付のあった労働保険料の額を控除した額とされる。

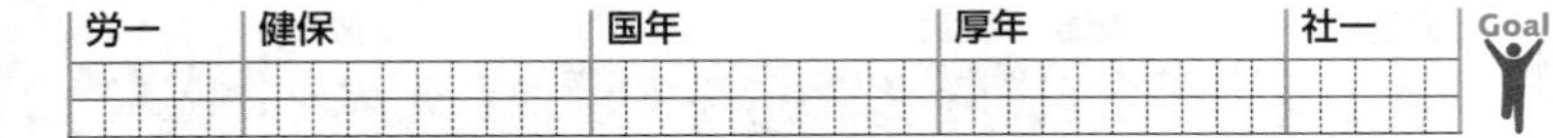

問題 4
／／／

事業主が被保険者に賃金を月２回支払う場合においては、原則として、１回分の支払賃金から１か月分に相当する被保険者の負担すべき一般保険料の額に相当する額をまとめて控除することはできないが、当該月における１回目の賃金支払において当該控除を行わない場合に限り、当該月における２回目の賃金支払において、１か月分に相当する被保険者の負担すべき一般保険料の額に相当する額をまとめて控除することができる。

問題 5
／／／

徴収法の規定による処分についての審査請求は、処分があったことを知った日の翌日から起算して３月を経過したとき又は処分があった日の翌日から起算して１年を経過したときは、正当な理由があるときを除き、することができない。

問題 6
／／／

継続事業において、既に納付した概算保険料額のうち事業主が申告した確定保険料の額を超える部分の額について還付を受ける際の精算返還金に係る時効の起算日は、７月10日とされているが、当該申告書が法定納期限内に提出されたときは、その提出された日の翌日とする。

問題 7
／／／

労働保険事務組合が、徴収法第42条の規定による行政庁の命令に違反して報告をせず、若しくは虚偽の報告をし、又は文書を提出せず、若しくは虚偽の記載をした文書を提出した場合には、その違反行為をした労働保険事務組合の代表者又は代理人、使用人その他の従業者に対し、罰則規定の適用がある。

解答 4　×　法32条1項、則60条1項。設問のような規定はない。「事業主は、被保険者に賃金を支払う都度、当該賃金に応ずる被保険者の負担すべき一般保険料の額に相当する額を当該賃金から控除することができる」とされており、賃金を月2回支払う場合、当該控除を1回目の賃金支払及び2回目の賃金支払のいずれかを問わず、1回分の支払賃金から1か月分に相当する被保険者の負担すべき一般保険料の額をまとめて控除することはできない。

解答 5　○　行審法18条1項、2項。設問の通り正しい。

徴収

解答 6　×　法41条1項、平成21.2.27基発0227003号、徴収関係事務取扱手引Ⅰ。設問の精算返還金に係る時効の起算日は、「6月1日」とされている。なお、当該申告書が法定納期限内に提出されたときは、設問の通りその提出された日の翌日とされる。

解答 7　○　法47条2号。設問の通り正しい。なお、設問の場合は罰則として、当該行為者に対し、「6月以下の懲役又は30万円以下の罰金」が規定されている。

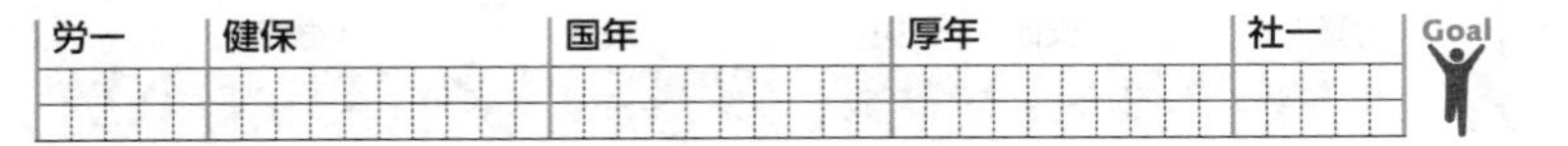

問題 8
／／／

労災保険暫定任意適用事業の事業主が、その事業に使用される労働者の過半数が希望する場合において、その希望に反して労災保険の加入の申請をしなかった場合は、６月以下の懲役又は30万円以下の罰金に処せられる。

労働保険事務組合

問題 9
／／／

事業主の団体等が労働保険事務組合としての認可を受けるための認可基準の１つとして、当該団体等が本来の事業目的をもって活動し、その運営実績が２年以上あることが挙げられている。

問題 10
／／／

労働保険事務組合の認可を受けようとする団体等がその認可を受けるためには、労働保険事務の委託を予定している事業主が20以上あることを要する。

問題 11
／／／

労働保険事務組合は、原則として、労働保険事務の処理の業務を専業で行わなければならず、その他の業務を行おうとするときは、あらかじめ、厚生労働大臣の認可を受けなければならない。

問題 12
／／／

労働保険事務組合は、労働保険事務組合認可申請書の記載事項に変更が生じた場合には、その変更があった日の翌日から起算して10日以内に、その旨を記載した届書をその主たる事務所の所在地を管轄する公共職業安定所長又は労働基準監督署長を経由して当該事務所の所在地を管轄する都道府県労働局長に提出しなければならない。

解答 8　×　整備法５条２項、整備法20条。設問の申請義務違反について、罰則は定められていない。

雇用保険暫定任意適用事業の事業主が、その事業に使用される労働者の２分の１以上が希望する場合において、その希望に反して雇用保険の加入の申請をしなかった場合は、６月以下の懲役又は30万円以下の罰金に処せられる。

解答 9　○　法33条２項、平成12.３.31発労徴31号。設問の通り正しい。

解答10　×　法33条１項、平成12.3.31発労徴31号。「20以上」ではなく、「30以上」である。

解答11　×　法33条１項、２項、平成12.3.31発労徴31号。設問のような規定はない。労働保険事務組合は、労働保険事務の処理の業務を専業で行う必要はない。

解答12　×　則65条、則78条３項。「10日以内」ではなく、「14日以内」である。

労一	健保	国年	厚年	社一

Goal

問題13
／／／

雇用保険の被保険者資格の取得及び喪失の届出、被保険者の転勤の届出その他雇用保険の被保険者に関する届出等に関する手続は、労働保険事務組合が事業主の委託を受けて処理することができる労働保険事務の範囲には含まれない。

問題14
／／／

労働保険事務組合の認可を受けたときは法人でなかった団体が、その後法人となった場合であって、引き続いて労働保険事務組合としての業務を行おうとするときは、従前の労働保険事務組合について業務の廃止の届出を行った上で、あらためて認可申請をしなければならない。

問題15
／／／

所轄都道府県労働局長は、中小事業主から特別加入の申請を受けた場合において、当該申請につき承認することとしたときは、その旨を文書で労働保険事務組合に対して通知することができ、労働保険事務組合に対して通知をしたときは、当該通知は、当該事業主に対してしたものとみなされる。

問題16
／／／

労働保険事務組合が事業主から労働保険事務の処理の委託を受けているが、当該委託事業主が納付すべき労働保険料の納付のための金銭を当該労働保険事務組合に対し交付しないために延滞金が徴収されることとなった場合であっても、当該労働保険事務組合は、当該延滞金に係る納付の責めを負わなければならない。

解答13 × 法33条1項、平成12.3.31発労徴31号。設問の手続は、労働保険事務組合が事業主の委託を受けて処理することができる労働保険事務の範囲に含まれる。

解答14 ○ 法33条2項、3項、労働保険事務組合事務処理手引。設問の通り正しい。

労働保険事務組合の認可を受けた団体等について組織変更があり、①従来法人格のない団体であったものが従来と異なる法人格のない団体若しくは法人となった場合、又は②従来法人であったものが法人格のない団体若しくは従来と異なる法人となった場合であって、引き続いて労働保険事務組合としての業務を行おうとするときは、従前の労働保険事務組合について業務の廃止の届出を行った上で、あらためて認可申請をしなければならない。

徴収

解答15 ○ 法34条、労災則46条の19,5項、平成12.3.31発労徴31号。設問の通り正しい。

解答16 × 法35条2項、平成12.3.31発労徴31号。延滞金が徴収される場合においては、「その徴収について労働保険事務組合の責めに帰すべき理由があるときは、その限度で、労働保険事務組合は、政府に対して当該徴収金の納付の責めに任ずるものとする」とされており、設問のように、委託事業主の責めに帰すべき理由がある場合には、当該労働保険事務組合は、当該延滞金に係る納付の責めを負う必要はない。

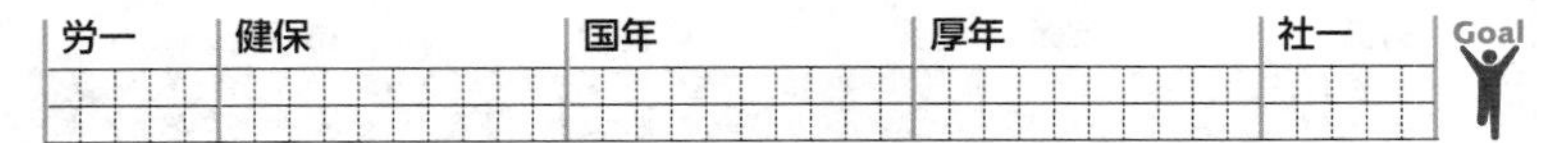

問題17　／／／

労働保険事務組合の責めに帰すべき理由によって追徴金が徴収されることとなった場合は、当該労働保険事務組合が当該追徴金の納付の責任を負うこととなり、委託事業主が当該追徴金の納付責任を負うことはない。

問題18　／／／

労働保険事務組合は、「労働保険事務等処理委託事業主名簿」、「労働保険料等徴収及び納付簿」及び「雇用保険被保険者関係届出事務等処理簿」を事務所に備えておかなければならない。

問題19　／／／

労働保険事務組合が、政府から労働保険料に係る報奨金の交付を受けるためには、前年度の労働保険料（当該労働保険料に係る追徴金及び延滞金を含む。）について、国税滞納処分の例による処分を受けたことがないことが必要である。

解答17 ×　法35条２項、３項。委託事業主が当該追徴金の納付責任を負うことはある。政府が追徴金又は延滞金を徴収する場合において、その徴収について労働保険事務組合の責めに帰すべき理由があるときは、労働保険事務組合は、その限度において、政府に対して当該徴収金の納付の責任を負うが、政府が、労働保険事務組合が納付すべき当該徴収金について、労働保険事務組合に対して滞納処分をしてもなお徴収すべき残余がある場合に限り、委託事業主が直接に納付責任を負うものとされている。

追徴金又は延滞金が労働保険事務組合の責めに帰すべき理由によって生じたものであっても、事業主は一切の責めを免れるわけではない。

解答18 ○　法36条、則68条。設問の通り正しい。なお、「雇用保険被保険者関係届出事務等処理簿」を備えておかなければならないのは、委託事業主の事業が雇用保険に係る保険関係が成立している場合である。

解答19 ○　報奨金政令１条１項２号。設問の通り正しい。

労働保険料に係る報奨金の交付を受けるためには、次の⑴～⑶の要件をすべて満たす必要がある。

⑴ ７月10日において、前年度の労働保険料（当該労働保険料に係る追徴金及び延滞金を含む。以下「前年度の労働保険料等」という。）であって、常時15人以下の労働者を使用する事業の事業主の委託に係るものにつき、その確定保険料の額の合計額の100分の95以上の額が納付されていること。

⑵ 前年度の労働保険料等について、国税滞納処分の例による処分を受けたことがないこと。

⑶ 偽りその他不正の行為により、前年度の労働保険料等の徴収を免れ、又はその還付を受けたことがないこと。

労一	健保	国年	厚年	社一

Goal

問題20 ／／／

労働保険料に係る報奨金の額は、労働保険事務組合ごとに、1,000万円又は常時15人以下の労働者を使用する事業の事業主の委託を受けて納付した前年度の労働保険料（督促を受けて納付した労働保険料を除く。）の額（その額が確定保険料の額を超えるときは、当該確定保険料の額）に100分の5を乗じて得た額に厚生労働省令で定める額を加えた額のいずれか低い額以内とされている。

解答20 ×　報奨金政令2条1項。設問の「100分の5」を「100分の2」とすると正しい記述になる。

労務管理その他の労働に関する一般常識

100問

1 労働法規１
（集団的労使関係法及び個別労働関係法）

2 労働法規２
（労働市場法）

3 労務管理・労働統計・労働経済

Basic

1 労働法規1（集団的労使関係法及び個別労働関係法）

集団的労使関係法

問題 1

／／／

　労働組合法で「労働組合」とは、労働者が主体となって自主的に労働条件の維持改善その他経済的地位の向上を図ることを主たる目的として組織する団体又はその連合団体をいい、政治運動又は社会運動を目的に含むものは、労働組合として認められない。

問題 2

／／／

　使用者は、同盟罷業その他の争議行為であって正当なものについて損害賠償額を予定する契約をしてはならないが、実際に損害が生じたときは、労働組合に対して賠償を請求することができる。

問題 3

／／／

　労働組合と使用者又はその団体との間の労働条件その他に関する労働協約は、書面に作成し、両当事者が署名し、又は記名押印することによってその効力を生ずる。

解答 1　×　労働組合法2条4号。「主として」政治運動又は社会運動を目的とするものは、労働組合として認められない。

共済事業その他福利事業のみを目的とするものは、労働組合として認められない。

解答 2　×　労働組合法8条。使用者は、同盟罷業その他の争議行為であって正当なものによって損害を受けたことの故をもって、労働組合又はその組合員に対し賠償を請求することができない（民事免責）。

刑法35条（正当行為）の規定は、労働組合の団体交渉その他の行為であって労働組合法1条1項の目的を達成するためにした正当なものについて適用があるものとする（刑事免責）。但し、いかなる場合においても、暴力の行使は、労働組合の正当な行為と解釈されてはならない。

解答 3　○　労働組合法14条。設問の通り正しい。

労働協約は、書面に作成され、かつ、両当事者がこれに署名し又は記名押印しない限り、仮に、労働組合と使用者との間に労働条件その他に関する合意が成立したとしても、これに労働協約としての規範的効力を付与することはできないと解すべきである（最三小平成13.3.13都南自動車教習所事件）。

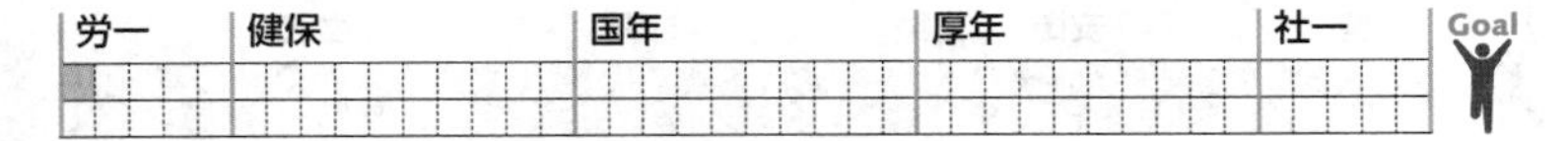

問題 4 ／／／

労働協約には、3年をこえる有効期間の定をすることができないとされており、3年をこえる有効期間の定をした労働協約は、有効期間の定がない労働協約とみなされる。

問題 5 ／／／

一の工場事業場に常時使用される同種の労働者の4分の3以上の数の労働者が一の労働協約の適用を受けるに至ったときは、当該工場事業場に使用される他の同種の労働者が別に労働組合を組織している場合であっても、当該労働協約が適用されることとなる。

問題 6 ／／／

争議行為の発生の届出は、労働委員会又は都道府県知事のいずれか一方に行えば足りる。

解答 4　×　労働組合法15条1項、2項。3年をこえる有効期間の定をした労働協約は、3年の有効期間の定をした労働協約とみなされる。その他の記述は正しい。

有効期間の定がない労働協約は、当事者の一方が、署名し、又は記名押印した文書によって相手方に予告して、解約することができる。一定の期間を定める労働協約であって、その期間の経過後も期限を定めず効力を存続する旨の定があるものについて、その期間の経過後も、同様とする。

解答 5　○　労働組合法17条。設問の通り正しい。一の工場事業場に常時使用される同種の労働者の4分の3以上の数の労働者が一の労働協約の適用を受けるに至ったときは、当該工場事業場に使用される他の同種の労働者に関しても、当該労働協約が適用される（一般的拘束力）ものとされており、当該他の同種の労働者が別に労働組合を組織しているか否かにかかわらず、一般的拘束力が及ぶ。

解答 6　○　労働関係調整法9条。設問の通り正しい。争議行為が発生したときは、その当事者は、直ちにその旨を労働委員会又は都道府県知事に届け出なければならない。

公益事業に関する事件につき関係当事者が争議行為をするには、その争議行為をしようとする日の少なくとも10日前までに、労働委員会及び厚生労働大臣又は都道府県知事にその旨を通知しなければならない。

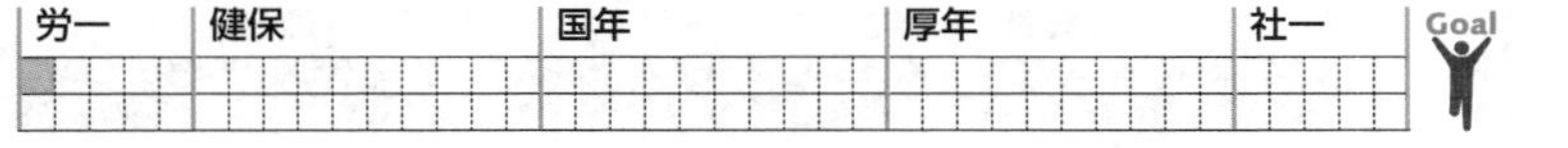

問題 7　／／／

　厚生労働大臣は、事件が公益事業に関するものであるため、又はその規模が大きいため若しくは特別の性質の事業に関するものであるために、争議行為により当該業務が停止されるときは国民経済の運行を著しく阻害し、又は国民の日常生活を著しく危くする虞があると認める事件について、その虞が現実に存するときに限り、緊急調整の決定をすることができる。

個別労働関係法

問題 8　／／／

　労働契約法において「労働者」とは、使用者に使用されて労働し、賃金を支払われる者をいい、「労働者」に該当するか否かは、労務提供の形態や報酬の労務対償性及びこれらに関連する諸要素を勘案して総合的に判断し、使用従属関係が認められるか否かにより判断されるものであり、これが認められる場合には、「労働者」に該当する。

問題 9　／／／

　労働契約法では、労働者及び使用者は、労働契約を遵守するとともに、信義に従い誠実に、権利を行使し、及び義務を履行しなければならないとされているが、これは、労働条件を定める労働協約、就業規則及び労働契約の遵守義務を規定した労働基準法第2条第2項と同様の趣旨である。

解答 7　×　労働関係調整法35条の２。緊急調整の決定を行うのは、厚生労働大臣ではなく、「内閣総理大臣」である。なお、緊急調整は、制度が設けられて以来現在に至るまで、昭和27年の石炭争議において決定（吉田茂内閣総理大臣）された１件のみである。

これも覚える！　工場事業場における安全保持の施設の正常な維持又は運行を停廃し、又はこれを妨げる行為は、争議行為としてでもこれをなすことはできない。

解答 8　○　労働契約法２条１項、平成24.8.10基発0810第２号。設問の通り正しい。労働者に該当するか否かの判断は、労働基準法９条の「労働者」の判断と同様の考え方である。

これも覚える！　労働組合法において「労働者」とは、職業の種類を問わず、賃金、給料その他これに準ずる収入によって生活する者をいう（失業者を含む。）。

解答 9　○　労働契約法３条４項、平成24.8.10基発0810第２号。設問の通り正しい。当事者が契約を遵守すべきことは、契約の一般原則であり、「権利の行使及び義務の履行は、信義に従い誠実に行わなければならない」旨を規定した民法１条２項は労働契約についても適用されるものであって、設問の労働契約法３条４項の規定は、「信義誠実の原則」を労働契約に関して確認したものである。

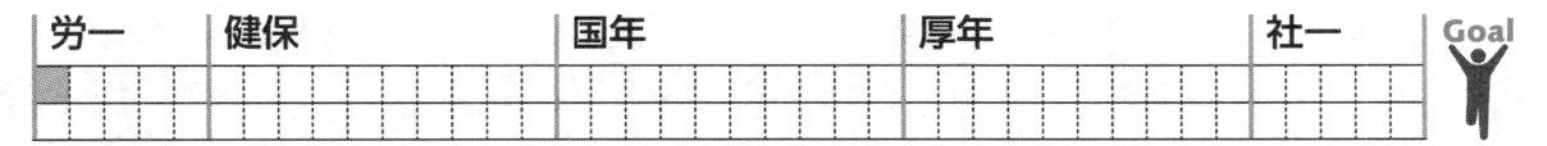

問題10
／／／

労働契約法では、使用者は、労働契約に伴い、労働者がその生命、身体等の安全を確保しつつ労働することができるよう、必要な配慮をするものとされているが、「必要な配慮」とは、一律に定まるものではなく、使用者に特定の措置を求めるものではない。

問題11
／／／

労働契約は、労働者が使用者に使用されて労働することについてのみ、労働者及び使用者が合意することによって成立する。

問題12
／／／

労働契約法第7条では、労働者及び使用者が労働契約を締結する場合において、使用者が合理的な労働条件が定められている就業規則を労働者に周知させていた場合には、労働契約の内容は、原則として、その就業規則で定める労働条件によるものとされているが、ここにいう「就業規則」には、労働基準法第89条において就業規則の作成が義務付けられていない常時10人以上の労働者を使用する使用者以外の使用者が任意に作成する就業規則は含まれない。

解答10　○　労働契約法５条、平成24.8.10基発0810第２号。設問の通り正しい。なお、「必要な配慮」とは、一律に定まるものではなく、使用者に特定の措置を求めるものではないが、労働者の職種、労務内容、労務提供場所等の具体的な状況に応じて、必要な配慮をすることが求められるものである。

これも覚える！

設問の労働契約法５条（安全配慮義務）の規定に係る「生命、身体等の安全」には、心身の健康も含まれる。

解答11　×　労働契約法６条１項、平成24.8.10基発0810第２号。労働契約は、労働者が使用者に使用されて労働し、「使用者がこれに対して賃金を支払う」ことについて、労働者及び使用者が合意することによって成立する。

「労働者が使用者に使用されて労働」すること及び「使用者がこれに対して賃金を支払う」ことが合意の要素である。

解答12　×　労働契約法７条、平成24.8.10基発0810第２号。労働契約法７条の「就業規則」とは、労働者が就業上遵守すべき規律及び労働条件に関する具体的細目について定めた規則類の総称をいい、労働基準法89条の「就業規則」と同様であるが、労働契約法７条の「就業規則」には、常時10人以上の労働者を使用する使用者以外の使用者が作成する労働基準法89条では作成が義務付けられていない就業規則も含まれる。

問題13 ／／／

労働契約法第８条では、労働者及び使用者は、その合意により、労働契約の内容である労働条件を変更することができるとされており、ここにいう「労働条件」には、労働者及び使用者の合意により労働契約の内容となっていた労働条件のほか、労働契約法第７条本文により就業規則で定める労働条件によるものとされた労働契約の内容である労働条件も含まれる。

問題14 ／／／

労働契約法第10条は、「就業規則の変更」という方法によって「労働条件を変更する場合」において、使用者が「変更後の就業規則を労働者に周知させ」たこと及び「就業規則の変更」が「合理的なものである」ことという要件を満たした場合に、「労働契約の内容である労働条件は、当該変更後の就業規則に定めるところによる」という法的効果が生じることを規定したものであり、就業規則に新たな条項を設ける場合には、変更に当たらないため、同条の規定は適用されない。

問題15 ／／／

労働契約法第10条には、就業規則の変更が合理的なものであるか否かを判断するに当たっての考慮要素として、「労働者の受ける不利益の程度、労働条件の変更の必要性、変更後の就業規則の内容の相当性、労働組合等との交渉の状況」を例示しているが、ここにいう「労働条件の変更の必要性」は、労働者にとっての就業規則による労働条件の変更の必要性をいう。

解答13 ○　労働契約法８条、平成24.8.10基発0810第２号。設問の通り正しい。なお、労働契約法７条の「労働条件」には、設問のほか、同法10条本文により就業規則の変更により変更された労働契約の内容である労働条件及び同法12条により就業規則で定める基準によることとされた労働条件も含まれ、労働契約の内容である労働条件はすべて含まれる。

解答14 ×　労働契約法10条、平成24.8.10基発0810第２号。労働契約法10条の「就業規則の変更」には、就業規則の中に現に存在する条項を改廃することのほか、条項を新設することも含まれる。したがって、設問の場合には、同条の規定が適用される。

これも覚える！　就業規則に定められている事項であっても、労働条件でないものについては、労働契約法10条は適用されない。

解答15 ×　労働契約法10条、平成24.8.10基発0810第２号。労働契約法10条の「労働条件の変更の必要性」は、使用者にとっての就業規則による労働条件の変更の必要性をいう。

これも覚える！　労働契約法10条の「労働者の受ける不利益の程度」は、個々の労働者の不利益の程度をいう。また、同条の「変更後の就業規則の内容の相当性」は、就業規則の変更の内容全体の相当性をいうものであり、変更後の就業規則の内容面に係る制度変更一般の状況が広く含まれる。

問題16 ／／／

労働契約法第17条第１項では、「使用者は、期間の定めのある労働契約（有期労働契約）について、やむを得ない事由がある場合でなければ、その契約期間が満了するまでの間において、労働者を解雇することができない。」と規定されている。

問題17 ／／／

労働契約法第17条第２項では、「使用者は、有期労働契約（当該契約を１回以上更新し、かつ、雇入れの日から起算して１年を超えて継続勤務している者に係るものに限る。）を更新しようとする場合においては、当該契約の実態及び当該労働者の希望に応じて、契約期間をできる限り長くするよう努めなければならない。」と規定されている。

問題18 ／／／

労働時間等設定改善法によれば、事業主は、他の事業主との取引を行う場合において、著しく短い期限の設定及び発注の内容の頻繁な変更を行わないこと、当該他の事業主の講ずる労働時間等の設定の改善に関する措置の円滑な実施を阻害することとなる取引条件を付けないこと等取引上必要な配慮をするように努めなければならない。

問題19 ／／／

労働時間等設定改善法によれば、事業主は、労働時間等設定改善企業委員会でその委員の５分の４以上の多数による議決により労働基準法第36条第１項に規定する事項について決議が行われたときは、当該決議を同項の協定（時間外及び休日の労働に関する協定）に代替することができる。

解答 16　○　労働契約法17条１項。設問の通り正しい。

労働契約法17条１項は、「解雇することができない」旨を規定したものであることから、使用者が有期労働契約の契約期間中に労働者を解雇しようとする場合の根拠規定になるものではなく、使用者が当該解雇をしようとする場合には、民法628条（当事者が雇用の期間を定めた場合であっても、やむを得ない事由があるときは、各当事者は、直ちに契約の解除をすることができる）が根拠規定となる。

解答 17　×　労働契約法17条２項。労働契約法17条２項では、「使用者は、有期労働契約について、その有期労働契約により労働者を使用する目的に照らして、必要以上に短い期間を定めることにより、その有期労働契約を反復して更新することのないよう配慮しなければならない。」と規定されている。設問の内容は、有期労働契約の締結、更新、雇止め等に関する基準４条の内容である。

解答 18　○　労働時間等設定改善法２条４項。設問の通り正しい。

事業主は、その雇用する労働者の労働時間等の設定の改善を図るため、業務の繁閑に応じた労働者の始業及び終業の時刻の設定、健康及び福祉を確保するために必要な終業から始業までの時間の設定、年次有給休暇を取得しやすい環境の整備その他の必要な措置を講ずるように努めなければならない。

解答 19　×　労働時間等設定改善法７条の２。設問の時間外及び休日の労働に関する協定（36協定）は、労働時間等設定改善企業委員会の決議によって代替することはできない。

労働時間等設定改善企業委員会の決議によって代替することができるのは、労基法37条３項（代替休暇）、同法39条４項（時間単位年休）及び同条６項（計画的付与）に関する協定である。

問題20 ／／／

個別労働紛争解決促進法によれば、都道府県労働局長は、個別労働関係紛争に関し、当該個別労働関係紛争の当事者の双方又は一方からその解決につき援助を求められた場合であっても、労働者の募集及び採用に関する事項についての個々の求職者と事業主との間の紛争については、助言又は指導を行わない。

問題21 ／／／

個別労働紛争解決促進法によれば、事業主は、労働者が都道府県労働局長にあっせんの申請をしたことを理由として、当該労働者に対して解雇その他不利益な取扱いをしてはならないが、この違反については、罰則は設けられていない。

問題22 ／／／

パートタイム・有期雇用労働法において「短時間労働者」とは、1週間の所定労働時間が同一の事業主に雇用される通常の労働者（当該事業主に雇用される通常の労働者と同種の業務に従事する当該事業主に雇用される労働者にあっては、厚生労働省令で定める場合を除き、当該労働者と同種の業務に従事する当該通常の労働者）の1週間の所定労働時間に比し短く、かつ、30時間未満である労働者をいう。

問題23 ／／／

パートタイム・有期雇用労働法によれば、事業主は、短時間・有期雇用労働者を雇い入れたときは、速やかに、当該短時間・有期雇用労働者に対して、労働条件に関する事項のうち労働基準法第15条第1項に規定する厚生労働省令で定める事項以外のものであって厚生労働省令で定めるもの（「特定事項」という。）を文書の交付等により明示しなければならない。

解答20　×　個別労働紛争解決促進法4条1項。労働者の募集及び採用に関する事項についての個々の求職者と事業主との間の紛争についても、都道府県労働局長による援助（必要な助言及び指導）の対象となる。

あっせんの対象となる個別労働関係紛争からは、労働者の募集及び採用に関する事項についての紛争は除かれている。

解答21　○　個別労働紛争解決促進法5条2項。設問の通り正しい。

解答22　×　パートタイム・有期雇用労働法2条1項。「短時間労働者」とは、1週間の所定労働時間が同一の事業主に雇用される通常の労働者（当該事業主に雇用される通常の労働者と同種の業務に従事する当該事業主に雇用される労働者にあっては、厚生労働省令で定める場合を除き、当該労働者と同種の業務に従事する当該通常の労働者）の1週間の所定労働時間に比し短い労働者をいう（30時間未満という基準はない。）。

「有期雇用労働者」とは、事業主と期間の定めのある労働契約を締結している労働者をいい、「短時間・有期雇用労働者」とは、短時間労働者及び有期雇用労働者をいう。

解答23　○　パートタイム・有期雇用労働法6条1項。設問の通り正しい。なお、事業主は、短時間・有期雇用労働者に対して明示しなければならない労働条件（特定事項）を事実と異なるものとしてはならない。

「特定事項」とは、「①昇給の有無、②退職手当の有無、③賞与の有無及び④短時間・有期雇用労働者の雇用管理の改善等に関する事項に係る相談窓口」をいう。

問題24
／／／

パートタイム・有期雇用労働法によれば、事業主は、通常の労働者に対して利用の機会を与える福利厚生施設であって、健康の保持又は業務の円滑な遂行に資するものとして厚生労働省令で定めるものについては、その雇用する短時間・有期雇用労働者（通常の労働者と同視すべき短時間・有期雇用労働者を除く。）に対しても、利用の機会を与えなければならない。

問題25
／／／

パートタイム・有期雇用労働法によれば、事業主は、常時10人以上の短時間・有期雇用労働者を雇用する事業所ごとに、短時間・有期雇用労働者の雇用管理の改善等に関する事項を管理させるため、短時間・有期雇用管理者を選任しなければならない。

問題26
／／／

男女雇用機会均等法では、事業主は、昇進について、労働者の性別を理由として差別的取扱いをしてはならないとしており、定期昇給について、男女で昇給額に差を設けることは、同法に違反する。

問題27
／／／

男女雇用機会均等法によれば、事業主は、労働者の募集及び採用について、その性別にかかわりなく均等な機会を与えなければならないが、男性労働者が女性労働者と比較して相当程度少ない雇用管理区分において、採用の基準を満たす者の中から女性より男性を優先して採用することも、同法違反となる。

こたえ
かくす
シート
KOTAEKAKUSUSHEET

TAC出版
TAC PUBLISHING Group

解答24　○　パートタイム・有期雇用労働法12条。設問の通り正しい。なお、設問の厚生労働省令で定めるものは、「①給食施設、②休憩室及び③更衣室」である。

事業主は、通常の労働者と同視すべき短時間・有期雇用労働者については、短時間・有期雇用労働者であることを理由として、基本給、賞与その他の待遇のそれぞれについて、差別的取扱いをしてはならない。

解答25　×　パートタイム・有期雇用労働法17条、則６条。「選任しなければならない」ではなく、「選任するように努めるものとする」とされている。

解答26　×　均等法６条１号、令和2.2.10雇均発0210第２号。男女雇用機会均等法では、昇進について、労働者の性別を理由として差別的取扱いをしてはならないとしているが、定期昇給はここにいう昇進に当たらない。なお、定期昇給について労働者の性別を理由として差別的取扱いを行うことは、労働基準法４条（男女同一賃金の原則）違反となる。

解答27　○　均等法５条、法８条。設問の通り正しい。事業主が、雇用の分野における男女の均等な機会及び待遇の確保の支障となっている事情を改善することを目的として女性労働者に関して行う措置を講ずること（女性労働者が男性労働者と比較して相当程度少ない雇用管理区分において、採用の基準を満たす者の中から男性より女性を優先して採用すること等）は、ポジティブアクションとして男女雇用機会均等法違反とならないが、男性労働者を有利に取り扱うことは認められていない。

問題28 ／／／

男女雇用機会均等法によれば、事業主は、その雇用する女性労働者が母子保健法の規定による保健指導又は健康診査に基づく指導事項を守ることができるようにするため、勤務時間の変更、勤務の軽減等必要な措置を講じなければならない。

問題29 ／／／

男女雇用機会均等法によれば、事業主は、常時10人以上の労働者を雇用する事業場ごとに、職場における男女の均等な機会及び待遇の確保が図られるようにするために講ずべき措置等の適切かつ有効な実施を図るための業務を担当する者（男女雇用機会均等推進者）を選任するように努めなければならない。

問題30 ／／／

育児介護休業法によれば、労働者（日々雇用される者を除く。以下問題33まで同じ。）は、その養育する子が1歳に達する日までの期間（当該子を養育していない期間を除く。）内に2回の育児休業（出生時育児休業を除く。以下本問において同じ。）をした場合には、当該子については、原則として、育児休業の申出をすることができない。

解答28　○　均等法13条1項。設問の通り正しい。

事業主は、その雇用する女性労働者が母子保健法の規定による保健指導又は健康診査を受けるために必要な時間を確保することができるようにしなければならない。

解答29　×　均等法13条の2。「常時10人以上の労働者を雇用する事業場ごとに」とする部分が誤りである。事業主は、職場における男女の均等な機会及び待遇の確保が図られるようにするために講ずべき措置等の適切かつ有効な実施を図るための業務を担当する者（男女雇用機会均等推進者）を選任するように努めなければならない。

解答30　○　育児介護休業法5条2項。設問の通り正しい。なお、期間を定めて雇用される者にあっては、その養育する子が1歳6か月に達する日までに、その労働契約（労働契約が更新される場合にあっては、更新後のもの）が満了することが明らかでない者に限り、育児休業の申出をすることができる。

（1歳未満の子の）育児休業の申出をした労働者は、育児休業開始予定日とされた日の前日までは、当該育児休業申出を撤回することができるが、この場合には、申出を撤回した労働者は、当該申出に係る育児休業をしたものとみなす。

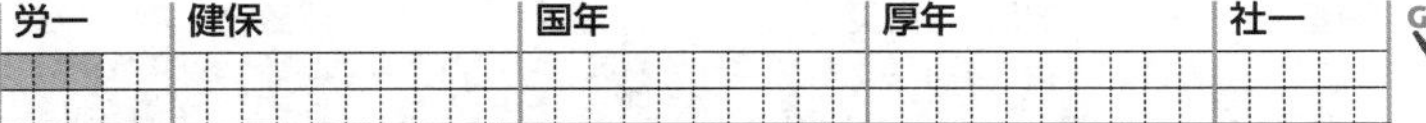

問題31　／／／

育児介護休業法によれば、事業主は、労働者からの介護休業の申出があったときは、当該申出を拒むことができないが、労使協定で、当該申出の日から起算して1年以内に雇用関係が終了することが明らかな労働者を介護休業をすることができないものとして定めたときは、当該労働者からの介護休業の申出を拒むことができる。

問題32　／／／

小学校第3学年修了前の子を養育する労働者は、その事業主に申し出ることにより、一の年度において5労働日（その養育する小学校第3学年修了前の子が2人以上の場合にあっては、1人につき5労働日）を限度として、子の看護等休暇を取得することができる。

問題33　／／／

事業主は、36協定により労働時間を延長することができる場合において、小学校就学の始期に達するまでの子を養育する労働者が当該子を養育するために請求したときは、事業の正常な運営を妨げる場合を除き、制限時間（1月について24時間、1年について150時間をいう。）を超えて労働時間を延長してはならないが、労使協定で、雇用された期間が1年に満たない労働者を当該請求をすることができないものとして定めたときは、当該労働者からの請求を拒むことができる。

解答31　×　育児介護休業法12条1項、2項、則24条。「1年」を「93日」と読み替えると、正しい記述となる。

事業主は、労使協定で、次に掲げる者を介護休業をすることができないものとして定めることができる。
①引き続き雇用された期間が1年に満たない労働者
②介護休業の申出があった日から起算して93日以内に雇用関係が終了することが明らかな労働者
③1週間の所定労働日数が2日以下の労働者

解答32　×　育児介護休業法16条の2,1項。子の看護等休暇は、その養育する小学校第3学年修了前の子が2人以上の場合にあっては、「10労働日」を限度として取得することができる。その他の記述は正しい。

これも覚える!

「子の看護等休暇」とは、負傷し、若しくは疾病にかかった当該小学校第3学年修了前の子の世話、疾病の予防を図るために必要なものとして厚生労働省令で定める当該小学校第3学年修了前の子の世話若しくは学校保健安全法の規定による学校の休業その他これに準ずるものとして厚生労働省令で定める事由に伴う当該小学校第3学年修了前の子の世話を行うため、又は当該小学校第3学年修了前の子の教育若しくは保育に係る行事のうち厚生労働省令で定めるものへの参加をするための休暇をいう。

解答33　×　育児介護休業法17条1項。事業主に引き続き雇用された期間が1年に満たない労働者は、設問の「時間外労働の制限」の請求をすることができない（労使協定により適用が除外されるのではなく、そもそも適用されない。）。なお、1週間の所定労働日数が2日以下の労働者も当該請求をすることができない。

「時間外労働の制限」の請求は、制限時間を超えて労働時間を延長してはならないこととなる一の期間（1月以上1年以内の期間に限る。）について、制限開始予定日及び制限終了予定日を明らかにして、制限開始予定日の1月前までにしなければならない。

問題34　次世代育成支援対策推進法は、令和17年3月31日限り、その効力を失う。

問題35　次世代育成支援対策推進法によれば、一般事業主であって、常時雇用する労働者の数が100人を超えるものは、行動計画策定指針に即して、一般事業主行動計画を策定し、厚生労働大臣にその旨を届け出なければならない。これを変更したときも同様とする。

問題36　女性活躍推進法によれば、一般事業主であって、常時雇用する労働者の数が100人以下のものは、一般事業主行動計画を定め、又は変更したときは、これを公表するよう努めなければならない。

解答34　○　次世代法附則2条1項。設問の通り正しい。

女性活躍推進法は、令和8年3月31日限り、その効力を失う。

解答35　○　次世代法12条1項。設問の通り正しい。なお、設問の常時雇用する労働者の数が100人を超える一般事業主は、一般事業主行動計画を策定し、又は変更したときは、これを公表しなければならない。

① 一般事業主であって、常時雇用する労働者の数が100人以下のものは、行動計画策定指針に即して、一般事業主行動計画を策定し、厚生労働大臣にその旨を届け出るよう努めなければならない。これを変更したときも同様とする。

② 上記①の一般事業主は、一般事業主行動計画を策定し、又は変更したときは、これを公表するよう努めなければならない。

解答36　×　女性活躍推進法8条8項。「公表するよう努めなければならない」のではなく、「公表しなければならない」とされている。なお、設問の常時雇用する労働者の数が100人以下の一般事業主は、事業主行動計画策定指針に即して、一般事業主行動計画を定め、厚生労働大臣に届け出るよう努めなければならない。これを変更したときも、同様とする。

① 一般事業主であって、常時雇用する労働者の数が100人を超えるものは、事業主行動計画策定指針に即して、一般事業主行動計画を定め、厚生労働大臣にその旨を届け出なければならない。これを変更したときも同様とする。

② 上記①の一般事業主は、一般事業主行動計画を定め、又は変更したときは、これを公表しなければならない。

問題37 ／／／

女性活躍推進法によれば、一般事業主行動計画の認定を受けた一般事業主は、商品等に厚生労働大臣の定める表示（えるぼし）を付することができるが、何人も、当該認定を受けた場合を除くほか、商品等に当該表示又はこれと紛らわしい表示を付してはならない。

問題38 ／／／

最低賃金法によれば、最低賃金額は、時間によって定めるものとされており、使用者は、最低賃金の適用を受ける労働者に対し、その最低賃金額以上の賃金を支払わなければならない。

問題39 ／／／

最低賃金法によれば、派遣中の労働者については、その派遣元事業の事業場の所在地を含む地域について決定された地域別最低賃金が適用される。

問題40 ／／／

最低賃金法によれば、最低賃金の適用を受ける使用者は、当該最低賃金の概要を、常時作業場の見やすい場所に掲示し、又はその他の方法で、労働者に周知させるための措置をとらなければならない。

解答37　○　女性活躍推進法10条。設問の通り正しい。なお、設問の規定に違反した者は、30万円以下の罰金に処せられる。

解答38　○　最低賃金法３条、法４条１項。設問の通り正しい。

最低賃金の適用を受ける労働者と使用者との間の労働契約で最低賃金額に達しない賃金を定めるものは、その部分については無効とする。この場合において、無効となった部分は、最低賃金と同様の定をしたものとみなす。

解答39　×　最低賃金法13条。派遣中の労働者については、その「派遣先」の事業の事業場の所在地を含む地域について決定された地域別最低賃金が適用される。

①　地域別最低賃金は、地域における労働者の生計費及び賃金並びに通常の事業の賃金支払能力を考慮して定められなければならない。

②　上記①の労働者の生計費を考慮するに当たっては、労働者が健康で文化的な最低限度の生活を営むことができるよう、生活保護に係る施策との整合性に配慮するものとする。

解答40　○　最低賃金法８条。設問の通り正しい。なお、設問の規定に違反した者（地域別最低賃金及び船員に適用される特定最低賃金に係るものに限る。）は、30万円以下の罰金に処せられる。

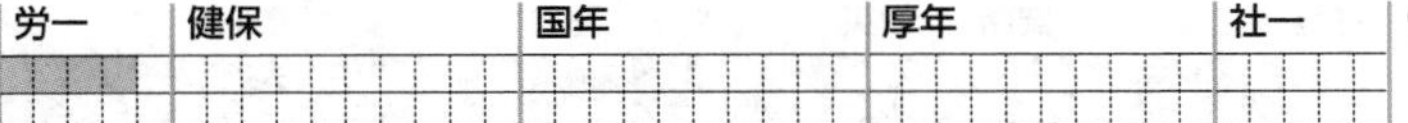

1 労働法規1（集団的労使関係法及び個別労働関係法）

集団的労使関係法

問題 1 ／／／

労働組合の規約には、単位労働組合にあっては、「規約は、組合員の直接無記名投票の過半数による決定を経なければ改正しないこと」とする規定を含まなければならない。

問題 2 ／／／

労働協約に定める労働条件その他の労働者の待遇に関する基準に違反する労働契約の部分は無効とされ、無効とされた部分は、基準の定めるところによるものとされており、労働契約に定める労働条件が労働協約の基準よりも有利な場合であっても、当該労働協約の適用を受けるときは、原則として当該労働条件は無効とされ、当該労働協約の基準の定めるところによることとなる。

問題 3 ／／／

使用者は、労働組合との団体交渉に当たり、必要に応じてその主張の論拠を説明し、その裏付けとなる資料を提示するなどして、誠実に団体交渉に応ずべき義務を負い、この義務に違反することは、不当労働行為に該当する。

解答 1　×　労働組合法5条2項9号。労働組合の規約には、単位労働組合にあっては、「規約は、組合員の直接無記名投票による過半数の支持を得なければ改正しないこと」とする規定を含まなければならない。「組合員の直接無記名投票の過半数による決定」ではない〔組合員（総数）の過半数の支持が必要なのであって、直接無記名投票の過半数ではない。〕。

これも覚える!　労働組合の規約には、「同盟罷業は、組合員又は組合員の直接無記名投票により選挙された代議員の直接無記名投票の過半数による決定を経なければ開始しないこと」とする規定を含まなければならない。

解答 2　○　労働組合法16条、昭和32.1.14発労1号。設問の通り正しい。労働契約の内容が労働協約の内容よりも労働者にとって有利であっても、労働協約の基準に違反する部分については原則として無効とされ、労働協約の基準の定めるところによることとなる。

解答 3　○　労働組合法7条2号、令和4.3.18山形大学事件。設問の通り正しい。設問の義務（誠実交渉義務）に違反することは、「使用者が雇用する労働者の代表者と団体交渉をすることを正当な理由がなくて拒むこと」に当たり、不当労働行為に該当する。

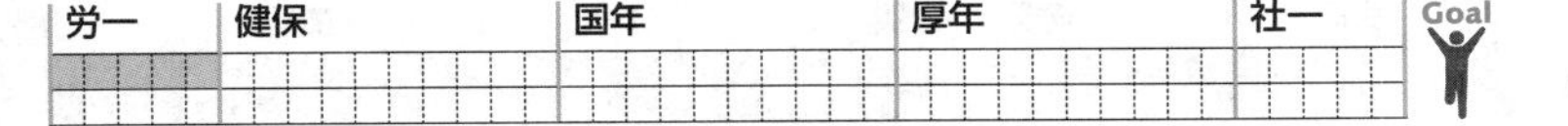

問題 4

使用者と労働組合との間に労働協約が締結されている場合であっても、使用者が有効なチェック・オフを行うためには、当該労働協約の外に、使用者が個々の組合員から、賃金から控除した組合費相当分を労働組合に支払うことにつき委任を受けることが必要であって、その委任が存しないときには、使用者は当該組合員の賃金からチェック・オフをすることはできない。

問題 5

労働委員会が救済命令として、使用者に対し、「陳謝文」の表題の下に、団体交渉拒否、組合費控除及びその返還拒否並びに支配介入の言動の具体的事実と「これらはいずれも労働委員会によって、不当労働行為であると認定されました。ここに深く陳謝致しますとともに、今後このような行為を繰り返さないことを誓います。」との旨の文言を掲示することを命ずることは、憲法19条（思想及び良心の自由は、これを侵してはならない。）に違反し、許されない。

個別労働関係法

問題 6

採用内定が採用内定取消事由に基づく解約権を留保した労働契約である場合に、採用内定期間中にその留保解約権を行使することについて、最高裁判所の判例では、「採用内定の取消事由は、採用内定当時知ることができず、また知ることが期待できないような事実であって、これを理由として採用内定を取消すことが解約権留保の趣旨、目的に照らして客観的に合理的と認められ社会通念上相当として是認することができるものに限られる」としている。

解答 4　○　最一小平成5.3.25エッソ石油事件。設問の通り正しい。

チェック・オフ開始後においても、組合員は使用者に対し、いつでもチェック・オフの中止を申し入れることができ、その中止の申入れがされたときには、使用者は当該組合員に対するチェック・オフを中止すべきものである。

解答 5　×　最一小平成7.2.23ネスレ日本・日高乳業事件。設問の陳謝文的内容の掲示を命ずる救済命令（ポストノーティス命令）は、使用者の行為が不当労働行為と認定されたことを関係者に周知徹底させ、同種行為の再発を抑制しようとする趣旨のものであり、憲法19条違反に当たらない。

解答 6　○　最二小昭和54.7.20大日本印刷事件。設問の通り正しい。

企業が大学の新規卒業者を採用するについて、早期に採用試験を実施して採用を内定する、いわゆる採用内定の制度は、従来わが国において広く行われているところであるが、その実態は多様であるため、採用内定の法的性質について一義的に論断することは困難というべきである。したがって、具体的事案につき、採用内定の法的性質を判断するにあたっては、当該企業の当該年度における採用内定の事実関係に即してこれを検討する必要がある（最二小昭和54.7.20大日本印刷事件）。

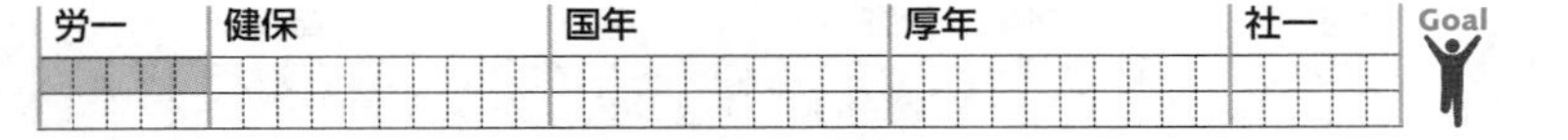

問題 7 ／／／

最高裁判所の判例では、「使用者が労働者を新規に採用するに当たり、その雇用契約に期間を設けた場合において、その設けた趣旨・目的が労働者の適性を評価・判断するためのものであるときは、右期間が満了したときは解雇予告その他何らの通知を要せず期間満了の日に当然退職の効果を生ずるものと解するのが相当である」としている。

問題 8 ／／／

最高裁判所の判例では、「安全配慮義務は、ある法律関係に基づいて特別な社会的接触の関係に入った当事者間において、当該法律関係の付随義務として当事者の一方又は双方が相手方に対して信義則上負う義務として一般的に認められるべきものであって、国と公務員との間においても別異に解すべき論拠はない」としている。

問題 9 ／／／

最高裁判所の判例では、「労働契約の内容である労働条件は、労働者と使用者との個別の合意によって変更することができるものであり、このことは、就業規則に定められている労働条件を労働者の不利益に変更する場合であっても、その合意に際して就業規則の変更が必要とされることを除き、異なるものではないと解される」としている。

解答 7　×　最三小平成2.6.5神戸弘陵学園事件。最高裁判所の判例では、「使用者が労働者を新規に採用するに当たり、その雇用契約に期間を設けた場合において、その設けた趣旨・目的が労働者の適性を評価・判断するためのものであるときは、右期間の満了により右雇用契約が当然に終了する旨の明確な合意が当事者間に成立しているなどの特段の事情が認められる場合を除き、右期間は契約の存続期間ではなく、試用期間であると解するのが相当である」としている。

解答 8　○　最三小昭和50.2.25陸上自衛隊八戸駐屯地事件。設問の通り正しい。なお、設問の最高裁判所の判例では、設問文に続けて、「公務員が職務に専念すべき義務並びに法令及び上司の命令に従うべき義務を安んじて誠実に履行するためには、国が、公務員に対し安全配慮義務を負い、これを尽くすことが必要不可欠である」としている。

解答 9　○　最二小平成28.2.19山梨県民信用組合事件。設問の通り正しい。なお、設問の最高裁判所の判例では、「就業規則に定められた賃金や退職金に関する労働条件の変更に対する労働者の同意の有無については、当該変更を受け入れる旨の労働者の行為の有無だけでなく、当該変更により労働者にもたらされる不利益の内容及び程度、労働者により当該行為がされるに至った経緯及びその態様、当該行為に先立つ労働者への情報提供又は説明の内容等に照らして、当該行為が労働者の自由な意思に基づいてされたものと認めるに足りる合理的な理由が客観的に存在するか否かという観点からも、判断されるべきものと解するのが相当である」としている。

問題10　最高裁判所の判例では、「職場外でされた職務遂行に関係のない労働者の行為は、通常、労働者の職場内又は職務遂行に関係のある行為を規制することにより維持しうる企業秩序と関係を有しないものであるから、使用者が職場外でなされた職務遂行に関係のない行為を規制の対象とすることは許されない」としている。

問題11　最高裁判所の判例では、「懲戒当時に使用者が認識していなかった非違行為であっても、当該非違行為が懲戒当時に存在していたことが客観的に認められ、就業規則等に当該非違行為が懲戒事由として具体的に規定されるとともに、これを周知させていた場合には、当該非違行為の存在をもって当該懲戒の有効性を根拠付けることができる」としている。

問題12　個別労働紛争解決促進法によれば、あっせん委員は、あっせんに係る紛争について、あっせんによっては紛争の解決の見込みがないと認めるときは、あっせんを打ち切ることができるが、あっせんが打ち切られた場合において、当該あっせんの申請をした者がその旨の通知を受けた日から１年以内にあっせんの目的となった請求について訴えを提起したときは、時効の完成猶予に関しては、あっせんの打切りの時に、訴えの提起があったものとみなされる。

解答10 ×　最一小昭和58.9.8関西電力事件。最高裁判所の判例では、「職場外でされた職務遂行に関係のない労働者の行為であっても、企業の円滑な運営に支障を来すおそれがあるなど企業秩序に関係を有するものもあるのであるから、使用者は、企業秩序の維持確保のために、そのような行為をも規制の対象とし、これを理由として労働者に懲戒を課することも許される」としている。

解答11 ×　最一小平成8.9.26山口観光事件。最高裁判所の判例では、「懲戒当時に使用者が認識していなかった非違行為は、特段の事情のない限り、当該懲戒の理由とされたものでないことが明らかであるから、その存在をもって当該懲戒の有効性を根拠付けることはできないものというべきである」としている。

解答12 ×　個別労働紛争解決促進法15条、法16条。設問文中の「1年」を「30日」に、「あっせんの打切りの時」を「あっせんの申請の時」にそれぞれ読み替えると、正しい記述となる。

紛争調整委員会によるあっせんは、委員のうちから会長が事件ごとに指名する３人のあっせん委員によって行われ、あっせん案の作成は、あっせん委員の全員一致をもって行われる。

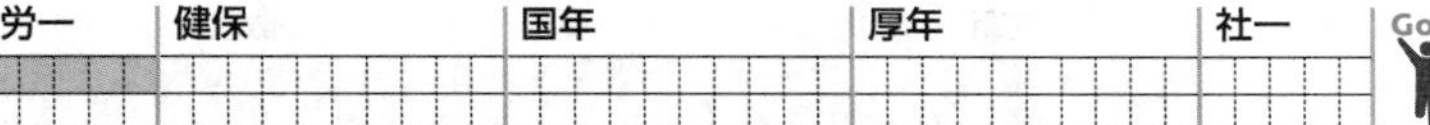

問題 13 ／／／

Ａ社においては、考課上、欠勤についてマイナス査定を行い、かつ、そのことを待遇に反映する通常の労働者であるＸには、一定の日数以上出勤した場合に精皆勤手当を支給しているが、考課上、欠勤についてマイナス査定を行っていない有期雇用労働者であるＹには、マイナス査定を行っていないこととの見合いの範囲内で、精皆勤手当を支給していない。このような取扱いは、パートタイム・有期雇用労働法に照らして許されない。

問題 14 ／／／

Ａ社においては、通常の労働者であるＸについては、全国一律の基本給の体系を適用し、転勤があることから、地域の物価等を勘案した地域手当を支給しているが、一方で、有期雇用労働者であるＹと短時間労働者であるＺについては、それぞれの地域で採用し、それぞれの地域で基本給を設定しており、その中で地域の物価が基本給に盛り込まれているため、地域手当を支給していない。このような取扱いは、パートタイム・有期雇用労働法上、問題とならない。

問題 15 ／／／

男女雇用機会均等法によれば、事業主は、その雇用する女性労働者の妊娠・出産等の事由を理由として、当該女性労働者に対して解雇その他不利益な取扱いをしてはならないとしているが、妊娠・出産等の事由を契機として不利益取扱いが行われた場合は、原則として妊娠・出産等を理由として不利益取扱いがなされたと解されるものであり、「契機として」については、基本的に当該事由が発生している期間と時間的に近接して当該不利益取扱いが行われたか否かをもって判断される。

解答13　×　パートタイム・有期雇用労働法8条、平成30.12.28厚労告430号〔短時間・有期雇用労働者及び派遣労働者に対する不合理な待遇の禁止等に関する指針（以下 解答13 及び 解答14 において「指針」という。）〕。指針では、「通常の労働者と業務の内容が同一の短時間・有期雇用労働者には、通常の労働者と同一の精皆勤手当を支給しなければならない。」としているが、設問のように、「マイナス査定を行っていないこととの見合いの範囲内で、精皆勤手当を支給していない」とする取扱いは、パートタイム・有期雇用労働法上、問題とならない。

解答14　○　パートタイム・有期雇用労働法8条、指針。設問の通り正しい。指針では、「通常の労働者と同一の地域で働く短時間・有期雇用労働者には、通常の労働者と同一の地域手当を支給しなければならない。」としているが、設問の取扱いは、パートタイム・有期雇用労働法上、問題とならない。

解答15　○　均等法9条3項、令和2.2.10雇均発0210第2号。設問の通り正しい。例えば、育児時間を請求・取得した労働者に対する不利益取扱いの判断に際し、定期的に人事考課・昇給等が行われている場合においては、請求後から育児時間の取得満了後の直近の人事考課・昇給等の機会までの間に、昇進・昇格の人事考課において不利益な評価が行われた場合は、「契機として」行われたものと判断される。

問題16 ／／／

男女雇用機会均等法によれば、職場におけるセクシュアルハラスメントには、職場において行われる性的な言動に対する労働者の対応により当該労働者がその労働条件につき不利益を受けるもの（対価型セクシュアルハラスメント）と、当該性的な言動により労働者の就業環境が害されるもの（環境型セクシュアルハラスメント）があるが、「性的な言動」及び「就業環境が害される」の判断に当たっては、被害を受けた労働者の主観を基準とすることが適当であるとされている。

問題17 ／／／

育児介護休業法によれば、事業主は、労働者（日々雇用される者を除く。以下 問題18 まで同じ。）からその養育する子について出生時育児休業の申出がなされた後に、当該労働者から当該出生時育児休業の申出をした日に養育していた子について新たに出生時育児休業の申出がなされた場合は、当該新たな出生時育児休業の申出を拒むことができる。

問題18 ／／／

育児介護休業法によれば、事業主は、労働者が、当該労働者が40歳に達した日の属する年度その他の介護休業に関する制度及び介護両立支援制度等の利用について労働者の理解と関心を深めるため介護休業に関する制度、介護両立支援制度等その他の厚生労働省令で定める事項を知らせるのに適切かつ効果的なものとして厚生労働省令で定める期間の始期に達したときは、当該労働者に対して、当該期間内に、当該事項を知らせなければならない。

解答16　×　均等法11条、令和2.1.15厚労告6号、令和2.2.10雇均発0210第2号。「性的な言動」及び「就業環境が害される」の判断に当たっては、労働者の主観を重視しつつも、セクシュアルハラスメントが、男女の認識の違いにより生じている面があることを考慮すると、被害を受けた労働者が女性である場合には「平均的な女性労働者の感じ方」を基準とし、被害を受けた労働者が男性である場合には「平均的な男性労働者の感じ方」を基準とすることが適当であるとされている。その他の記述は正しい。

解答17　○　育児介護休業法9条の3,1項。設問の通り正しい。出生時育児休業は2回に分割して取得することができるが、2回取得する場合は、初回の出生時育児休業の申出の際にまとめて申し出ることが原則であり、まとめて申し出ない場合には、事業主は2回目以降の出生時育児休業の申出を拒むことができる。

解答18　○　育児介護休業法21条3項。設問の通り正しい。なお、事業主は、労働者が当該事業主に対し、対象家族が当該労働者の介護を必要とする状況に至ったことを申し出たときは、当該労働者に対して、介護休業に関する制度、介護両立支援制度等その他の厚生労働省令で定める事項を知らせるとともに、介護休業申出及び介護両立支援制度等申出に係る当該労働者の意向を確認するための面談その他の厚生労働省令で定める措置を講じなければならない。

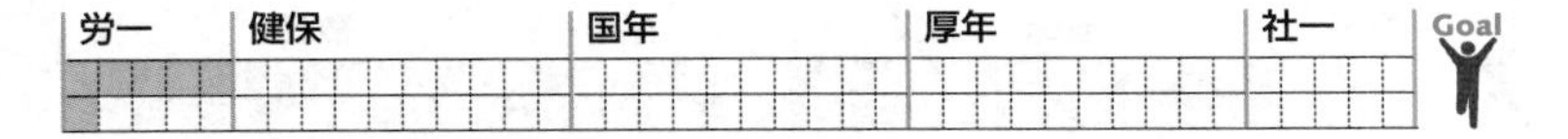

問題19
／／／

次世代育成支援対策推進法によれば、常時雇用する労働者の数が100人を超える一般事業主は、一般事業主行動計画を策定し、又は変更しようとするときは、その雇用する労働者の育児休業等の取得の状況及び子の看護等休暇の取得の状況を把握し、労働者の職業生活と家庭生活との両立が図られるようにするために改善すべき事情について分析した上で、その結果を勘案して、これを定めなければならない。

問題20
／／／

女性活躍推進法によれば、常時雇用する労働者の数が300人を超える一般事業主が、同法第20条（一般事業主による女性の職業選択に資する情報の公表）の規定により女性の職業生活における活躍に関する情報を公表する場合には、その雇用する労働者の男女の賃金の差異について必ず公表しなければならないが、当該賃金の差異については、全ての労働者に係る実績を公表すれば足り、雇用管理区分ごとの実績を公表する必要はない。

解答19　×　次世代法12条3項。設問文の「子の看護等休暇の取得」を「労働時間」と読み替えると、正しい記述となる。

これも覚える！
常時雇用する労働者の数が100人を超える一般事業主が一般事業主行動計画を策定し、又は変更しようとするときは、一般事業主行動計画に定めることとされている「次世代育成支援対策の実施により達成しようとする目標」については、その雇用する労働者の育児休業等の取得の状況及び労働時間の状況に係る数値を用いて定量的に定めなければならない。

解答20　×　女性活躍推進法20条1項、女性の職業生活における活躍の推進に関する法律に基づく一般事業主行動計画等に関する省令19条1項、2項。その雇用する労働者の男女の賃金の差異については、全ての労働者に係る実績のほか、雇用管理区分ごとの実績を公表しなければならない。その他の記述は正しい。

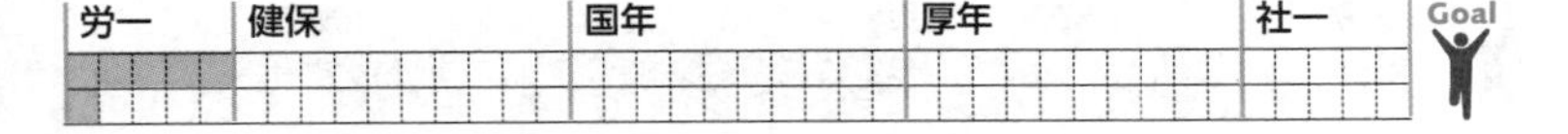

2 労働法規２（労働市場法）

問題 1 ／／／

労働施策総合推進法によれば、事業主は、労働者がその有する能力を有効に発揮するために必要であると認められるときとして厚生労働省令で定めるときは、労働者の募集及び採用について、厚生労働省令で定めるところにより、その年齢にかかわりなく均等な機会を与えなければならない。

問題 2 ／／／

労働施策総合推進法によれば、事業主は、同法第24条第1項に規定する再就職援助計画を作成するに当たっては、当該再就職援助計画に係る事業所に、労働者の過半数で組織する労働組合がある場合においてはその労働組合の、労働者の過半数で組織する労働組合がない場合においては労働者の過半数を代表する者の同意を得なければならない。

問題 3 ／／／

労働施策総合推進法では、常時雇用する労働者の数が1,000人を超える事業主は、労働者の職業選択に資するよう、雇い入れた通常の労働者及び短時間正社員の数に占める中途採用により雇い入れられた者の数の割合を定期的に公表しなければならない旨が定められている。

解答 1　○　労働施策総合推進法９条。設問の通り正しい。

次に掲げるときは、募集及び採用について年齢制限が認められる。

①定年の年齢を下回ることを条件として労働者の募集及び採用を行うとき（期間の定めのない労働契約を締結することを目的とする場合に限る）

②労働基準法等により特定の年齢の範囲に属する労働者の就業等が禁止又は制限されている業務について当該年齢の範囲に属する労働者以外の労働者の募集及び採用を行うとき

③事業主の募集及び採用における年齢による制限を必要最小限のものとする観点から見て合理的な制限である一定の場合に該当するとき

解答 2　×　労働施策総合推進法24条２項。設問の場合には、「同意を得なければならない」のではなく、「意見を聴かなければならない」とされている。なお、事業主は、事業規模の縮小等の実施に伴い、一の事業所において、常時雇用する労働者について１箇月の期間内に30人以上の離職者を生ずることとなるものを行おうとするときは、再就職援助計画を作成しなければならない。

①　事業主は、再就職援助計画を作成したときは、公共職業安定所長に提出し、その認定を受けなければならない。

②　上記①の認定の申請をした事業主は、当該申請をした日に、大量の雇用変動の届出をしたものとみなす。

解答 3　×　労働施策総合推進法27条の2,1項、則９条の2,2項。設問の「1,000人」を「300人」と読み替えると、正しい記述となる。

設問の中途採用に関する情報の公表は、おおむね１年に１回以上、公表した日を明らかにして、直近の３事業年度について、インターネットの利用その他の方法により、求職者等が容易に閲覧できるように行わなければならない。

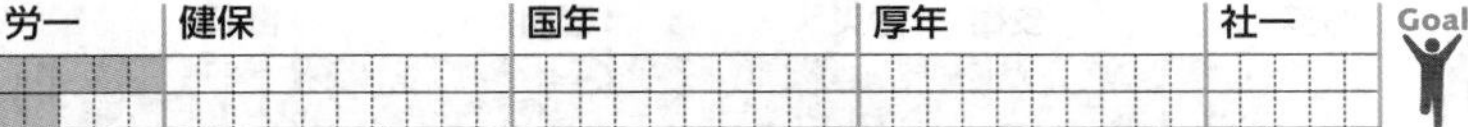

問題 4
／／／

職業安定法第３条では、「何人も、人種、国籍、信条、性別、社会的身分、門地、従前の職業、労働組合の組合員であること等を理由として、職業紹介、職業指導等について、差別的取扱を受けることがない。但し、労働組合法の規定によって、雇用主と労働組合との間に締結された労働協約に別段の定のある場合は、この限りでない。」と規定されている。

問題 5
／／／

職業安定法において「特定募集情報等提供」とは、労働者の募集に関する情報を、労働者になろうとする者の職業の選択を容易にすることを目的として収集し、労働者になろうとする者等（労働者になろうとする者又は職業紹介事業者等をいう。）に提供することをいう。

問題 6
／／／

職業安定法によれば、公共職業安定所、特定地方公共団体及び職業紹介事業者は、求職の申込みは全て受理しなければならないとされているが、その申込みの内容が法令に違反するときは、これを受理しないことができる。

解答 4　○　職業安定法3条。設問の通り正しい。なお、公共職業安定所は、すべての利用者に対し、その申込の受理、面接、指導、紹介等の業務について人種、国籍、信条、性別、社会的身分、門地、従前の職業、労働組合の組合員であること等を理由として、差別的な取扱をしてはならないとされている。

解答 5　×　職業安定法4条7項。「特定募集情報等提供」とは、労働者になろうとする者に関する情報を収集して行う募集情報等提供をいう。

「募集情報等提供」とは、次に掲げる行為をいう。

① 労働者の募集を行う者等の依頼を受け、労働者の募集に関する情報を労働者になろうとする者又は他の職業紹介事業者等に提供すること
② 上記①のほか、労働者の募集に関する情報を、労働者になろうとする者の職業の選択を容易にすることを目的として収集し、労働者になろうとする者等に提供すること
③ 労働者になろうとする者等の依頼を受け、労働者になろうとする者に関する情報を労働者の募集を行う者、募集受託者又は他の職業紹介事業者等に提供すること
④ 上記③のほか、労働者になろうとする者に関する情報を、労働者の募集を行う者の必要とする労働力の確保を容易にすることを目的として収集し、労働者の募集を行う者等に提供すること

解答 6　○　職業安定法5条の7,1項。設問の通り正しい。なお、公共職業安定所、特定地方公共団体又は職業紹介事業者が求職の申込みを受理しないときは、その理由を求職者に説明しなければならない。

問題 7　労働者派遣法において「労働者派遣」とは、自己の雇用する労働者を、当該雇用関係の下に、かつ、他人の指揮命令を受けて、当該他人のために労働に従事させることをいい、当該他人に対し当該労働者を当該他人に雇用させることを約してするものを含むものとする。

問題 8　労働者派遣法によれば、派遣元事業主は、労働争議に対する中立の立場を維持するため、同盟罷業又は作業所閉鎖の行われている事業所に関し、労働者派遣（当該同盟罷業又は作業所閉鎖の行われる際現に当該事業所に関し労働者派遣をしている場合にあっては、当該労働者派遣及びこれに相当するものを除く。）をしてはならない。

問題 9　労働者派遣法によれば、派遣元事業主は、その雇用する労働者であって、派遣労働者として雇い入れた労働者以外のものを新たに労働者派遣の対象としようとするときは、あらかじめ、当該労働者にその旨（新たに紹介予定派遣の対象としようとする場合にあっては、その旨を含む。）を明示することにより、当該労働者に係る労働者派遣をすることができる。

解答 7　×　労働者派遣法２条１号。「労働者派遣」とは、自己の雇用する労働者を、当該雇用関係の下に、かつ、他人の指揮命令を受けて、当該他人のために労働に従事させることをいい、当該他人に対し当該労働者を当該他人に雇用させることを約してするものを含まないものとする。

「紹介予定派遣」とは、労働者派遣のうち、派遣元事業主が労働者派遣の役務の提供の開始前又は開始後に、当該労働者派遣に係る派遣労働者及び派遣先について、職業安定法その他の法律の規定による許可を受けて、又は届出をして、職業紹介を行い、又は行うことを予定してするものをいい、当該職業紹介により、当該派遣労働者が当該派遣先に雇用される旨が、当該労働者派遣の役務の提供の終了前に当該派遣労働者と当該派遣先との間で約されるものを含むものとする。

解答 8　○　労働者派遣法24条。設問の通り正しい。

解答 9　×　労働者派遣法32条２項。派遣元事業主は、その雇用する労働者であって、派遣労働者として雇い入れた労働者以外のものを新たに労働者派遣の対象としようとするときは、あらかじめ、当該労働者にその旨（新たに紹介予定派遣の対象としようとする場合にあっては、その旨を含む。）を明示し、その同意を得なければならない。

派遣元事業主は、労働者を派遣労働者として雇い入れようとするときは、あらかじめ、当該労働者にその旨（紹介予定派遣に係る派遣労働者として雇い入れようとする場合にあっては、その旨を含む。）を明示しなければならない。

問題10　高年齢者雇用安定法において「高年齢者」とは、60歳以上の者をいう。

問題11　高年齢者雇用安定法によれば、事業主がその雇用する労働者の定年の定めをする場合には、当該定年は、60歳を下回ることができないが、当該事業主が雇用する労働者のうち、鉱業法第4条に規定する事業における坑内作業の業務に従事している労働者については、この限りでないとされている。

問題12　高年齢者雇用安定法によれば、定年（65歳未満のものに限る。）の定めをしている事業主は、その雇用する高年齢者の65歳までの安定した雇用を確保するため、高年齢者雇用確保措置を講じなければならないが、高年齢者雇用確保措置のうち「継続雇用制度」とは、現に雇用している高年齢者が希望するときは、当該高年齢者をその定年後も引き続いて雇用する制度をいう。

問題13　高年齢者雇用安定法によれば、事業主は、労働者の募集及び採用をする場合において、やむを得ない理由により一定の年齢（60歳以下のものに限る。）を下回ることを条件とするときは、求職者に対し、当該理由を示さなければならない。

解答10 ×　高年齢者雇用安定法２条１項、則１条。高年齢者雇用安定法において「高年齢者」とは、55歳以上の者をいう。

解答11 ○　高年齢者雇用安定法８条、則４条の２。設問の通り正しい。なお、高年齢者雇用安定法は、船員職業安定法に規定する船員については、適用されない。

解答12 ○　高年齢者雇用安定法９条１項２号。設問の通り正しい。

大事！

高年齢者雇用確保措置とは、次に掲げる措置をいう。

① 定年の引上げ
② 継続雇用制度の導入
③ 定年の定めの廃止

解答13 ×　高年齢者雇用安定法20条１項。「60歳」を「65歳」と読み替えると、正しい記述となる。

これも覚える！

厚生労働大臣は、募集及び採用に係る一定の年齢を下回ることを条件とする理由の提示の有無又は当該理由の内容に関して必要があると認めるときは、事業主に対して、報告を求め、又は助言、指導若しくは勧告をすることができる。

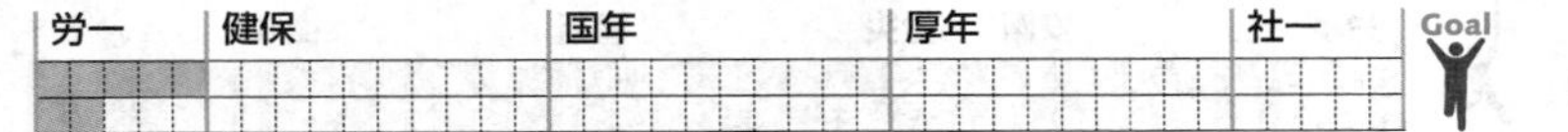

問題14 ／／／ 障害者雇用促進法によれば、一般事業主は、厚生労働省令で定める雇用関係の変動がある場合には、その雇用する対象障害者である労働者の数が、その雇用する労働者の数に障害者雇用率を乗じて得た数（法定雇用障害者数）以上であるようにしなければならないが、一般事業主の障害者雇用率は、令和８年６月30日までの間は、2.5％（特殊法人は2.8％）とされている。

問題15 ／／／ 障害者雇用促進法によれば、一般事業主は、厚生労働省令で定める雇用関係の変動がある場合には、その雇用する対象障害者である労働者の数が、法定雇用障害者数以上であるようにしなければならないが、対象障害者である労働者の数の算定に当たり、重度身体障害者又は重度知的障害者（短時間労働者を除く。）は、その１人をもって、２人の対象障害者である労働者に相当するものとみなされる。

解答14 ○　障害者雇用促進法43条１項、２項、令９条、令10条の2,2項。設問の通り正しい。なお、本則上（令和８年７月１日以降）は、一般事業主の障害者雇用率は2.7%（特殊法人は3.0%）とされている。また、法定雇用障害者数の算定に当たり、その数に１人未満の端数があるときは、その端数は切り捨てる。

国及び地方公共団体の障害者に係る法定雇用率は、3.0%（令和８年６月30日までの間は2.8%）〔都道府県に置かれる教育委員会等は2.9%（令和８年６月30日までの間は2.7%）〕とされている。

解答15 ○　障害者雇用促進法43条１項、４項、令10条。設問の通り正しい。対象障害者である労働者の数の算定に当たっては、次表の左欄に掲げる区分に応じて、１人をもって、それぞれ右欄の数に換算して計算する。

障害者の区分	換算数
①　重度身体障害者又は重度知的障害者である労働者（短時間労働者を除く。）	2
②　重度身体障害者又は重度知的障害者である短時間労働者	1
③　対象障害者である短時間労働者※1	0.5
④　上記②③にかかわらず、重度身体障害者、重度知的障害者又は精神障害者である特定短時間労働者※2	0.5

※1　当分の間、精神障害者である短時間労働者は、その１人をもって、１人の雇用とみなす。
※2「特定短時間労働者」とは、短時間労働者のうち、１週間の所定労働時間が10時間以上20時間未満の範囲内にある労働者（一定の者を除く。）をいう。

雇用する労働者の数の算定に当たっては、短時間労働者は、その１人をもって、0.5人の労働者に相当するものとみなす。

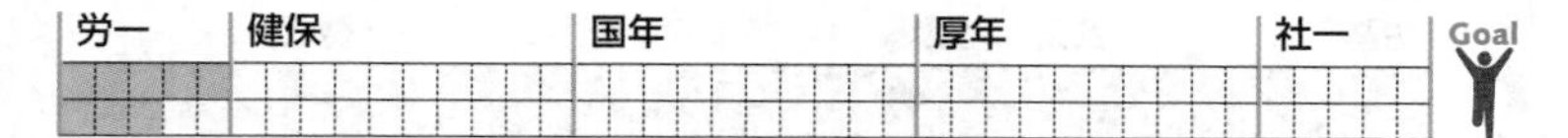

問題16　／／／

障害者雇用促進法によれば、令和８年６月30日までの間、常時雇用する労働者の数が40人（特殊法人は36人）以上の一般事業主は、毎年、３月31日現在における対象障害者の雇用に関する状況を、翌月末日までに、管轄公共職業安定所の長に報告しなければならない。

問題17　／／／

障害者雇用促進法によれば、事業主は、賃金の決定、教育訓練の実施、福利厚生施設の利用その他の待遇について、労働者が障害者であることを理由として、障害者でない者と不当な差別的取扱いをしてはならないが、事業主に対して過重な負担を及ぼすこととなるときは、この限りでない。

問題18　／／／

職業能力開発促進法において「職業生活設計」とは、労働者が、自らその長期にわたる職業生活における職業に関する目的を定めるとともに、その目的の実現を図るため、その適性、職業経験その他の実情に応じ、職業の選択、職業能力の開発及び向上のための取組その他の事項について自ら計画することをいう。

解答16　×　障害者雇用促進法43条７項、則７条、則８条、令和５年則附則２条。令和８年６月30日までの間、常時雇用する労働者の数が40人（特殊法人は36人）以上の一般事業主は、毎年、６月１日現在における対象障害者の雇用に関する状況を、翌月15日までに、管轄公共職業安定所の長に報告しなければならない。なお、令和８年７月１日以後については、常時雇用する労働者の数が37.5人（特殊法人は33.5人）以上の一般事業主が、報告義務の対象となる。

解答17　×　障害者雇用促進法35条。設問の障害者に対する差別の禁止の規定について、「事業主に対して過重な負担を及ぼすこととなるときは、この限りでない」とする例外はない。事業主は、賃金の決定、教育訓練の実施、福利厚生施設の利用その他の待遇について、労働者が障害者であることを理由として、障害者でない者と不当な差別的取扱いをしてはならない。

事業主は、労働者の募集及び採用について、障害者に対して、障害者でない者と均等な機会を与えなければならない。

解答18　○　能力開発促進法２条４項。設問の通り正しい。

国は、労働者の職業生活設計に即した自発的な職業能力の開発及び向上を促進するため、労働者の職務の経歴、職業能力その他の労働者の職業能力の開発及び向上に関する事項を明らかにする書面〔職務経歴等記録書（ジョブ・カード）〕の様式を定め、その普及に努めなければならない。

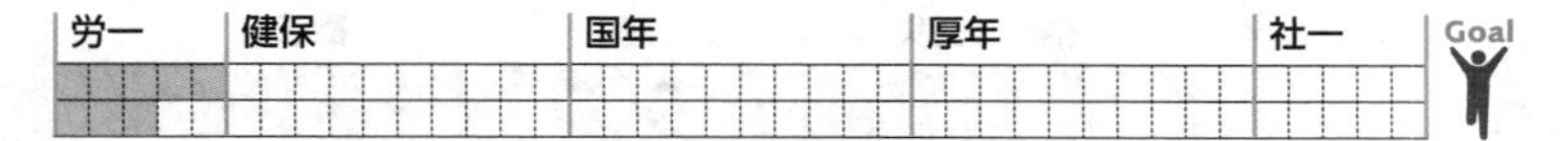

問題19 ／／／

職業能力開発促進法によれば、キャリアコンサルタントの登録は、6年ごとにその更新を受けなければ、その期間の経過によって、その効力を失うものとされている。

問題20 ／／／

求職者支援法によれば、国は、同法第12条第1項の規定により公共職業安定所長が指示した認定職業訓練等を特定求職者が受けることを容易にするため、当該特定求職者に対して、職業訓練受講給付金を支給することができる。

解答 19　×　能力開発促進法30条の19,3項。キャリアコンサルタントの登録は、「5年」ごとにその更新を受けなければ、その期間の経過によって、その効力を失う。

① キャリアコンサルタントは、キャリアコンサルタントの名称を用いて、キャリアコンサルティングを行うことを業とする。

② キャリアコンサルティングとは、労働者の職業の選択、職業生活設計又は職業能力の開発及び向上に関する相談に応じ、助言及び指導を行うことをいう。

解答 20　○　求職者支援法 7 条 1 項。設問の通り正しい。

「特定求職者」とは、公共職業安定所に求職の申込みをしている者（雇用保険法 4 条 1 項に規定する被保険者である者及び同法15条 1 項に規定する受給資格者である者を除く。）のうち、労働の意思及び能力を有しているものであって、職業訓練その他の支援措置を行う必要があるものと公共職業安定所長が認めたものをいう。

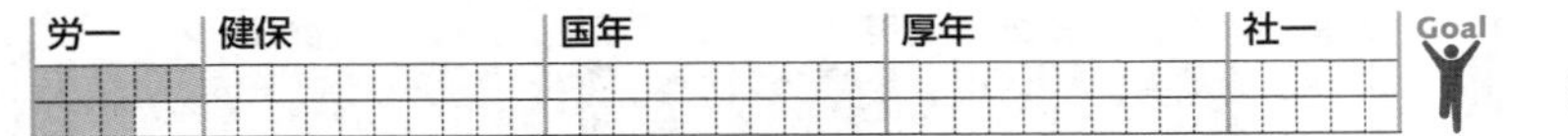

Step-Up

2 労働法規2（労働市場法）

問題 1　労働施策総合推進法によれば、雇用保険の被保険者でない外国人に係る外国人雇用状況届出は、当該外国人を雇い入れた日又は当該外国人が離職した日の属する月の末日までに、当該事業所の所在地を管轄する公共職業安定所の長に提出することによって行わなければならない。

問題 2　労働施策総合推進法によれば、職場におけるパワーハラスメントは、職場において行われる①優越的な関係を背景とした言動であって、②業務上必要かつ相当な範囲を超えたものにより、③労働者の就業環境が害されるものであり、①から③までの要素を全て満たすものをいうが、例えば、優越的な関係を背景として、労働者に業務とは関係のない私的な雑用の処理を強制的に行わせることは、職場におけるパワーハラスメントに該当するものと考えられる。

問題 3　職業安定法によれば、厚生労働大臣の許可を受けて無料の職業紹介事業を行う者は、職業紹介責任者を選任しなければならないが、特定地方公共団体が厚生労働大臣に通知して無料の職業紹介事業を行う場合又は学校等の施設の長若しくは特別の法人が厚生労働大臣に届け出て無料の職業紹介事業を行う場合には、職業紹介責任者の選任を要しない。

進捗チェック

労基	安衛	労災	雇用	徴収

解答 1　×　労働施策総合推進法28条１項、則12条２項。設問の「末日」を「翌月の末日」と読み替えると、正しい記述となる。

雇用保険の被保険者である外国人に係る外国人雇用状況届出は、新たに外国人を雇い入れた場合にあっては当該事実のあった日の属する月の翌月10日までに、その雇用する外国人が離職した場合にあっては当該事実のあった日の翌日から起算して10日以内に、当該事業所の所在地を管轄する公共職業安定所の長に提出することによって行わなければならない。

解答 2　○　労働施策総合推進法30条の2,1項、令和2.1.15厚労告５号。設問の通り正しい。

職場におけるパワーハラスメントの代表的な言動の類型としては、次の６類型がある（例示列挙）。

①身体的な攻撃（暴行・傷害）
②精神的な攻撃（脅迫・名誉棄損・侮辱・ひどい暴言）
③人間関係からの切り離し（隔離・仲間外し・無視）
④過大な要求（業務上明らかに不要なことや遂行不可能なことの強制・仕事の妨害）
⑤過小な要求（業務上の合理性なく能力や経験とかけ離れた程度の低い仕事を命じることや仕事を与えないこと）
⑥個の侵害（私的なことに過度に立ち入ること）

解答 3　×　職業安定法32条の14、法33条１項、４項、法33条の2,7項、法33条の3,2項。特別の法人が厚生労働大臣に届け出て無料の職業紹介事業を行う場合には、職業紹介責任者を選任しなければならない。その他の記述は正しい。なお、有料職業紹介事業者は、職業紹介責任者を選任しなければならないとされている。

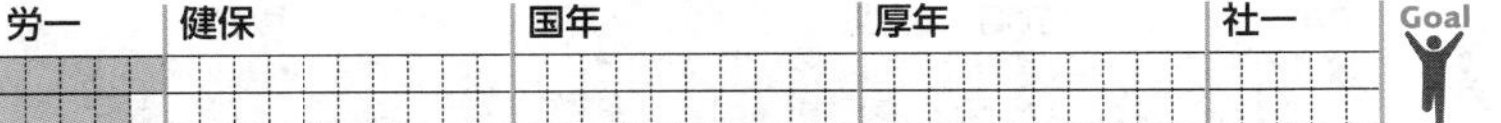

問題 4
／／／

職業安定法によれば、何人も、港湾運送業務に就く職業、建設業務に就く職業を求職者に紹介してはならないとされている。

問題 5
／／／

労働者派遣法によれば、派遣先は、当該派遣先の事業所その他派遣就業の場所ごとの業務について、派遣元事業主から３年を超える期間継続して労働者派遣の役務の提供を受けてはならないが、当該労働者派遣が当該派遣先に雇用される労働者が育児介護休業法に規定する介護休業をする場合における当該労働者の業務に係る労働者派遣に該当するものであるときは、この限りでない。

問題 6
／／／

労働者派遣法によれば、派遣先（国及び地方公共団体を除く。）が、同法第24条の２の規定に違反して労働者派遣を無許可で行う者から労働者派遣の役務の提供を受けている場合には、その時点において、当該派遣先と当該労働者派遣に係る派遣労働者との間において、その時点における当該派遣労働者に係る労働条件と同一の労働条件を内容とする労働契約が締結されたものとみなす。ただし、派遣先が、その行った行為が同法第24条の２の規定に違反する行為に該当することを知らず、かつ、知らなかったことにつき過失がなかったときは、この限りでない。

解答 4　×　職業安定法32条の11,1項。「何人も」ではなく、有料職業紹介事業者は、港湾運送業務に就く職業、建設業務に就く職業を求職者に紹介してはならないとされている。

解答 5　○　労働者派遣法40条の2,1項５号、２項。設問の通り正しい。

派遣先は、次の①から⑥までの場合には、当該派遣先の事業所等ごとの業務について、派遣可能期間（３年）を超える期間であっても、継続して労働者派遣の役務の提供を受けることができる。

①派遣労働者が無期雇用労働者の場合
②派遣労働者が60歳以上の者である場合
③事業の開始、転換、拡大、縮小又は廃止のための業務であって一定の期間内に完了することが予定されているものに係る労働者派遣の場合
④業務の１箇月間に行われる日数が、当該派遣先の通常の労働者の１箇月間の所定労働日数に比し相当程度少なく、かつ、月10日以下である業務に係る労働者派遣の場合
⑤派遣先に雇用される労働者が、産前産後休業、育児休業又は介護休業等をする場合における当該労働者の業務に係る労働者派遣の場合

解答 6　×　労働者派遣法40条の6,1項２号。設問の場合、「労働契約が締結されたものとみなす」のではなく、当該派遣先から当該労働者派遣に係る派遣労働者に対し、その時点における当該派遣労働者に係る労働条件と同一の労働条件を内容とする「労働契約の申込みをしたものとみなす」とされている。その他の記述は正しい。

労働契約の申込みをしたものとみなされた派遣先は、当該労働契約の申込みに係る法違反の行為が終了した日から１年を経過する日までの間は、当該申込みを撤回することができない。

問題 7
／／／

高年齢者雇用安定法によれば、事業主は、創業支援等措置を講じようとするときは、創業支援等措置に関する計画を作成し、当該計画について、労働者の過半数で組織する労働組合がある場合においてはその労働組合の、労働者の過半数で組織する労働組合がない場合においては労働者の過半数を代表する者の意見を聴かなければならない。

問題 8
／／／

高年齢者雇用安定法によれば、シルバー人材センターは、厚生労働大臣に届け出て、臨時的かつ短期的な雇用による就業又はその他の軽易な業務に係る就業（雇用によるものに限る。）を希望する高年齢退職者のために、有料の職業紹介事業を行うことができる。

解答 7 × 高年齢者雇用安定法10条の2,1項、則4条の5,1項。設問の場合、「意見を聴かなければならない」のではなく、「同意を得るものとする」とされている。

定年（65歳以上70歳未満のものに限る。）の定めをしている事業主又は継続雇用制度（高年齢者を70歳以上まで引き続いて雇用する制度を除く。）を導入している事業主は、その雇用する高年齢者について、次の①～③の措置を講ずることにより、65歳から70歳までの安定した雇用を確保するよう努めなければならない。ただし、当該事業主が、創業支援等措置を講ずることにより、その雇用する高年齢者について、定年後等又は②の65歳以上継続雇用制度の対象となる年齢の上限に達した後70歳までの間の就業を確保する場合は、この限りでない。

①定年の引上げ
②65歳以上継続雇用制度の導入
③定年の定めの廃止

解答 8 ○ 高年齢者雇用安定法38条2項。設問の通り正しい。有料の職業紹介事業を行う場合には、原則として、厚生労働大臣の許可を受けることを要するが、設問の場合には、厚生労働大臣に届け出て、有料の職業紹介事業を行うことができる。

シルバー人材センターは、厚生労働大臣に届け出て、高年齢退職者のための臨時的かつ短期的な就業及びその他の軽易な業務に係る就業に関し必要な業務として、その構成員である高年齢退職者のみを対象として労働者派遣事業を行うことができる。

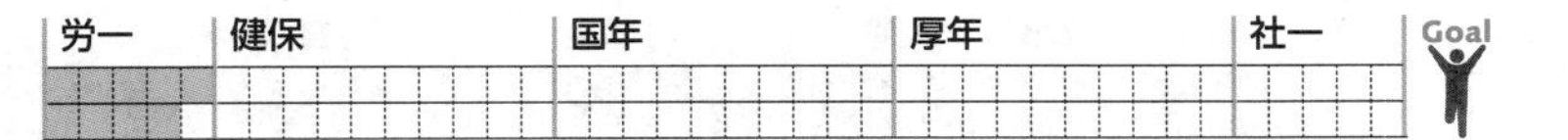

問題 9
／／／

障害者雇用促進法第36条の２では、「事業主は、労働者の募集及び採用について、障害者と障害者でない者との均等な機会の確保の支障となっている事情を改善するため、労働者の募集及び採用に当たり政令で定めるところにより当該障害者の障害の特性に配慮した必要な措置を講じなければならない。ただし、事業主に対して過重な負担を及ぼすこととなるときは、この限りでない。」と規定されている。

問題 10
／／／

障害者雇用促進法によれば、独立行政法人高齢・障害・求職者雇用支援機構は、その雇用する労働者の数が常時100人を超える一般事業主（特殊法人を除く。）に対し、各年度ごとに、当該年度に属する各月ごとにその初日におけるその雇用する対象障害者である労働者の数の合計数が、当該各月の初日における労働者の数に法定雇用率を乗じて得た数（その数に１人未満の端数があるときは、その端数は、切り捨てる。）の合計数を超える場合には、その超える数（超過数）に29,000円（超過数が120を超えるときは、超過数120までは29,000円、超過数120を超える部分は23,000円）を乗じて得た額の障害者雇用調整金を支給する。

解答 9　×　障害者雇用促進法36条の2。「政令で定めるところにより」を「障害者からの申出により」と読み替えると、正しい記述となる。募集及び採用時にはどのような障害特性を有する障害者から応募があるか分からず、事業主がどのような合理的配慮の提供を行えばよいのか不明確な状況にあることから、募集及び採用時においては、障害者からの申出が合理的配慮の提供の契機とされている。

これも覚える!　事業主は、障害者である労働者について、障害者でない労働者との均等な待遇の確保又は障害者である労働者の有する能力の有効な発揮の支障となっている事情を改善するため、その雇用する障害者である労働者の障害の特性に配慮した職務の円滑な遂行に必要な施設の整備、援助を行う者の配置その他の必要な措置を講じなければならない。ただし、事業主に対して過重な負担を及ぼすこととなるときは、この限りでない。

解答 10　○　障害者雇用促進法50条1項、2項、法附則4条1項、令14条、令15条、則25条の7。設問の通り正しい。なお、各年度ごとに、当該年度に属する各月ごとにその初日におけるその雇用する対象障害者である労働者の数の合計数が、当該各月の初日における労働者の数に法定雇用率を乗じて得た数（その数に1人未満の端数があるときは、その端数は、切り捨てる。）の合計数に満たない場合には、その不足する数に50,000円を乗じて得た額の障害者雇用納付金が徴収される。

国及び地方公共団体には、障害者雇用調整金及び障害者雇用納付金の規定は、適用されない。

労一

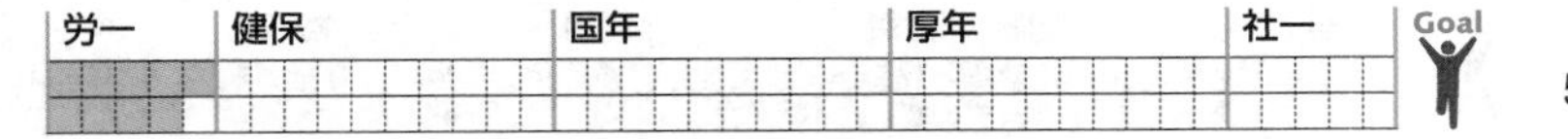

Basic

3 労務管理・労働統計・労働経済

問題 1 ／／／

労働力調査（総務省）において「労働力人口」とは、18歳以上の人口のうち、「雇用者」と「完全失業者」を合わせたものをいう。

問題 2 ／／／

一般職業紹介状況（厚生労働省）において「有効求人倍率」とは、「月間有効求人数（前月から繰越された有効求人数（前月末日現在において、求人票の有効期限が翌月以降にまたがっている未充足の求人数をいう。）と当月の「新規求人数」の合計数をいう。）」を「月間有効求職者数（前月から繰越された有効求職者数（前月末日現在において、求職票の有効期限が翌月以降にまたがっている就職未決定の求職者をいう。）と当月の「新規求職申込件数」の合計数をいう。）」で除して得た率をいう。

問題 3 ／／／

就労条件総合調査（厚生労働省）は、主要産業における企業の労働時間制度、賃金制度等について総合的に調査し、我が国の民間企業における就労条件の現状を明らかにすることを目的として実施されており、具体的には、年間休日総数、年次有給休暇、変形労働時間制等について調査が行われている。

解答 1 × 労働力調査（総務省）。労働力調査において「労働力人口」とは、15歳以上の人口のうち、「就業者」と「完全失業者」を合わせたものをいう。

これも覚える！
完全失業者とは、次の３つの条件を満たすものをいう。
①仕事がなくて月末１週間（調査週間）中に少しも仕事をしなかった（就業者ではない。）。
②仕事があればすぐ就くことができる。
③調査週間中に、仕事を探す活動や事業を始める準備をしていた（過去の求職活動の結果を待っている場合を含む。）。

解答 2 ○ 一般職業紹介状況（厚生労働省）。設問の通り正しい。

これも覚える！
「新規求人倍率」とは、「新規求人数〔期間中に新たに受け付けた求人数（採用予定人員）をいう。〕」を「新規求職申込件数（期間中に新たに受け付けた求職申込みの件数をいう。）」で除して得た率をいう。

解答 3 ○ 就労条件総合調査（厚生労働省）。設問の通り正しい。

問題 4 ／／／

雇用均等基本調査（厚生労働省）は、民間企業（労働組合のない企業を含む）における賃金・賞与の改定額、改定率、賃金・賞与の改定方法、改定に至るまでの経緯等を把握することを目的としている。

問題 5 ／／／

能力開発基本調査（厚生労働省）は、我が国の企業、事業所及び労働者の能力開発の実態を正社員・正社員以外別に明らかにし、職業能力開発行政に資することを目的としている。

解答 4　×　雇用均等基本調査（厚生労働省）。設問は、賃金引上げ等の実態に関する調査（厚生労働省）の内容である。雇用均等基本調査は、男女の雇用均等問題に係る雇用管理の実態を把握し、雇用均等行政の成果測定や方向性の検討を行う上での基礎資料を得ることを目的としている。

雇用均等基本調査では、具体的には、育児休業者割合（育児休業取得率）等について調査が行われている。

解答 5　○　能力開発基本調査（厚生労働省）。設問の通り正しい。

3 労務管理・労働統計・労働経済

問題 1 ／／／

厚生労働省では、賃金に関する基幹統計調査として「賃金構造基本統計調査」と「毎月勤労統計調査」を行っており、いずれも労働者の賃金や労働時間を調べているが、調査目的が違い、作成される統計が異なっているため、用途に応じ使い分けている。通常、労働者全体の賃金の水準や増減の状況をみるときは賃金構造基本統計調査を用い、男女、年齢、勤続年数や学歴などの属性別にみるとき、また、賃金の分布をみるときは、毎月勤労統計調査を用いる。

問題 2 ／／／

人口調査において、就業状態（収入を伴う仕事をしているかどうか）を把握する方法には、一定期間の状態により把握するアクチュアル方式と、ふだんの状態により把握するユージュアル方式がある。就業構造基本調査（総務省）では、15歳以上の人の就業・不就業について、構造調査であることから「ふだん」の状態によって把握するユージュアル方式で調査しており、一方、労働力調査（総務省）は動向調査であることから、「月末１週間」の状態によって把握するアクチュアル方式で調査している。

問題 3 ／／／

一般職業紹介状況（厚生労働省）の有効求人倍率（新規学卒者を除き、パートタイムを含む。）は、景気動向指数（内閣府）において「先行系列（景気の動きに先行して動きを示す指標)」として採用されている。

解答 1 × 賃金構造基本統計調査（厚生労働省）、毎月勤労統計調査（厚生労働省）。通常、労働者全体の賃金の水準や増減の状況をみるときは毎月勤労統計調査を用い、男女、年齢、勤続年数や学歴などの属性別にみるとき、また、賃金の分布をみるときは、賃金構造基本統計調査を用いる。

これも覚える！

①賃金構造基本統計調査は、主要産業に雇用される労働者について、その賃金の実態を労働者の雇用形態、就業形態、職種、性、年齢、学歴、勤続年数、経験年数別等に明らかにするものである。

②毎月勤労統計調査は、雇用、給与及び労働時間について、全国調査にあってはその全国的変動を毎月明らかにすることを、地方調査にあってはその都道府県別の変動を毎月明らかにすることを目的とした調査である。

解答 2 ○ 就業構造基本調査（総務省）、労働力調査（総務省）。設問の通り正しい。なお、ユージュアル方式は有業者方式ともいい、アクチュアル方式は労働力方式ともいう。

解答 3 × 一般職業紹介状況（厚生労働省）、景気動向指数（内閣府）。有効求人倍率（新規学卒者を除き、パートタイムを含む。）は、「一致系列（景気の動きに一致して動きを示す指標）」として採用されている。なお、新規求人数（新規学卒者を除き、パートタイムを含む。）は、「先行系列」として採用されている。

問題 4
／／／

労働組合基礎調査（厚生労働省）では、労働組合数、労働組合員数、推定組織率等の調査を行っているが、当該調査は、国家公務員法又は地方公務員法に規定する職員団体を含む我が国における全ての労働組合を対象とした全数調査として行われている。

問題 5
／／／

「令和５年労働組合活動等に関する実態調査(厚生労働省)」によれば、使用者側との労使関係の維持についての認識をみると、「安定的に維持されている」52.4％、「おおむね安定的に維持されている」38.6％であり、「安定的」と認識している労働組合は91.0％となっている。

解答 4　○　労働組合基礎調査（厚生労働省）。設問の通り正しい。なお、労働組合基礎調査は、「労使関係総合調査」の一環として行われるものであり、労使関係総合調査には、労働組合基礎調査のほか、毎年テーマを変えて実施される実態調査がある。

解答 5　○　令和５年労働組合活動等に関する実態調査（厚生労働省）。設問の通り正しい。なお、令和５年労働組合活動等に関する実態調査は、労使関係総合調査の実態調査として実施されたものである。

健康保険法

Basic

1 保険者・適用事業所

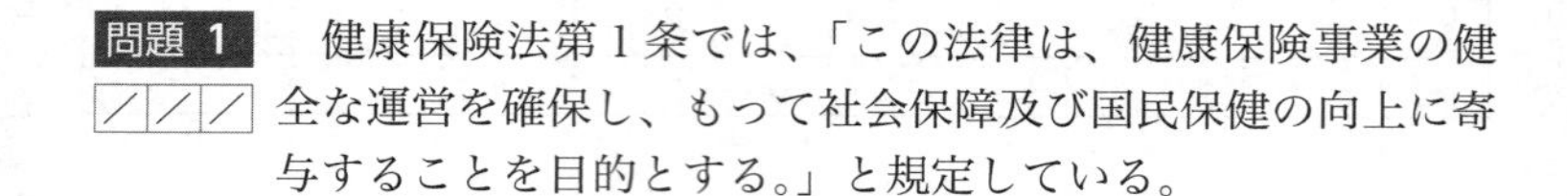

問題 1　健康保険法第1条では、「この法律は、健康保険事業の健全な運営を確保し、もって社会保障及び国民保健の向上に寄与することを目的とする。」と規定している。

問題 2　健康保険（日雇特例被保険者の保険を除く。）の保険者は、全国健康保険協会（以下「協会」という。）及び健康保険組合である。

問題 3　協会が管掌する健康保険の事業に関する業務のうち、保険給付並びに保健事業及び福祉事業に関する業務は、厚生労働大臣が行う。

問題 4　協会が管掌する健康保険に関する業務のうち、前期高齢者納付金等、後期高齢者支援金等、介護納付金及び流行初期医療確保拠出金等の納付に関する業務は、協会が行う。

問題 5　被保険者を使用する適用事業所の事業主及び被保険者の意見を反映させ、協会の業務の適正な運営を図るため、協会に運営委員会を置く。

問題 6　健康保険組合は、適用事業所の事業主及びその適用事業所に使用される被保険者のみをもって、組織される。

解答 1　×　法1条。健康保険法第1条では、「この法律は、労働者又はその被扶養者の業務災害（労働者災害補償保険法第7条第1項第1号に規定する業務災害をいう。）以外の疾病、負傷若しくは死亡又は出産に関して保険給付を行い、もって国民の生活の安定と福祉の向上に寄与することを目的とする。」と規定している。

解答 2　○　法4条。設問の通り正しい。

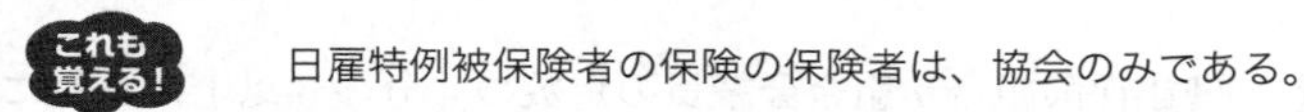

日雇特例被保険者の保険の保険者は、協会のみである。

解答 3　×　法5条2項、法7条の2,2項1号、2号。設問の業務は、協会自身が行う。

協会が管掌する健康保険の事業に関する業務のうち、被保険者の資格の取得及び喪失の確認、標準報酬月額及び標準賞与額の決定並びに保険料の徴収（任意継続被保険者に係るものを除く。）並びにこれらに附帯する業務は、厚生労働大臣が行う。

解答 4　○　法7条の2,3項。設問の通り正しい。

解答 5　○　法7条の18,1項。設問の通り正しい。

協会は、都道府県ごとの実情に応じた業務の適正な運営に資するため、支部ごとに評議会を設け、当該支部における業務の実施について、評議会の意見を聴くものとされている。

解答 6　×　法8条。健康保険組合は、適用事業所の事業主、その適用事業所に使用される被保険者及び「任意継続被保険者」をもって組織される。

問題 7　2以上の適用事業所の事業主が共同して健康保険組合を設立しようとするときは、それぞれの事業主に使用されている被保険者の数が、常時700人以上でなければならない。

問題 8　健康保険組合は、一定の要件に該当する適用事業所の事業主が任意に設立するものであるので、厚生労働大臣がその設立を命ずることはできない。

問題 9　健康保険組合が組合会議員の定数の4分の3以上の多数による組合会の議決により解散しようとするときは、厚生労働大臣の認可を受けなければならない。

問題 10　社会保険労務士個人が法令の規定に基づき行うこととされている法律に係る業務を行う事業所は、常時5人以上の従業員を使用する場合には、強制適用事業所となる。

解答 7　×　法11条２項、令１条の3,2項。適用事業所の事業主が共同して健康保険組合を設立する場合は、合算して「常時3,000人」以上の被保険者を使用していなければならない。

適用事業所の事業主が単独で健康保険組合を設立する場合には、常時700人以上の被保険者を使用していなければならない。

解答 8　×　法11条、法14条１項。厚生労働大臣は、一定の要件に該当する適用事業所の事業主に対して、健康保険組合の設立を命ずることができる。

解答 9　○　法26条２項。設問の通り正しい。

健康保険組合は、次の３種類の理由によって解散するが、①及び②の理由により解散するときは、厚生労働大臣の認可を受けなければならない。

①組合会議員の定数の４分の３以上の多数による組合会の議決（厚生労働大臣の認可が必要）

②健康保険組合の事業の継続の不能（厚生労働大臣の認可が必要）

③厚生労働大臣による解散命令

解答10　○　法３条３項１号レ、令１条７号。設問の通り正しい。社会保険労務士が法令の規定に基づき行うこととされている法律に係る業務を行う事業は、適用業種に当たるため、設問の事業所は、強制適用事業所となる。

問題11 ／／／

常時３人の従業員を使用して物の販売の事業を行う法人の事業所は、健康保険の強制適用事業所には該当しない。

問題12 ／／／

小売業を営む個人の事業所において、使用する従業員が常時５人未満となったため適用事業所に該当しなくなったときは、当該事業所の事業主は、当該事業所に使用される者（被保険者となるべき者に限る。）の２分の１以上の同意を得て、申請し、厚生労働大臣の認可を受けて、当該事業所を適用事業所とすることができる。

問題13 ／／／

任意適用の対象となる事業所の事業主は、労働者（被保険者となるべきものに限る。）の２分の１以上の希望がある場合であっても、任意適用の認可の申請をすべき義務は生じない。

解答11　×　法３条３項２号。法人の事業所は、常時１人以上の従業員を使用していれば、その業種に関わらず強制適用事業所に該当する。設問の事業所は、常時５人未満の従業員を使用して適用業種を行う事業所であるが、法人の事業所であるため、健康保険の強制適用事業所に該当する。

〈強制適用事業所と任意適用事業所〉

規模＼業種等	個人		法人等
	適用業種	非適用業種	
常時５人以上	○	△	○
常時１人以上５人未満	△	△	○

○強制適用事業所　△任意適用事業所
法人等…国、地方公共団体又は法人

解答12　×　法32条。適用事業所が強制適用の要件を欠くに至った場合（常時使用する者が５人未満となったときや、業種が変わり適用業種でなくなったときなど）には、任意適用事業所の認可があったものとみなされるため、手続きは不要である。これを任意適用の擬制という。

解答13　○　法31条。設問の通り正しい。

雇用保険（２分の１以上の希望）及び労災保険（過半数の希望）の場合には、事業主に任意加入の申請の義務が生じるので、違いに注意すること。

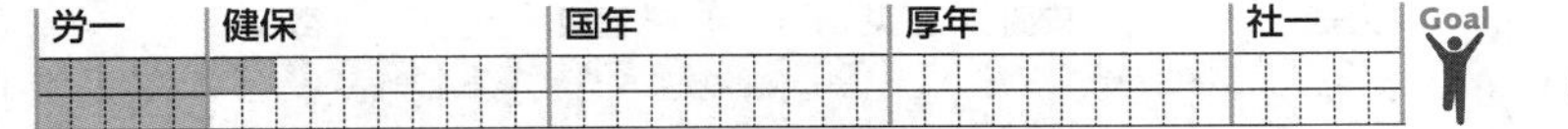

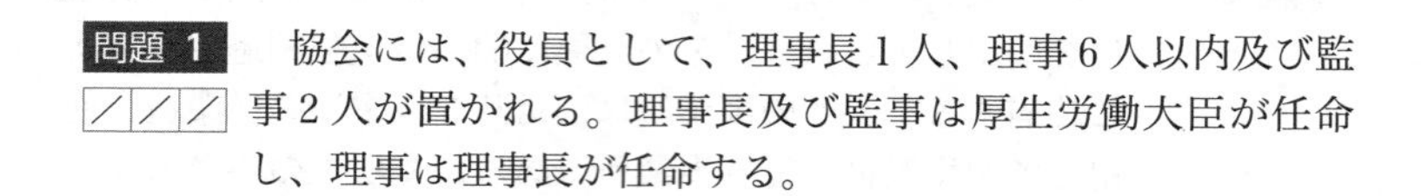

Step-Up 1 保険者・適用事業所

問題 1 ／／／

協会には、役員として、理事長1人、理事6人以内及び監事2人が置かれる。理事長及び監事は厚生労働大臣が任命し、理事は理事長が任命する。

問題 2 ／／／

協会と理事長又は理事との利益が相反する事項については、これらの者は代表権を有しない。この場合には、監事が協会を代表する。

問題 3 ／／／

協会は、毎事業年度の決算を翌事業年度の3月31日までに完結しなければならない。

問題 4 ／／／

協会は、毎事業年度、財務諸表を作成し、これに当該事業年度の事業報告書及び決算報告書を添え、監事及び会計監査人の意見を付けて、決算完結後6月以内に厚生労働大臣に提出し、その承認を受けなければならない。

問題 5 ／／／

協会は、厚生労働省令で定める重要な財産を譲渡し、又は担保に供したときは、厚生労働大臣に報告しなければならない。

問題 6 ／／／

健康保険組合は、毎年度終了後2か月以内に、厚生労働省令で定めるところにより、事業及び決算に関する報告書を作成し、厚生労働大臣に提出しなければならない。

進捗チェック

労基	安衛	労災	雇用	徴収

解答 1　○　法７条の９、法７条の11,1項、３項。設問の通り正しい。

解答 2　○　法７条の16。設問の通り正しい。

解答 3　×　法７条の28,1項。協会は、毎事業年度の決算を翌事業年度の「５月31日」までに完結しなければならない。

解答 4　×　法７条の28,2項。設問中「６月以内」は、正しくは「２月以内」である。

解答 5　×　法７条の34。協会は、厚生労働省令で定める重要な財産を譲渡し、又は担保に供しようとするときは、「厚生労働大臣の認可を受け」なければならない。

これも覚える！　健康保険組合は、重要な財産を処分しようとするときは、厚生労働大臣の認可を受けなければならない。

解答 6　×　令24条１項。設問文中「２か月以内」は、正しくは「６か月以内」である。

健保

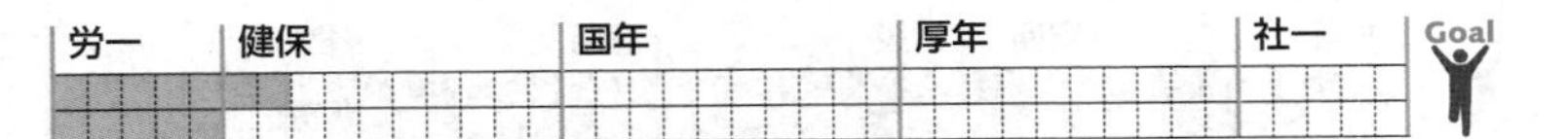

問題 7　健康保険組合は、組合債を起こそうとするときは、財務大臣の認可を受けなければならない。

問題 8　健康保険事業の収支が均衡しない健康保険組合であって、一定の要件に該当するものとして厚生労働大臣の指定を受けたものは、指定の日の属する年度の翌年度を初年度とする3箇年間の健全化計画を定め、厚生労働大臣の承認を受けるとともに、当該計画に従い、その事業を行わなければならない。

問題 9　健康保険組合がその設立事業所を増加させ、又は減少させようとするときは、その増加又は減少に係る適用事業所の事業主の全部の同意があればよいとされており、その適用事業所に使用される被保険者の同意は必要とされていない。

問題10　一般の被保険者は、同時に2以上の事業所に使用される場合において、保険者が2以上あるときは、その被保険者の保険を管掌する保険者を選択しなければならないが、当該選択は、同時に2以上の事業所に使用されるに至った日から10日以内に、所定の事項を記載した届書を協会を選択しようとするときは厚生労働大臣に、健康保険組合を選択しようとするときは健康保険組合に提出することによって行うものとされている。

解答 7　×　令22条。健康保険組合は、組合債を起こそうとするときは、「厚生労働大臣の認可」を受けなければならない。

健康保険組合は、組合債を起こし、又は起債の方法、利率若しくは償還の方法を変更しようとするときは、厚生労働大臣の認可を受けなければならない。ただし、一定の軽微な変更については、事後に遅滞なく、その旨を厚生労働大臣に届け出ればよい。

解答 8　○　法28条１項、２項、令30条１項。設問の通り正しい。

解答 9　×　法25条１項。健康保険組合がその設立事業所を増加させ、又は減少させようとするときは、その増加又は減少に係る適用事業所の事業主の全部及び「その適用事業所に使用される被保険者の２分の１以上」の同意を得なければならない。

解答10　○　法７条、則１条の3,1項、則２条１項。設問の通り正しい。

２以上の事業所の保険者がともに協会であっても、当該２以上の事業所に係る日本年金機構の業務が２以上の年金事務所に分掌されているときは、被保険者は、その被保険者に関する日本年金機構の業務を分掌する年金事務所を選択しなければならず、当該選択は、同時に２以上の事業所に使用されるに至った日から10日以内に、所定の事項を記載した届書を厚生労働大臣に提出することによって行うものとされている。

健保

問題 11　運送業を営む個人経営の事業所で、常時５人の従業員を使用するものは、当該従業員のうち１人が後期高齢者医療の被保険者である場合には、強制適用事業所とならない。

解答11　×　法3条3項、昭和18.4.5保発905号。設問の事業所は、強制適用事業所となる。

事業所における従業員の数の算定は、その事業所に常時使用されるすべての者について計算すべきものとされており、適用除外の規定によって被保険者となることができない者であっても、当該事業所に常時使用されている者は、算入すべきものとされている。

Basic

2 被保険者・被扶養者・療養担当者

問題 1 ／／／

適用業種を行う個人の事業所の事業主は、常時５人以上の労働者を使用していれば、被保険者となる。

問題 2 ／／／

臨時に使用される者であって、２月以内の期間を定めて適用事業所に使用されるものは、雇入れの当初から当該定めた期間を超えて使用されることが見込まれる場合には、その雇入れの当初から一般の被保険者となる。

問題 3 ／／／

適用事業所において季節的業務に５か月の契約期間で使用される者は、雇入れの当初から一般の被保険者となる。

問題 4 ／／／

所在地が一定しない事業所に、当初から継続して６か月を超える予定で使用される者は、初めから被保険者となる。

問題 5 ／／／

臨時的事業の事業所に６月以内の期間を限って使用される者は、業務の都合等で、引き続き６月を超えて使用されるに至った場合には、その至った日から、一般の被保険者となる。

解答 1　×　法3条1項。個人の事業所の事業主は、使用される者に該当しないので、被保険者となることはない。

解答 2　○　法3条1項2号ロ。設問の通り正しい。

臨時に使用される者であって、2月以内の期間を定めて使用されるものは、当該定めた期間を超えて使用されることが見込まれない場合には、適用除外に該当し、一般の被保険者とならないが、当該定めた期間を超え、引き続き使用されるに至った場合には、その超えた日から、一般の被保険者となる。一方、臨時に使用される者であって、2月以内の期間を定めて使用されるものが、当該定めた期間を超えて使用されることが見込まれる場合には、適用除外に該当せず、当初から一般の被保険者となる。

解答 3　○　法3条1項4号。設問の通り正しい。

季節的業務に4か月以内の期間を限って使用される者は、一般の被保険者とはならないが、季節的業務に使用される者であっても、当初から継続して4か月を超える予定で使用される者は、雇入れの当初から一般の被保険者となる。

解答 4　×　法3条1項3号。所在地が一定しない事業所に使用される者は、その使用される期間の長短にかかわらず、被保険者とならない。

解答 5　×　法3条1項5号、昭和18.4.5保発905号。設問の者は、適用除外に該当し、業務の都合等で6月を超えて使用されるに至った場合であっても、一般の被保険者とならない。

臨時的事業の事業所に6月以内の期間を限って使用される者は、適用除外に該当し、一般の被保険者とならない。業務の都合等で6月を超えて使用されるに至った場合であっても一般の被保険者とならない。

健保

労一　健保　国年　厚年　社一　Goal

問題 6　／／／
事業主は、一般の被保険者の資格を取得した者がある場合には、当該事実があった日から10日以内に被保険者資格取得届を日本年金機構又は健康保険組合に提出しなければならない。

問題 7　／／／
被保険者が死亡したときは、その日の翌日に被保険者の資格を喪失する。

問題 8　／／／
任意適用事業所の事業主が、使用する被保険者の4分の3以上の同意を得て申請し、任意適用事業所の取消しについての厚生労働大臣の認可を受けた場合、任意適用事業所の取消しに不同意であった者を除き、その事業所に使用される被保険者は、その資格を喪失する。

問題 9　／／／
任意継続被保険者は、任意継続被保険者でなくなることを希望する旨を保険者に申し出ることにより、その資格を喪失することができる。

問題10　／／／
特例退職被保険者は、後期高齢者医療の被保険者等となっても、特例退職被保険者の資格を喪失しない。

解答 6　×　法48条、則24条１項。設問の「10日以内」は、正しくは「５日以内」である。

これも覚える！　日本年金機構に提出する健康保険被保険者資格取得届（所定の様式によるものに限る。）は、所轄労働基準監督署長又は所轄公共職業安定所長を経由して提出することができる。

解答 7　○　法36条１号、法38条２号。設問の通り正しい。

解答 8　×　法33条、法36条４号。任意適用事業所の取消しの認可があった場合、不同意であった者も含めて全ての被保険者がその被保険者資格を喪失する。

解答 9　○　法38条７号。設問の通り正しい。任意継続被保険者は、任意継続被保険者でなくなることを希望する旨を、厚生労働省令で定めるところにより、保険者に申し出た場合において、その申出が受理された日の属する月の末日が到来したときは、その翌日に資格を喪失する。

これも覚える！　特例退職被保険者の場合は、特例退職被保険者でなくなることを希望する旨を、特定健康保険組合に申し出た場合において、その申出が受理された日の属する月の末日が到来したときは、その翌日に資格を喪失する。

解答10　×　法38条６号、法附則３条６項。特例退職被保険者は、後期高齢者医療の被保険者等となったときは、その日に特例退職被保険者の資格を喪失する。

これも覚える！　任意継続被保険者が後期高齢者医療の被保険者等となったときも、その日にその資格を喪失する。

問題11 ／／／ 被保険者の弟で日本国内に住所を有するものは、被保険者と同一の世帯に属していなくても、主として被保険者によって生計を維持されていれば、原則として被扶養者として認められる。

問題12 ／／／ 被保険者の63歳の母で日本国内に住所を有し、被保険者と同一世帯に属しているものについて、被保険者の年間収入が400万円であり、当該母の年間収入が150万円であるときは、当該母は、原則として被扶養者として認められる。

問題13 ／／／ 届出はしていないが事実上婚姻関係と同様の事情にある配偶者の子であって、日本国内に住所を有し、被保険者と同一の世帯には属していないが、主として被保険者によって生計を維持しているものは、原則として被扶養者として認められる。

問題14 ／／／ 被保険者の配偶者の母で日本国内に住所を有するものについて、入院のため一時的に別居している場合は、主として被保険者によって生計を維持し、入院前は同一の世帯にあったとしても被扶養者として認められない。

解答11　○　法３条７項１号。設問の通り正しい。

被扶養者の認定において同一世帯要件が問われないのは、被保険者の直系尊属、配偶者、子、孫、兄弟姉妹である。

解答12　○　法３条７項１号、平成5.3.5保発15号・庁保発４号。設問の通り正しい。

収入がある者についての被扶養者の認定においては、認定対象者が被保険者と同一世帯に属している場合、認定対象者の年齢が60歳以上である場合（設問の場合は、被保険者の母）は、その認定対象者の年間収入が180万円未満であり、かつ、原則として、被保険者の年間収入の２分の１未満であることを要する。

解答13　×　法３条７項３号。事実上婚姻関係と同様の事情にある配偶者の子は、主として被保険者によって生計を維持していても、被保険者と同一の世帯に属していなければ、被扶養者として認められない。

解答14　×　法３条７項２号。入院している場合は、現実には別居であるが、退院すればまた自宅に戻るので、別居は一時的なものと考えられ、被保険者と同一世帯にあるものとして取り扱われるため、設問の被保険者の配偶者の母は、原則として被扶養者として認められる。

問題15　／／／

健康保険の療養の給付等を担当する病院、診療所又は薬局は、厚生労働大臣の指定を受けた病院若しくは診療所又は薬局に限られる。

問題16　／／／

保険医療機関において健康保険の診療に従事する医師又は歯科医師は、すべて、厚生労働大臣の登録を受けた医師又は歯科医師でなければならない。

問題17　／／／

厚生労働大臣は、保険医又は保険薬剤師の登録を取り消そうとするときは、地方社会保険医療協議会に諮問しなければならない。

問題18　／／／

保険医療機関又は保険薬局がその指定を辞退する場合には、6か月以上の予告期間を設けなければならない。

問題19　／／／

診療所が医師個人の開設したものであり、かつ、当該開設者である医師のみが診療に従事している場合には、当該診療所について保険医療機関の指定があったときは、原則として当該医師について保険医の登録があったものとみなされる。

解答 15　×　法63条３項。健康保険の療養の給付等を担当する病院等は、設問のものに限られない。

療養の給付等を担当する病院等は、次の３種類の病院等である。

①厚生労働大臣の指定を受けた病院若しくは診療所（保険医療機関）又は薬局（保険薬局）

②特定の保険者が管掌する被保険者に対して診療又は調剤を行う病院若しくは診療所又は薬局であって、当該保険者が指定したもの

③健康保険組合である保険者が開設する病院若しくは診療所又は薬局

解答 16　○　法64条。設問の通り正しい。

厚生労働大臣の登録を受けた医師又は歯科医師を保険医という。

解答 17　○　法82条２項。設問の通り正しい。

これも覚える！

保険医又は保険薬剤師の登録を行おうとするときは、地方社会保険医療協議会への諮問は不要である。

解答 18　×　法79条１項。設問の場合には、「６か月以上」ではなく、「１か月以上」の予告期間を設けなければならない。

これも覚える！

保険医又は保険薬剤師がその登録の抹消を求める場合も、１か月以上の予告期間を設けなければならない。

解答 19　×　法69条。診療所が医師個人の開設したものであり、かつ、当該開設者である医師のみが診療に従事している場合には、「当該医師について保険医の登録があったときは、原則として当該診療所について保険医療機関の指定があったもの」とみなされる。

健保

問題 20 ／／／　保険医又は保険薬剤師の登録は、登録の抹消又は取消しがない限り、その効力を失うことはない。

解答 20　○　法71条。設問の通り正しい。

保険医療機関又は保険薬局の指定は、指定の日から起算して6年を経過したときにその効力を失うが、保険医又は保険薬剤師の登録は、登録の抹消、取消しがない限り、その効力を失わない。

Step-Up

2 被保険者・被扶養者・療養担当者

問題 1 ／／／

法人の理事、監事、取締役、代表社員等の法人の代表者又は業務執行者は、被保険者となることはない。

問題 2 ／／／

法律によって組織された共済組合の組合員は、健康保険の適用除外とされていない。

問題 3 ／／／

被保険者が、雇用又は使用される事業所の労働組合の専従役職員となりその職務に従事するときは、従前の事業主との関係では被保険者資格を喪失し、労働組合に雇用又は使用される者としてのみ被保険者となり得る。

問題 4 ／／／

特定適用事業所に使用されるものであって、その１週間の所定労働時間が同一の事業所に使用される通常の労働者の１週間の所定労働時間の４分の３未満である短時間労働者については、継続して１年以上使用されることが見込まれる場合でなければ、一般の被保険者となることはない。

解答 1　×　法３条１項、昭和24.7.28保発74号。法人の理事、監事、取締役、代表社員等のいわゆる代表者又は業務執行者であっても、法人から労働の対償として報酬を受けている者は、法人に使用される者として被保険者の資格を取得する。

解答 2　○　法３条１項、法200条１項。設問の通り正しい。

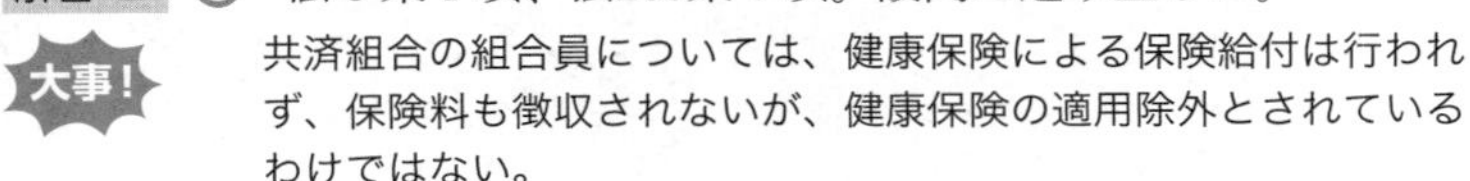

大事！
共済組合の組合員については、健康保険による保険給付は行われず、保険料も徴収されないが、健康保険の適用除外とされているわけではない。

解答 3　○　法３条１項、昭和24.7.7職発921号。設問の通り正しい。

解答 4　×　法３条１項９号、(24)法付則46条１項。設問の短時間労働者が一般の被保険者となる要件として、「継続して１年以上使用されることが見込まれる」ことは、定められていない。

１週間の所定労働時間及び１月間の所定労働日数が、同一の事業所に使用される通常の労働者の１週間の所定労働時間及び１月間の所定労働日数の４分の３以上であるという基準（４分の３基準）を満たさない短時間労働者については、次のいずれにも該当する場合に、原則として一般の被保険者とされる。

①１週間の所定労働時間が20時間以上であること
②報酬（一定のものを除く。）について、資格取得時決定の規定の例により算定した額が、88,000円以上であること
③学校教育法に規定する学生等でないこと
④特定適用事業所等一定の適用事業所に使用されていること

問題 5 ／／／

在学中の学生が卒業後の就職予定先である適用事業所において職業実習する場合は、在学中の期間においては、一般の被保険者として取り扱うことはなく、卒業と同時に一般の被保険者の資格を取得させることとなる。

問題 6 ／／／

事業所の内規等により一定期間は臨時又は試みに使用するなどとしている場合は、当該一定期間経過後に一般の被保険者の資格を取得することとなる。

問題 7 ／／／

60歳以上の者が、退職した後も同一の適用事業所において継続して再雇用された場合には、その者の事実上の使用関係は存続しているが、一旦被保険者資格を喪失し、同時に再雇用による被保険者資格を取得することができる。

問題 8 ／／／

適用事業所の譲渡により事業主に変更があった場合、旧事業主が事業に使用される被保険者を解雇しなければ、当該被保険者は、新事業主にそのまま使用されるので、被保険者資格の取得及び喪失は生じない。

解答 5　×　法３条１項、法35条、昭和16.12.22社発1580号。設問の場合、在学中の職業実習が事実上の就職と解されれば、在学中についても、一般の被保険者となる。

解答 6　×　法35条、昭和26.11.28保文発5177号。設問のように、事業所の内規等により一定期間は臨時又は試みに使用するなどとして被保険者資格取得届を遅延させる場合であっても、臨時に使用する者とは認められず、雇入れの当初から一般の被保険者の資格を取得する。

これも覚える！

雇用者の出入りが頻繁で永続するか否か不明であるといった理由で被保険者資格届を遅延する場合も同様に、臨時に使用される者とは認められず、雇入れの当初から一般の被保険者の資格を取得する。

解答 7　○　法35条、法36条、平成25.1.25保保発0125第１号。設問の通り正しい。

同一の適用事業所において雇用契約上一旦退職した者が、１日の空白もなく引き続き再雇用された場合は、退職金の支払いの有無又は身分関係若しくは職務内容の変更の有無にかかわらず、その者の事実上の使用関係は中断することなく存続しているものであるから、被保険者の資格も継続する。ただし、60歳以上の者で、退職後継続して再雇用される者については、使用関係が一旦中断したものとみなし、事業主から被保険者資格喪失届及び被保険者資格取得届を提出させる取扱いとして差し支えないとされている。

解答 8　○　法36条、昭和3.5.19保理1370号。設問の通り正しい。

問題 9　被保険者の資格の取得及び喪失は、すべて保険者等の確認によりその効力を生ずる。

／／／

問題 10　一般の被保険者は、一般の被保険者又はその被扶養者が介護保険第２号被保険者に該当しなくなったときは、遅滞なく、所定の事項を記載した届書を事業主を経由して厚生労働大臣又は健康保険組合に届け出なければならないが、一般の被保険者又はその被扶養者が65歳に達したことにより介護保険第２号被保険者に該当しなくなったときは、その旨を届け出る必要はない。

／／／

問題 11　任意継続被保険者でなくなることを希望する旨の申出は、その者が、保険料の前納をしている場合には、当該保険料の前納に係る期間が経過した後でなければすることができない。

／／／

問題 12　特例退職被保険者の資格取得日は、一般の被保険者の資格を喪失した日である。

／／／

問題 13　被保険者の配偶者で事実上婚姻関係と同様の事情にあるものの死亡後におけるその父は、日本国内に住所を有していたとしても、被保険者の被扶養者として認められることはない。

／／／

解答 9　×　法39条1項、法附則3条6項。任意継続被保険者及び特例退職被保険者の資格取得及び喪失並びに任意適用事業所の取消しによる資格喪失についての確認は行われない。

解答 10　○　則40条1項。設問の通り正しい。

これも覚える！　一般の被保険者は、一般の被保険者又はその被扶養者が、介護保険第2号被保険者に該当するに至ったときは、遅滞なく、所定の事項を記載した届書を事業主を経由して厚生労働大臣又は健康保険組合に届け出なければならないが、一般の被保険者又はその被扶養者が40歳に達したときは、その旨を届け出る必要はない。

解答 11　×　法38条7号、令和3.12.27事務連絡。保険料の前納をしている場合の任意継続被保険者でなくなることを希望する旨の申出は、保険料の前納に係る期間を経過していなくてもすることができる。この場合、前納した保険料のうち未経過の期間に係るものについては還付されることとなる。

解答 12　×　法附則3条3項。特例退職被保険者の資格取得日は、「特定健康保険組合への申出が受理された日」である。

これも覚える！　任意継続被保険者の資格取得日は、一般の被保険者の資格を喪失した日である。

解答 13　×　法3条7項4号。設問の者は、当該配偶者の死亡後も引き続き被保険者と同一の世帯に属し、主としてその被保険者により生計を維持していること等の一定の要件を満たしていれば、当該被保険者の被扶養者として認められる。

問題 14 ／／／

被扶養者の認定において、認定対象者が一定の期間を海外で生活している場合も、日本に住民票がある限りは、原則として国内居住要件を満たすこととなる。

問題 15 ／／／

被保険者の母で日本国内に住所を有するものが、障害厚生年金の受給権者であり、被保険者と同一世帯に属していない場合、その年間収入が160万円で、かつ、被保険者からの援助額が年間120万円であるときには、原則として被扶養者として認められる。

問題 16 ／／／

ともに被用者保険の被保険者である夫婦が共同して扶養している場合の被扶養者の認定に当たっては、被扶養者とすべき者の員数に関わらず、被保険者の年間収入が多い方の被扶養者とすることとされ、当該夫婦双方の年間収入の差額が極めて少ない場合についても、多い方の被扶養者とされる。

問題 17 ／／／

厚生労働大臣は、保険医療機関又は保険薬局の指定の申請があった場合において、当該申請に係る病院若しくは診療所又は薬局の開設者又は管理者が、禁錮以上の刑に処せられ、その執行を終わり、又は執行を受けることがなくなるまでの者であるときは、地方社会保険医療協議会の議を経て、その指定をしないことができる。

解答14 ○　法３条７項、令和5.6.19保保発0619第１号。設問の通り正しい。なお、住民票が日本国内にあっても、海外で就労しており、日本で全く生活していないなど、明らかに日本での居住実態がないことが判明した場合は、保険者において、例外的に国内居住要件を満たさないものと判断して差し支えないものとされている。

解答15 ×　法３条７項１号、平成5.3.5保発15号・庁保発４号。設問の場合は、被保険者の母の年間収入の方が被保険者からの援助額より多いため、被扶養者には該当しない。

収入がある者についての被扶養者の認定においては、認定対象者が被保険者と同一世帯に属していない場合、認定対象者の年間収入が130万円（認定対象者が60歳以上又は概ね厚生年金保険法による障害厚生年金の受給要件に該当する程度の障害者である場合は180万円）未満であって、かつ、被保険者からの援助による収入額より少ないときには、原則として生計維持要件を満たすものとされている。

解答16 ×　法３条７項、令和3.4.30保保発0430第２号。設問の「当該夫婦双方の年間収入の差額が極めて少ない場合についても、多い方の被扶養者とされる」の部分が誤りである。夫婦双方の年間収入の差額が１割以内である場合には、被扶養者の地位の安定を図るため、届出により、主として生計を維持する者の被扶養者とする。

解答17 ○　法65条３項４号、法67条。設問の通り正しい。

問題18 ／／／
健康保険組合である保険者が開設する病院若しくは診療所又は薬局は、保険医療機関又は保険薬局としての指定を受けていなくても、当該健康保険組合の組合員である被保険者に対しては、療養の給付を行うことができる。

問題19 ／／／
指定訪問看護事業者以外の訪問看護事業を行う者について、介護保険法の規定による指定居宅サービス事業者、指定地域密着型サービス事業者又は指定介護予防サービス事業者（それぞれ一定の基準に該当するものに限る。）の指定があったときは、その指定の際、当該訪問看護事業を行う者からの別段の申出により、健康保険法の規定による指定訪問看護事業者の指定があったものとみなされる。

問題20 ／／／
厚生労働大臣は、訪問看護事業を行う者により、指定訪問看護事業者の指定の申請があった場合において、申請者が指定訪問看護事業者に係る指定を取り消され、その取消しの日から5年を経過しない者であるときは、地方社会保険医療協議会の議を経て、指定をしないことができる。

解答18　○　法63条3項3号。設問の通り正しい。

健康保険組合である保険者が開設する病院若しくは診療所又は薬局は、当該健康保険組合の組合員である被保険者に対しては、保険医療機関又は保険薬局としての指定を受けていなくても、療養の給付を行うことができる。なお、その他の被保険者に対して診療又は調剤を行うためには、保険医療機関又は保険薬局の指定を受ける必要がある。

解答19　×　法89条2項。「当該訪問看護事業を行う者からの別段の申出により」の部分が誤りである。設問の指定訪問看護事業者の指定に係るみなし規定は、当該訪問看護事業者からの別段の申出がないときに適用される。なお、当該訪問看護事業を行う者から別段の申出があったときは、設問の介護保険法の規定による指定居宅サービス事業者等の指定にかかわらず、健康保険法の規定による指定訪問看護事業者の指定のみなし規定は適用されない。

解答20　×　法89条4項4号。設問の場合には、厚生労働大臣は指定訪問看護事業者の指定をしてはならない、とされている。また、この際に地方社会保険医療協議会の議を経る必要はない。指定訪問看護事業者の指定・指定の拒否・指定の取消しについては、地方社会保険医療協議会への諮問や議を経ることは要しない。

Basic

3 報酬・標準報酬

問題 1 ／／／

労働基準法の規定に基づき支払われる解雇予告手当は、労働の対償として受けるものではないので、健康保険法上の報酬には当たらない。

問題 2 ／／／

報酬又は賞与の全部又は一部が、通貨以外のもので支払われる場合においては、その価額は、その地方の時価によって、厚生労働大臣が定めるが、健康保険組合は、当該規定にかかわらず、規約で別段の定めをすることができる。

問題 3 ／／／

標準報酬月額の最高等級の上に更に等級を加える標準報酬月額の等級区分の改定は、標準報酬月額等級の最高等級に該当する被保険者数が、3月31日において被保険者総数の1.5％を超え、その状態が継続すると認められるときに、その年の9月1日から行うことができる。ただし、改定後の標準報酬月額等級の最高等級に該当する被保険者数が、その年の3月31日現在において被保険者総数の0.5％を下回ってはならないこととされている。

問題 4 ／／／

標準報酬月額に係る定時決定は、毎年7月1日現に使用されるすべての被保険者について行われる。

進捗チェック

労基	安衛	労災	雇用	徴収

解答 1　○　法3条5項、昭和24.6.24保文発1175号。設問の通り正しい。

解答 2　○　法46条。設問の通り正しい。

ひっかけ注意　通貨以外のもので支払われる報酬又は賞与の価額は、その地方の時価によって定められるが、当該報酬又は賞与の価額を定めるのは「都道府県知事」ではないことに注意。

解答 3　○　法40条2項。設問の通り正しい。

解答 4　×　法41条1項、3項。定時決定は、毎年7月1日現に使用される被保険者のうち、次の①②に掲げる者については、その年に限り行われない。

①6月1日から7月1日までの間に被保険者の資格を取得した者

②7月から9月までのいずれかの月から随時改定、育児休業等終了時改定若しくは産前産後休業終了時改定が行われる者又は行われる予定の者

問題 5　／／／

標準報酬月額の定時決定において、報酬支払基礎日数が4月は19日、5月は18日、6月が16日である場合には、短時間労働者である場合を除き、4月から6月までの3月間に受けた報酬の額をもとに標準報酬月額が決定される。

問題 6　／／／

定時決定された標準報酬月額は、原則として、その年の8月から翌年の7月までの各月の標準報酬月額とされる。

問題 7　／／／

日、時間、出来高又は請負によって報酬が定められる被保険者に係る資格取得時の標準報酬月額は、被保険者の資格を取得した月前1月間に当該事業所で、同様の業務に従事し、かつ、同様の報酬を受ける者が受けた報酬の額を平均した額を報酬月額として決定する。

問題 8　／／／

3月1日に被保険者の資格を取得した者について資格取得時に決定された標準報酬月額は、原則として、その年の8月までの各月の標準報酬月額とされる。

進捗チェック

労基	安衛	労災	雇用	徴収

解答 5　×　法41条1項カッコ書。設問の場合は、報酬支払基礎日数が17日未満の月を除いて報酬月額を算定し、標準報酬月額を決定するので、「6月」に受けた報酬は算定の基礎に含めない。

解答 6　×　法41条2項。定時決定された標準報酬月額は、原則として、その年の9月から翌年の8月までの各月の標準報酬月額とされる。

〈標準報酬月額の有効期間〉

決定・改定	有効期間※
資格取得時決定	1/1～5/31に資格取得 →その年の8月まで 6/1～12/31に資格取得 →翌年の8月まで
定時決定	その年の9月～翌年の8月まで
随時改定 育児休業等終了時改定 産前産後休業終了時改定	1月～6月に改定→その年の8月まで 7月～12月に改定→翌年の8月まで

※各有効期間内に随時改定、育児休業等終了時改定又は産前産後休業終了時改定が行われるときは、改定月の前月までとする。

解答 7　○　法42条1項2号。設問の通り正しい。

解答 8　○　法42条2項。設問の通り正しい。資格取得時に決定された標準報酬月額は、原則として、被保険者の資格を取得した月からその年の8月（6月1日から12月31日までの間に被保険者の資格を取得した者については、翌年の8月）までの各月の標準報酬月額とされる。解答 6 大事！参照。

問題 9 ／／／

昇給等により報酬の額に変動があった月以後の継続した3か月間に報酬支払基礎日数が17日未満の月がある場合の随時改定（短時間労働者に係るものを除く。）は、その月を除いて報酬月額を算定し、標準報酬月額を改定する。

問題 10 ／／／

残業手当等の非固定的賃金に変動があったが、固定的賃金に変動がない場合は、随時改定の対象とならない。

問題 11 ／／／

育児休業等終了時改定の規定によって改定された標準報酬月額は、育児休業等終了日の翌日から起算して2か月を経過した日の属する月の翌月からその年の8月（当該翌月が7月から12月までのいずれかの月である場合は、翌年の8月）までの各月の標準報酬月額とされる。

問題 12 ／／／

残業手当の減少により、産前産後休業終了日の翌日が属する月以後3か月間の報酬総額の平均額が従前の標準報酬月額の基礎となった報酬月額と比べて変動した場合は、その変動が、基本給等の固定的賃金の変動を伴うものではないため、産前産後休業終了時改定の対象とならない。

問題 13 ／／／

特例退職被保険者の標準報酬月額は、当該特定健康保険組合が管掌する前年（1月から3月までの標準報酬月額については、前々年）の3月31日における特例退職被保険者以外の全被保険者の同月の標準報酬月額を平均した額の範囲内においてその規約で定めた額を標準報酬月額の基礎となる報酬月額とみなしたときの標準報酬月額とする。

解答 9 ×　法43条１項カッコ書。設問の場合は、随時改定は行われない。

解答 10 ○　法43条１項。設問の通り正しい。

随時改定は、固定的賃金に変動がなければ他の賃金に変動があっても対象とならない。

解答 11 ○　法43条の2,2項。設問の通り正しい。

解答 12 ×　法43条の3,1項。設問の場合は、産前産後休業終了時改定の対象となる。

随時改定は、固定的賃金に変動がなければ他の賃金に変動があっても行われないが、育児休業等終了時改定及び産前産後休業終了時改定は、固定的賃金の変動を伴う必要はなく、非固定的賃金の変動であっても行われる。

解答 13 ×　法附則３条４項。設問の「３月31日」は、正しくは「９月30日」である。

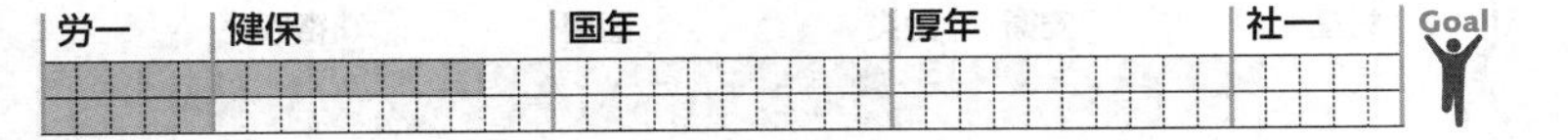

問題 14　／／／

協会管掌健康保険の適用事業所において、７月、11月及び翌年３月にそれぞれ150万円、200万円、300万円の賞与を受けた場合、標準賞与額は、７月150万円、11月200万円、翌年３月223万円となる。

進捗チェック

労基	安衛	労災	雇用	徴収

解答14　○　法45条1項。設問の通り正しい。標準賞与額は、年度（4月1日から翌年3月31日まで）の累計額で573万円が上限とされている。設問の場合は、翌年3月の賞与の支給により、累計額が573万円を超えることとなるため、累計額が573万円となるように、223万円｛573万円－(150万円＋200万円)｝が、当該月の標準賞与額として決定される。

標準賞与額の累計は、保険者単位で行われる。

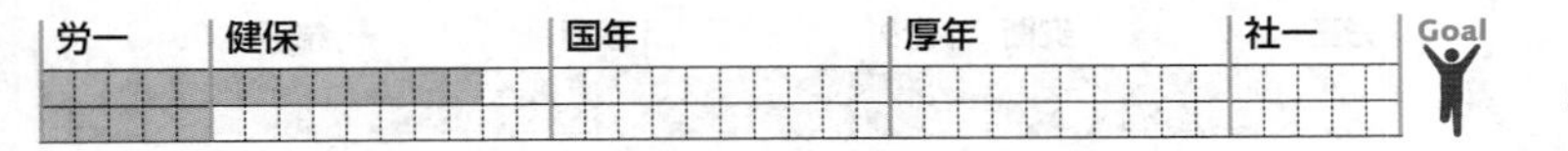

Step-Up

3 報酬・標準報酬

問題 1

／／／

退職を事由に支払われる退職金であって、退職時に支払われるもの又は事業主の都合等により退職前に一時金として支払われるものは、報酬又は賞与に該当しないが、被保険者の在職時に、退職金相当額の全部又は一部を給与や賞与に上乗せするなど前払いされる場合は、原則として、報酬又は賞与に該当する。

問題 2

／／／

毎月の通勤手当に代えて6か月ごとに通勤定期券が支給される場合における当該通勤定期券は、3か月を超える期間ごとに支給されるものであることから報酬には含まれず、賞与に該当する。

問題 3

／／／

派遣労働者に係る現物給与は、派遣元と派遣先の事業所が所在する都道府県が異なる場合は、派遣先事業所が所在する都道府県の現物給与の価額を適用し、報酬又は賞与に算入する。

解答 1　○　法3条5項、6項、平成15.10.1保保発1001002号・庁保険発1001001号。設問の通り正しい。なお、設問のように退職金相当額の全部又は一部を給与や賞与に上乗せするなど前払いされる場合は、労働の対償としての性格が明確であり、被保険者の生計にあてられる経常的な収入としての意義を有することから、原則として、報酬又は賞与に該当する。

解答 2　×　法3条5項、6項、昭和27.12.4保文発7241号。通勤手当についてその数か月分を一括して定期券により支給する場合は、単に支払上の便宜によるものであり、支給の実態は原則として毎月の通勤に対し支給され、被保険者の通常の生計費の一部にあてられているため、3か月を超える期間ごとに支給されるものであっても、「報酬」に含まれる。

解答 3　×　法46条、平成25.2.4保保発0204第1号。派遣労働者に係る現物給与は、派遣元と派遣先の事業所が所在する都道府県が異なる場合は、派遣元事業所が所在する都道府県の現物給与の価額を適用し、報酬又は賞与に算入する。

現物給与の額の適用に当たっては、被保険者の勤務地（被保険者が常時勤務する場所）が所在する都道府県の現物給与の価額を適用することを原則とし、派遣労働者については、派遣元と派遣先の事業所が所在する都道府県が異なる場合には、派遣元事業所が所在する都道府県の現物給与の価額を適用する。

問題 4
／／／

ある適用事業所において、月給制の給与の支払について、4月支給の給与から、「25日締め翌月末払い」から「25日締め当月末払い」に変更された。この変更に伴い、その年の4月支給の給与は、2月26日から3月25日までの分と、3月26日から4月25日までの分の給与となるが、定時決定においては、当該4月支給分（2月26日から4月25日までの分）の給与の額と5月支給分（4月26日から5月25日までの分）、6月支給分（5月26日から6月25日までの分）の額を対象として標準報酬月額を算定することになる。

問題 5
／／／

第49級の標準報酬月額にある者の報酬月額が、固定的賃金の引上げにより、健康保険法第43条第1項の規定により算定した額（算定月額）が1,415,000円以上となった場合には、2等級以上の差が生じたものとして取り扱われ、随時改定の対象となる。

問題 6
／／／

超過勤務手当等の非固定的賃金が廃止されたことによって、2等級以上報酬月額が下がった場合は、随時改定の対象とならない。

解答 4 × 法41条1項、令和5.6.27事務連絡。翌月払いの給与又は諸手当（給与等）が当月払いに変更された場合は、変更月に支給される給与等に重複分が発生するが、定時決定においては、制度変更後の給与等がその月に受けるべき給与等であるとみなし、変更前の給与等を除外した上で4月、5月及び6月の平均を算出し、標準報酬月額を算定する。設問の場合は、4月支給分については、2月26日から3月25日までの分を除外して、4月支給分（3月26日から4月25日までの分）、5月支給分（4月26日から5月25日までの分）、6月支給分（5月26日から6月25日までの分）の額を対象として標準報酬月額を算定し、定時決定を行うこととなる。

解答 5 ○ 法43条1項、平成30.3.1保発0301第8号。設問の通り正しい。

第49級の標準報酬月額にある者の報酬月額が昇給したことにより、その算定月額が1,415,000円以上となった場合には、2等級以上の差が生じたものとみなして随時改定が行われ、第50級の標準報酬月額に改定される。

解答 6 × 法43条1項、令和5.6.27事務連絡。設問の場合は、随時改定の対象となる。随時改定の要件のうちの「固定的賃金の変動」とは、支給額や支給率が決まっているものが変動することをいい、昇給又は降給による固定的賃金の増額又は減額、ベースアップ、ベースダウン及び賃金体系の変更による場合並びにこれらの遡及適用により差額支給がある場合を含むが、非固定的賃金の新設や廃止も賃金体系の変更に該当し、固定的賃金の変動に含まれる。

問題 7 ／／／

4月に遡って昇給が行われ、その昇給による差額が6月に支払われた場合、保険者等算定による随時改定の算定の対象となるのは、6月、7月及び8月の3か月間の昇給差額分を除いた報酬月額であり、当該昇給により標準報酬月額に2等級以上の差が生じたときには、9月から標準報酬月額が改定される。

問題 8 ／／／

「育児休業、介護休業等育児又は家族介護を行う労働者の福祉に関する法律」に規定する育児休業等を4月10日に終了し、育児休業等終了時改定が行われた被保険者は、その年の定時決定の対象とはならない。

問題 9 ／／／

新たに使用されることとなった者が、当初から自宅待機とされた場合の被保険者資格取得時の標準報酬月額の決定については、現に支払われる休業手当等に基づき報酬月額を算定し、標準報酬月額を決定する。なお、休業手当等をもって標準報酬月額を決定した後に自宅待機の状況が解消したときは、随時改定の対象とする。

進捗チェック

労基	安衛	労災	雇用	徴収

解答 7　○　法43条１項、法44条１項、平成30.3.1保発0301第８号。設問の通り正しい。設問の場合の随時改定の保険者等算定は、昇給月（６月）以後継続した３か月間（６月、７月及び８月）に受けた報酬月額（昇給差額分は除く。）を対象とし、昇給月（６月）の翌々月（８月）を法43条１項の「その著しく高低を生じた月」と解し、その翌月（９月）より行う。

解答 8　○　法41条３項、法43条の２。設問の通り正しい。育児休業等終了時改定が行われた場合、育児休業等終了日の翌日（設問では４月11日）から起算して２か月を経過した日の属する月の翌月（７月）から標準報酬月額が改定されるが、７月から９月までのいずれかの月から育児休業等終了時改定が行われる者又は行われる予定の者については、その年の定時決定の対象者から除かれるため、設問の者は、その年の定時決定の対象とはならない。

解答 9　○　法44条１項、平成15.2.25保保発022504号・庁保険発３号。設問の通り正しい。

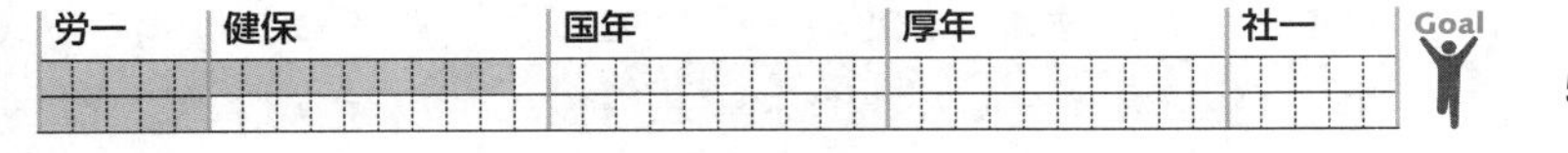

問題10

／／／

任意継続被保険者の標準報酬月額は、①当該任意継続被保険者が被保険者の資格を喪失したときの標準報酬月額、又は②前年（1月から3月までの標準報酬月額については、前々年）の9月30日における当該任意継続被保険者の属する保険者が管掌する全被保険者の同月の標準報酬月額を平均した額（健康保険組合が当該平均した額の範囲内においてその規約で定めた額があるときは、当該規約で定めた額）を標準報酬月額の基礎となる報酬月額とみなしたときの標準報酬月額のうち、いずれか少ない額とされており、当該少ない額以外の額とされることはない。

進捗チェック

労基	安衛	労災	雇用	徴収

解答10　×　法47条。任意継続被保険者の標準報酬月額は、設問の①の額及び②の額のうち、少ない方の額とすることが原則とされているが、保険者が健康保険組合である場合においては、設問の①の額が②の額を超える任意継続被保険者について、規約で定めるところにより、①の額（当該健康保険組合が②の額を超え、①の額未満の範囲内においてその規約で定めた額があるときは、当該規約で定めた額を標準報酬月額の基礎となる報酬月額とみなしたときの標準報酬月額）をその者の標準報酬月額とすることができるとされており、①及び②の額のうち、少ない方の額以外の額とされる場合もある。

Basic

4 保険給付 1 (療養の給付等)

問題 1

□/□/□

健康保険法においては、療養の給付として、①診察、②薬剤又は治療材料の支給、③処置、手術その他の治療、④居宅における療養上の管理及びその療養に伴う世話その他の看護、⑤病院又は診療所への入院及びその療養に伴う世話その他の看護、⑥移送が行われる。

問題 2

□/□/□

保険者は、災害その他の厚生労働省令で定める特別の事情がある被保険者であって、保険医療機関又は保険薬局に療養の給付に係る一部負担金を支払うことが困難であると認められるものに対して、一部負担金の減額又はその徴収の猶予の措置を採ることができるほか、その支払を免除することもできる。

問題 3

□/□/□

入院時食事療養費は、入院たる療養の給付と併せて受けた食事療養のほか、温度、照明及び給水に関する適切な療養環境の形成である療養を対象として支給される。

問題 4

□/□/□

入院時生活療養費の支給の対象となる「特定長期入院被保険者」とは、療養病床に入院する介護保険第2号被保険者である被保険者のことである。

進捗チェック

労基	安衛	労災	雇用	徴収

解答 1 × 法63条１項。設問の「⑥移送」は、健康保険の療養の給付には含まれない。

労災保険の療養の給付に含まれる「移送」は、健康保険の療養の給付に含まれていない点に注意すること。

解答 2 ○ 法75条の2,1項。設問の通り正しい。

保険者は、災害その他の厚生労働省令で定める特別の事情がある被保険者であって、保険医療機関又は保険薬局に一部負担金を支払うことが困難であると認められるものに対し、次の①～③の措置を採ることができる。

①一部負担金を減額すること。
②一部負担金の支払を免除すること。
③保険医療機関又は保険薬局に対する支払に代えて、一部負担金を直接に徴収することとし、その徴収を猶予すること。

解答 3 × 法85条１項。入院時食事療養費は、食事療養を対象として支給されるものであり、設問の温度、照明及び給水に関する適切な療養環境の形成である療養は対象としていない。

入院時生活療養費は、入院たる療養の給付と併せて受けた食事の提供である療養のほか、温度、照明及び給水に関する適切な療養環境の形成である療養を対象として支給されるものである。

解答 4 × 法63条２項１号、法85条の2,1項。入院時生活療養費の支給の対象となる「特定長期入院被保険者」とは、療養病床に入院する「65歳以上の被保険者」のことである。

問題 5　保険外併用療養費に係る患者申出療養の申出は、厚生労働大臣が定めるところにより、厚生労働大臣に対し、当該申出に係る療養を行う医療法に規定する臨床研究中核病院（保険医療機関であるものに限る。）の開設者の意見書その他必要な書類を添えて行うものとされている。

問題 6　保険者は、保険医療機関等で診療等を受けた被保険者の希望に基づき、療養の給付等に代えて、療養費を支給することができる。

問題 7　被保険者が外国で疾病にかかり、現地の医療機関で治療を受けた場合は、「療養の給付を受けることが困難なとき」に該当し、療養費の支給対象となる。

問題 8　訪問看護療養費に係る指定訪問看護とは、指定訪問看護事業者により行われる訪問看護（居宅において看護師等が行う療養上の世話又は必要な診療の補助（保険医療機関等又は介護保険法に規定する介護老人保健施設若しくは同法に規定する介護医療院によるものを除く。））をいう。

問題 9　訪問看護療養費に係る療養上の世話又は必要な診療の補助を行う者は、看護師、准看護師、保健師、助産師、理学療法士、作業療法士及び言語聴覚士とされており、医師は含まれない。

解答 5　○　法63条４項。設問の通り正しい。

解答 6　×　法87条１項。療養費は、被保険者の希望に基づき療養の給付等に代えて支給されるものではなく、①療養の給付等を行うことが困難であると認めるとき、又は②被保険者が保険医療機関等以外の病院、診療所、薬局その他の者から診療、薬剤の支給又は手当を受けた場合において、保険者がやむを得ないと認めるときに支給されるものである。

解答 7　○　法87条、昭和56.2.25保発７号・庁保発３号。設問の通り正しい。

解答 8　○　法88条１項。設問の通り正しい。

解答 9　○　法88条１項、則68条。設問の通り正しい。

訪問看護療養費に係る療養上の世話又は必要な診療の補助を行う者は、看護師、准看護師、保健師、助産師、理学療法士、作業療法士及び言語聴覚士とされている。

問題10 ／／／ 被保険者の被扶養者が、保険医療機関等のうち自己の選定するものから選定療養を受けたときは、被保険者に対し、その療養に要した費用について、保険外併用療養費が支給される。

問題11 ／／／ 6歳に達する日以後の最初の3月31日以前の被扶養者に対する療養（食事療養を除く。）について、被保険者に支給される家族療養費の給付割合は、100分の90である。

問題12 ／／／ 訪問看護療養費に係るその他の利用料は、高額療養費の対象となる一部負担金等の額に含まれる。

解答10　×　法110条1項。設問の場合には、「家族療養費」が支給される。

健康保険では、被扶養者についても、療養の給付、入院時食事療養費、入院時生活療養費、保険外併用療養費、療養費に相当する給付が行われるが、これらはすべて「家族療養費」として被保険者に対し支給される。

解答11　×　法110条2項1号ロ。設問の場合の家族療養費の給付割合は、100分の80である。

〈家族療養費の給付割合〉

被扶養者の区分		給付割合
6歳の年度末まで		100分の80
6歳の年度末過ぎ70歳未満		100分の70
70歳以上	①　被保険者が②以外	100分の80
	②　被保険者が70歳以上の一定以上所得者※	100分の70

※被保険者及びその被扶養者について厚生労働省令で定めるところにより算定した収入の額（年収）が520万円未満である場合は、申請により、給付割合が100分の80となる。

解答12　×　法115条1項、令41条1項1号カッコ書。訪問看護療養費に係るその他の利用料は、高額療養費の対象となる一部負担金等の額に含まれない。なお、訪問看護療養費に係る基本利用料は、高額療養費の対象となる一部負担金等の額に含まれる。

以下の自己負担分は高額療養費の対象とならない。
- 食事療養標準負担額
- 生活療養標準負担額
- 評価療養、患者申出療養又は選定療養に係る自己負担分
- 訪問看護療養費及び家族訪問看護療養費に係るその他の利用料

問題13 ／／／

同一の月に同一の保険医療機関等で歯科と歯科以外の両方の診療科で療養を受けた場合、高額療養費の算定上、それぞれ別個の病院で受けた療養とみなされる。

問題14 ／／／

高額療養費多数回該当の場合とは、同一世帯で、療養があった月以前の12月以内に既に高額療養費が支給されている月数が４月以上ある場合をいう。

問題15 ／／／

70歳未満の被保険者であって、標準報酬月額83万円以上の者に係る高額療養費算定基準額は、長期高額疾病（特定疾病）又は高額療養費多数回該当の場合を除き、

「252,600円＋(療養に要した費用－842,000円)×１％」

の式により算定した額とされる。なお、療養に要した費用の額が842,000円に満たない場合は、当該額を842,000円として計算する。

問題16 ／／／

70歳以上の被保険者の長期高額疾病（特定疾病）に係る高額療養費算定基準額は、原則として10,000円であるが、療養のあった月の標準報酬月額が53万円以上である場合は、人工透析治療等に限り、20,000円とされている。

解答13 ○　法115条、令43条９項、昭和48.10.17保険発95号・庁保険発18号。設問の通り正しい。

高額療養費の算定上、同一医療機関内の入院診療分と通院診療分は、別個の医療機関とみなされる。

解答14 ×　法115条、令42条１項１号カッコ書。高額療養費多数回該当の場合とは、同一世帯で、療養があった月以前の12月以内に既に高額療養費（一定のものを除く。）が支給されている月数が「３月」以上ある場合をいう。高額療養費多数回該当の場合には、４月目以降に支給される高額療養費について、更に負担が軽減された高額療養費算定基準額が適用される。

解答15 ○　法115条、令41条１項、令42条１項２号。設問の通り正しい。

設問の者に係る高額療養費多数回該当の場合の高額療養費算定基準額は、140,100円である。

解答16 ×　法115条、令41条９項、令42条９項１号。70歳以上の被保険者の長期高額疾病（特定疾病）に係る高額療養費算定基準額は、当該疾病の種類及び当該被保険者の所得にかかわらず、10,000円である。

70歳未満の被保険者の長期高額疾病に係る高額療養費算定基準額は、標準報酬月額が53万円以上である者であって、人工透析治療等に係る療養を受けるものの場合は20,000円、それ以外の者の場合は10,000円である。

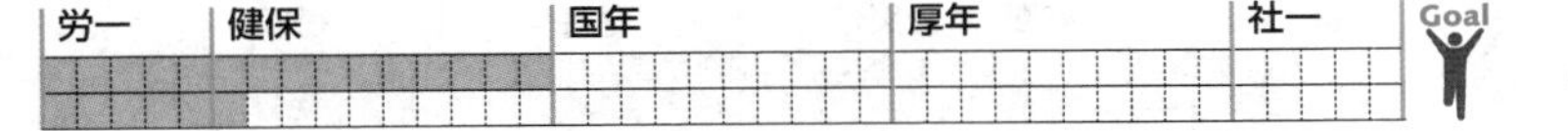

問題17 ／／／ 高額介護合算療養費の計算期間は、４月１日から翌年の３月31日までの１年間とされている。

問題18 ／／／ 日雇特例被保険者が療養の給付を受けるためには、初めて療養の給付を受ける日の属する月の前２月間に通算して26日分以上又は前６月間に通算して78日分以上の保険料を納付していなければならない。

問題19 ／／／ 日雇特例被保険者が療養の給付を受けようとするときは、日雇特例被保険者手帳を保険医療機関等のうち自己の選定するものに提出して、そのものから受けるものとされている。

解答17 × 法115条の2、令41条の2,1項、令43条の2,1項1号。高額介護合算療養費の計算期間は、「8月1日から翌年の7月31日」までの1年間とされている。

解答18 ○ 法129条2項1号。設問の通り正しい。

解答19 × 法129条4項。日雇特例被保険者が療養の給付を受けようとするときは、「受給資格者票」を保険医療機関等のうち、自己の選定するものに提出して、そのものから受けなければならない。

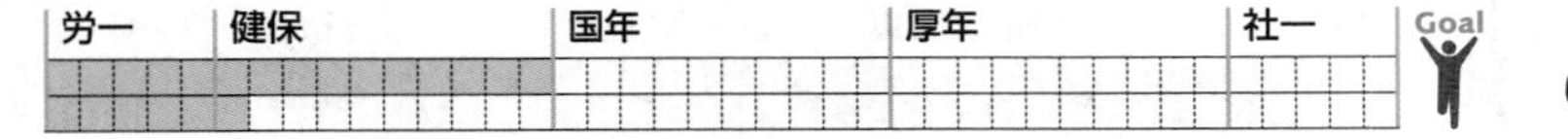

Step-Up

4 保険給付 1 (療養の給付等)

問題 1 ／／／

被保険者が、医師の手当を必要とする異常出産の場合に保険医療機関等において手当を受けたときであっても、療養の給付として取り扱われない。

問題 2 ／／／

健康診断は、療養の給付の対象として行ってはならないとされているが、健康診断の結果保険医が特に治療を必要と認めた場合は、その後の診察については、療養の給付の対象となる。

問題 3 ／／／

被保険者が震災、風水害、火災その他これらに類する災害により、住宅、家財又はその他の財産について著しい損害を受けたことによりその生活が困難となった場合において、保険者が必要と認めるときに採ることができる一部負担金の徴収の猶予の措置は、当該被保険者の申請により、6月以内の期間を限って行われる。

問題 4 ／／／

70歳以上の被保険者が保険医療機関又は保険薬局から療養の給付を受ける場合において、療養の給付を受ける月の当該被保険者の標準報酬月額が30万円であって、当該被保険者及びその70歳以上の被扶養者の収入の額が年間540万円であるときは、その旨を申請することによって、当該療養の給付に係る一部負担金の割合は、100分の20となる。

解答 1 × 法63条1項、昭和17.1.28社発82号。被保険者が、医師の手当を必要とする異常出産の場合に保険医療機関等において手当を受けたときは、療養の給付として取り扱われる。

被保険者が、医師の手当を必要とする異常出産の場合に保険医療機関等において手当を受けたときには、療養の給付として取り扱われるが、正常出産の場合は、医師の手当を受けても療養の給付の対象とならない。

解答 2 ○ 法63条1項、保険医療機関及び保険医療養担当規則20条1号ハ。設問の通り正しい。

解答 3 ○ 法75条の2,1項、則56条の2、平成18.9.14保保発0914001号。設問の通り正しい。

解答 4 × 法74条1項3号、令34条、則56条。一定以上所得者に関する申請による一部負担割合軽減の特例は、70歳以上の被扶養者がある者については、当該被扶養者の収入も含めて年収の額が520万円に満たないときに適用される。したがって、設問の場合には、当該特例は適用されず、一部負担割合は、「100分の30」である。

問題 5　入院時食事療養費に係る食事療養標準負担額は、1食につき460円が原則である。

問題 6　被保険者が、保険医療機関から入院時食事療養費に係る療養を受けた場合、当該被保険者に支給すべき入院時食事療養費は、当該保険医療機関に対して支払うものとされている。

問題 7　入院時生活療養費に係る生活療養標準負担額は、難病の患者に対する医療等に関する法律に規定する指定難病の患者については、食費の負担はなく、居住費のみの負担となる。

問題 8　自己負担割合が3割である被保険者が、保険医療機関で保険診療と選定療養を併せて受け、その療養に要した費用が、保険診療部分が35万円、選定療養部分が15万円であるとき、被保険者は保険診療の自己負担額と選定療養に要した費用を合わせて25万5千円を当該保険医療機関に支払うことになる。

解答 5　×　法85条2項、則58条、令和6.3.5厚労告65号。食事療養標準負担額は1食につき「490円」が原則である。なお、1日の食事療養標準負担額は、3食に相当する額を限度とする。

これも覚える！　低所得者以外の者であって、児童福祉法に規定する小児慢性特定疾病児童等又は難病の患者に対する医療等に関する法律に規定する指定難病の患者については、1食につき280円である。また、低所得者であって、減額申請を行った月以前12か月以内の入院日数が90日以下のときは1食につき230円、90日を超えるときは180円であり、また、70歳以上で判定基準所得がない者については1食につき110円である。

解答 6　○　法85条5項、則57条。設問の通り正しい。入院時食事療養費は、実際には保険者が被保険者に代わり保険医療機関等に支払う現物給付の方式で支給される。

解答 7　×　法85条の2,1項、2項、則62条の3,5号、令和6.3.5厚労告65号。難病の患者に対する医療費等に関する法律に規定する指定難病の患者についての生活療養標準負担額は、居住費の負担はなく、食費のみの負担となる。

解答 8　○　法86条2項。設問の通り正しい。設問の場合、保険診療部分の3割に当たる10万5千円と選定療養部分の全額（15万円）を合わせた25万5千円を、当該保険医療機関に支払うことになる。

ひっかけ注意⚠　設問の場合、保険診療に要した費用と選定療養に要した費用を合わせた額の3割を支払うのではないことに注意。

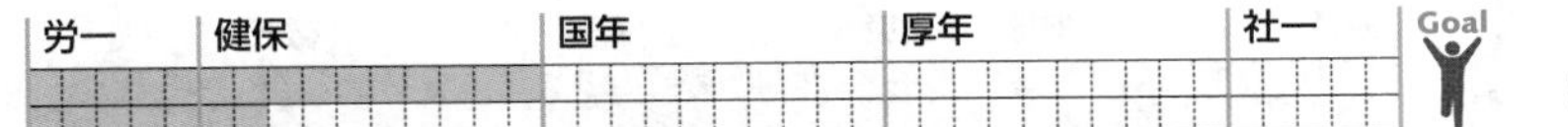

問題 9
／／／

厚生労働大臣が定める方法により計算した入院期間が150日を超えた日以後の入院及びその療養に伴う世話その他の看護（厚生労働大臣が定める状態等にある者の入院及びその療養に伴う世話その他の看護を除く。）は、保険外併用療養費の支給対象となる選定療養とされる。

問題 10
／／／

被保険者が、他の病院からの文書による紹介により病床数200以上の病院において受けた初診は、保険外併用療養費の対象となる選定療養には該当しない。

問題 11
／／／

手術に伴い輸血を受ける場合、その輸血の際に生血を購入した場合には療養の給付として現物給付されるが、保存血については、その血液料金は、療養費の対象となる。

問題 12
／／／

海外出張中の被保険者が海外の病院で療養を受けた場合、その療養費の支給申請は、原則として事業主を経由して行い、事業主が代理受領することとなっているが、当該療養費の支給額の算定に用いる邦貨換算率は、当該療養費の支給決定日における外国為替換算率を用いる。

解答 9　×　法63条２項５号、法86条１項、令和6.3.27厚労告122号。設問の「150」は、正しくは「180日」である。

解答 10　○　法63条２項５号、法86条１項、令和6.3.27厚労告122号。設問の通り正しい。

病床数200以上の病院において他の病院又は診療所からの文書による紹介なしに受けた初診（緊急その他やむを得ない事情がある場合に受けたものを除く。）は、保険外併用療養費の対象となる選定療養に該当する。

解答 11　×　法63条１項、法87条１項、昭和14.5.13社医発336号。設問は、保存血と生血の取り扱いが逆となっている。手術に伴い輸血を受ける場合、保存血については療養の給付として現物給付の対象とされるが、輸血の際に生血を購入した場合は、その血液料金は、療養費の対象となる。

解答 12　○　法87条、平成11.3.30保険発39号・庁保険発７号。設問の通り正しい。

現に海外にある被保険者からの療養費の支給申請は、原則として事業主等を経由して行い、その受領も事業主等が代理して行うものとし、保険者から国外への送金は行わない。また、療養費の支給額の算定に用いる邦貨換算率は、支給決定日における外国為替換算率を用いる。

問題13　／／／

訪問看護療養費が支給される指定訪問看護の対象者は、疾病又は負傷により居宅において継続して療養を受ける状態にある者のうち、病状が安定せず、又はこれに準ずる状態にあり、かつ、居宅において看護師等が行う療養上の世話及び必要な診療の補助を要すると主治の医師が認めた者とされる。

問題14　／／／

被保険者の被扶養者が保険医療機関等のうち自己の選定するものから療養を受けたときは、被保険者に対し、その療養に要した費用について家族療養費が支給されるが、当該被保険者が死亡した場合には、その翌日から当該家族療養費は支給されない。

問題15　／／／

67歳の被保険者の被扶養者（71歳）が保険医療機関等で療養（食事療養及び生活療養を除く。）を受け、当該療養を受けた月の被保険者の標準報酬月額が28万円以上である場合、当該被扶養者に係る家族療養費の給付割合は100分の70となるが、当該被扶養者の収入も含めて年収の額が520万円未満であれば、申請により家族療養費の給付割合は100分の80となる。

解答13　×　法88条１項、則67条。訪問看護療養費が支給される指定訪問看護の対象者は、疾病又は負傷により居宅において継続して療養を受ける状態にある者のうち、病状が「安定し」、又はこれに準ずる状態にあり、かつ、居宅において看護師等が行う療養上の世話及び必要な診療の補助を要すると主治の医師が認めたものとされる。

解答14　○　法110条１項、昭和27.10.3保文発5383号。設問の通り正しい。なお、家族療養費は、被保険者に対して支給されるものであり、被保険者が死亡した場合は、死亡日の翌日に被保険者の資格を喪失するため、死亡当日については家族療養費の支給は行われる。

解答15　×　法110条１項、２項１号ハ。設問の場合は、被保険者が70歳未満であるので、家族療養費の給付割合はもともと100分の80であり、年収による負担軽減措置の適用の余地はない。なお、被保険者、被扶養者共に、70歳以上である場合は、被保険者が一定以上所得者（療養を受ける月の標準報酬月額が28万円以上）に該当しないときは、給付割合は100分の80であり、一定以上所得者に該当する場合は、100分の70であるが、当該被扶養者の収入も含めて年収の額が520万円未満であれば、申請により100分の80となる。

問題 16 ／／／

高額療養費の多数回該当について、健康保険組合が管掌する健康保険の被保険者から協会が管掌する健康保険の被保険者に変わる等、管掌する保険者が変わった場合は、双方の保険者で受けた高額療養費の支給回数は通算されない。

問題 17 ／／／

標準報酬月額が53万円である51歳の被保険者（被扶養者はないものとする。）が、同一の月に同一の医療機関において入院療養を受け、当該月の入院療養（食事療養を除く。）に係る一部負担金等の額が300,000円であった場合、高額療養費算定基準額は254,180円である。なお、長期高額疾病（特定疾病）及び高額療養費の多数回該当の場合には当たらないものとする。

解答16　○　法115条１項、令42条１項、平成19.3.7保保発0307005号。設問の通り正しい。

高額療養費の多数回該当について、実際の回数の通算に当たっては、次の通りである。

① 転職等により管轄する年金事務所が変わった場合
　転職等により管轄の年金事務所が変わった場合においても、協会が管掌する健康保険の被保険者として支給された回数は通算される。

② 転職等により管掌する保険者が変わった場合
　健康保険組合管掌健康保険の被保険者から協会管掌健康保険の被保険者に変わる等、管掌する保険者が変わった場合には、支給回数は通算されない。

解答17　×　法74条１項１号、法115条、令41条１項、令42条１項３号。設問の場合の高額医療費は、「171,820円」である。設問の被保険者は、70歳未満で所得区分が「標準報酬月額53万円以上83万円未満」に該当するので、高額療養費算定基準額は、「167,400円＋（療養に要した費用－558,000円）×１％」により算定される。また、一部負担金等の額が300,000円であり、負担割合が３割であることから、療養に要した費用は300,000円÷0.3＝1,000,000円となる。したがって、高額療養費算定基準額は、167,400円＋（1,000,000円－558,000円）×１％＝171,820円となる。

問題18 ／／／

標準報酬月額が62万円の一定以上所得者である72歳の被保険者（被扶養者はないものとする。）が、同一の月に同一の医療機関において入院療養を受け、当該月の入院療養（食事療養及び生活療養を除く。）に要した費用は600,000円であり、一部負担金等の額は180,000円であった。この場合、当該月の高額療養費は、96,570円である。なお、長期高額疾病（特定疾病）及び高額療養費の多数回該当の場合には当たらないものとする。

問題19 ／／／

70歳以上の一般所得者である被保険者が外来療養を受けた場合、月間の高額療養費に係る高額療養費算定基準額は、18,000円である。

問題20 ／／／

高額介護合算療養費が支給されるためには、高額療養費が支給されていることが必要である。

問題21 ／／／

日雇特例被保険者が、療養の給付を受けることができる期間は、疾病又は負傷につき受けた療養の給付等の開始の日から１年間（結核性疾病については、５年間）である。

問題22 ／／／

８月１日に日雇特例被保険者となって初めて日雇特例被保険者手帳の交付を受けた者は、その年の10月31日まで特別療養費の支給を受けることができる。

解答 18 × 法115条、令41条3項、令42条3項3号。設問の場合の高額療養費は、「12,180円」である。70歳以上の一定以上所得者であって、標準報酬月額が53万円以上83万円未満である被保険者についての高額療養費算定基準額は、「167,400円＋（療養に要した費用－558,000円）× 1 ％」により算定される。したがって、設問の場合の高額療養費算定基準額は、167,400円＋（600,000円 －558,000円）× 1 ％＝167,820円となり、高額療養費は、180,000円－167,820円＝12,180円となる。

解答 19 ○ 法115条、令41条5項、令42条5項1号。設問の通り正しい。

解答 20 × 法115条の2,1項、令43条の2。高額介護合算療養費が支給されるために、高額療養費が支給されていることが要件とされているわけではない。

解答 21 ○ 法129条2項、昭和59.9.28厚告158号。設問の通り正しい。

解答 22 × 法145条1項1号。設問の者は、月の初日に当該手帳の交付を受けたので、8月1日から2か月間、すなわちその年の「9月30日」まで特別療養費の支給を受けることができることとなる。

初めて日雇特例被保険者手帳の交付を受けた者は、その交付を受けた日の属する月の初日から起算して3か月（月の初日に当該手帳の交付を受けた者については、2か月）間、特別療養費の支給を受けることができる。

5 保険給付 2（傷病手当金等・資格喪失後の給付等）

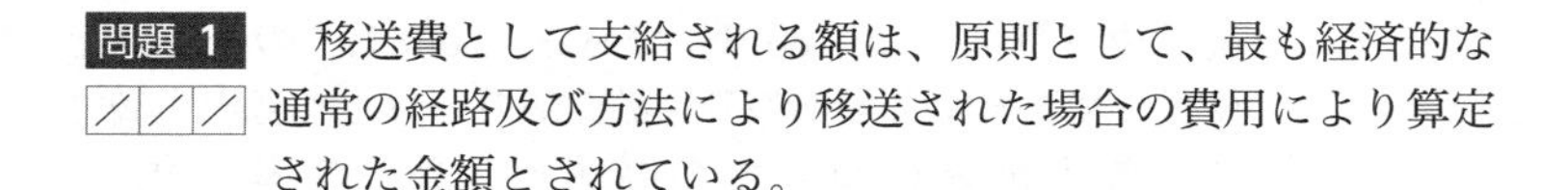

問題 1 ／／／

移送費として支給される額は、原則として、最も経済的な通常の経路及び方法により移送された場合の費用により算定された金額とされている。

問題 2 ／／／

被保険者が、自費による診察を受けるため、病院又は診療所に移送された場合は、一定の要件を満たしていれば、移送費の支給対象となる。

問題 3 ／／／

傷病手当金は、被保険者（一定の者を除く。）が療養のために労務に服することができないときに、その労務に服することができない日の3日目から、労務に服することができない期間支給されるものである。

問題 4 ／／／

療養のため労務に服することができない期間中にその事業所の公休日がある場合、当該公休日についても傷病手当金の支給期間に含まれる。

問題 5 ／／／

同一の傷病に関する傷病手当金の支給期間は、その支給を始めた日から通算して1年6か月間とされている。

問題 6 ／／／

出産手当金の支給要件を満たす者が傷病手当金の支給要件を満たす場合は、傷病手当金の支給が優先され、その受けることができる傷病手当金の額を出産手当金が上回る場合に限り、その差額が出産手当金として支給される。

解答 1　○　法97条１項、則80条。設問の通り正しい。なお、移送費の額は、現に移送に要した費用の額を超えることができない。

解答 2　×　法97条１項。移送費は、被保険者が療養の給付（保険外併用療養費に係る療養を含む。）を受けるために病院等に移送された場合において、保険者が必要と認めるときに支給されるものであり、自費による診察を受けた場合は、支給対象とならない。

解答 3　×　法99条１項。傷病手当金は、被保険者（一定の者を除く。）が療養のため労務に服することができないときに、その労務に服することができなくなった日から起算して３日を経過した日から労務に服することができない期間支給されるものであるので、労務に服することができない日の「４日目」からの支給となる。

解答 4　○　法99条１項、昭和2.2.5保理659号。設問の通り正しい。

健保

解答 5　○　法99条４項。設問の通り正しい。

ひっかけ注意　「１年６か月間」は、「その支給を始めた日」から通算するのであって、「その療養を開始した日」から通算するのではない。

解答 6　×　法103条１項。出産手当金の支給要件を満たす者が傷病手当金の支給要件を満たす場合、出産手当金の支給が優先され、その受けることができる出産手当金の額を傷病手当金の額が上回る場合に限り、その差額が傷病手当金として支給される。

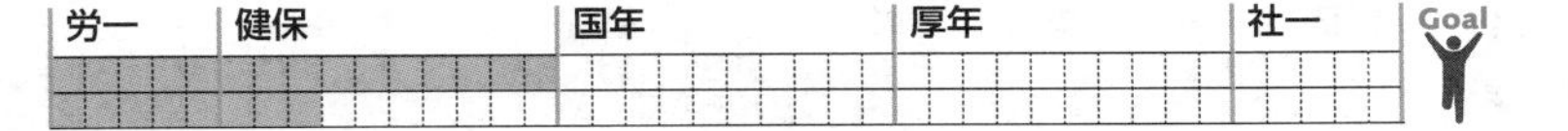

問題 7
／／／
被保険者が死亡した場合において、当該被保険者により生計を維持していないが、同一世帯にある弟が埋葬を行ったときは、当該弟に対して埋葬料が支給される。

問題 8
／／／
出産育児一時金が支給されるのは、妊娠４か月以上の出産に限られる。

問題 9
／／／
被保険者が出産し、所定の要件に該当した場合には、50万円に３万円を超えない範囲内で保険者が定める金額を加算した金額の出産育児一時金が支給される。

問題 10
／／／
被保険者の被扶養者が出産したときは、被扶養者に対して、家族出産育児一時金が支給される。

進捗チェック

労基	安衛	労災	雇用	徴収

解答 7 × 法100条。埋葬料は、被保険者が死亡したときに、その者により生計を維持していた者であって、埋葬を行うものに対し、支給されるものであるため、設問の場合には、弟に対して埋葬料は支給されない。

これも覚える! 埋葬料の支給を受けるべき者がないときは、実際に埋葬を行った弟に対し、埋葬料の金額（5万円）の範囲内においてその埋葬に要した費用に相当する金額（埋葬費）が支給される。

※本書でいう「埋葬費」は実務上の用語であり、法律上は「埋葬に要した費用に相当する金額」と表現されている。

解答 8 ○ 法101条、昭和27.6.16保文発2427号。設問の通り正しい。

大事! 妊娠4か月以上の出産であれば、生産、死産、早産、流産（人工流産を含む。）いずれを問わず、出産育児一時金が支給される。

解答 9 × 法101条、令36条。被保険者が出産し、所定の要件を満たした場合には、「48万8千円」に3万円を超えない範囲内で保険者が定める金額を加算した金額の出産育児一時金が支給される。なお、「所定の要件」とは、産科医療補償制度に加入する医療機関等による医学的管理の下で、在胎週数が22週に達した日以後の出産（死産を含む。）であることとされている。また、「3万円を超えない範囲内で保険者が定める金額」は、現在1万2千円であるので、実際には50万円が支給される。

解答10 × 法114条。家族出産育児一時金は、「被扶養者」ではなく「被保険者」に対して支給されるものである。

問題11 ／／／

出産手当金は、被保険者が出産した場合に、出産の日（出産の日が出産の予定日後であるときは出産予定日）以前42日（多胎妊娠のときは98日）から出産の日後56日までの間において、労務に服さなかった期間に対し支給される。

問題12 ／／／

被保険者の資格を喪失した日の前日まで引き続き１年以上被保険者（任意継続被保険者又は共済組合の組合員である被保険者を含む。）であった者であって、その資格を喪失した際に傷病手当金の支給を受けているものは、被保険者として受けることができるはずであった期間、継続して同一の保険者から傷病手当金の支給を受けることができる。

問題13 ／／／

資格喪失後の埋葬料は、被保険者であった者が資格喪失後の傷病手当金又は出産手当金の継続給付の支給を受けている間に死亡した場合に限り支給される。

問題14 ／／／

被保険者の資格を喪失した後の傷病手当金の継続給付を受けていた者が船員保険の被保険者となったときは、その継続給付は行われなくなる。

問題15 ／／／

日雇特例被保険者が出産した場合において、出産育児一時金を受けるためには、その出産の日の属する月前２か月間に通算して26日分以上又は前６月間に通算して78日分以上の保険料が、その者について納付されていなければならない。

解答 11 ○ 法102条1項。設問の通り正しい。出産手当金は、「労務に服さなかった期間」に対し支給される。なお、出産日当日は、産前に含まれる。

ひっかけ注意 傷病手当金は、「労務に服することができない期間」に対し支給される。違いに注意すること。

解答 12 × 法104条。設問文のカッコ内が誤りである。資格喪失後の傷病手当金の支給要件である「被保険者の資格を喪失した日の前日までの1年以上被保険者」であった期間には、任意継続被保険者又は共済組合の組合員である被保険者であった期間は含まれない。

解答 13 × 法105条。資格喪失後の埋葬料は、被保険者であった者が資格喪失後の傷病手当金又は出産手当金の継続給付を受けていた期間中に死亡した場合のみでなく、資格喪失後の傷病手当金又は出産手当金の継続給付を受けなくなった日後3月以内に死亡した場合、及び被保険者の資格を喪失した日後3月以内に死亡した場合にも支給される。

解答 14 ○ 法107条。設問の通り正しい。

解答 15 × 法137条。日雇特例被保険者が出産した場合において、出産育児一時金を受けるためには、その出産の日の属する月前「4か月間に通算して26日分以上」の保険料が、その者について納付されていなければならない。

日雇特例被保険者本人の出産に関しては、支給要件が緩和されている。

健保

問題16
／／／

日雇特例被保険者に係る傷病手当金の支給期間は、同一の疾病又は負傷及びこれにより発した疾病に関しては、その支給を始めた日から起算して６か月（結核性疾病に関しては１年６か月）を超えないものとされている。

問題17
／／／

被保険者が、自己の故意の犯罪行為により給付事由を生じさせたときは、当該給付事由に係る保険給付の全部又は一部を行わないことができる。

問題18
／／／

被保険者に係る療養の給付又は入院時食事療養費、入院時生活療養費、保険外併用療養費、療養費、訪問看護療養費、家族療養費若しくは家族訪問看護療養費の支給は、同一の疾病又は負傷について、介護保険法の規定によりこれらに相当する給付を受けることができる場合には、行わない。

問題19
／／／

保険者は、偽りその他不正の行為により保険給付を受けた者に対して、６か月以内の期間を定め、その者に支給すべき傷病手当金又は出産手当金の全部又は一部を支給しない旨の決定をすることができる。ただし、偽りその他不正の行為があった日から１年を経過したときは、その決定をすることができない。

解答16　○　法135条３項、昭和59.9.28厚告158号。設問の通り正しい。

解答17　×　法116条。設問の場合には、当該給付事由に係る保険給付は「行わない」こととされている。なお、故意に給付事由を生じさせたときも同様である。

「故意の犯罪行為」が絶対的給付制限の対象となる点が健康保険法の特徴である。

解答18　○　法55条２項。設問の通り正しい。

解答19　○　法120条。設問の通り正しい。設問の給付制限の対象となるのは、「傷病手当金又は出産手当金」に限られている。

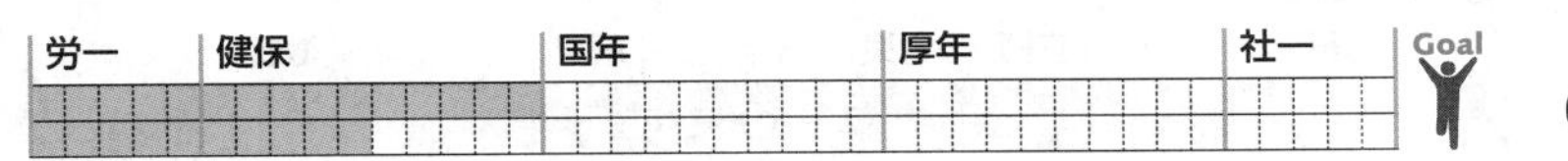

Step-Up

5 保険給付 2（傷病手当金等・資格喪失後の給付等）

問題 1 ／／／

移送費は、通院など一時的、緊急的とは認められないときは、支給されない。

問題 2 ／／／

移送費は、医師、看護師等の付添人については、医学的管理が必要であったと医師が判断する場合に限り、人数に関わりなくその交通費を算定することとされている。

問題 3 ／／／

被保険者が、傷病手当金の支給を受けた後いったん労務に服し、再び同一の疾病又は負傷により労務に服することができなくなった場合は、当該労務不能となった日から起算して3日を経過した日から再度傷病手当金が支給される。

問題 4 ／／／

被保険者が就業中の午後3時頃になって虫垂炎を発症し、そのまま入院した場合、その日について報酬の全部が支払われていても、傷病手当金の待期期間の起算日はその入院した日となる。

問題 5 ／／／

被保険者が療養の給付を受ける場合に、保険医がその傷病は休業を要する程度のものではないと認定しても、被保険者の住所が診療所から遠隔地にあり、通院のため、事実上休業しなければならない場合、その休業は、広義に解して「療養のため労務に服することができない」ものとして、傷病手当金の支給が認められる。

解答 1　○　法97条１項、則81条、平成6.9.9保険発119号・庁保険発９号。設問の通り正しい。

解答 2　×　法97条１項、平成6.9.9保険発119号・庁保険発９号。移送費は、医師、看護師等の付添人については、医学的管理が必要であったと医師が判断する場合に限り、原則として１人までの交通費を算定することとされている。

解答 3　×　法99条１項、昭和2.3.11保理1085号。設問の場合には、当該労務不能となった「日」から再度傷病手当金が支給される。

傷病手当金の待期は、疾病又は負傷につき最初に療養のため労務不能となった場合にのみ適用され、その後労務に服し、同一の疾病又は負傷につきさらに労務不能となった場合は、適用されない。

解答 4　○　法99条１項、昭和28.1.9保文発69号。設問の通り正しい。

大事!

就業時間中に労務に服することができない状態になった場合は、その日に報酬の全部又は一部を受けていたか否かに関わらず、待期はその日から起算する。なお、労務に服することができない状態になったときが業務終了後である場合は、その翌日から起算する。

解答 5　○　法99条１項、昭和2.5.10保理2211号。設問の通り正しい。

健保

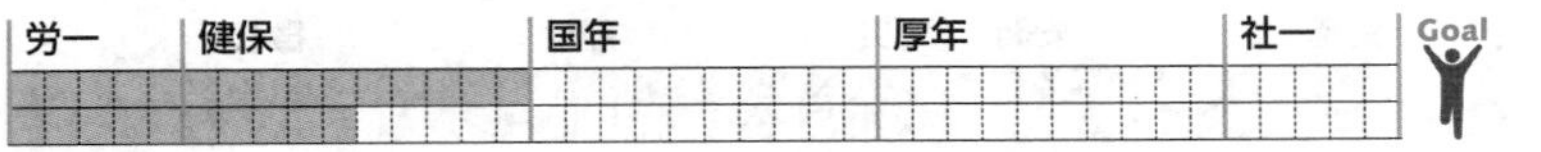

問題 6　／／／

　報酬が支払われたために傷病手当金が支給されなかった期間があった場合、その期間については、傷病手当金の支給期間は減少しない。

問題 7　／／／

　傷病手当金の支給額の算定に当たり、傷病手当金の支給を始める日の属する月以前の直近の継続した12月以内に、当該被保険者の健康保険を管掌する保険者に異動があった場合は、異動前に属していた保険者等により定められていた標準報酬月額は、傷病手当金の額の算定に用いない。

問題 8　／／／

　被保険者が自殺した場合、自殺による死亡は故意に基づく事故であるので、給付制限の対象となる。

進捗チェック

労基	安衛	労災	雇用	徴収

解答 6　○　法99条４項、則84条の３、令和3.12.27事務連絡。設問の通り正しい。傷病手当金の支給期間（支給開始日から通算１年６月間）は、傷病手当金が支払われるごとに減少し、残りの支給期間が０となる日に満了するが、設問のように、報酬、障害年金や出産手当金等との調整により不支給となった期間については、傷病手当金の支給期間は減少しない。

・報酬、障害年金又は出産手当金等の額が傷病手当金の支給額を下回るために傷病手当金の一部が支給される場合には、支給期間は減少する。
・出産手当金を支給すべき場合において傷病手当金が支払われたことにより、出産手当金の内払とみなされた場合には、支給期間は減少する。

解答 7　○　法99条２項。設問の通り正しい。傷病手当金の額の算定の対象となる標準報酬月額は、「被保険者が現に属する保険者等により定められたものに限る。」とされているため、直近の継続した12月間に保険者の異動があれば、前に属していた保険者等により定められた標準報酬月額は傷病手当金の額の算定に用いない。

解答 8　×　法100条１項、昭和26.3.19保文発721号。自殺による死亡は故意に基づく事故ではあるが、死亡は絶対的な給付事由であるとともに、埋葬料は被保険者であった者により生計を維持していた者で埋葬を行うものに対して支給される性質のものであるため、故意に基づく事故とせず、埋葬料を支給するものとされている。

問題 9
／／／

埋葬料の支給を受けるべき者がないときは、埋葬を行った者に対し埋葬料の金額の範囲内で埋葬に要した費用に相当する金額が支給されるが、その中には、僧侶に対する謝礼も含まれる。

問題10
／／／

被保険者が妊娠8月で死産した場合、妊娠4月以上の出産に当たるため出産育児一時金は支給され、家族埋葬料も支給される。

問題11
／／／

6月21日が出産予定日（多胎妊娠ではないものとする。）である被保険者が、同年4月20日に勤務していた適用事業所を退職し、被保険者資格を喪失した場合、資格喪失日の前日（同年4月20日）において引き続き1年以上被保険者（任意継続被保険者又は共済組合の組合員である被保険者を除く。）であれば、資格喪失後に出産手当金の継続給付を受けることができる。

解答 9　○　法100条２項、昭和2.2.28保理765号。設問の通り正しい。

埋葬費の支給対象とされる費用は、具体的には、霊柩代、霊柩車代、火葬料、葬式の際の供物代、僧侶の謝礼などである。

解答 10　×　法101条、法113条、昭和23.12.2保文発898号。設問の場合は、出産育児一時金は支給されるが、家族埋葬料は支給されない。

妊娠４か月以上の出産であれば、生産、死産、早産、流産（人工流産を含む。）いずれを問わず出産育児一時金は支給されるが、死産児は被扶養者に該当しないので家族埋葬料は支給されない。

解答 11　×　法104条、平成18.8.18事務連絡。設問の場合は、出産手当金の継続給付を受けることはできない。出産手当金の継続給付が支給されるためには、出産予定日の42日前の日が資格喪失日の前日以前であり、継続給付の要件を満たしている必要がある。設問の場合は、出産予定日の42日前の日が５月11日であり、資格喪失日の前日（４月20日）以前ではないため、出産手当金の継続給付は支給されない。

大事！

出産手当金の継続給付は、資格喪失の時点で現に出産手当金の支給を受けているか、又は受け得る状態でなければ支給されない。したがって、資格喪失日の前日において出産手当金の支給期間内でなければ、出産手当金の継続給付が支給されることはない。

問題12　被保険者の資格喪失後継続して傷病手当金の支給を受けている者が、一旦稼働し傷病手当金が不支給となった場合は、その後当該傷病により再び労務不能となっても、傷病手当金の支給は復活されない。

問題13　日雇特例被保険者に対する傷病手当金の支給に当たっては、労務不能となった際にその原因となった傷病について療養の給付を受けていることを必要とし、かつ、労務不能期間を通じて、当該傷病につき療養の給付を受けている必要がある。

問題14　日雇特例被保険者に係る出産手当金の額は、１日につき、出産の日の属する月前４か月間の保険料が納付された日に係る当該日雇特例被保険者の標準賃金日額の各月ごとの合算額のうち最大のものの45分の１に相当する金額である。

問題15　被保険者が刑事施設、労役場その他これらに準ずる施設に拘禁されたときは、疾病、負傷又は出産につき、その期間に係る保険給付（傷病手当金及び出産手当金の支給にあっては、厚生労働省令で定める場合に限る。）は行わないが、被扶養者に関する保険給付は行われる。

解答12　○　法104条、昭和26.5.1保文発1346号。設問の通り正しい。資格喪失後に継続して支給される傷病手当金は、あくまでも継続して支給されるものであり、断続しては受けられない。したがって、一旦傷病手当金の支給が打ち切られたときは、その支給は復活されない。

ひっかけ注意　被保険者に対して支給される傷病手当金は、一旦症状が軽くなり、傷病手当金が支給されなくなっても、当該傷病により再度労務不能となったときは、支給期間内である限り、支給が再開される。

解答13　×　法135条１項、平成15.2.25保発0225001号・庁保発１号。日雇特例被保険者に対する傷病手当金の支給に当たっては、労務不能となった際にその原因となった傷病について療養の給付を受けていることが必要とされるが、労務不能期間を通じて当該傷病につき療養の給付を受けている必要はない。

解答14　○　法138条２項。設問の通り正しい。

ひっかけ注意　日雇特例被保険者に係る出産手当金の額は、１日につき、出産の日の属する月前４か月間の保険料が納付された日に係る当該日雇特例被保険者の標準賃金日額の各月ごとの合算額のうち最大のものの45分の１に相当する金額であり、当該「合算額を平均した額」の45分の１ではないことに注意する。

解答15　○　法118条１項２号、２項。設問の通り正しい。被保険者が刑事施設、労役場その他これらに準ずる施設に拘禁されたときは、疾病、負傷又は出産につき、その期間に係る保険給付（傷病手当金及び出産手当金の支給にあっては、厚生労働省令で定める場合に限る。）は行わないが、死亡に関する給付は行われる。また、被扶養者に関する保険給付については、設問の通り制限されない。

問題16

／／／

　保険者は、傷病手当金の支給を行うにつき必要があると認めるときは、労災保険法、国家公務員災害補償法又は地方公務員災害補償法若しくは同法に基づく条例の規定により給付を行う者に対し、当該給付の支給状況につき、必要な資料の提供を求めることができる。

解答16　○　法55条２項、法128条２項。設問の通り正しい。

Basic

6 費用の負担・保険料

問題 1
／／／

国庫は、毎年度、健康保険事業の執行に要する費用のうち、高齢者の医療の確保に関する法律の規定による特定健康診査等の実施に要する費用の額に1000分の130から1000分の200までの範囲内において政令で定める割合（当分の間、原則として1000分の164）を乗じて得た額を負担するものとされている。

問題 2
／／／

出産育児一時金、出産手当金及び家族出産育児一時金の支給に要する費用の一部については、高齢者の医療の確保に関する法律の規定により社会保険診療報酬支払基金が保険者に対して交付する出産育児交付金を充てることとされている。

問題 3
／／／

協会管掌健康保険において、保険給付のうち、埋葬料、埋葬費、家族埋葬料、出産手当金、出産育児一時金及び家族出産育児一時金の支給に要する費用については、国庫補助は行われない。

問題 4
／／／

一般保険料率は、基本保険料率と特定保険料率とを合算した率をいうが、そのうち、特定保険料率とは、前期高齢者納付金等及び後期高齢者支援金等並びに流行初期医療確保拠出金等に要する費用に充てるための保険料に係る率をいう。

解答 1　×　法154条の２。特定健康診査等の実施に要する費用については、設問のような国庫による負担は規定されていない。国庫は、予算の範囲内において、健康保険事業の執行に要する費用のうち、高齢者の医療の確保に関する法律の規定による特定健康診査等の実施に要する費用の一部を補助することができるものとされている。

解答 2　×　法152条の２。出産育児交付金は、出産育児一時金及び家族出産育児一時金の支給に要する費用の一部に充てられるが、出産手当金の支給に要する費用には充てられない。

解答 3　×　法153条１項、法154条１項。「出産手当金」については、国庫補助が行われる。

保険給付のうち、出産育児一時金、家族出産育児一時金、埋葬料、埋葬費、家族埋葬料については、国庫補助は行われない。

解答 4　○　法156条１項１号、法160条14項。設問の通り正しい。なお、特定保険料率は、各年度において保険者が納付すべき前期高齢者納付金等の額及び後期高齢者支援金等の額並びに流行初期医療確保拠出金等の額（協会が管掌する健康保険及び日雇特例被保険者の保険においては、その額から国庫補助額を控除した額）の合算額（前期高齢者交付金がある場合には、これを控除した額）を当該年度における当該保険者が管掌する被保険者の総報酬額の総額の見込額で除して得た率を基準として、保険者が定める。

基本保険料率とは、一般保険料率から特定保険料率を控除した率を基準として保険者が定める率である。

問題 5
□□□

保険料の算定は、月を単位とし、原則として被保険者資格取得日の属する月から被保険者資格喪失日の属する月の前月までの各月について算定される。

問題 6
□□□

事業主は、前月から引き続き被保険者である者が6月30日に退職した場合は、被保険者の負担すべき5月の標準報酬月額に係る保険料のみを、その者に通貨をもって支払う報酬から控除することができる。

問題 7
□□□

任意継続被保険者は、保険料の全額を自分で負担し、各月の保険料はその月の10日（初めて納付すべき保険料については保険者が指定する日）までに納付しなければならない。

問題 8
□□□

被保険者と事業主は、それぞれ保険料額の2分の1を負担することになっているが、健康保険組合においては、規約で事業主の負担割合を保険料額の2分の1よりも増加することができる。

問題 9
□□□

前月から引き続き任意継続被保険者である者が、刑事施設、労役場その他これらに準ずる施設に拘禁された場合には、拘禁された月以後、拘禁が解かれた月の前月までの期間、保険料は徴収されない。

解答 5 ○　法156条１項、３項。設問の通り正しい。

保険料の算定は、月を単位とし、原則として被保険者資格取得日の属する月から被保険者資格喪失日の属する月の前月までの各月について算定する。

解答 6 ×　法156条３項、法167条１項。被保険者がその月の最終日（設問の場合は６月30日）に退職した場合には、翌月初日（７月１日）が資格喪失日となるので、その月の分（６月分）までの保険料が徴収されることとなり、また、前月及びその月の標準報酬月額に係る保険料を同時に報酬から控除することができる。したがって、設問の場合は、被保険者の負担すべき５月及び「６月」の標準報酬月額に係る保険料を同時に通貨をもって支払う報酬から控除することができる。

解答 7 ○　法161条１項ただし書、法164条１項ただし書。設問の通り正しい。

任意継続被保険者については、各月の保険料は、初めて納付すべきものを除き、「その月」の10日までに納付しなければならないのであり、「翌月」の10日までではないことに注意。

健保

解答 8 ○　法161条１項、法162条。設問の通り正しい。

健康保険組合は、規約で事業主の負担すべき一般保険料額又は介護保険料額の負担割合を増加させることはできるが、被保険者の負担割合を増加させることはできない。

解答 9 ×　法118条１項２号、法158条カッコ書。設問の場合には、保険料は徴収される。

任意継続被保険者及び特例退職被保険者には、保険料の免除に係る規定は適用されない。

問題10　□□□　一般の被保険者が育児休業等をしている期間中の保険料は、その育児休業等を開始した日の属する月とその育児休業等が終了する日の翌日が属する月が同一であり、かつ、その月における育児休業等の日数として厚生労働省令で定めるところにより計算した日数が14日以上である場合は、当該被保険者を使用する事業主の申出に基づき、その月に限り、免除される。

問題11　□□□　保険料は、納付義務者が強制執行を受ける場合には、納期前であっても、すべて徴収することができる。

問題12　□□□　協会又は健康保険組合が、保険料等を滞納する者に対して国税滞納処分の例により処分を行った場合には、厚生労働大臣に届け出なければならない。

解答10　○　法159条1項2号。設問の通り正しい。なお、育児休業等の期間が1月以下である者については、標準報酬月額に係る保険料に限り、免除の対象となる。

設問の場合のほか、育児休業等を開始した日の属する月とその育児休業等が終了する日の翌日が属する月とが異なる場合の育児休業等期間中の保険料免除の対象となるのは、育児休業等を開始した日の属する月からその育児休業等が終了する日の翌日が属する月の前月までの月とされている。

解答11　○　法172条1号ロ。設問の通り正しい。

解答12　×　法180条4項、5項。協会又は健康保険組合が、保険料等を滞納する者に対して国税滞納処分の例により処分を行う場合には、「厚生労働大臣の認可を受けなければならない」とされている。

Step-Up

6 費用の負担・保険料

問題 1

健康保険組合に対して交付される国庫負担金は、各健康保険組合の被保険者数を基準として厚生労働大臣が算定することとされており、当該国庫負担金については、概算払をすることができる。

問題 2

都道府県単位保険料率は、支部被保険者を単位として、療養の給付等に要する費用、前期高齢者納付金等、後期高齢者支援金等、流行初期医療確保拠出金等、保健事業及び福祉事業に要する費用の額等に照らし、3事業年度ごとに、財政の均衡を保つことができるものとなるように政令で定めるところにより算定する。

問題 3

協会は、支部被保険者及びその被扶養者の年齢階級別の分布状況と協会が管掌する健康保険の被保険者及びその被扶養者の年齢階級別の分布状況との差異によって生ずる療養の給付等に要する費用の額の負担の不均衡並びに支部被保険者の総報酬額の平均額と協会が管掌する健康保険の被保険者の総報酬額の平均額との差異によって生ずる財政力の不均衡を是正するため、政令で定めるところにより、支部被保険者を単位とする健康保険の財政の調整を行うものとされている。

問題 4

厚生労働大臣は、都道府県単位保険料率が、当該都道府県における健康保険事業の収支の均衡を図る上で不適当であり、協会が管掌する健康保険の事業の健全な運営に支障があると認めるときは、直ちに当該都道府県単位保険料率を変更することができる。

進捗チェック
労基 安衛 労災 雇用 徴収

解答 1　○　法152条。設問の通り正しい。

解答 2　×　法160条３項。「３事業年度ごとに」の部分が誤りである。都道府県単位保険料率は、「毎事業年度において」財政の均衡を保つことができるものとなるように政令で定めるところにより算定される。

解答 3　○　法160条４項。設問の通り正しい。当該規定は、保険料率を都道府県単位でそのまま設定した場合、年齢構成の高い都道府県ほど医療費が高いため保険料率も高くなり、また、所得水準の低い都道府県ほど同じ医療費でも保険料率が高くなることから、年齢構成や所得水準の違いを都道府県間で調整した上で、地域の医療費を反映させて都道府県単位保険料率を設定するために設けられている。

解答 4　×　法160条10項、11項。設問の場合、厚生労働大臣は、直ちに都道府県単位保険料率を変更することができるのではなく、協会に対し、相当の期間を定めて、当該都道府県単位保険料率の「変更の認可を申請すべきことを命ずる」ことができるとされている。なお、協会が当該期間内に申請をしないときは、厚生労働大臣は、社会保障審議会の議を経て、当該都道府県単位保険料率を変更することができるとされている。

問題 5 介護保険料率は、各年度において保険者が納付すべき介護納付金（日雇特例被保険者に係るものを除く。）の額を当該年度における当該保険者が管掌する被保険者の総報酬額の総額の見込額で除して得た率を基準として、保険者が定める。

問題 6 前月から引き続き被保険者である者が、6月5日に賞与を支給され、その後同月20日に退職した場合、事業主は当該賞与に係る保険料を納付する義務はない。

問題 7 前月から引き続き一般の被保険者である者が、5月30日に退職し、その後任意継続被保険者となった場合には、4月分の保険料は、一般の被保険者に関する保険料として算定され、5月分からの保険料は、任意継続被保険者に関する保険料として算定される。

問題 8 被保険者に対して支払うべき報酬がないため、被保険者が負担すべき保険料を報酬から控除できない場合には、事業主は、被保険者が負担すべき保険料額の限度において、保険料を納付する義務を免れる。

解答 5　×　法160条16項。介護保険料率は、各年度において保険者が納付すべき介護納付金（日雇特例被保険者に係るものを除く。）の額を当該年度における当該保険者が管掌する「介護保険第2号被保険者である被保険者」の総報酬額の総額の見込額で除して得た率を基準として、保険者が定める。

解答 6　○　法156条3項、法161条2項、法164条1項。設問の通り正しい。前月から引き続き被保険者である者が、被保険者の資格を喪失した場合は、その喪失した日（設問の場合は6月21日）の属する月分の保険料は算定しない。したがって、設問の資格喪失月において支払われた賞与は、それが被保険者の資格を喪失する前に支払われたものであっても保険料の賦課の対象とはされない。

解答 7　○　法156条3項、法157条1項、昭和2.2.29保理643号。設問の通り正しい。任意継続被保険者の資格を取得する日とは、一般の被保険者の資格を喪失した日であるので、設問の場合は、退職日の翌日である5月31日に一般の被保険者の資格を喪失し、任意継続被保険者の資格を取得する。また、保険料は、原則として被保険者資格取得日の属する月から被保険者資格喪失日の属する月の前月までの各月について算定されるため、設問の場合は、4月分までは一般の被保険者に関する保険料として算定され、任意継続被保険者となった月である5月分からは、任意継続被保険者に関する保険料として算定される。

解答 8　×　法161条2項、昭和2.2.14保理218号、昭和4.1.18事発125号。事業主は、被保険者に対して支払うべき報酬がないため保険料を控除することができない場合であっても、被保険者が負担すべき保険料を納付する義務を負う。

問題 9 ／／／

保険者等は、納付義務者の納付した被保険者に関する保険料額が当該納付義務者の納付すべき保険料額を超えていることを知ったときは、その超過部分に関する納付を、その納付の日の翌日から6か月以内の期日に納付されるべき保険料について納期を繰り上げてしたものとみなすことができる。

問題10 ／／／

6月1日に任意継続被保険者の資格を取得した者が、7月から翌年の3月までの期間について保険料を前納しようとする場合は、前納しようとする額を7月10日までに払い込まなければならない。

問題11 ／／／

協会は、被保険者が介護保険第2号被保険者に該当しない場合であっても、その者が介護保険第2号被保険者である被扶養者を有するときは、当該被保険者に関する保険料額を一般保険料額と介護保険料額との合算額とすることができる。

問題12 ／／／

保険者等が督促をした場合に徴収する延滞金の割合は、原則として、当該督促が保険料に係るものであるときは、納期限の翌日から3か月を経過する日までの期間について軽減されるが、各年の延滞税特例基準割合が年7.3%の割合に満たないときは、当該督促が保険料以外の徴収金に係るものである場合についても軽減されることとなる。

解答 9　○　法164条２項。設問の通り正しい。

解答10　×　法165条１項、４項、令48条、則139条１項。設問の場合は、資格取得月が６月であり、７月から翌年３月までの期間について保険料を前納しようとしているので、前納に係る保険料を「６月30日」までに払い込まなければならない。

任意継続被保険者の保険料の前納に係る期間は、６か月間（４月から９月まで若しくは10月から翌年３月まで）又は12か月間（４月から翌年３月まで）を単位とし、当該６か月間又は12か月間の期間内に任意継続被保険者の資格を取得した者については、資格取得月の翌月以降の期間の保険料について前納することができる。また、任意継続被保険者が、保険料を前納しようとするときは、前納しようとする額を前納に係る期間の初月の前月末日までに払い込まなければならない。

解答11　×　法附則７条１項。協会は、設問の被保険者に介護保険料額の負担を求めることはできない。設問の介護保険料額の負担に係る取扱いは、組合管掌健康保険においてのみ行うことができる。

解答12　○　法181条１項、法附則９条。設問の通り正しい。

各年の延滞税特例基準割合が年7.3％の割合に満たないときは、その年中においては、保険料に係る延滞金の割合であって、納期限の翌日から３か月を経過する日までの期間に係るもの（年7.3％）及びそれ以外の場合の割合（年14.6％）についてのみならず、保険料以外の徴収金に係る延滞金の割合であって、納期限の翌日から徴収金完納又は財産差押えの日の前日までの期間に係るもの（年14.6％）についても、軽減されることになる。

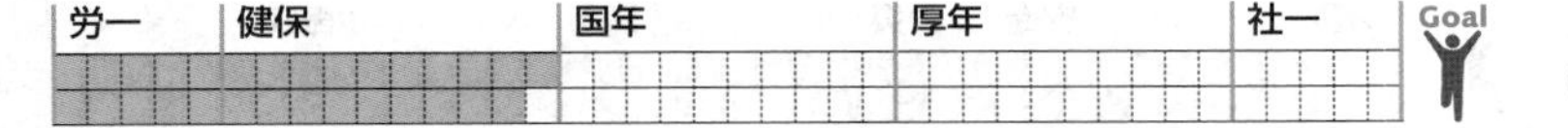

問題13　／／／

厚生労働大臣が協会に滞納者に係る保険料の徴収を行わせることとした場合において、協会が滞納者に係る保険料を徴収したときは、その徴収した額に相当する額については、政府から協会に対し、交付されたものとみなされる。

問題14　／／／

合併により設立された健康保険組合又は合併後存続する健康保険組合のうち一定の要件に該当する合併に係るもの(「地域型健康保険組合」という。）は、当該合併が行われた日の属する年度及びこれに続く3箇年度に限り、1000分の30から1000分の130までの範囲内において、不均一の一般保険料率を決定することができる。

解答13　○　法181条の3,4項。設問の通り正しい。

厚生労働大臣は、協会と協議を行い、効果的な保険料の徴収を行うために必要があると認めるときは、協会に保険料の滞納者に関する情報その他必要な情報を提供するとともに、当該滞納者に係る保険料の徴収を行わせることができる。

解答14　×　法附則3条の2,1項。設問の「3箇年度」は、正しくは「5箇年度」である。

合併前の健康保険組合の設立事業所がいずれも同一の都道府県の区域にあり、かつ、合併前の健康保険組合に、指定健康保険組合などの事業運営の基盤の安定が必要と認められる健康保険組合として厚生労働省令で定めるものを含むものを地域型健康保険組合といい、合併年度及びその後の5箇年度に限り、不均一の一般保険料率を設定することができる。

Basic

7 時効・不服申立て等

問題 1

／／／

保険料等を徴収し、又はその還付を受ける権利は、これらを行使することができる時から2年を経過したときは、時効によって消滅し、保険給付を受ける権利は、これを行使することができる時から5年を経過したときは、時効によって消滅する。

問題 2

／／／

埋葬料を受ける権利は、埋葬を行った日の翌日から起算して2年で時効により消滅する。

問題 3

／／／

被保険者の資格、標準報酬又は保険給付に関する処分に不服がある者は、社会保険審査官に対して審査請求をすることができるが、審査請求をした日から2か月以内に決定がないときは、審査請求人は、社会保険審査官が審査請求を棄却したものとみなすことができる。

問題 4

／／／

事業主は、健康保険に関する書類を、その完結の日から3年間保存しなければならない。

問題 5

／／／

事業主が、正当な理由がなくて被保険者の資格の取得若しくは喪失又は報酬月額若しくは賞与額に関する事項について保険者等に届出をせず、又は虚偽の届出をしたときは、6か月以下の懲役又は50万円以下の罰金に処せられる。

解答 1　×　法193条１項。保険給付を受ける権利も、これを行使することができる時から「２年」を経過したときは、時効によって消滅する。

保険料等を徴収し、又はその還付を受ける権利及び保険給付を受ける権利は、これらを行使することができる時から２年を経過したときは、時効によって消滅する。

解答 2　×　法193条１項、昭和3.4.16保理4147号。埋葬料を受ける権利の時効の起算日は、「埋葬を行った日の翌日」ではなく、「給付事由発生日（死亡した日）の翌日」である。

埋葬料と埋葬費（埋葬に要した費用に相当する金額）の時効の起算日を比較して覚えよう。

・埋葬料…給付事由発生日（死亡した日）の翌日
・埋葬費…埋葬を行った日の翌日

解答 3　○　法189条１項、２項。設問の通り正しい。

解答 4　×　則34条。事業主は、健康保険に関する書類を、その完結の日から「２年間」保存しなければならない。

解答 5　○　法208条１号。設問の通り正しい。

Step-Up

7 時効・不服申立て等

問題 1 ／／／

保険者は、保健福祉事業に支障がない場合に限り、被保険者等でない者に、これらの事業を利用させることができるが、この場合、これらの事業の利用者に対し、厚生労働省令で定めるところにより、利用料を請求しなければならない。

問題 2 ／／／

被保険者がコルセットを装着した場合の療養費の請求権は、コルセットの代金を支払った日の翌日から起算して2年を経過したときは、時効により消滅する。

問題 3 ／／／

傷病手当金は、労務に服することができない期間の所得保障であることから、課税対象となる収入に含まれる。

問題 4 ／／／

被保険者の資格、標準報酬又は保険給付に関する処分に不服がある者は、社会保険審査官に対して審査請求をすることができるが、この場合の「処分に不服がある者」とは、被保険者に限られる。

問題 5 ／／／

保険料等の賦課若しくは徴収の処分又は滞納処分に不服がある者は、社会保険審査会に対して審査請求をすることができる。ただし、当該審査請求は、原則として、その処分があったことを知った日の翌日から起算して3か月を経過したときは、することができない。

解答 1 × 法150条6項。被保険者等でない者に係る保健福祉事業の利用料は、「請求しなければならない」とされているのではなく、「請求することができる」とされている。

解答 2 ○ 法193条1項、昭和31.3.13保文発1903号。設問の通り正しい。設問の場合の療養費の請求権の消滅時効は、コルセットの代金を支払った日の翌日（療養費の請求権が発生し、かつ、これを行使し得るに至った日の翌日）から進行する。

解答 3 × 法62条。租税その他の公課は、保険給付として支給を受けた金品を標準として課することはできず、傷病手当金も同様である。

解答 4 × 法189条1項。設問の「処分に不服がある者」とは、審査請求の対象たる処分によって直接に権利を侵害された者をいい、被保険者に限らない。

解答 5 ○ 法190条、社審法32条2項。設問の通り正しい。

国民年金法

200問

1 目的等・被保険者等
2 費用の負担等
3 老齢基礎年金
4 障害基礎年金・遺族基礎年金
5 寡婦年金等・給付の通則等
6 国民年金基金等

Basic

1 目的等・被保険者等

問題 1
／／／
国民年金法は、労働者の老齢、障害又は死亡について保険給付を行い、労働者及びその遺族の生活の安定と福祉の向上に寄与することを目的とする。

問題 2
／／／
国民年金は、国民年金法第1条の目的を達成するため、国民の業務外の老齢、障害又は死亡に関して必要な給付を行うものとする。

問題 3
／／／
国民年金事業は、日本年金機構が管掌する。

問題 4
／／／
国民年金法において、「政府及び実施機関」とは、厚生年金保険の実施者たる政府及び実施機関たる共済組合等をいう。

問題 5
／／／
国民年金の強制加入被保険者のうち、国籍要件が問われるのは、第1号被保険者のみである。

解答 1　×　法1条。設問文は、厚生年金保険法の目的条文である。

大事！

国民年金制度は、日本国憲法第25条第2項に規定する理念に基き、老齢、障害又は死亡によって国民生活の安定がそこなわれることを国民の共同連帯によって防止し、もって健全な国民生活の維持及び向上に寄与することを目的とする。

解答 2　×　法2条。国民年金の給付は、業務上、業務外を問わず行われる。

解答 3　×　法3条1項。国民年金事業は、「政府」が管掌する。

解答 4　○　法5条8項。設問の通り正しい。なお、国民年金法において、「実施機関たる共済組合等」とは、厚生年金保険の実施機関たる国家公務員共済組合連合会、地方公務員共済組合連合会又は日本私立学校振興・共済事業団をいう。実施機関たる共済組合等は、毎年度、基礎年金の給付に要する費用に充てるため、基礎年金拠出金を納付する。

解答 5　×　法7条1項。強制加入被保険者（第1号被保険者、第2号被保険者及び第3号被保険者）は、いずれも国籍要件は問われない。

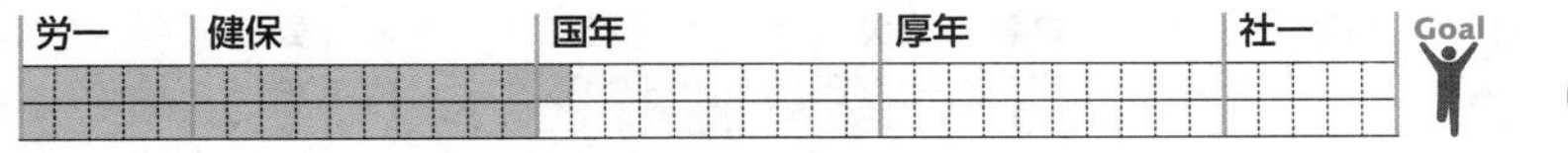

問題 6 ／／／ 国民年金の強制加入被保険者のうち、国内居住要件が問われるのは、第２号被保険者のみである。

問題 7 ／／／ 国民年金法において、被扶養配偶者のうち20歳以上60歳未満のものは、第３号被保険者となる。

問題 8 ／／／ 日本国内に住所を有する60歳以上65歳未満の者（第２号被保険者を除く。）は、日本国籍を有しない限り、任意加入被保険者となることはできない。

問題 9 ／／／ 昭和40年４月１日以前に生まれた任意加入被保険者が65歳に達した場合において、老齢又は退職を支給事由とする年金給付の受給権を有しないときは、特例による任意加入被保険者となる申出があったものとみなす。

解答 6 × 法7条1項。第2号被保険者は国内居住要件は問われない。強制加入被保険者のうち、国内居住要件が問われるのは、第1号被保険者及び第3号被保険者である。なお、第3号被保険者については、日本国内に住所を有する者でなくても、外国において留学をする学生その他の日本国内に住所を有しないが渡航目的その他の事情を考慮して日本国内に生活の基礎があると認められる者として厚生労働省令で定める者であれば、第3号被保険者に該当し得る。

解答 7 ○ 法7条1項3号。設問の通り正しい。第3号被保険者となるのは、被扶養配偶者のうち20歳以上60歳未満の者である。

「被扶養配偶者」とは、第2号被保険者の配偶者（日本国内に住所を有する者又は外国において留学をする学生その他の日本国内に住所を有しないが渡航目的その他の事情を考慮して日本国内に生活の基礎があると認められる者として厚生労働省令で定める者に限る。）であって主として第2号被保険者の収入により生計を維持するもの（第2号被保険者である者その他国民年金法の適用を除外すべき特別の理由がある者として厚生労働省令で定める者を除く。）をいう。

解答 8 × 法附則5条1項2号。日本国内に住所を有する者が任意加入被保険者になろうとするときは、日本国籍の有無は問われない。

解答 9 ○ (6)法附則11条3項、(16)法附則23条3項。設問の通り正しい。

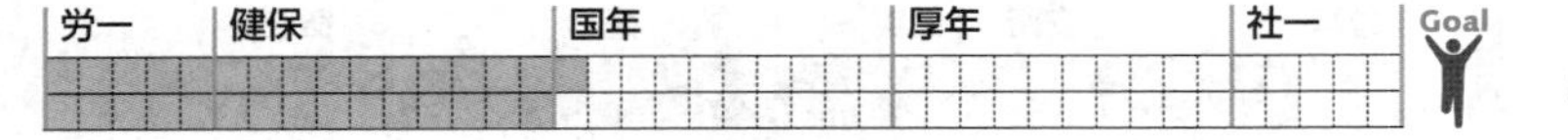

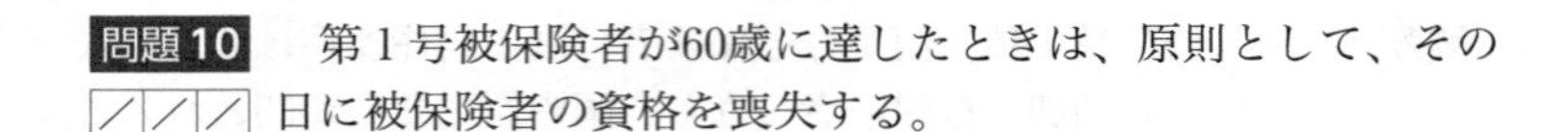

問題10　第1号被保険者が60歳に達したときは、原則として、その日に被保険者の資格を喪失する。

問題11　第2号被保険者は、厚生年金保険の被保険者の資格を喪失したときは、原則として、その日に、被保険者の資格を喪失する。

問題12　第3号被保険者が被扶養配偶者でなくなったときは、原則として、その日の翌日に被保険者の資格を喪失する。

問題13　日本国内に住所を有する60歳以上65歳未満の任意加入被保険者が保険料を滞納し、その後、保険料を納付することなく2年間が経過した場合には、当該2年間が経過した日の翌日に当該被保険者の資格を喪失する。

問題14　任意加入被保険者が、当該被保険者の資格を喪失する旨の申出をしたときには、当該申出が受理された日の翌日に当該被保険者の資格を喪失する。

問題15　被保険者期間を計算する場合には、月によるものとし、被保険者の資格を取得した日の属する月の翌月からその資格を喪失した日の属する月までをこれに算入する。

解答10 ○ 法9条3号。設問の通り正しい。第1号被保険者が60歳に達したとき（第2号被保険者に該当するときを除く。）は、その日に被保険者の資格を喪失する。第3号被保険者が60歳に達したときも同様である。

解答11 ○ 法9条5号。設問の通り正しい。第2号被保険者は、厚生年金保険の被保険者の資格を喪失したとき（第1号被保険者、第2号被保険者又は第3号被保険者に該当するときを除く。）は、その日に、被保険者の資格を喪失する。

解答12 ○ 法9条6号。設問の通り正しい。

解答13 × 法附則5条6項4号、7項。日本国内に住所を有する任意加入被保険者については、その者が保険料を滞納し、督促状の指定期限までにその保険料を納付しない場合は、その指定期限の日の翌日に被保険者の資格を喪失するとされている。

解答14 × 法附則5条4項、5項3号、(6)法附則11条5項、6項5号、(16)法附則23条5項、6項5号。設問の場合、申出が受理された日に、被保険者の資格を喪失する。

解答15 × 法11条1項。被保険者期間を計算する場合には、月によるものとし、被保険者の資格を取得した日の属する月からその資格を喪失した日の属する月の前月までをこれに算入する。

これも覚える! 被保険者がその資格を取得した日の属する月にその資格を喪失したときは、原則として、その月を1箇月として被保険者期間に算入する。

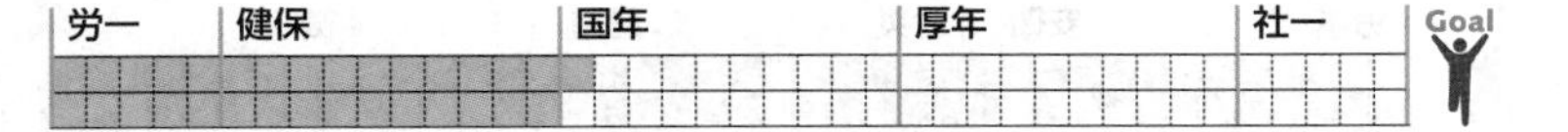

問題16 ／／／

第1号被保険者は、その資格の取得及び喪失、種別の変更に関する事項、氏名及び住所の変更に関する事項について日本年金機構に届け出なければならない。

問題17 ／／／

第1号被保険者の属する世帯の世帯主は、当該第1号被保険者に代って、その資格の取得及び喪失並びに種別の変更等に関する事項について、届け出なければならない。

問題18 ／／／

第1号厚生年金被保険者である第2号被保険者を使用する事業所の事業主は、当該第2号被保険者の被扶養配偶者である第3号被保険者の届出の経由に係る事務の全部又は一部を、当該事業主が設立する健康保険組合に委託することができる。

問題19 ／／／

第3号被保険者に係る資格の取得等の届出が遅滞した場合には、原則として、当該届出が行われた日の属する月の前々月までの3年間のうちにある第3号被保険者としての被保険者期間に限り、保険料納付済期間に算入する。

問題20 ／／／

第1号被保険者は、産前産後期間の保険料免除の規定により保険料を納付することを要しないこととされる場合には、所定の事項を記載した届書を市町村長に提出しなければならないが、当該届出は、出産の予定日の6月前から行うことができる。

解答16 × 法12条1項。第1号被保険者は、設問の事項について「日本年金機構」ではなく、「市町村長（特別区の区長を含む。）」に届け出なければならない。

解答17 × 法12条2項。第1号被保険者の属する世帯の世帯主は、設問の事項について、届け出ることができると規定されている。

解答18 × 法12条8項。設問の事業主が、当該事業主が設立する健康保険組合に委託することができるのは、設問の届出の経由に係る事務の「一部」である。

解答19 × 法附則7条の3,1項。設問の場合、原則として、届出が行われた日の属する月の前々月までの2年間のうちにある第3号被保険者としての被保険者期間について、保険料納付済期間に算入する。

解答20 ○ 則73条の7,1項、3項。設問の通り正しい。

問題21　年金たる給付の受給権者のうち、厚生労働大臣が住民基本台帳法の規定により当該受給権者に係る機構保存本人確認情報の提供を受けることができる者の死亡について、受給権者の死亡の日から14日以内に当該受給権者に係る戸籍法の規定による死亡の届出をした場合には、国民年金法の規定による死亡の届出は、行うことを要しない。

／／／

進捗チェック

労基	安衛	労災	雇用	徴収

解答21　×　法105条４項、則24条５項、６項他。国民年金法の規定による死亡の届出を省略できるのは、受給権者の死亡の日から「７日以内」に当該受給権者に係る戸籍法の規定による死亡の届出をした場合である。

これも覚える！　年金たる給付の受給権者のうち、厚生労働大臣が住民基本台帳法の規定により当該受給権者に係る機構保存本人確認情報の提供を受けることができる者の「氏名変更の届出」及び「住所変更の届出」についても、省略が認められている。

Step-Up

1 目的等・被保険者等

問題 1

／／／

国民年金事業の事務の一部は、政令の定めるところにより、法律によって組織された共済組合、国家公務員共済組合連合会、地方公務員共済組合連合会又は日本私立学校振興・共済事業団にのみ行わせることができる。

問題 2

／／／

政府は、少なくとも２年ごとに、保険料及び国庫負担の額並びに国民年金法による給付に要する費用の額その他の国民年金事業の財政に係る収支についてその現況及び財政均衡期間における見通し（「財政の現況及び見通し」という。）を作成しなければならない。

問題 3

／／／

国民年金法において、「保険料４分の１免除期間」とは、第１号被保険者としての被保険者期間であって同法第90条の２第３項の規定によりその４分の１の額につき納付することを要しないものとされた保険料（納付することを要しないものとされた４分の１の額以外の４分の３の額につき納付されたものに限る。）に係るもののうち、同法第94条第４項（追納）の規定により納付されたものとみなされる保険料に係る被保険者期間を除いたものを合算した期間をいう。

問題 4

／／／

厚生年金保険法に基づく障害厚生年金又は遺族厚生年金の受給権者は、第１号被保険者とならない。

進捗チェック

労基	安衛	労災	雇用	徴収

解答 1 × 法3条2項。国民年金事業の事務の一部は、設問のもののほかに、「全国市町村職員共済組合連合会」に行わせることもできる。

解答 2 × 法4条の3,1項。政府は、少なくとも5年ごとに、設問の財政の現況及び見通しを作成しなければならない。

解答 3 ○ 法5条6項。設問の通り正しい。

解答 4 × 法7条1項1号。厚生年金保険法に基づく障害厚生年金又は遺族厚生年金の受給権者であっても、所定の要件を満たすことにより第1号被保険者となる。

第1号被保険者とならないのは、「厚生年金保険法に基づく老齢給付等」を受けることができる者その他国民年金法の適用を除外すべき特別の理由がある者として厚生労働省令で定める者である。

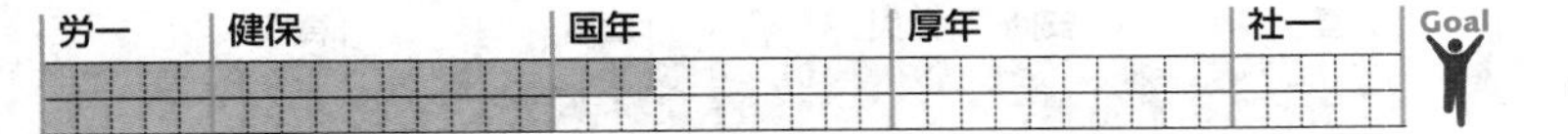

問題 5
／／／

厚生年金保険の被保険者は、その者の年齢等にかかわらず、すべて国民年金の第２号被保険者となる。

問題 6
／／／

20歳以上60歳未満の被扶養配偶者は、その者が厚生年金保険法に基づく老齢給付等を受けることができる場合であっても、第３号被保険者となり得る。

問題 7
／／／

第３号被保険者の資格要件に係る主として第２号被保険者の収入により生計を維持することの認定は、健康保険法、国家公務員共済組合法、地方公務員等共済組合法及び私立学校教職員共済法における被扶養者の認定の取扱いを勘案して全国健康保険協会が行う。

問題 8
／／／

厚生年金保険の在職老齢年金を受給する65歳以上の厚生年金保険の被保険者の収入によって生計を維持するその者の配偶者（日本国内に住所を有する者とする。）は、20歳以上60歳未満であっても、第３号被保険者とならない。

問題 9
／／／

任意加入の申出を行おうとする場合には、当該申出を行う者が日本国内に住所を有するか否かにかかわらず、保険料について口座振替納付を希望する旨の申出又は口座振替納付によらない正当な事由に該当する旨の申出を厚生労働大臣に対してしなければならない。

解答 5　×　法7条1項2号、法附則3条。厚生年金保険の被保険者のうち、「老齢又は退職を支給事由とする年金たる給付であって政令で定めるものの受給権を有する65歳以上の者」は、第2号被保険者とはならない。

解答 6　○　法7条1項3号。設問の通り正しい。設問の被扶養配偶者は、第3号被保険者となり得る。第1号被保険者と異なり、第3号被保険者となることに関して、老齢給付等の受給権の有無は問われない。

解答 7　×　法7条2項、法109条の4、1項1号、令4条。設問の認定は、「日本年金機構」が行うこととされている。

解答 8　○　法7条1項2号、3号、法附則3条。設問の通り正しい。

65歳以上の老齢又は退職を支給事由とする年金たる給付の受給権を有する厚生年金保険の被保険者は、第2号被保険者とならない。したがって、その者によって生計を維持する配偶者は、第3号被保険者とはならない。

解答 9　×　法附則5条2項、(6)法附則11条2項、(16)法附則23条2項。日本国内に住所を有する者（国民年金法の適用を除外すべき特別の理由がある者として厚生労働省令で定める者を除く。）が任意加入の申出を行おうとする場合には、設問の口座振替納付を希望する旨の申出等を行わなければならないが、日本国内に住所を有しない場合には、その申出を行う必要はない。

問題10 ／／／

65歳以上の特例による任意加入被保険者が、老齢基礎年金の受給権を取得したときは、その取得した日に被保険者の資格を喪失する。

問題11 ／／／

被保険者期間を計算する場合には、例えば、同一の月において、第1号被保険者から第2号被保険者、さらに第2号被保険者から第3号被保険者へと2回にわたり被保険者の種別に変更があったときは、国民年金の保険料の納付の有無にかかわらず、その月は第3号被保険者であった月とみなされる。

問題12 ／／／

20歳に達したことにより第3号被保険者の資格を取得する場合であって、厚生労働大臣が住民基本台帳法第30条の9の規定により当該第3号被保険者に係る機構保存本人確認情報の提供を受けることにより20歳に達した事実を確認できるときは、資格の取得の届出は不要である。

問題13 ／／／

第1号被保険者は、60歳に達したことによりその資格を喪失したときは、当該事実があった日から14日以内に、資格喪失の届出を市町村長に提出しなければならない。

問題14 ／／／

第1号厚生年金被保険者である第2号被保険者が、厚生年金保険の適用事業所を退職したことにより第1号被保険者になったときであっても、種別変更届を市町村長に提出する必要はない。

解答10 ×　(6)法附則11条6項3号、(16)法附則23条6項3号。65歳以上の特例による任意加入被保険者は、老齢基礎年金、厚生年金保険法による老齢厚生年金その他の老齢又は退職を支給事由とする年金たる給付であって政令で定める給付の受給権を取得したときは、その取得した日の翌日に被保険者の資格を喪失する。

解答11 ○　法11条の2。設問の通り正しい。

被保険者期間を計算する場合には、同一の月において、2回以上にわたり被保険者の種別に変更があったときは、国民年金の保険料の納付の有無にかかわらず、その月は最後の種別の被保険者であった月とみなされる。

解答12 ×　則1条の4,2項。第3号被保険者がその資格を取得した場合、それが年齢到達によるものであり、機構保存本人確認情報の提供を受けることにより当該事実を確認できるときであっても届出を要する。

解答13 ×　法12条1項、則3条1項カッコ書。第1号被保険者が、60歳に達したことによりその資格を喪失した場合には、市町村長への届出は不要である。

第3号被保険者が60歳に達したことにより被保険者資格を喪失した場合についても、資格喪失の届出は不要である。

解答14 ×　法12条1項、則6条の2,1項。設問の場合、種別変更届を市町村長に提出しなければならない。

問題15 ／／／

第3号被保険者の配偶者が第1号厚生年金被保険者の資格を喪失した後引き続き第2号厚生年金被保険者、第3号厚生年金被保険者又は第4号厚生年金被保険者の資格を取得したときは、当該第3号被保険者は、当該事実があった日から14日以内に種別変更の届出を行わなければならない。

問題16 ／／／

平成17年4月1日以後の第3号被保険者の未届出期間（届出が行われた日の属する月の前々月までの2年間のうちにあるものを除く。）については、届出を遅滞したことについてやむを得ない事由があると認められたときに限り、原則として、その旨の届出をすることにより、当該届出が行われた日以後当該届出に係る期間を保険料納付済期間に算入することができる。

問題17 ／／／

第3号被保険者としての被保険者期間（保険料納付済期間（政令で定める期間を除く。）に限る。以下「対象第3号被保険者期間」という。）を有する者の当該対象第3号被保険者期間の一部について、第3号被保険者としての被保険者期間以外の期間として国民年金法第14条の規定により記録した事項の訂正がなされた場合は、当該第3号被保険者としての被保険者期間以外の期間に引き続く第3号被保険者としての被保険者期間は、当初から保険料納付済期間のままとして取り扱う。

解答15 × 則6条の3,1項。設問の場合には、当該第3号被保険者は、「種別変更」ではなく「種別確認」の届出を行わなければならない。

解答16 ○ 法附則7条の3,1項～3項、(16)法附則20条。設問の通り正しい。

解答17 ○ 法附則7条の3、法附則7条の3の2,1号。設問の通り正しい。

本来であれば、第3号被保険者に係る種別変更等の届出が遅滞した場合等には、当該届出が行われた日の属する月の前々月までの2年間のうちにあるものを除き、原則として、保険料納付済期間に算入されないが、設問のように第3号被保険者期間に重複する第3号被保険者期間以外の期間が新たに判明した場合には、それに引き続く第3号被保険者期間については、届出の遅滞による2年間より前の期間についても当初から保険料納付済期間のままとして取り扱うこととされている。

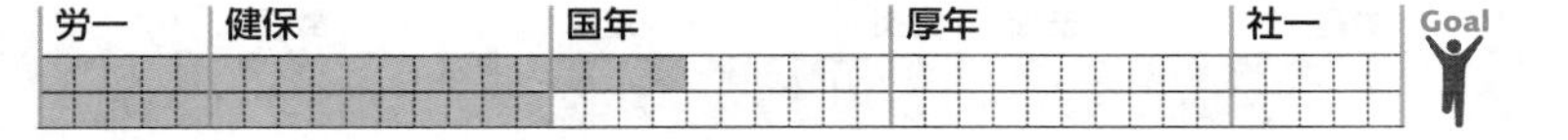

問題18 ／／／

被保険者又は被保険者であった者は、時効消滅不整合期間について、厚生労働大臣に届出をすることができ、当該届出が行われたときは、当該届出に係る時効消滅不整合期間については、国民年金法等の規定を適用する場合においては、当該届出が行われた日以後、保険料半額免除期間とみなす。

問題19 ／／／

厚生労働大臣は、国民年金原簿を備え、これに被保険者（当分の間、第2号被保険者のうち第2号厚生年金被保険者、第3号厚生年金被保険者又は第4号厚生年金被保険者であるものを除く。）の氏名、資格の取得及び喪失、種別の変更、標準報酬、基礎年金番号その他厚生労働省令で定める事項を記録するものとする。

問題20 ／／／

厚生労働大臣は、国民年金制度に対する国民の理解を増進させ、及びその信頼を向上させるため、被保険者に対し、当該被保険者の保険料納付の実績及び将来の給付に関する必要な情報を分かりやすい形で通知するものとする。なお、第2号被保険者のうち第2号厚生年金被保険者、第3号厚生年金被保険者及び第4号厚生年金被保険者に係る情報は、当該通知の対象とされていない。

問題21 ／／／

国民年金法第14条の5の規定による厚生労働大臣の通知（いわゆるねんきん定期便）は、所定の事項を記載した書面によって行うものとされているが、その記載内容は、被保険者の年齢にかかわらず共通である。

解答18 × 法附則9条の4の2,1項、2項。設問の届出に係る時効消滅不整合期間については、国民年金法等の規定を適用する場合においては、当該届出が行われた日以後、「学生納付特例の規定により納付することを要しないものとされた保険料に係る期間」とみなされる。

これも覚える！ 時効消滅不整合期間とは、第3号被保険者としての被保険者期間〔昭和61年4月から平成25年6月までの間にある保険料納付済期間（一定の期間を除く。）に限る。〕のうち、第1号被保険者としての被保険者期間として法第14条の規定により記録した事項の訂正がなされた期間であって、当該訂正がなされたときにおいて保険料を徴収する権利が時効によって消滅しているものをいう。

解答19 × 法14条、法附則7条の5,1項。設問の「標準報酬」を「保険料の納付状況」に置き換えると正しい内容となる。

解答20 × 法14条の5、則15条の4。設問の通知（いわゆるねんきん定期便）においては、第2号厚生年金被保険者、第3号厚生年金被保険者及び第4号厚生年金被保険者に係る情報も、通知の対象とされる。

解答21 × 則15条の4,2項。設問の通知は、「35歳、45歳及び59歳」に達する日の属する年度における通知と、それ以外の年齢に達する日の属する年度における通知とでは、その記載内容が異なる。

Basic

2 費用の負担等

問題 1
／／／

政府は、調整期間において財政の現況及び見通しを作成するときは、調整期間の終了年度の見通しについても作成し、あわせて、これを公表しなければならない。

問題 2
／／／

厚生年金保険の実施者たる政府は、毎年度、基礎年金の給付に要する費用に充てるため、基礎年金拠出金を負担する。また、実施機関たる共済組合等は、毎年度、基礎年金の給付に要する費用に充てるため、基礎年金拠出金を納付する。

問題 3
／／／

保険料の額は、17,000円に保険料改定率を乗じて得た額(その額に5円未満の端数が生じたときは、これを切り捨て、5円以上10円未満の端数が生じたときは、これを10円に切り上げるものとする。)とする。

問題 4
／／／

保険料改定率は、毎年度、当該年度の前年度の保険料改定率にいわゆる名目手取り賃金変動率を乗じて得た率を基準として改定する。

問題 5
／／／

第3号被保険者は付加保険料を納付する者となることができないが、第2号被保険者は付加保険料を納付する者となることができる。

解答 1　○　法16条の2,3項。設問の通り正しい。

解答 2　○　法94条の2,1項、2項。設問の通り正しい。

解答 3　○　法87条3項。設問の通り正しい。なお、令和7年度に属する月分の保険料の額は、17,000円に令和7年度の保険料改定率（1.030）を乗じて得た額を端数処理した17,510円となる。

解答 4　×　法87条5項。保険料改定率は、毎年度、当該年度の前年度の保険料改定率にいわゆる名目賃金変動率を乗じて得た率を基準として改定する。

これも覚える!　名目賃金変動率は、「当該年度の初日の属する年の2年前の物価変動率×当該年度の初日の属する年の4年前の年度の実質賃金変動率」により算定される。

解答 5　×　法87条の2,1項。第3号被保険者のみならず、第2号被保険者も、付加保険料を納付する者となることはできない。

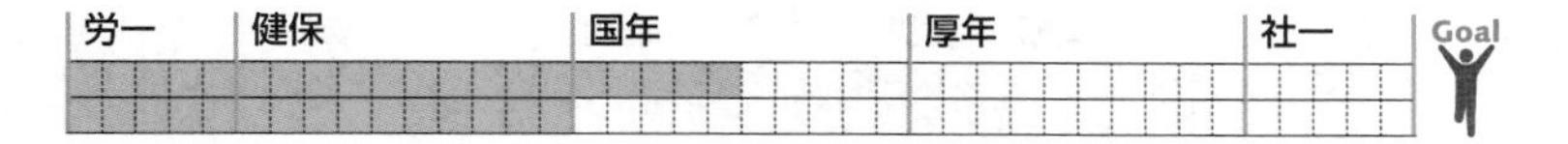

問題 6　／／／

付加保険料の納付は、国民年金法第87条第３項に定める額の保険料の納付が行われた月（追納の規定により保険料が納付されたものとみなされた月を除く。）又は産前産後期間に係る保険料免除の規定により納付することを要しないものとされた保険料に係る期間の各月についてのみ行うことができる。

問題 7　／／／

第１号被保険者は、出産の予定日（産前産後期間の保険料免除の届出前に出産した場合は、出産の日）の属する月（以下本問において「出産予定月」という。）の前月（多胎妊娠の場合においては、３月前）から出産予定月の翌月までの期間に係る保険料に限り、納付することを要しない。

問題 8　／／／

厚生労働大臣は、毎年度、第１号被保険者に対し、各年度の各月に係る保険料について、保険料の額、納期限その他厚生労働省令で定める事項を通知するものとする。

問題 9　／／／

法定免除の事由に該当するに至ったときは、厚生労働大臣に申請することにより、保険料の納付が免除される。

問題10　／／／

納付猶予の規定は、第１号被保険者本人の所得が政令で定める額以下であっても、世帯主の所得が政令で定める額を超えるときは、適用されない。

解答 6　○　法87条の2,2項。設問の通り正しい。

解答 7　×　法88条の２、則73条の６。第１号被保険者の産前産後期間の保険料免除の対象となるのは、出産の予定日（産前産後期間の保険料免除の届出前に出産した場合にあっては、出産の日）の属する月（出産予定月）の前月（多胎妊娠の場合においては、３月前）から出産予定月の翌々月までの期間に係る保険料である。

解答 8　○　法92条１項。設問の通り正しい。

解答 9　×　法89条１項。法定免除の事由に該当するに至ったときは、申請によらず法律上当然に保険料の納付が免除される。

これも覚える！　法定免除の事由に該当するに至ったときは、手続上、原則として14日以内に所定の届出を行うことを要する。

解答10　×　(16)法附則19条１項、２項、(26)法附則14条１項。納付猶予の規定を適用する場合における所得要件は、本人及び配偶者について問われ、世帯主については問われない。

問題11
□／□／□
学生である期間については、法定免除及び申請免除の規定は適用されない。

問題12
□／□／□
学生納付特例における所得要件は、学生等である第1号被保険者本人の所得によって判断される。

問題13
□／□／□
任意加入被保険者が、障害基礎年金の受給権者となった場合は、法定免除の対象となる。

問題14
□／□／□
保険料の追納は、その追納に係る承認の日の属する月前10年以内の期間に係る保険料の一部についてのみ行うこともできる。

問題15
□／□／□
障害基礎年金の受給権者（老齢基礎年金の受給権を有しないものとする。）は、保険料免除の規定により納付することを要しないものとされた保険料について、追納をすることができない。

解答11　×　法89条１項、法90条１項、法90条の2,1項～３項、法90条の3,1項、(16)法附則19条１項、２項、(26)法附則14条１項。学生である期間についても、法定免除の規定は適用される。

学生である期間については、申請による全額免除、４分の３免除、半額免除、４分の１免除及び納付猶予の規定は適用されない。

解答12　○　法90条の3,1項。設問の通り正しい。学生納付特例における所得要件は、学生等である被保険者本人のみの所得によって判断される。

これも覚える！

納付猶予については、本人及び配偶者の所得によって判断される。

解答13　×　法附則５条10項、(6)法附則11条10項、(16)法附則23条10項、(26)法附則14条４項。任意加入被保険者が、障害基礎年金の受給権者となった場合であっても、法定免除の対象とはならない。任意加入被保険者には、保険料免除の規定は適用されない。

解答14　○　法94条１項。設問の通り正しい。保険料の追納は、その追納に係る承認の日の属する月前10年以内の期間に係る保険料の全部又は一部について行うことができる。

解答15　×　法94条１項。老齢基礎年金の受給権者は、追納をすることができないが、障害基礎年金の受給権者は、所定の要件を満たしていれば、追納をすることができる。

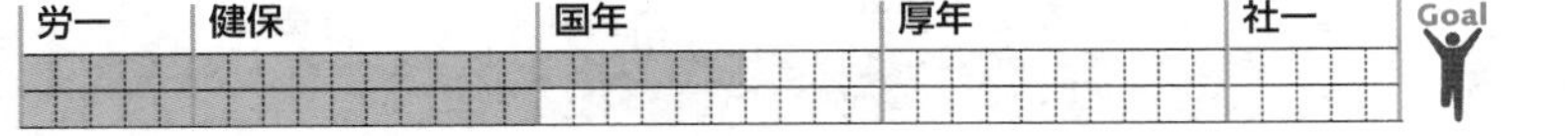

問題16　／／／

保険料を追納する場合におけるその追納すべき額は、当該追納に係る期間の各月の保険料の額に政令で定める額を加算した額とされるが、免除を受けた月の属する年度の翌々年度（免除の月が３月のときは、翌々年の４月）以内に追納する場合には、当該政令で定める額は加算されない。

問題17　／／／

厚生労働大臣は、国民年金法の規定による徴収金を滞納する者に対して督促をしたときは、納期限の翌日から徴収金完納又は財産差押の日の前日までの期間の日数に応じて計算した延滞金を徴収するが、徴収金額が1,000円未満であるとき等は、その者から延滞金を徴収しない。

解答16　○　法94条3項、令10条1項。設問の通り正しい。

解答17　×　法97条1項。延滞金は、徴収金額が「500円」未満であるとき等は、徴収しない。

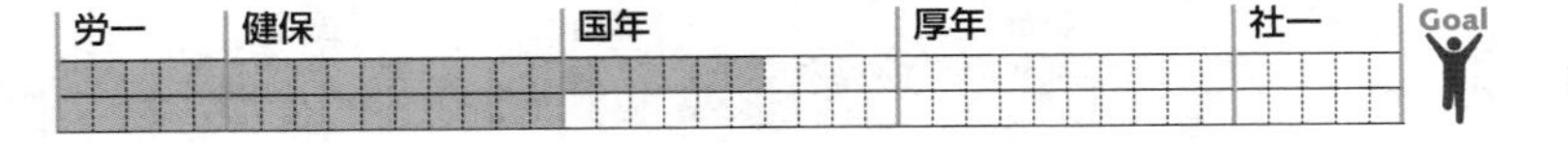

Step-Up

2 費用の負担等

問題 1

／／／

政府は、国民年金法第４条の３第１項の規定により財政の現況及び見通しを作成するに当たり、国民年金事業の財政が、財政均衡期間の終了時に給付の支給に支障が生じないようにするために必要な積立金（年金特別会計の国民年金勘定の積立金をいう。）を保有しつつ当該財政均衡期間にわたってその均衡を保つことができないと見込まれる場合には、年金たる給付（付加年金を除く。）の額を調整するものとされている。

問題 2

／／／

基礎年金拠出金の額の算定の基礎となる被保険者の総数並びに政府及び実施機関に係る被保険者の総数は、第１号被保険者にあっては、保険料納付済期間、保険料４分の１免除期間、保険料半額免除期間及び保険料４分の３免除期間を有する者、第２号被保険者及び第３号被保険者にあってはすべての者を基礎とするものとされている。

問題 3

／／／

付加保険料の額は、月額400円に保険料改定率を乗じて得た額（その額に５円未満の端数が生じたときは、これを切り捨て、５円以上10円未満の端数が生じたときは、これを10円に切り上げるものとする。）とする。

問題 4

／／／

65歳以上の特例による任意加入被保険者は、60歳以上65歳未満の任意加入被保険者であった期間に付加保険料を納付していた場合に限り、付加保険料を納付することができる。

解答 1　○　法16条の2,1項。設問の通り正しい。

解答 2　×　法94条の3,1項、２項、令11条の３。設問の被保険者の総数について、第２号被保険者にあっては、20歳以上60歳未満の者のみが基礎とされる。

解答 3　×　法87条の2,1項。付加保険料の額は、月額「400円」とされており、保険料改定率による改定は行われない。

解答 4　×　(6)法附則11条９項、(16)法附則23条９項。65歳以上の特例による任意加入被保険者は、付加保険料を納付することはできない。

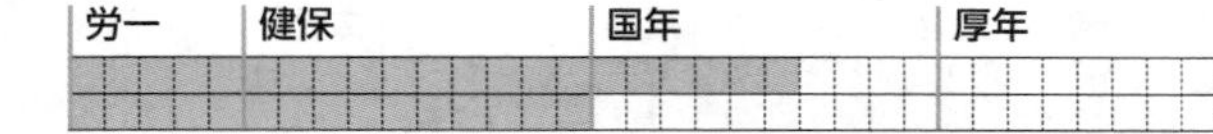

問題 5

申出により付加保険料を納付する者となったものは、いつでも、厚生労働大臣に申し出て、その申出をした日の属する月の前月以後の各月に係る保険料（既に納付されたもの及び前納されたもの（国民年金基金の加入員となった日の属する月の前月以後の各月に係るものを除く。）を除く。）につき保険料を納付する者でなくなることができる。

問題 6

任意加入被保険者は、自ら保険料の納付を希望したものであり、法定免除及び申請による保険料の免除の規定は適用されないが、この者の出産の予定日（厚生労働省令で定める場合にあっては、出産の日。）の属する月（以下本問において「出産予定月」という。）の前月（多胎妊娠の場合においては、3月前）から出産予定月の翌々月までの期間に係る保険料は、納付することを要しないこととされている。

問題 7

法定免除の要件に該当するに至ったときは、その該当するに至った日の属する月の前月からこれに該当しなくなる日の属する月までの期間に係る保険料は、既に納付されたもの及び前納されたものを除き、納付することを要しない。

問題 8

法定免除の要件に該当した者については、その者の世帯主又は配偶者に一定額以上の所得がある場合であっても、保険料を納付することを要しないこととされる。

解答 5　×　法87条の2,3項。設問の申出をした場合は、その申出をした日の属する月の前月以後の各月に係る保険料〔既に納付されたもの及び前納されたもの（国民年金基金の加入員となった日の属する月以後の各月に係るものを除く。）を除く。〕につき付加保険料を納付する者でなくなることができる。

付加保険料を納付する者となったものが、国民年金基金の加入員となったときは、その加入員となった日に、付加保険料を納付する者でなくなる旨の申出をしたものとみなされる。

解答 6　×　法88条の２、法附則５条10項、(16)法附則23条10項。任意加入被保険者については、産前産後期間の保険料免除の規定を適用しない。

解答 7　×　法89条１項。前納された保険料については、法定免除の対象となる保険料から除かれていない。つまり、法定免除の対象となり得る。

解答 8　○　法89条１項。設問の通り正しい。

世帯主又は配偶者の所得状況等にかかわらず、被保険者自身が法定免除の要件に該当すれば、保険料の納付を要しないこととされている。

問題 9

障害基礎年金の受給権者であることにより法定免除を受けている者が、障害の程度が3級の障害等級に該当しない程度に軽減し、当該障害基礎年金が支給停止されることとなるに至った場合であっても、最後に3級の障害等級に該当する程度の障害の状態に該当しなくなった日から起算して3級以上の障害状態に該当することなく3年を経過していなければ、法定免除の対象となる。

問題 10

法定免除の規定により納付することを要しないものとされた保険料について、被保険者又は被保険者であった者から当該保険料に係る期間の各月につき、保険料を納付する旨の申出があったときは、当該申出のあった期間に係る保険料に限り、法定免除の規定は適用されない。

問題 11

厚生労働大臣は、第1号被保険者から指定代理納付者をして当該被保険者の保険料を立て替えて納付させることを希望する旨の申出を受けた場合には、その納付が確実と認められ、かつ、その申出を承認することが保険料の徴収上有利と認められるときに限り、その申出を承認することができる。

解答 9　○　法89条1項1号。設問の通り正しい。障害基礎年金の受給権者であることにより法定免除を受けている者が、障害の程度が3級の障害等級に該当しない程度に軽減し、当該障害基礎年金が支給停止されることとなるに至った場合であっても、その時点で法定免除の対象外となるわけではない。

法定免除の対象外となるのは、「障害等級3級以上の障害の状態に該当することなく3年を経過」した場合である。

解答 10　○　法89条2項。設問の通り正しい。法定免除の対象となる期間であっても、申出により保険料を納付することができる。

解答 11　○　法92条の2の2,1項、2項。設問の通り正しい。設問の規定により、国民年金の保険料は、クレジットカードによる納付が可能となる。

「指定代理納付者」とは、被保険者の保険料を立て替えて納付する事務を適正かつ確実に実施することができると認められる者であって、政令で定める要件に該当する者として厚生労働大臣が指定するものをいう。

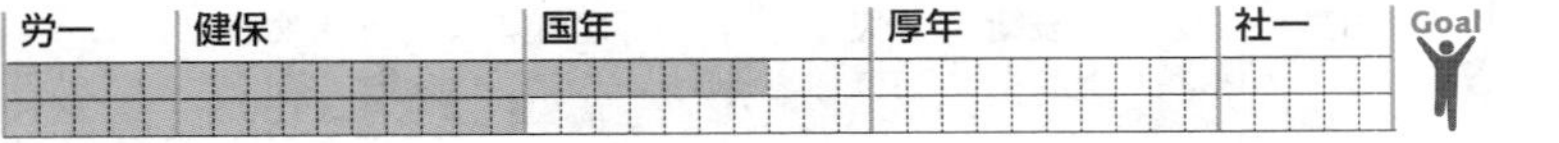

問題12　／／／

夫のみに所得がある夫婦（夫40歳、妻35歳であり、ともに第１号被保険者とする。）と１人の子（６歳とする。）の３人世帯において、夫の保険料を納付することを要しないものとすべき月の属する年の前年の所得（１月から６月までの月分の保険料については前々年の所得とする。）が137万円以下であれば、申請により当該夫婦の保険料は全額免除される。なお、夫婦ともに法定免除の事由には該当しないものとする。

問題13　／／／

扶養親族等がない第１号被保険者について、その保険料を納付することを要しないものとすべき月の属する年の前年の所得（１月から６月までの月分の保険料については前々年の所得とする。）が128万円以下であれば保険料４分の３免除が受けられる。

問題14　／／／

保険料の前納の際に控除される額は、前納に係る期間の各月の保険料の合計額から、その期間の各月の保険料の額を年４分の利率による複利現価法によって、前納に係る期間の最初の月から当該各月（口座振替により納付する場合にあっては、当該各月の翌月）までのそれぞれの期間に応じて割り引いた額の合計額（10円未満四捨五入）を控除した額とする。

解答12 ○　法90条1項1号、令6条の7。設問の通り正しい。設問の「137万円」は、「(2＋1)×35万円＋32万円」により算出する。

保険料申請免除に係る所得基準は、次の通りである。

免除の種類	扶養親族等がいない場合	扶養親族等がいる場合
全額免除・納付猶予	(扶養親族等※の人数＋1)×35万円＋32万円	
4分の3免除	88万円	88万円＋扶養親族等※の人数×38万円（原則）
半額免除・学生納付特例	128万円	128万円＋扶養親族等※の人数×38万円（原則）
4分の1免除	168万円	168万円＋扶養親族等※の人数×38万円（原則）

※特定年齢扶養親族にあっては、控除対象扶養親族に限る。

解答13 ×　法90条の2,1項、令6条の8の2。扶養親族等がない第1号被保険者に係る保険料4分の3免除の所得基準は「88万円以下」である（解答12 大事 表参照）。

解答14 ○　法93条2項、令8条1項。設問の通り正しい。

国年

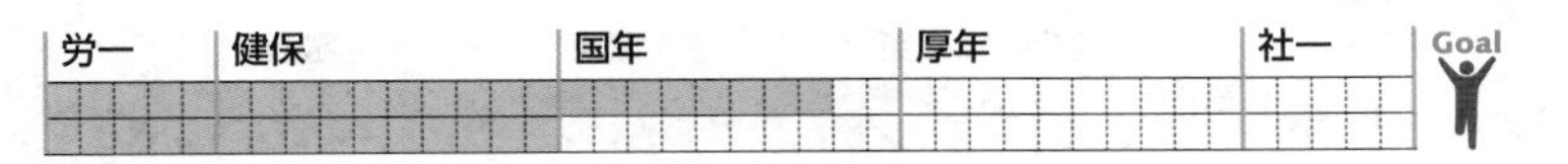

問題 15
／／／

第1号被保険者は、将来の一定期間の保険料を前納することができ、前納された保険料について保険料納付済期間を計算する場合においては、前納に係る期間の各月の初日が到来したときに、それぞれその月の保険料が納付されたものとみなされる。

問題 16
／／／

法定免除期間及び学生納付特例期間を有している者が保険料の一部を追納する場合には、原則として、学生納付特例期間に係る保険料から優先して行われるが、法定免除期間に係る保険料の納付義務が学生納付特例期間に係る保険料より前に生じていたときは、当該法定免除期間に係る保険料について、先に経過した月の分の保険料から追納を行うことができる。

解答15　×　法93条1項、3項。「各月の初日が到来」したときではなく、「各月が経過」した際に納付したものとみなされる。

これも覚える！　前納された保険料について4分の3免除期間、半額免除期間、4分の1免除期間を計算する場合においても同様である。

解答16　○　法94条2項。設問の通り正しい。法定免除期間及び学生納付特例期間を有している者が保険料の一部を追納する場合には、原則として、学生納付特例期間に係る保険料から優先して行われるが、法定免除期間に係る保険料の納付義務が学生納付特例期間に係る保険料より前に生じていたときは、法定免除期間に係る保険料について、先に経過した月の分の保険料から追納をすることができる。つまり、法定免除期間に係る保険料、学生納付特例期間に係る保険料のどちらを先に追納するか被保険者本人が選択することができる。

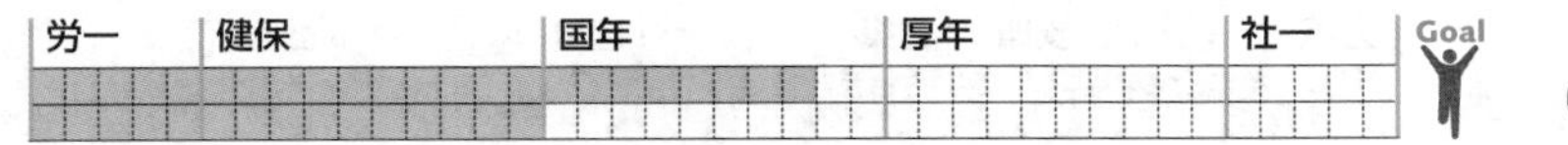

Basic

3 老齢基礎年金

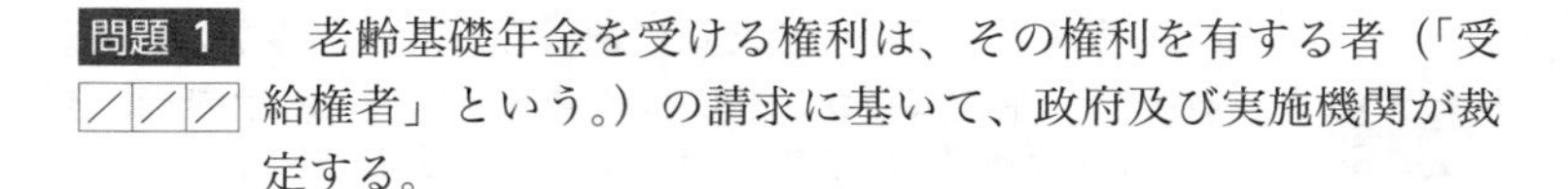

問題 1 ／／／ 老齢基礎年金を受ける権利は、その権利を有する者（「受給権者」という。）の請求に基いて、政府及び実施機関が裁定する。

問題 2 ／／／ 年金給付の支給を停止すべき事由が生じた日の属する月にその事由が消滅した場合には、その月分の年金給付の支給は停止しない。

問題 3 ／／／ 保険料納付済期間の月数が480である者に支給する老齢基礎年金の額は、780,900円に改定率を乗じて得た額（その額に50円未満の端数が生じたときは、これを切り捨て、50円以上100円未満の端数が生じたときは、これを100円に切り上げるものとする。）である。

問題 4 ／／／ 保険料半額免除期間については、当該期間の月数（480から保険料納付済期間の月数及び保険料４分の１免除期間の月数を合算した月数を控除して得た月数を限度とする。）の２分の１に相当する月数が老齢基礎年金の額に反映される。

問題 5 ／／／ 第２号被保険者としての被保険者期間（20歳に達した日の属する月前の期間及び60歳に達した日の属する月以後の期間に係るものを除く。）は、老齢基礎年金の支給要件等の規定の適用については、保険料納付済期間とされる。

解答 1　×　法16条、法109条の4,1項、法109条の10,1項3号。給付を受ける権利は、「厚生労働大臣」が裁定する。

解答 2　○　法18条2項ただし書。設問の通り正しい。年金給付は、その支給を停止すべき事由が生じたときは、原則として、その事由が生じた日の属する月の翌月からその事由が消滅した日の属する月までの分の支給を停止するが、これらの日が同じ月に属する場合は、支給を停止しない。

解答 3　○　法27条。設問の通り正しい。

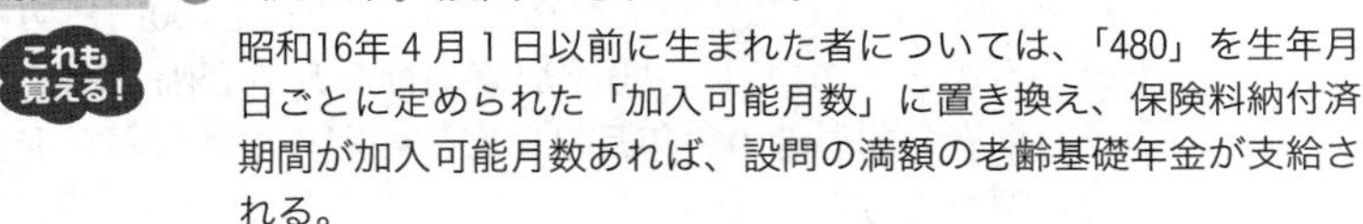
これも覚える!
昭和16年4月1日以前に生まれた者については、「480」を生年月日ごとに定められた「加入可能月数」に置き換え、保険料納付済期間が加入可能月数あれば、設問の満額の老齢基礎年金が支給される。

解答 4　×　法27条4号。設問の場合は、「2分の1」ではなく、「4分の3」に相当する月数が老齢基礎年金の額に反映される。

解答 5　○　(60)法附則8条4項。設問の通り正しい。

第2号被保険者としての被保険者期間のうち20歳に達した日の属する月前の期間及び60歳に達した日の属する月以後の期間に係るものは、老齢基礎年金の支給要件等の規定の適用においては、保険料納付済期間ではなく、合算対象期間とされる。

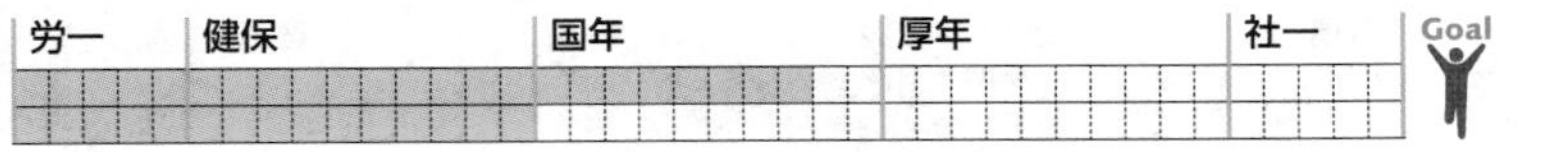

問題 6 ／／／

昭和36年4月1日から平成3年3月31日までの間において、学生であって国民年金に任意加入することができる者が、任意加入しなかった期間は、合算対象期間とされる。

問題 7 ／／／

いわゆる振替加算の対象となる者は、大正15年4月2日から昭和41年4月1日までの間に生まれた者に限られる。

問題 8 ／／／

振替加算の額は、224,700円に改定率を乗じて得た額（その額に50円未満の端数が生じたときは、これを切り捨て、50円以上100円未満の端数が生じたときは、これを100円に切り上げるものとする。）に、当該加算が行われる老齢基礎年金の受給権者の配偶者の生年月日に応じて定められた率を乗じて得た額である。

問題 9 ／／／

振替加算が行われている老齢基礎年金の受給権者が、障害基礎年金、障害厚生年金等（その全額につき支給を停止されている給付を除く。）の支給を受けることができるときは、その間、振替加算の額に相当する部分の支給を停止する。

問題10 ／／／

合算対象期間、学生納付特例期間を合算した期間のみが10年以上ある者については、所定の要件を満たす場合には、振替加算相当額の老齢基礎年金が支給される場合がある。

問題11 ／／／

老齢基礎年金の受給資格期間を満たす60歳以上65歳未満の任意加入被保険者は、老齢基礎年金の支給繰上げの請求をすることができる。

解答 6　○　(60)法附則8条5項1号、(元)法附則4条1項。設問の通り正しい。

昭和36年4月1日から平成3年3月31日までの間において、学生が国民年金に任意加入した期間のうち保険料を納付しなかった期間（任意加入未納期間）も、平成26年4月1日以後においては、合算対象期間に算入される。

解答 7　○　(60)法附則14条1項。設問の通り正しい。

解答 8　×　(60)法附則14条1項、2項。振替加算の額は、224,700円に改定率を乗じて得た額に端数処理を行い、その額に当該加算が行われる老齢基礎年金の受給権者の生年月日に応じて定められた率を乗じて得た額である。

解答 9　○　(60)法附則16条1項、措置令28条。設問の通り正しい。

解答10　○　(60)法附則15条1項1号、2項。設問の通り正しい。

大事!

老齢基礎年金の額には反映されないカラ期間のみを有する者にも、要件を満たせば、設問の老齢基礎年金が支給される。

解答11　×　法附則9条の2,1項カッコ書、法附則9条の2の2,1項カッコ書。任意加入被保険者である者は、老齢基礎年金の支給繰上げの請求をすることはできない。

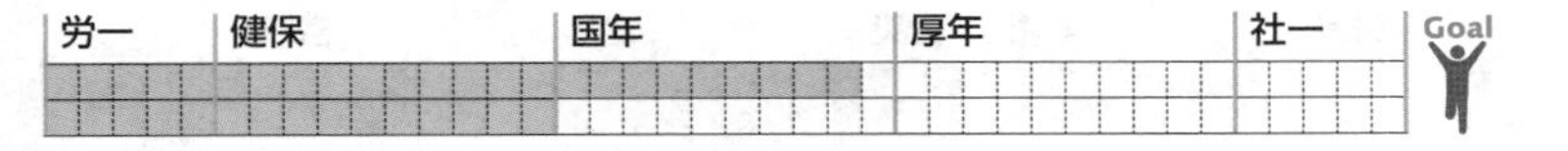

問題12 ／／／

老齢基礎年金の支給繰上げの請求をした場合、振替加算額も繰り上げて加算される。

問題13 ／／／

老齢基礎年金の受給権は、「受給権者の死亡」以外の事由で消滅することはない。

問題14 ／／／

保険料納付済期間を10年以上有する夫が死亡した場合において、夫の死亡当時その妻が繰上げ支給の老齢基礎年金の支給を受けていたときは、当該妻に対し、寡婦年金が支給されることはない。

問題15 ／／／

老齢基礎年金の支給繰上げの請求は、老齢厚生年金の支給繰上げの請求をすることができる場合であっても、当該請求と同時に行う必要はない。

問題16 ／／／

65歳到達時に老齢基礎年金の受給権を取得し、老齢基礎年金の支給繰下げの申出をすることができる者が、70歳に達した日後に当該老齢基礎年金を請求し、かつ、当該請求の際に老齢基礎年金の支給繰下げの申出をしないときは、当該請求をした日の2年前の日に老齢基礎年金の支給繰下げの申出があったものとみなされる。

解答12　×　(60)法附則14条1項、2項、4項。振替加算額は、65歳に達した日又はその日以後において一定の要件を満たす配偶者に生計を維持されていることが加算要件とされているため、老齢基礎年金を繰り上げて受給している場合であっても、振替加算額の加算は上記の加算要件を満たしてからとなる。

老齢基礎年金の支給繰下げの申出をした場合には、振替加算額は、当該老齢基礎年金の支給開始と同時に（繰り下げて）加算される（ただし、この場合であっても繰下げによる増額は行われない。）。

解答13　○　法29条。設問の通り正しい。老齢基礎年金の受給権は、受給権者が死亡したときにのみ消滅する。

解答14　○　法附則9条の2の3。設問の通り正しい。繰上げ支給の老齢基礎年金の受給権者に対し、寡婦年金が支給されることはない。

寡婦年金の受給権を有している者が、繰上げ支給の老齢基礎年金の受給権を取得したときは、当該寡婦年金の受給権は消滅する。

解答15　×　法附則9条の2,2項他。老齢基礎年金の支給繰上げの請求は、老齢厚生年金の支給繰上げの請求をすることができる者にあっては、当該請求と同時に行わなければならない。

解答16　×　法28条5項。設問の場合、老齢基礎年金の請求をした日の5年前の日に老齢基礎年金の支給繰下げの申出があったものとみなされる。ただし、設問の者が「80歳に達した日以後にあるとき」又は「当該請求をした日の5年前の日以前に他の年金たる給付の受給権者であったとき」のいずれかに該当する場合は、このみなし規定は適用されない。

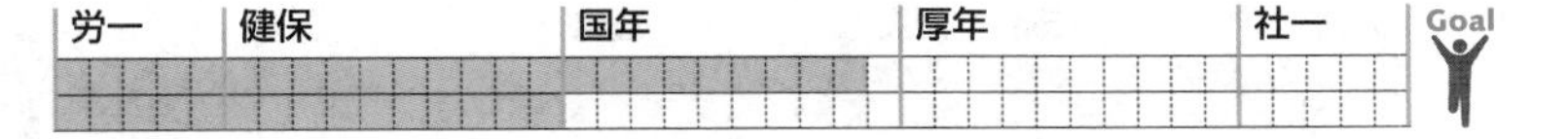

Step-Up

3 老齢基礎年金

問題 1

／／／

昭和36年４月１日から昭和61年３月31日までの期間において、厚生年金保険の被保険者である者の配偶者であった者が、国民年金に任意加入した期間のうち保険料を滞納したことにより保険料納付済期間とならなかった期間（20歳以上60歳未満の期間に限る。）は、平成26年４月１日において、合算対象期間に算入される。

問題 2

／／／

国会議員であった期間のうち、昭和36年４月１日から昭和55年３月31日までの期間において、60歳未満で厚生年金保険制度に加入していない期間は、合算対象期間に算入される。

問題 3

／／／

日本国内に住所を有さず、かつ、日本国籍を有していた期間のうち、昭和36年４月１日から昭和61年３月31日までの期間に係るもの（厚生年金保険の被保険者期間等を除く。）は、すべて合算対象期間に算入される。

問題 4

／／／

昭和36年５月１日以後日本国籍を取得した者（20歳に達した日の翌日から65歳に達した日の前日までの間に日本国籍を取得した者に限る。）が、日本国内に住所を有していた期間であって、日本国籍を取得していなかったために国民年金の被保険者とならなかった昭和36年４月１日から昭和56年12月31日までの期間（20歳以上60歳未満の期間に係るものに限り、厚生年金保険の被保険者期間等を除く。）については、合算対象期間として老齢基礎年金の受給資格期間に算入される。

解答 1　○　(24)法附則11条1項。設問の通り正しい。なお、昭和36年4月1日から昭和61年3月31日までの期間において、厚生年金保険の被保険者である者の配偶者であった者が、国民年金に任意加入することができたにもかかわらず任意加入しなかった期間（20歳以上60歳未満の期間に限る。）も、合算対象期間とされる。

解答 2　○　(60)法附則8条5項8号。設問の通り正しい。

解答 3　×　(60)法附則8条5項9号。設問の期間のうち、「20歳以上60歳未満の期間」が合算対象期間となる。

解答 4　○　(60)法附則8条5項10号。設問の通り正しい。

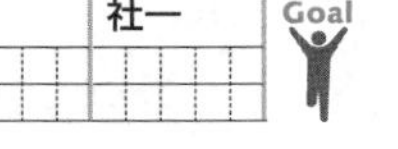

問題 5
／／／

老齢基礎年金の年金額の算定にあたり、昭和61年４月１日から平成３年３月31日までの厚生年金保険の第３種被保険者であった期間に係る国民年金の第２号被保険者であった期間については、５分の６を乗じた期間を保険料納付済期間として、その算定の基礎に算入する。

問題 6
／／／

昭和35年生まれの者（厚生年金保険の被保険者期間等を有しないものとする。）が65歳に達して老齢基礎年金の受給権を取得した日以後にその者の10歳年下の配偶者が障害等級２級に該当する障害厚生年金の受給権者となるに至った場合において、その当時その者が当該配偶者によって生計を維持していたときは、その者に対する老齢基礎年金について、振替加算が行われる。

問題 7
／／／

老齢基礎年金の支給繰下げの申出は、受給権者が障害基礎年金の受給権を有している場合は、行うことができない。

解答 5　×　(60)法附則８条８項。老齢基礎年金の年金額の算定にあたり、設問の第３種被保険者であった期間について、５分の６を乗じることはしない。

解答 6　○　(60)法附則14条２項。設問の通り正しい。

大正15年４月２日から昭和41年４月１日までの間に生まれた者が65歳に達して老齢基礎年金の受給権を取得した日以後に、生計を維持されているその者の年下の配偶者が所定の要件に該当する老齢厚生年金又は障害厚生年金の受給権者となるに至った場合においても、原則として、当該老齢基礎年金について、振替加算が行われる。

解答 7　×　法28条１項ただし書。障害基礎年金の受給権を有している場合であっても、当該受給権を取得したのが66歳に達した日後であれば、老齢基礎年金の支給繰下げの申出を行うことができる。

老齢基礎年金の支給繰下げの申出を行うことができないのは、受給権者が65歳に達したときに、他の年金たる給付〔他の年金給付（付加年金を除く。）又は厚生年金保険法による年金たる給付（老齢を支給事由とするものを除く。）をいう。以下同じ。〕の受給権者であったとき、又は65歳に達した日から66歳に達した日までの間において他の年金たる給付の受給権者となったときである。

問題 8
／／／

65歳に達した日において、その者の配偶者によって生計を維持しており、かつ、当該配偶者の老齢厚生年金の加給年金額の計算の基礎となっていた者について、合算対象期間、保険料全額免除期間（学生納付特例により納付することを要しないものとされた保険料に係るものに限る。）及び保険料4分の1免除期間とを合算した期間が10年あるとき（これらの期間以外の被保険者期間に係る保険料はすべて未納であるものとする。）は、その者に、振替加算相当額の老齢基礎年金が支給される。

問題 9
／／／

振替加算の加算対象者が老齢基礎年金の支給繰下げの申出をしたときは、振替加算も繰り下げて行われ、当該振替加算額に政令で定める増額率を乗じて得た額が加算される。

問題10
／／／

振替加算が行われた老齢基礎年金と遺族基礎年金の受給権を同時に有する者が、当該老齢基礎年金を選択受給することとなった場合には、その間、振替加算額の支給が停止される。

問題11
／／／

60歳に達する前に事後重症による障害基礎年金の受給権を取得した者が、その後、60歳に達し、老齢基礎年金の支給繰上げの請求をした場合であっても、当該障害基礎年金の受給権は消滅しない。

進捗チェック

労基	安衛	労災	雇用	徴収

解答 8　×　法27条、(60)法附則14条１項。設問の場合、振替加算相当額の老齢基礎年金ではなく、保険料４分の１免除期間の月数に応じて計算された額の（通常の）老齢基礎年金に振替加算額が加算されたものが支給される。

解答 9　×　(60)法附則14条１項、２項。老齢基礎年金の支給繰下げの申出をしたときは、振替加算も繰り下げて行われるが、当該振替加算額に繰下げに係る加算が行われることはない。

解答10　×　(60)法附則16条、措置令28条。遺族基礎年金の受給権を有することは、振替加算額の支給停止事由にはあたらない。

解答11　○　法附則９条の２の３他。設問の通り正しい。設問の場合、事後重症による障害基礎年金の受給権は消滅しない。

繰上げ支給の老齢基礎年金の受給権者は、事後重症による障害基礎年金の請求をすることはできないが、既に事後重症による障害基礎年金の受給権を取得している者が老齢基礎年金の支給繰上げの請求をすることは可能である。

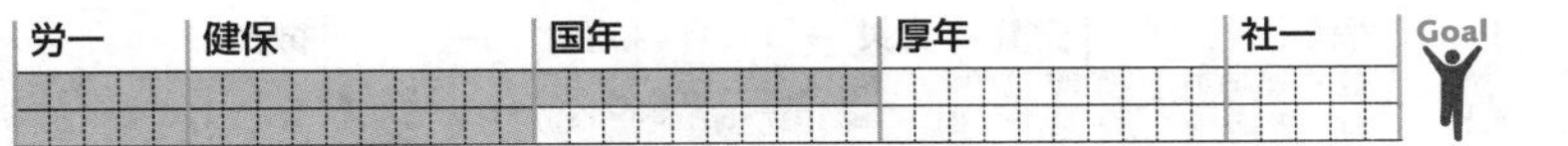

問題12　寡婦年金の支給を受けていた者は、老齢基礎年金の支給繰下げの申出をすることはできない。

問題13　65歳に達した日に老齢基礎年金の受給権を取得した者（昭和27年４月２日以後生まれの者とする。）が、76歳に達した日に当該老齢基礎年金の支給繰下げの申出をしたときは、75歳に達した日の属する月の翌月から、84％（1000分の７×120月）増額された額の老齢基礎年金の支給が開始される。なお、設問の者は、老齢基礎年金以外の年金の受給権を有さないものとする。

解答12　×　法28条１項。寡婦年金の支給を受けていた者であっても、所定の要件を満たせば、老齢基礎年金の支給繰下げの申出をすることはできる。

寡婦年金の受給権はその権利を有する者が65歳に達したときに消滅するため、寡婦年金の支給を受けていたことは、老齢基礎年金の支給繰下げの申出に影響しない。

解答13　○　法28条２項２号、４項、（令和２）法附則６条、令４条の5,1項。設問の通り正しい。75歳に達した日後に老齢基礎年金の支給繰下げの申出をしたときは、原則として、75歳に達した日において、支給繰下げの申出をしたものとみなし、そのみなした日（75歳に達した日）の属する月の翌月から繰下げ支給の老齢基礎年金の支給を開始する。また、増額率の算定の基礎となる月数は、老齢基礎年金の受給権を取得した日の属する月から支給繰下げの申出をしたものとみなした日（75歳に達した日）の属する月の前月までの月数とされているため、設問の場合における増額率は、84％（1000分の７×120月）となる。

Basic

4 障害基礎年金・遺族基礎年金

問題 1 ／／／

障害基礎年金の支給を受けるには、初診日において、初診日の属する月の前々月までに被保険者期間がある者の場合、原則として当該被保険者期間に係る保険料納付済期間と保険料免除期間とを合算した期間が当該被保険者期間の3分の2以上あることを要する。

問題 2 ／／／

障害認定日とは、初診日から起算して1年6月を経過した日（その期間内にその傷病が治った場合においては、その治った日（症状が固定し治療の効果が期待できない状態に至った日を含む。））をいう。

問題 3 ／／／

障害認定日において障害等級に該当する程度の障害状態にない者が、65歳に達する日の前日までにその障害の程度が増進し、障害等級に該当する程度の障害状態になったときは、請求により、事後重症による障害基礎年金が支給されるが、当該請求は、いつでも行うことができる。

問題 4 ／／／

傷病の初診日において被保険者でない者であって、障害認定日が20歳前にあるものが、当該障害認定日において障害等級に該当する程度の障害状態にあるときは、当該障害認定日の属する月の翌月からその者に障害基礎年金が支給される。

問題 5 ／／／

障害基礎年金の受給権者に対して更に障害基礎年金を支給すべき事由が生じたときは、前後の障害を併合した障害の程度による障害基礎年金が支給され、従前の障害基礎年金の受給権は消滅する。

解答 1　×　法30条1項ただし書。設問の保険料納付要件は、「初診日の前日」においてみることとされている。なお、その他の記述については正しい。

解答 2　○　法30条1項。設問の通り正しい。障害認定日とは、原則として、初診日から起算して1年6月を経過した日をいうが、当該初診日から起算して1年6月を経過した日までの間に傷病が治った場合においては、その治った日（その症状が固定し治療の効果が期待できない状態に至った日を含む。）を障害認定日とする。

解答 3　×　法30条の2,1項、3項。事後重症による障害基礎年金は、65歳に達する日の前日までに請求しなければ支給されない。

解答 4　×　法30条の4,1項。法30条の4に規定するいわゆる20歳前傷病による障害基礎年金は、設問の場合には、「障害認定日」ではなく、「20歳に達した日」において障害等級に該当する程度の障害状態にあるときに、当該20歳に達した日の属する月の翌月から支給される。

解答 5　○　法31条。設問の通り正しい。

問題 6 ／／／

障害の程度が障害等級２級に該当する者に支給される障害基礎年金の額は、780,900円に改定率を乗じて得た額（その額に50銭未満の端数が生じたときは、これを切り捨て、50銭以上１円未満の端数が生じたときは、これを１円に切り上げるものとする。）とされる。

問題 7 ／／／

障害基礎年金の額は、受給権者によって生計を維持しているその者の65歳未満の配偶者及び一定の要件に該当する子がある場合、子を対象とした加算は行われないが、配偶者を対象とした加算は行われる。

問題 8 ／／／

障害基礎年金の子の加算は、受給権者がその権利を取得した当時その者によって生計を維持していた子（18歳に達する日以後の最初の３月31日までの間にある子及び20歳未満で障害等級に該当する障害の状態にある子に限る。）がある場合に限り行われる。

問題 9 ／／／

障害基礎年金の受給権者が、その傷病による障害について労働者災害補償保険法の規定による障害補償年金を受けることができるときは、６年間、当該障害基礎年金の支給が停止される。

問題 10 ／／／

いわゆる20歳前傷病による障害基礎年金は、受給権者が日本国内に住所を有しない場合には、当該日本国内に住所を有しない期間、その支給が停止される。

解答 6　×　法33条。障害の程度が障害等級２級に該当する者に支給される障害基礎年金の額は、780,900円に改定率を乗じて得た額（その額に「50円」未満の端数が生じたときは、これを切り捨て、「50円」以上「100円」未満の端数が生じたときは、これを「100円」に切り上げるものとする。）とされる。

解答 7　×　法33条の2,1項。設問の場合、子を対象とした加算は行われるが、配偶者を対象とした加算は行われない。

解答 8　×　法33条の2,1項、２項。障害基礎年金の子の加算は、受給権取得当時に限らず、受給権取得後であっても受給権者によって生計を維持しているその者の一定の子があれば行われる。

解答 9　×　法36条１項。障害基礎年金の受給権者が、その傷病による障害について、労働基準法の規定による障害補償を受けることができるときに、６年間、障害基礎年金の支給が停止される。

これも覚える！　いわゆる20歳前傷病による障害基礎年金は、労働者災害補償保険法の規定による年金たる給付を受けることができるときは、その期間、その支給を停止するとされている。

解答 10　○　法36条の2,1項４号。設問の通り正しい。

問題 11 ／／／

障害基礎年金の受給権は、厚生年金保険法に規定する障害等級に該当しない者が65歳に達したとき、又はその障害等級に該当しなくなった日から起算して、その障害等級に該当する程度の障害状態に該当することなく３年を経過したときのいずれか早い方が到来したときに消滅する。

問題 12 ／／／

保険料納付済期間と保険料免除期間とを合算した期間が25年ある者が死亡した場合において、死亡の当時その者によって生計を維持していた遺族がその者の配偶者のみであったときは、その配偶者に遺族基礎年金が支給される。

問題 13 ／／／

遺族基礎年金の額は、老齢基礎年金の額の規定の例により計算した額の４分の３に相当する額である。

問題 14 ／／／

被保険者の死亡の当時胎児であった子が生まれたときには、その子は、被保険者の死亡の当時その者によって生計を維持していたものとみなし、被保険者の死亡の当時にさかのぼって遺族基礎年金の受給権が発生する。

問題 15 ／／／

配偶者が遺族基礎年金の受給権を取得した当時胎児であった子が生まれたときは、その生まれた日の属する月の翌月から遺族基礎年金の額を改定する。

問題 16 ／／／

夫に対する遺族基礎年金は、子が遺族基礎年金の受給権を有するときは、原則として、その間、その支給を停止する。

解答11　×　法35条２号、３号。障害基礎年金の受給権は、厚生年金保険法に規定する障害等級に該当しない者が65歳に達したとき、又はその障害等級に該当しなくなった日から起算して、その障害等級に該当する程度の障害状態に該当することなく３年を経過したときのいずれか遅い方が到来したときに消滅する。

解答12　×　法37条４号、法37条の2,1項１号。設問の場合、配偶者に遺族基礎年金が支給されることはない。配偶者が遺族基礎年金を受けることができる遺族とされるには、同一人の死亡により遺族基礎年金を受けることができる子と生計を同じくしていることを要する。

解答13　×　法38条。法38条における遺族基礎年金の基本額は、780,900円に改定率を乗じて得た額に端数処理を行った額（満額の老齢基礎年金相当額）である。

解答14　×　法37条の2,2項。被保険者の死亡の当時胎児であった子が生まれたときは、将来に向かって、その子は、被保険者の死亡の当時その者によって生計を維持していたものとみなされるため、被保険者の死亡の当時にさかのぼって受給権が発生することはない。

解答15　○　法39条２項。設問の通り正しい。胎児であった子が生まれたときは、その生まれた日の属する月の翌月から遺族基礎年金の額を改定する。

解答16　×　法41条２項。配偶者が遺族基礎年金の受給権を有するときは、原則として、その間、子に対する遺族基礎年金の支給を停止する。

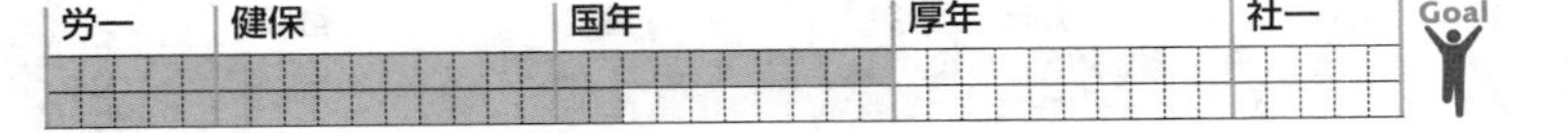

問題17　／／／

配偶者に対する遺族基礎年金は、その者の所在が１年以上明らかでないときは、遺族基礎年金の受給権を有する子の申請によって、その申請があった月の翌月から、その支給を停止する。

問題18　／／／

子に対する遺族基礎年金は、生計を同じくするその子の父又は母があるときは、その間、その支給を停止する。

問題19　／／／

遺族基礎年金の受給権は、受給権者が直系血族又は直系姻族の養子となったときであっても、消滅しない。

解答17 × 法41条の2,1項。設問の場合、配偶者に対する遺族基礎年金は、その所在が明らかでなくなった時にさかのぼって、その支給を停止する。

解答18 ○ 法41条2項。設問の通り正しい。

解答19 ○ 法40条1項3号カッコ書。設問の通り正しい。遺族基礎年金の受給権者が直系血族又は直系姻族の養子となっても、その受給権は消滅しない。

受給権者が直系血族又は直系姻族以外の者の養子となったときは、遺族基礎年金の受給権は消滅する。

4 障害基礎年金・遺族基礎年金

問題 1

／／／

20歳から60歳までの40年間第1号被保険者であった者が63歳のときに初診日（令和8年4月1日前にあるものとする。）がある傷病に係る障害認定日において障害等級第2級に該当する障害の状態に該当した。この者は60歳以後継続して厚生年金保険の被保険者であったが、60歳までの40年間一度も国民年金の保険料を納めたことがなかった。この場合、この者は障害基礎年金の受給権を取得しない。

問題 2

／／／

20歳に達し、初めて国民年金の被保険者の資格を取得した者が、その資格を取得した月の翌月に初診日がある傷病により、障害認定日において障害等級に該当する程度の障害の状態にある場合において、その資格を取得した月の分の保険料を納付していなかったときは、その者に障害基礎年金は支給されない。

問題 3

／／／

第2号被保険者としての被保険者期間のうち、20歳未満及び60歳以後の期間は、障害基礎年金の支給要件に係る保険料納付要件を判断する場合においては、保険料納付済期間とされる。

問題 4

／／／

平成6年11月9日（以下、本問において「施行日」という。）前に障害基礎年金の受給権を有していたことがある者（施行日において当該障害基礎年金の受給権を有する者を除く。）が、当該障害基礎年金の支給事由となった傷病により、施行日において障害等級に該当する程度の障害状態にあるときは、その者は、65歳に達する日の前日までの間に、障害基礎年金の支給を請求することができる。

解答 1　×　法30条1項、(60)法附則20条1項。設問の者は、初診日の前日において、初診日の属する月の前々月までの直近の1年間がすべて第2号被保険者としての保険料納付済期間であることから、いわゆる特例の保険料納付要件を満たし、この者に対しては、障害基礎年金が支給される。

解答 2　×　法30条1項。設問の場合、障害基礎年金は支給される。

初診日の前日において初診日の属する月の前々月までに国民年金の被保険者期間を有していない場合、保険料納付要件は問われず、障害認定日において障害等級に該当していれば、障害基礎年金が支給される。

解答 3　○　法5条1項。設問の通り正しい。

大事!

第2号被保険者としての被保険者期間のうち、20歳未満及び60歳以後の期間は、障害基礎年金の支給要件に係る保険料納付要件を判断する場合においては、保険料納付済期間とされる。

解答 4　○　(6)法附則4条1項。設問の通り正しい。

施行日において障害等級に該当する程度の障害の状態にない場合であっても、施行日の翌日から65歳に達する日の前日までの間において、障害等級に該当する程度の障害状態に該当するに至ったときは、その障害状態に該当するに至ったときから65歳に達する日の前日までの間に、障害基礎年金の支給を請求することができる。

問題 5
／／／

障害基礎年金の受給権者によって生計を維持している19歳の子が、障害等級に該当する程度の障害状態に該当するに至った場合には、当該該当するに至った日の属する月の翌月から、当該障害基礎年金に当該子の加算が行われる。

問題 6
／／／

障害の程度が増進したことによる障害基礎年金の額の改定請求は、受給権者の障害の程度が増進したことが明らかである場合として厚生労働省令で定める場合を除き、障害基礎年金の受給権を取得した日又は厚生労働大臣が行う障害の程度の診査を受けた日から起算して１年６月を経過した日後でなければ行うことができない。

問題 7
／／／

障害基礎年金の受給権者が、厚生年金保険の適用事業所に使用され第２号被保険者となった場合、障害基礎年金の支給は停止される。

問題 8
／／／

初診日において厚生年金保険の被保険者であった者が、当該初診日の傷病に係る障害認定日において３級の障害厚生年金の受給権を取得し、その後障害の程度が増進し、65歳に達する日の前日までの間に障害厚生年金の額の改定が行われた。この場合、障害基礎年金については、事後重症に係る請求があったものとみなされるため、その受給権が発生する。

解答 5　○　法33条の2,2項。設問の通り正しい。例えば、障害状態にない子が、18歳到達年度末に達したことにより、加算の対象外となった場合であっても、その後、その子が20歳に達する前までの間に障害等級に該当する程度の障害状態に該当するに至り、かつ、生計維持要件を満たしている場合は、加算の対象となり、障害基礎年金に当該子に係る加算が行われる。

解答 6　×　法34条3項。設問の「1年6月」を「1年」に置き換えると正しい内容となる。

解答 7　×　法36条〜法36条の4。第2号被保険者となったことを理由に、障害基礎年金の支給が停止されることはない。

解答 8　○　法30条の2,4項。設問の通り正しい。設問の場合、改めて障害基礎年金に係る事後重症の請求を行う必要はなく、障害厚生年金の額の改定が行われたときに、当該事後重症に係る請求があったものとみなされ、その受給権が発生する。

問題 9　／／／

いわゆる20歳前傷病による障害基礎年金は、受給権者の前年の所得が、その者の扶養親族等の有無及び数に応じて、政令で定める額を超えるときは、その年の10月から翌年の9月まで、その全部又は2分の1（子の加算額が加算された障害基礎年金にあっては、当該加算額を控除した額の2分の1）に相当する部分の支給を停止する。

問題 10　／／／

旧国民年金法による2級の障害年金の受給権者に対して、更に障害基礎年金を支給すべき事由が生じたとき（障害福祉年金の裁定替えにより支給すべき事由が生じたときを除く。）は、前後の障害を併合した障害の程度による障害基礎年金が支給される。なお、この場合、従前の障害年金の受給権は消滅する。

問題 11　／／／

配偶者に支給する遺族基礎年金は、当該配偶者が養子縁組により子（18歳に達する日以後の最初の3月31日までの間にあるものとする。）を有するに至ったときは、当該子を有するに至った日の属する月の翌月から年金額が改定される。

問題 12　／／／

63歳の任意加入被保険者であって、保険料納付済期間、保険料免除期間及び合算対象期間を合算した期間が25年に満たない者が死亡した場合に、その者の配偶者又は子が遺族基礎年金の受給権を取得するためには、死亡した被保険者が保険料納付要件を満たしていることに加え、死亡日において日本国内に住所を有していることが必要である。

解答 9　○　法36条の3,1項。設問の通り正しい。

解答 10　×　(60)法附則26条１項。設問の場合、旧国民年金法による障害年金の受給権は消滅せず、受給権者は、旧国民年金法による障害年金と、前後の障害を併合した障害の程度による障害基礎年金のいずれかを選択受給することになる。

解答 11　×　法39条２項。設問の場合には、配偶者に支給する遺族基礎年金は増額改定されない。

これも覚える!

配偶者に支給する遺族基礎年金は、「配偶者が遺族基礎年金の受給権を取得した当時胎児であった子が生まれたとき」は、増額改定される。

解答 12　×　法37条１号。被保険者が死亡した場合には、その者が死亡日において日本国内に住所を有しているか否かにかかわらず、保険料納付要件を満たしていれば、その者の配偶者又は子に遺族基礎年金を支給する。

死亡日において日本国内に住所を有している必要があるのは、60歳以上65歳未満の被保険者であった者である。

問題13 ／／／

第２号厚生年金被保険者期間を19年（228月）、第１号厚生年金被保険者期間を４年（48月）有し、老齢基礎年金及び老齢厚生年金を受給する男性（昭和29年４月２日生まれ）が死亡した。この者が死亡した当時、この者によって生計を維持していた13歳の子がいた場合、当該子に遺族基礎年金の受給権が発生する。なお、設問の期間以外の期間に係る国民年金の保険料は全て滞納しているものとする。

問題14 ／／／

死亡した被保険者によって生計を維持していた配偶者であっても、遺族の範囲に属する子と生計を同じくしないときは、遺族基礎年金の受給権を取得することはできないが、当該配偶者が障害等級１級又は２級に該当する程度の障害の状態にある場合は、遺族基礎年金の受給権を取得することができる。

解答13　○　法26条、法37条４号、(60)法附則12条１項２号、(60)法附則別表第２。設問の通り正しい。設問の死亡した男性は、第２号厚生年金被保険者期間（19年）と第１号厚生年金被保険者期間（４年）を合計した期間が23年あることから遺族基礎年金の支給要件を満たすこととなる。

厚生年金保険の被保険者期間を合算した期間が、生年月日に応じて定める次表の期間以上である者は、「保険料納付済期間と保険料免除期間とを合算した期間が25年以上である者」の要件を満たしたものとされる。

生年月日	期間
昭和27年４月１日以前に生まれた者	20年
昭和27年４月２日から昭和28年４月１日までの間に生まれた者	21年
昭和28年４月２日から昭和29年４月１日までの間に生まれた者	22年
昭和29年４月２日から昭和30年４月１日までの間に生まれた者	23年
昭和30年４月２日から昭和31年４月１日までの間に生まれた者	24年

解答14　×　法37条の2,1項１号。遺族基礎年金の受給権を取得することができる配偶者は、遺族の範囲に属する子と生計を同じくする配偶者に限られる。したがって、死亡した被保険者の配偶者は、障害等級１級又は２級に該当する程度の障害の状態にある場合でも、遺族の範囲に属する子と生計を同じくしないときは、遺族基礎年金の受給権を取得することはできない。

問題15 ／／／

遺族基礎年金の受給権者である子が3人の場合における当該子に支給する遺族基礎年金の額は、「780,900円×改定率」に、「224,700円×改定率×2＋74,900円×改定率」を加算した額を、3で除して得た額とされている。

問題16 ／／／

子の有する遺族基礎年金の受給権は、原則として、子が18歳に達した日以後の最初の3月31日が終了したときは、消滅する。ただし、当該子が被保険者又は被保険者であった者の死亡の当時より引き続き障害等級に該当する障害の状態にあるときに限り、20歳に達するまで当該子の有する遺族基礎年金の受給権は消滅しない。

問題17 ／／／

18歳に達した日以後の最初の3月31日が終了したことにより遺族基礎年金の受給権を喪失した子が、20歳に達する前に障害等級に該当した場合、当該子は再び遺族基礎年金の受給権者となる。

問題18 ／／／

厚生年金保険の被保険者である女性（40歳）が死亡し、子が遺族厚生年金の受給権を取得した場合において、その死亡した被保険者により生計を維持していた夫（45歳）が、被保険者の死亡当時、死亡した被保険者の子と生計を同じくしていたときは、夫に対して遺族基礎年金が支給される。

問題19 ／／／

死亡した被保険者の子1人と生計を同じくすることにより遺族基礎年金の受給権を有する配偶者について、当該子が、その者の直系血族の養子となった場合であっても、当該配偶者の有する遺族基礎年金の受給権は消滅しない。

解答15 ×　法39条の2,1項。子に支給する遺族基礎年金の額は、受給権者である子が2人以上ある場合、1人を除いた残りの子の数に応じて加算が行われる。したがって、設問の場合、加算額の算定の対象となるのは、3人のうち（1人を除いた）2人であり、当該子に支給する遺族基礎年金の額は、「780,900円×改定率」に、「224,700円×改定率＋74,900円×改定率」を加算した額を、3で除して得た額となる。

解答16 ×　法40条3項。障害の状態は「死亡の当時より引き続いている」ことは要件とされていないため、18歳に達した日以後の最初の3月31日において、障害等級に該当する障害の状態にあり、その状態が続いていれば、他の失権事由に該当しない限り20歳に達するまで当該子の有する遺族基礎年金の受給権は消滅しない。

解答17 ×　法40条3項他。設問の子が、20歳に達する前に障害等級に該当した場合であっても、当該子が遺族基礎年金の受給権を取得することはない。

解答18 ○　法41条2項。設問の通り正しい。設問の場合、夫と子の両方に遺族基礎年金の受給権が発生するが、夫が遺族基礎年金の受給権を有する間、原則として子の遺族基礎年金はその支給が停止される。なお、この場合、子の遺族厚生年金の支給は停止されない。

解答19 ×　法40条1項3号、2項。設問の場合、子が配偶者以外の者の養子となったことにより、遺族基礎年金の基本的支給要件を欠くことになるので、配偶者の有する遺族基礎年金の受給権は消滅する。

Basic

5 寡婦年金等・給付の通則等

問題 1
／／／

　第１号被保険者であった間に付加保険料に係る保険料納付済期間を有している者が、老齢基礎年金の受給権を取得したときには、付加年金も支給される。

問題 2
／／／

　付加年金の額は、200円に改定率を乗じて得た額（その額に50円未満の端数が生じたときは、これを切り捨て、50円以上100円未満の端数が生じたときは、これを100円に切り上げるものとする。）に付加保険料納付済期間の月数を乗じて得た額である。

問題 3
／／／

　付加年金の支給は、その受給権者が老齢基礎年金の支給の繰下げの申出を行ったときには、当該申出のあった日の属する月の翌月から始めるものとされるが、付加年金の額についても、繰下げによる加算が行われる。

問題 4
／／／

　寡婦年金は、原則として、一定の要件を満たす夫が死亡した場合において、夫の死亡の当時夫によって生計を維持し、かつ、夫との婚姻関係（届出をしていないが、事実上婚姻関係と同様の事情にある場合を含む。）が５年以上継続した65歳未満の妻に支給される。

問題 5
／／／

　夫の死亡の当時60歳未満であった妻に支給する寡婦年金は、妻が60歳に達した日の属する月の翌月から、その支給を始める。

解答 1　○　法43条。設問の通り正しい。付加年金は、付加保険料に係る保険料納付済期間を有する者が老齢基礎年金の受給権を取得したときに支給される。

解答 2　×　法44条。付加年金の額は、「200円」に付加保険料納付済期間の月数を乗じて得た額である。付加年金の額については、改定率による改定の規定は適用されない。

解答 3　○　法46条。設問の通り正しい。付加年金を受給できる者が、老齢基礎年金の支給を繰り下げた場合には、同時に付加年金についても繰下げ支給され、その額は老齢基礎年金と同様に政令で定める額を加算した額となる。

これも覚える!　老齢基礎年金の支給を繰り上げた場合には、同時に付加年金についても繰上げ支給され、その額は老齢基礎年金と同様に政令で定める額を減額した額となる。

解答 4　×　法49条1項。夫との婚姻関係は、10年以上継続したことを要する。

解答 5　○　法49条3項。設問の通り正しい。

問題 6
／／／

寡婦年金の受給権は、受給権者である妻が直系血族又は直系姻族の養子となった場合であっても、それを理由に消滅することはない。

問題 7
／／／

夫が死亡し、国民年金法第52条の3の規定により死亡一時金の支給を受ける妻が、その夫の死亡により寡婦年金を受けることができるときは、その者の選択により、死亡一時金と寡婦年金とのうち、いずれか一方が支給され、他方は支給されない。

問題 8
／／／

死亡一時金は、死亡日の前日において死亡日の属する月の前月までの第1号被保険者としての被保険者期間に係る保険料納付済期間の月数、保険料4分の1免除期間の月数、保険料半額免除期間の月数及び保険料4分の3免除期間の月数を合算した月数が36月以上である者が死亡した場合において、その者に一定の遺族があるときに、その遺族に支給する。

問題 9
／／／

死亡一時金の支給要件を満たす者の死亡の当時その者と生計を同じくしていた遺族が、死亡した者の母と子のみであったときは、母に死亡一時金が支給される。

解答 6　○　法40条1項3号、法51条。設問の通り正しい。なお、寡婦年金の受給権は、受給権者である妻が直系血族又は直系姻族以外の者の養子となった場合は消滅する。

解答 7　○　法52条の6。設問の通り正しい。夫の死亡により死亡一時金の支給を受ける妻に対して同時に寡婦年金の受給権が発生する場合があるが、この場合においては、受給権者の選択により、死亡一時金と寡婦年金のうちいずれか一方の給付が支給され、他方は支給されない。

解答 8　×　法52条の2,1項。死亡一時金は、原則として、死亡日の前日において死亡日の属する月の前月までの第1号被保険者としての被保険者期間に係る保険料納付済期間の月数、保険料4分の1免除期間の月数の4分の3に相当する月数、保険料半額免除期間の月数の2分の1に相当する月数及び保険料4分の3免除期間の月数の4分の1に相当する月数を合算した月数が36月以上である者が死亡した場合において、その者に一定の遺族があるときに、その遺族に支給する。なお、死亡一時金の額は、保険料納付済期間等を合算した月数に応じて、120,000円から320,000円の範囲内で定められている。

解答 9　×　法52条の3,1項。設問の場合は「子」に死亡一時金が支給される。

死亡一時金を受けることができる遺族及びその順位は、死亡した者の①配偶者、②子、③父母、④孫、⑤祖父母、⑥兄弟姉妹であって、その者の死亡の当時その者と生計を同じくしていたものとされる。

問題10　／／／
老齢基礎年金の受給資格期間を満たしている者であっても、その支給を受けておらず、他の要件を満たしているときは、脱退一時金の支給を請求することができる。

問題11　／／／
厚生年金保険法の規定による脱退一時金の支給を受けることができる者は、国民年金法の規定による脱退一時金の支給を請求することはできない。

問題12　／／／
脱退一時金の支給を受けたときは、その支給を受けた者は、その額の計算の基礎となった第1号被保険者としての被保険者であった期間は、被保険者でなかったものとみなす。

問題13　／／／
65歳以上の特例による任意加入被保険者としての被保険者期間は、死亡一時金、脱退一時金及び寡婦年金に関する規定の適用については、第1号被保険者としての被保険者期間とみなされる。

問題14　／／／
年金給付を受ける権利を裁定する場合又は年金給付の額を改定する場合において、年金給付の額に50円未満の端数が生じたときは、これを切り捨て、50円以上100円未満の端数が生じたときは、これを100円に切り上げるものとする。

問題15　／／／
未支給の年金を受けるべき同順位者が2人以上あるときは、その1人のした請求は、全員のためその全額につきしたものとみなす。

解答10 ×　法附則9条の3の2,1項。脱退一時金は、短期在留外国人の納めた保険料が掛け捨てにならないように設けられた制度であるので、老齢基礎年金の受給資格期間を満たしている長期在留外国人は、脱退一時金の支給を請求することができない。

解答11 ×　法附則9条の3の2、厚年法附則29条。厚生年金保険法の規定による脱退一時金の支給を受けることができる者であっても、所定の要件を満たせば、国民年金法の規定による脱退一時金の支給を請求することができる。

解答12 ○　法附則9条の3の2,4項。設問の通り正しい。なお、設問の被保険者でなかったものとみなされた期間は、受給資格期間に算入されない。

解答13 ×　(6)法附則11条9項、(16)法附則23条9項。65歳以上の特例による任意加入被保険者としての被保険者期間は、寡婦年金に関する規定の適用については、第1号被保険者としての被保険者期間とはみなされない。

解答14 ×　法17条1項。年金給付を受ける権利を裁定する場合又は年金給付の額を改定する場合において、年金給付の額に50銭未満の端数が生じたときは、これを切り捨て、50銭以上1円未満の端数が生じたときは、これを1円に切り上げるものとされている。

解答15 ○　法19条5項。設問の通り正しい。なお、設問の場合において、その1人に対してした支給は、全員に対してしたものとみなす。

問題16
／／／
租税その他の公課は、給付として支給を受けた金銭を標準として、課することができない。ただし、老齢基礎年金及び付加年金については、この限りでない。

問題17
／／／
受給権者が65歳以上である場合であっても、遺族基礎年金と老齢厚生年金は併給することができない。

問題18
／／／
受給権者の年齢にかかわらず、障害基礎年金と遺族厚生年金は併給することができる。

問題19
／／／
故意に障害又はその直接の原因となった事故を生じさせた者の当該障害については、これを支給事由とする障害基礎年金は、その全部又は一部を行わないことができる。

問題20
／／／
遺族基礎年金、寡婦年金又は死亡一時金は、被保険者又は被保険者であった者を故意に死亡させた者には、支給されない。

問題21
／／／
保険料その他国民年金法の規定による徴収金に関する処分に不服がある者は、社会保険審査会に対して審査請求をすることができる。

解答16　○　法25条。設問の通り正しい。

解答17　○　法20条1項、法附則9条の2の4。設問の通り正しい。遺族基礎年金と老齢厚生年金は、受給権者の年齢にかかわらず、併給することができない。この場合、受給権者の選択によりいずれか一方が支給され、他方は支給停止となる。

解答18　×　法20条1項、法附則9条の2の4、厚年法38条1項、同法附則17条。障害基礎年金と遺族厚生年金は、受給権者が65歳以上である場合に限り、併給することができる。

解答19　×　法69条。故意に障害又はその直接の原因となった事故を生じさせた者の当該障害については、これを支給事由とする障害基礎年金は、支給しない。

解答20　○　法71条1項。設問の通り正しい。なお、被保険者又は被保険者であった者の死亡前に、その者の死亡によって遺族基礎年金又は死亡一時金の受給権者となるべき者を故意に死亡させた者についても、遺族基礎年金又は死亡一時金は支給されない。

解答21　×　法101条1項。設問の保険料その他国民年金法の規定による徴収金に関する処分に関する審査請求は、「社会保険審査官」に対して行う。なお、当該審査請求に対する社会保険審査官の決定に不服がある者は、社会保険審査会に対して再審査請求をすることができる。

問題22 ／／／ 脱退一時金に関する処分に不服がある者は、社会保険審査官に対して審査請求をすることができる。

問題23 ／／／ 遺族基礎年金及び寡婦年金を受ける権利はその支給すべき事由が生じた日から2年を、死亡一時金を受ける権利はこれを行使することができる時から5年を経過したときは、時効によって消滅する。

解答22　×　法附則９条の３の2,5項。脱退一時金に関する処分に不服がある者は、「社会保険審査会」に対して審査請求をすることができる。

解答23　×　法102条１項、４項。遺族基礎年金及び寡婦年金を受ける権利はその支給すべき事由が生じた日から「５年」を、死亡一時金を受ける権利はこれを行使することができる時から「２年」を経過したときに、時効によって消滅する。なお、保険料その他国民年金法の規定による徴収金を徴収し、又はその還付を受ける権利は、これらを行使することができる時から２年を経過したときは、時効によって消滅する。

5 寡婦年金等・給付の通則等

問題 1 ／／／

障害基礎年金の受給権者であり、かつ、付加保険料の納付済期間を有する者が、65歳に到達し、老齢基礎年金の受給権を取得した場合において、引き続き障害基礎年金を選択して受給することとなったときは、当該障害基礎年金と付加年金が併給される。

問題 2 ／／／

夫が老齢基礎年金の受給権を取得した月に死亡した場合、他の要件を満たす限り、その者の妻には寡婦年金が支給される。

問題 3 ／／／

合算対象期間を有する夫が死亡した場合において、当該夫の死亡日の前日における死亡日の属する月の前月までの第1号被保険者としての被保険者期間に係る保険料納付済期間と当該合算対象期間とを合算した期間がちょうど10年であるときは、寡婦年金は支給される。

問題 4 ／／／

障害福祉年金の支給を受けたことがある者が死亡した場合、他の要件を満たすときであっても、寡婦年金は支給されない。

解答 1　×　法20条１項、法43条、法47条。障害基礎年金を選択受給したことにより、老齢基礎年金の支給が停止される場合には、付加年金の支給も停止される。

解答 2　○　法49条１項ただし書。設問の通り正しい。寡婦年金は、夫が「老齢基礎年金又は障害基礎年金の支給を受けたことがあるとき」には、支給されないとされており、設問のように、夫が老齢基礎年金の受給権を取得した月に死亡した場合には、その支給を受けてはいないため、他の要件を満たしていれば、その者の妻に寡婦年金が支給される。

解答 3　×　法49条１項。第１号被保険者としての被保険者期間に係る保険料納付済期間と保険料免除期間とを合算した期間が10年以上であることを要する。この「10年以上」の期間に合算対象期間は含まれない。

解答 4　×　法49条１項、(60)法附則29条２項。設問の場合、寡婦年金は支給される。障害基礎年金の支給を受けたことがある者が死亡した場合は、寡婦年金は支給されないが、この「障害基礎年金の支給を受けたことがある者」とみなされる者の範囲から旧国民年金法による障害福祉年金の支給を受けた者は除かれる（旧国民年金法による障害年金の支給を受けた者は含まれる。）。

問題 5
／／／

寡婦年金の額は、死亡した夫の第１号被保険者としての保険料納付実績により老齢基礎年金の年金額の計算の例によって計算した額の４分の３に相当する額であるが、当該夫が付加保険料に係る保険料納付済期間を３年以上有していた場合には、当該額に8,500円を加算した額とする。

問題 6
／／／

夫の死亡により遺族基礎年金の受給権を取得し、その支給を受けた者は、当該夫の死亡に係る寡婦年金の支給を受けることはできない。

問題 7
／／／

死亡日の前日において死亡日の属する月の前月までの第１号被保険者としての被保険者期間に係る保険料４分の３免除期間を144月有する者（老齢基礎年金又は障害基礎年金の支給を受けたことはないものとする。）が死亡した場合において、死亡一時金の支給対象となる遺族があるときは、その遺族に死亡一時金が支給される。

問題 8
／／／

死亡一時金は、遺族厚生年金を受給できる場合は支給されない。

解答 5　×　法50条。死亡した夫が付加保険料に係る保険料納付済期間を有していても、寡婦年金の額に加算は行われない。なお、付加保険料を３年以上納付していた者が死亡した場合に支給される死亡一時金の額には、8,500円が加算される。

解答 6　×　法20条１項、法37条、法37条の2,1項１号、法49条１項。支給要件を満たしていれば、遺族基礎年金と寡婦年金の受給権を同時に取得することができる。これらの年金は、１人１年金の原則により併給することはできないが、例えば、先行して遺族基礎年金の支給を受け、生計を同じくしていた子について18歳に達した日以後の最初の３月31日が終了したこと等によってその受給権が消滅した後、60歳に達した日の属する月の翌月から65歳に達するまでの間、寡婦年金の支給を受けることができる。

解答 7　○　法52条の2,1項。設問の通り正しい。設問の者の有する保険料４分の３免除期間（144月）の４分の１に相当する月数が36月となることから、設問の者の死亡について、死亡一時金が支給される。

国年

解答 8　×　法52条の２。死亡一時金と遺族厚生年金の支給に関して調整を行う規定は設けられていないため、遺族厚生年金を受給できる場合でも、死亡一時金は支給されることがある。

例えば、第１号被保険者として36月以上保険料納付済期間がある厚生年金保険の被保険者が死亡した場合、保険料納付要件を満たしていれば、一定の要件を満たした遺族は、死亡一時金と遺族厚生年金を受給することができる。

問題 9　／／／

脱退一時金は、日本国籍を有しない一定の者に対して支給されるが、その者が障害基礎年金又は遺族基礎年金の受給権を有したことがあるときには、支給されない。

問題10　／／／

国民年金法附則第9条の3の2第1項に規定する所定の保険料納付実績を有する外国人であっても、その者が最後に被保険者の資格を喪失した日（同日において日本国内に住所を有していた者にあっては、同日後初めて、日本国内に住所を有しなくなった日）から起算して2年を経過しているときは、脱退一時金の支給を請求することはできない。

問題11　／／／

老齢基礎年金又は付加年金を受ける権利を担保に供することはできるが、障害基礎年金又は遺族基礎年金を担保に供することはできない。

問題12　／／／

給付を受ける権利は、原則として、差し押えることはできないとされているが、老齢基礎年金若しくは付加年金を受ける権利又は脱退一時金を受ける権利については、国税滞納処分により差し押えることができる。

問題13　／／／

子である甲（15歳）と乙（19歳、障害等級2級に該当）が遺族基礎年金の受給権を有する場合において、乙が20歳に達する前に障害等級に該当しなくなったことにより遺族基礎年金の受給権が消滅したにもかかわらず、引き続き従前の額で遺族基礎年金が支払われた場合、国民年金法第21条の2の規定により、過誤払として、もう1人の遺族である甲が受給する遺族基礎年金の金額を返還すべき年金額に充当することができる。

進捗チェック

労基	安衛	労災	雇用	徴収

解答 9　×　法附則９条の３の2,1項２号。遺族基礎年金の受給権を有したことがあるときに、脱退一時金を支給しないとする規定はない。

解答10　○　法附則９条の３の2,1項３号。設問の通り正しい。

解答11　×　法24条。給付を受ける権利は、譲り渡し、担保に供し、又は差し押えることができないこととされており、障害基礎年金、遺族基礎年金と同様、老齢基礎年金、付加年金についても、その受給権を担保に供することはできない。

解答12　○　法24条、法附則９条の３の2,7項、令14条の５。設問の通り正しい。

解答13　×　法21条の２。子の遺族基礎年金の受給権が、「死亡」によらず、「障害等級に該当しなくなった」ことにより消滅した場合に、設問の充当処理の規定が適用されることはない。

問題14
／／／
繰上げ支給の老齢基礎年金と遺族厚生年金は、受給権者が65歳未満であっても、併給することができる。

問題15
／／／
第三者行為事故について、損害賠償額との調整の対象となる給付は、第三者行為事故の被害者が受給することとなる障害厚生年金、障害基礎年金及び障害手当金並びに第三者行為事故の被害者の遺族が受給することとなる遺族厚生年金、遺族基礎年金、寡婦年金及び死亡一時金である。

問題16
／／／
政府は、国民年金事業の円滑な実施を図るため、国民年金に関し、教育及び広報を行うことなど一定の事業を行うことができるが、当該事業については、その全部又は一部を日本年金機構に行わせることができる。

問題17
／／／
国民年金法第14条の４第１項又は第２項（訂正請求に対する措置）の規定による決定は、処分性のある行政手続であり、当該決定に不服があれば、行政不服審査法に基づく審査請求を行うことが可能である。

問題18
／／／
偽りその他不正な手段により給付を受けた者は、30万円以下の罰金に処する。ただし、刑法に正条があるときは、刑法による。

解答14　×　法20条1項、法附則9条の2の4。65歳未満の者に支給する繰上げ支給の老齢基礎年金と遺族厚生年金は、併給することができない。なお、受給権者が65歳以上である場合には、老齢基礎年金と遺族厚生年金を併給することができる。

解答15　×　法22条2項、平成27.9.30年管管発0930第6号。設問の給付のうち、死亡一時金は、保険料の掛け捨て防止の考え方に立った給付であり、その給付額にも鑑み、損害賠償を受けた場合であっても、損害賠償額との調整は行わないこととされている。

解答16　○　法74条1項、3項。設問の通り正しい。設問の事業の全部又は一部は、日本年金機構に行わせることができる。

解答17　○　法101条1項他。設問の通り正しい。訂正請求に対する決定は、処分性のある行政手続であり、当該決定に不服があれば、行政不服審査法に基づく審査請求又は処分取消しの訴えを行うことが可能である。なお、設問の訂正請求に対する決定は、社会保険審査官に対する審査請求若しくは社会保険審査会に対する再審査請求の対象とはされていない。

解答18　×　法111条。偽りその他不正な手段により給付を受けた者は、原則として、「3年以下の懲役又は100万円以下の罰金」に処せられる。国民年金法上、最も重い罰則となっている。

6 国民年金基金等

問題 1 ／／／
　国民年金基金の地区は、職能型国民年金基金にあっては、全国とする。

問題 2 ／／／
　地域型国民年金基金の加入員である第1号被保険者は、同時に職能型国民年金基金の加入員となることはできない。

問題 3 ／／／
　国民年金基金の加入員がその資格を取得した月にその資格を喪失した場合には、その資格を取得した日にさかのぼって加入員でなかったものとみなされる。

問題 4 ／／／
　国民年金基金の加入員が、付加保険料を納付する者となるためには、国民年金基金連合会に届出を行わなければならない。

問題 5 ／／／
　国民年金基金は、加入員又は加入員であった者に対し、年金の支給を行ない、あわせて加入員又は加入員であった者の脱退に関し、一時金の支給を行なう。

問題 6 ／／／
　国民年金基金が支給する年金及び一時金を受ける権利は、受給権者の請求に基づいて、厚生労働大臣が裁定する。

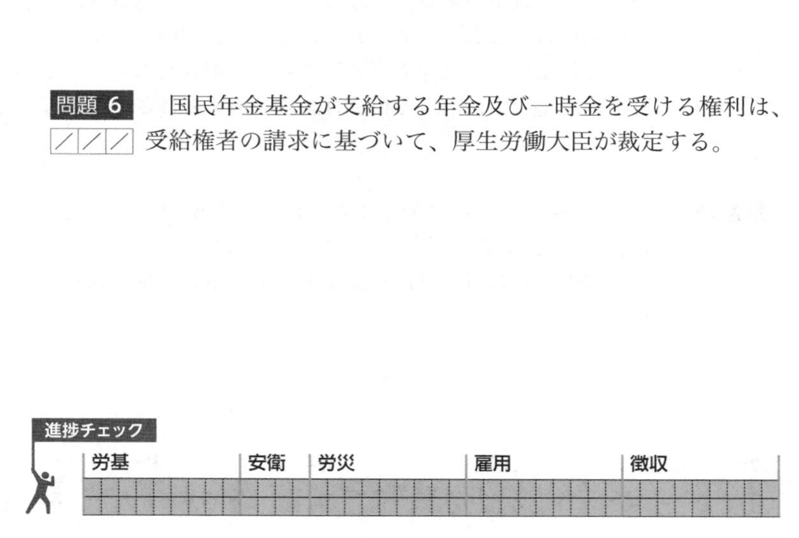

解答 1　○　法118条の2,1項。設問の通り正しい。

解答 2　○　法127条1項。設問の通り正しい。既に国民年金基金の加入員である者は、他の国民年金基金の加入員となることはできない。

解答 3　○　法127条4項。設問の通り正しい。

解答 4　×　法87条の2,1項カッコ書。国民年金基金の加入員は、付加保険料を納付する者となることができない。

解答 5　×　法128条1項。国民年金基金は、「脱退」に関しては給付を行わない。国民年金基金は、加入員又は加入員であった者に対し、年金の支給を行ない、あわせて加入員又は加入員であった者の「死亡」に関し、一時金の支給を行なうものとされている。

解答 6　×　法133条。国民年金基金が支給する年金及び一時金を受ける権利は、受給権者の請求に基づいて、「国民年金基金」が裁定する。

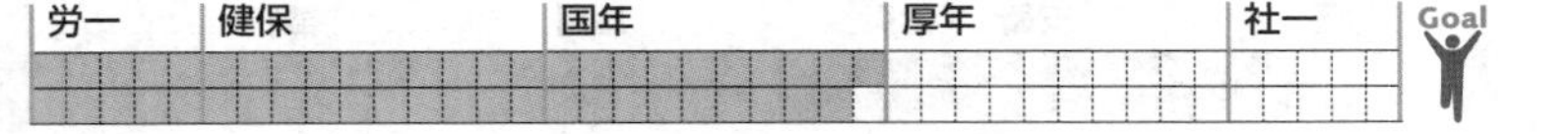

Step-Up

6 国民年金基金等

問題 1 ／／／

　職能型国民年金基金を設立するには、その加入員となろうとする15人以上の者が発起人とならなければならず、また5,000人以上の加入員がなければ設立することができない。

問題 2 ／／／

　国民年金基金に、役員として理事及び監事を置く。理事は、代議員において互選する。ただし、理事の定数の３分の１（吸収合併によりその地区を全国とした地域型国民年金基金にあっては、２分の１）を超えない範囲内については、代議員会において、国民年金基金の業務の適正な運営に必要な学識経験を有する者のうちから選挙することができる。

問題 3 ／／／

　国民年金基金の加入員は、いつでも、基金に申し出て、当該申出をした日の翌日に、加入員の資格を喪失することができる。

問題 4 ／／／

　国民年金基金の加入員は、第２号被保険者又は第３号被保険者となったときは、その日の翌日に加入員の資格を喪失する。

問題 5 ／／／

　国民年金基金の加入員が、保険料免除の規定によりその全部又は一部の額につき保険料を納付することを要しないものとされたときは、当該保険料を納付することを要しないものとされた月の初日に加入員の資格を喪失する。

解答 1　×　法119条3項、5項。設問文の「5,000人以上」を「3,000人以上」に置き換えると正しい内容となる。

解答 2　○　法124条1項、2項。設問の通り正しい。

解答 3　×　法127条3項。国民年金基金の加入員は、任意の申出により加入員の資格を喪失することはできない。

解答 4　×　法127条3項1号。第2号被保険者又は第3号被保険者となったときはその日に加入員の資格を喪失する。

解答 5　○　法127条3項3号、(16)法附則19条4項。設問の通り正しい。

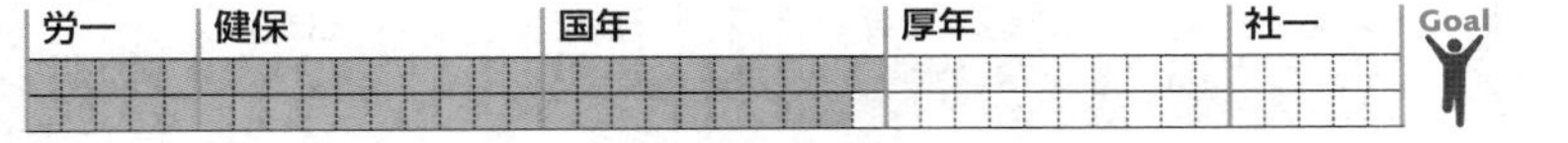

問題 6 ／／／

国民年金基金の毎月の掛金の上限は6万8千円とされているが、国民年金の保険料が免除されていたために国民年金基金に加入できなかった者がこれまで保険料の免除を受けていた期間のうち厚生労働大臣の承認のあった月前10年以内の全期間について追納し、保険料が免除されていたために基金に加入できなかった期間に相当する期間（平成3年4月1日以後の期間に限られ、当該期間が60月を超えるときは、60月とする。）について掛金を支払うときは、当該掛金の上限を1月につき10万2千円とすることができる。

問題 7 ／／／

国民年金基金は、政令で定めるところにより、厚生労働大臣に届け出ることにより、その業務（加入員又は加入員であった者に年金又は一時金の支給を行うために必要となるその者に関する情報の収集、整理又は分析を含む。）の一部を信託会社、信託業務を営む金融機関、生命保険会社、農業協同組合連合会、共済水産業協同組合連合会、国民年金基金連合会その他の法人に委託することができる。

問題 8 ／／／

老齢基礎年金の受給権者に対し国民年金基金が支給する年金の額のうち、200円に当該基金に係る加入員期間の月数を乗じて得た額については、当該老齢基礎年金がその全額につき支給を停止されている場合を除いては、その支給を停止することはできない。

問題 9 ／／／

国民年金基金へ掛金を納付した期間であっても、その期間について国民年金の保険料を納付していない場合（産前産後期間の保険料免除を受けている場合を除く。）は、国民年金基金が支給する年金給付の対象とならない。

解答 6　○　基金令34条、同令35条1項。設問の通り正しい。国民年金の保険料が免除されている者は国民年金基金の加入員となれないが、免除された保険料を追納したときは、保険料が免除されていたために基金に加入できなかった期間に相当する期間〔現行の国民年金基金制度が創設された平成3年4月1日以後の期間に限られ、60月（5年）を限度とする。〕の掛金の上限額を、本来の額（6万8千円）の1.5倍の額（10万2千円）とすることができる。

これも覚える！　追納が可能な厚生労働大臣の承認の月前10年以内の期間に係る保険料のすべてを追納しない者には、当該特例は適用されない。また、当該特例者の加入員の資格取得日は、あくまでも国民年金基金に対して加入の申出を行った日である。

解答 7　×　法128条5項。設問の委託を行うためには、厚生労働大臣の認可を受ける必要がある。なお、銀行その他の政令で定める金融機関（銀行、信用金庫及び信託会社等）は、加入員となる申出の受理に関する業務に限り受託することができる。

解答 8　○　法131条。設問の通り正しい。

200円に当該国民年金基金に係る加入員期間の月数を乗じて得た額を超える部分については、老齢基礎年金の全額が支給停止されていない場合であっても、その支給を停止することができる。

解答 9　○　法130条2項、法134条2項。設問の通り正しい。なお、この場合、国民年金基金に納付した掛金は還付される。

問題10 ／／／ 国民年金基金は、毎事業年度、予算を作成し、事業年度開始前に、厚生労働大臣の認可を受けなければならない。これに重要な変更を加えようとするときも、同様とする。

問題11 ／／／ 国民年金基金の中途脱退者の要件である「15年未満の加入員期間」の算定において、加入員の資格を喪失した後、再び元の国民年金基金の加入員の資格を取得した者については、国民年金の任意加入被保険者である国民年金基金の加入員期間を含め、当該国民年金基金における前後の加入員期間を合算することができる。

解答10　×　基金令27条1項、基金令51条2項。国民年金基金は、毎事業年度、予算を作成し、事業年度開始前に、厚生労働大臣に届け出なければならないとされており、認可は不要である。なお、国民年金基金連合会は、毎事業年度、予算を作成し、事業年度開始前に、厚生労働大臣の認可を受けなければならないとされている。

解答11　×　基金令45条2項。中途脱退者の要件である「15年未満の加入員期間」の算定において、国民年金の任意加入被保険者である国民年金基金の加入員期間は、合算の対象とされない。

厚生年金保険法

1　被保険者等・標準報酬
2　老齢厚生年金
3　障害厚生年金・障害手当金
4　遺族厚生年金・脱退一時金
5　給付通則等
6　費用の負担・不服申立て等

200問

Basic

1 被保険者等・標準報酬

問題 1 旅館、料理店、飲食店等のサービス業に係る個人経営の事業所であって、常時5人以上の従業員を使用するものは、強制適用事業所とされる。

問題 2 任意適用事業所の適用の認可を受けようとするときは、当該事業所の事業主は、当該事業所に使用される者（適用除外に該当する者を除く。）の過半数の同意を得て、厚生労働大臣に申請しなければならない。

問題 3 個人経営の強制適用事業所（船舶を除く。）において、常時使用する従業員が5人未満となったときは、任意適用事業所の適用の認可があったものとみなされ、引き続き適用事業所となる。

問題 4 常時6人の従業員を使用する法人の事業所において、使用する従業員数が常時4人となった場合には、その事業所について任意適用事業所の適用の認可があったものとみなされる。

問題 5 任意適用事業所の取消の認可を受けようとするときは、当該事業所の事業主は、当該事業所に使用される者（適用除外に該当する者を除く。）の3分の2以上の同意を得て、厚生労働大臣に申請しなければならない。

解答 1 × 法6条1項。サービス業は、非適用業種であり、個人経営の非適用業種の事業は、使用する従業員の数にかかわらず、強制適用事業所とならない。

これも覚える！ 非適用業種の事業であっても、法人の事業所であって、常時従業員を使用するものは、強制適用事業所となる。

解答 2 × 法6条4項。「過半数」ではなく2分の1以上の同意を得て、申請しなければならないとされている。

解答 3 ○ 法7条。設問の通り正しい。

これも覚える！ 設問の事業所は、引き続き厚生年金保険法の適用を受けることから、当該事業所に使用される被保険者について資格の得喪は生じない。

解答 4 × 法6条1項、法7条。設問の事業所は法人であるので、使用する従業員数が常時4人となっても、強制適用事業所である。

解答 5 × 法8条2項。「3分の2以上」ではなく4分の3以上の同意を得て、申請しなければならないとされている。

問題 6 □□□ 適用事業所以外の事業所に使用される70歳未満の者は、厚生労働大臣に申し出ることにより、厚生年金保険の被保険者となることができる。

問題 7 □□□ 適用事業所に使用される70歳以上の者であって、老齢厚生年金等の受給権を有しないもの（適用除外の規定に該当する者を除く。）は、実施機関に申し出て、高齢任意加入被保険者となることができるが、この申出をするに当たっては、事業主の同意を得る必要はない。

問題 8 □□□ 適用事業所に使用される高齢任意加入被保険者（事業主が保険料の半額負担等に関し同意をしたものを除く。）が初めて納付すべき保険料を滞納し、督促状の指定の期限までに、その保険料を納付しないときは、その指定の期限の翌日に、被保険者の資格を喪失する。

問題 9 □□□ 臨時に使用される者（船舶所有者に使用される船員を除く。）であって、日々雇い入れられる者は、被保険者とされない。ただし、1月を超えて引き続き使用されるに至ったときは、1月を超えた日から被保険者とされる。

問題10 □□□ 当然被保険者が70歳に達したときは、その日の翌日に被保険者の資格を喪失する。

問題11 □□□ 被保険者期間を計算する場合には、月によるものとし、被保険者の資格を取得した月から、その資格を喪失した月までをこれに算入する。

解答 6　×　法10条1項。適用事業所以外の事業所に使用される70歳未満の者は、厚生労働大臣の認可を受けることにより、厚生年金保険の被保険者（任意単独被保険者）となることができる。

任意単独被保険者となるための認可を受けるには、その事業所の事業主の同意を得なければならない。

解答 7　○　法附則4条の3,1項。設問の通り正しい。

ひっかけ注意

適用事業所以外の事業所に使用される70歳以上の者が高齢任意加入被保険者となるためには、必ずその事業所の事業主の同意を得たうえで、厚生労働大臣の認可を受けることが必要である。

解答 8　×　法附則4条の3,3項。設問の場合、当初から高齢任意加入被保険者とならなかったものとみなされる。

解答 9　○　法12条1号イ、法13条1項。設問の通り正しい。

解答10　×　法14条5号。当然被保険者が70歳に達したときは、その日に被保険者の資格を喪失する。

解答11　×　法19条1項。被保険者期間を計算する場合には、被保険者の資格を取得した月から、その資格を喪失した月の前月までを、これに算入する。

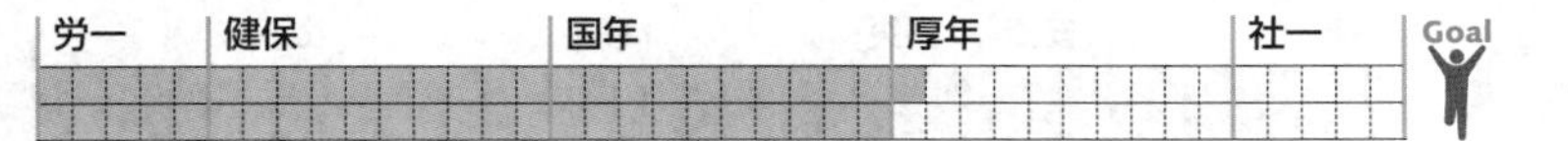

問題12　／／／

被保険者の資格を取得した月にその資格を喪失したときは、原則として、その月を1箇月として被保険者期間に算入する。

問題13　／／／

昭和61年4月1日から平成3年3月31日までの第3種被保険者であった期間は、その実期間に6分の5を乗じて得た期間をもって厚生年金保険の被保険者期間とする。

問題14　／／／

初めて適用事業所（第1号厚生年金被保険者に係るものに限る。）となった事業所の事業主（船舶所有者を除く。）は、当該事実があった日から5日以内に、所定の事項を記載した届書を日本年金機構（以下「機構」という。）に提出しなければならない。

問題15　／／／

第1号厚生年金被保険者に係る事業主が行う当然被保険者(船員被保険者を除く。）の資格の取得の届出は、当該事実があった日から10日以内に、厚生年金保険被保険者資格取得届・70歳以上被用者該当届又は所定の事項を記録した光ディスクを機構に提出することによって行うものとする。

問題16　／／／

第1号厚生年金被保険者（適用事業所に使用される高齢任意加入被保険者等を除き、厚生労働大臣が住民基本台帳法の規定により機構保存本人確認情報の提供を受けることができない者に限る。）は、その住所を変更したときは、当該事実があった日から5日以内に、変更後の住所及び変更の年月日を事業主に申し出なければならない。

解答12　○　法19条２項。設問の通り正しい。

設問の場合においてその月に更に第２号被保険者以外の国民年金の被保険者の資格を取得したときは、その月は厚生年金保険の被保険者期間に算入しない。

解答13　×　(60)法附則47条４項。設問文中「６分の５」を「５分の６」に置き換えると正しい内容となる。

昭和61年４月１日前の第３種被保険者であった期間に係る厚生年金保険の被保険者期間を計算する場合には、実期間に３分の４を乗じて得た期間をもって厚生年金保険の被保険者期間とする。

解答14　○　則13条１項。設問の通り正しい。

初めて適用事業所となった船舶の船舶所有者は、当該事実があった日から10日以内に、所定の事項を記載した届書を、機構に提出しなければならない。

解答15　×　法27条、則15条１項。設問文中「10日以内」を「５日以内」に置き換えると正しい内容となる。

設問の規定により機構に提出する届書は、所定の統一様式による場合には、所轄労働基準監督署長又は所轄公共職業安定所長を経由して提出することができる。

解答16　×　則６条の２。設問の被保険者は、その住所を変更したときは、速やかに、変更後の住所及び変更の年月日を事業主に申し出なければならない。

厚生労働大臣が住民基本台帳法の規定により機構保存本人確認情報の提供を受けることができる者である場合には、設問の住所変更の申出を省略することができる。

問題17　第１号厚生年金被保険者に係る事業主は、厚生年金保険に関する書類のうち、標準報酬に関するものは、その完結の日から３年間、保存しなければならない。

問題18　厚生年金保険法において、労働者が労働の対償として受けるものであっても、臨時に受けるもの及び３月を超える期間ごとに受けるものは、報酬とはされず、賞与として取り扱われる。

問題19　標準報酬月額は、第１級58,000円から第50級1,390,000円までの50等級に区分されている。

問題20　６月１日から12月31日までの間に被保険者資格を取得した者については、資格取得時に決定された標準報酬月額をもって、翌年の８月までの各月の標準報酬月額とする。

問題21　標準賞与額が150万円を超えるときは、150万円とされる。

解答17　×　則28条。厚生年金保険に関する書類は、その完結の日から2年間、保存しなければならない。

解答18　×　法3条1項3号、4号。3月を超える期間ごとに受けるものは、賞与とされるが、臨時に受けるものは、賞与とはされない。

解答19　×　法20条1項他。厚生年金保険の標準報酬月額は、第1級88,000円から第32級650,000円までの32等級に区分されている。

解答20　○　法22条2項カッコ書。設問の通り正しい。

解答21　○　法24条の4,1項。設問の通り正しい。

標準賞与額は、その月に被保険者が受けた賞与額に1,000円未満の端数が生じたときは、これを切り捨てて決定する。

Step-Up

1 被保険者等・標準報酬

問題 1
／／／

適用業種を行う個人事業所は、常時５人以上の従業員を使用する場合に適用事業所とされるが、この従業員の員数の算定に当たっては、その事業所に常時使用される者のうち適用除外に該当する者を除外する。

問題 2
／／／

２以上の適用事業所（船舶を除く。）の事業主が同一である場合には、当該事業主は、厚生労働大臣の認可を受けて、当該２以上の事業所を一の適用事業所とすることができ、当該認可があったときは、当該２以上の適用事業所は、適用事業所でなくなったものとみなす。

問題 3
／／／

季節的業務に使用される者（船舶所有者に使用される船員を除く。）であって４か月間の契約期間を定めて使用される者は、被保険者とならない。

問題 4
／／／

所在地が一定しない事業所に使用される70歳未満の者が、６月を超えて引き続き使用されるに至った場合には、事業主の同意を得た上で厚生労働大臣の認可を受けて、任意単独被保険者となることができる。

進捗チェック

労基	安衛	労災	雇用	徴収

解答 1　×　法6条1項1号、昭和18.4.5保発905号。「常時5人以上」の従業員数の算定に当たっては、原則として適用除外に該当する者も含めて、その事業所に常時使用されるすべての者について計算すべきものとされている。

解答 2　×　法8条の2。設問文中「認可」を「承認」に置き換えると正しい内容となる。

これも覚える!　2以上の船舶の船舶所有者が同一である場合には、厚生労働大臣の承認によらず、当該2以上の船舶は、法律上当然に、一の適用事業所とされる。

解答 3　○　法12条3号、昭和9.4.17保発191号。設問の通り正しい。季節的業務に使用される者（船舶所有者に使用される船員を除く。）は、原則として、被保険者とされないが、雇入れ当初より継続して4月を超えて使用されるべき場合（当初から4月を超えて使用される予定である場合）には、その雇入れ当初より被保険者となることができる。

季節的業務に使用される者（船舶所有者に使用される船員を除く。）であって4月以内の期間を定めて使用される者が、業務の都合によりたまたま4月を超えて使用されるに至った場合には、被保険者とならない。

解答 4　×　法10条、法12条2号。所在地が一定しない事業所に使用される者は、使用期間の長さにかかわらず適用除外とされるため、(任意単独）被保険者となることができない。

問題 5　／／／

新たに使用されることとなった者が、当初から自宅待機とされた場合であっても、雇用契約が成立し、かつ、休業手当等が支払われるときは、その休業手当等の支払の対象となった日の初日に被保険者の資格を取得する。

問題 6　／／／

適用事業所に使用される70歳以上の者であって、障害基礎年金、障害厚生年金その他の障害を支給事由とする年金たる給付の受給権を有するものは、老齢又は退職を支給事由とする年金たる給付の受給権を有していない場合であっても、高齢任意加入被保険者となることはできない。

問題 7　／／／

任意単独被保険者は、その者の事業主が保険料（初めて納付すべき保険料を除く。）を滞納し、督促状の指定期限までに、その保険料を納付しないときは、その指定期限の翌日に、被保険者の資格を喪失する。

問題 8　／／／

任意単独被保険者がその事業所に使用されなくなったことにより、被保険者の資格を喪失したときは、厚生労働大臣の確認を要しない。

解答 5　○　法13条1項、昭和50.3.29保険発25号・庁保険発8号。設問の通り正しい。

適用事業所に新たに使用されることとなった被保険者は、その使用されるに至った日に被保険者の資格を取得する。この「使用されるに至った日」とは、事実上の使用関係が発生した日とされている。

解答 6　×　法附則4条の3,1項。適用事業所に使用される70歳以上の者であって、障害基礎年金、障害厚生年金その他の障害を支給事由とする年金たる給付の受給権を有するもの（適用除外の規定に該当する者を除く。）は、老齢又は退職を支給事由とする年金たる給付の受給権を有していなければ、実施機関に申し出て、高齢任意加入被保険者となることができる。

高齢任意加入被保険者となることができない者は、老齢厚生年金、老齢基礎年金その他の老齢又は退職を支給事由とする年金たる給付の受給権を有するものである。

解答 7　×　法14条他。設問のような規定はない。任意単独被保険者は、その者の事業主が保険料を納付しないことを理由に、被保険者の資格を喪失することはない。

解答 8　×　法14条2号、法18条1項ただし書。資格喪失の理由が「その事業所に使用されなくなったとき」である場合には、厚生労働大臣による確認を要する。

上記の場合、事業主は、任意単独被保険者について資格喪失の届出をしなければならない。

問題 9
／／／

任意適用事業所の事業主が厚生労働大臣の認可を受けて当該事業所を適用事業所でなくしたときには、その事業所に使用される被保険者の資格の喪失は、厚生労働大臣の確認によってその効力を生ずる。

問題10
／／／

適用事業所に使用される高齢任意加入被保険者であって、保険料の半額負担及び保険料納付義務を負うことについての事業主（第２号厚生年金被保険者及び第３号厚生年金被保険者に係るものを除く。）の同意を得ていないものが、保険料（初めて納付すべき保険料を除く。）を滞納し、督促状の指定期限までに、その保険料を納付しないときは、当該指定期限の属する月の前月の末日に、当該被保険者の資格を喪失する。

問題11
／／／

高齢任意加入被保険者は、75歳に達したときは、その日に、被保険者の資格を喪失する。

問題12
／／／

高齢任意加入被保険者を使用する適用事業所の事業主（第２号厚生年金被保険者及び第３号厚生年金被保険者に係るものを除く。）は、当該高齢任意加入被保険者の同意を得て、保険料の半額負担及び納付義務を負うことについての同意を将来に向かって撤回することができるが、これにより当該高齢任意加入被保険者がその資格を喪失することはない。

解答 9　×　法14条３号、法18条１項ただし書。任意適用事業所の取消の認可があったことによる被保険者の資格の喪失の効力発生については、厚生労働大臣の確認を必要としていない。

解答 10　×　法附則４条の3,6項、10項。設問の場合には、「当該指定期限の属する月の前月の末日」ではなく、「当該保険料の納期限の属する月の前月の末日」に、高齢任意加入被保険者の資格を喪失する。

解答 11　×　法14条、法附則４条の3,5項、６項、法附則４条の５。高齢任意加入被保険者の資格の喪失について、「一定の年齢に達したとき」は資格喪失事由とされていない。

解答 12　○　法附則４条の3,5項、８項、10項。設問の通り正しい。事業主が設問の同意を撤回した場合には、高齢任意加入被保険者は、保険料の全額を負担し、自ら納付義務を負うことになるが、その資格を喪失することはない。

問題13 ／／／

昭和61年4月1日に第3種被保険者の資格を取得し、平成4年10月1日に当該資格を喪失した者については、98月をもって、この期間の厚生年金保険の被保険者期間とされる。

問題14 ／／／

厚生年金保険法施行規則第10条の4の要件（70歳以上の使用される者の要件）に該当するに至った日の前日において適用事業所に使用されていた第1号厚生年金被保険者が、引き続き当該適用事業所に使用されることにより当該要件に該当するに至ったときは、当該者の標準報酬月額に相当する額が当該要件に該当するに至った日の前日における標準報酬月額を下回る場合に限り、当該適用事業所の事業主は、70歳以上の使用される者の該当の届出を行うことを要しない。

問題15 ／／／

随時改定の規定に該当する被保険者又は70歳以上の使用される者（船員たる70歳以上の使用される者を除く。）の報酬月額に関する事業主（第1号厚生年金被保険者に係る事業主に限り、特定法人の事業所の事業主を除く。）が行う届出は、速やかに、厚生年金保険被保険者報酬月額変更届・70歳以上被用者月額変更届又は当該所定の事項を記録した光ディスクを機構に提出することによって行うものとする。

問題16 ／／／

適用事業所以外の事業所に使用される高齢任意加入被保険者が、厚生労働大臣の認可を受けて当該被保険者の資格を喪失する場合には、事業主は、当該認可があった日から5日以内に、被保険者資格喪失届を機構に提出するものとする。

解答13　×　法19条１項、(60)法附則47条４項。昭和61年４月から平成３年３月までの第３種被保険者であった期間については、その期間を５分の６倍して被保険者期間を計算することから、60月×６／５＝72月。また、資格喪失日（10月１日）の属する月の前月までを被保険者期間に算入することから、平成３年４月から平成４年９月までの被保険者期間の月数が、18月。したがって、72月＋18月＝90月となる。

解答14　×　則15条の2,1項、４項。70歳以上の使用される者の要件に該当するに至った日の前日において適用事業所に使用されていた第１号厚生年金被保険者が、引き続き当該適用事業所に使用されることにより当該要件に該当するに至ったときは、「当該者の標準報酬月額に相当する額が当該要件に該当するに至った日の前日における標準報酬月額と同額である場合に限り」、当該適用事業所の事業主は、70歳以上の使用される者の該当の届出を行うことを要しない。

解答15　○　則19条１項。設問の通り正しい。

設問の場合において、被保険者が同時に全国健康保険協会の管掌する健康保険の被保険者であることにより、健康保険法施行規則26条の規定によって届書又は光ディスクを提出するときは、これに併記又は記録して行うものとする。

解答16　×　法27条、法附則４条の５、則22条１項３号。設問の場合、被保険者資格喪失届の提出は不要である。

問題17 ／／／

実施機関は、被保険者に関する原簿を備え、これに被保険者の氏名、資格の取得及び喪失の年月日、標準報酬、基礎年金番号その他主務省令で定める事項を記録しなければならない。

問題18 ／／／

第２号厚生年金被保険者であり、又はあった者は、その第２号厚生年金被保険者期間について、厚生年金保険原簿に自己に係る特定厚生年金保険原簿記録が記録されていないと思料するときは、厚生労働大臣に対して、厚生年金保険原簿の訂正の請求をすることができる。

問題19 ／／／

第１号厚生年金被保険者は、同時に２以上の事業所（第１号厚生年金被保険者に係るものに限る。）に使用されるに至った場合において、当該２以上の事業所に係る機構の業務が２以上の年金事務所に分掌されていないときは、５日以内に、所定の届書を機構に提出することにより、２以上の事業所勤務の届出を行うものとする。

問題20 ／／／

年金たる保険給付（厚生労働大臣が支給するものに限る。）の受給権者が死亡したときは、戸籍法の規定による死亡の届出義務者は、14日以内に、その旨を厚生労働大臣に届け出なければならない。ただし、厚生労働大臣が住民基本台帳法の規定により当該受給権者に係る機構保存本人確認情報の提供を受けることができる受給権者の死亡について、その死亡の日から７日以内に戸籍法の規定による死亡の届出をした場合には、この限りでない。

解答17　○　法28条。設問の通り正しい。

解答18　×　法28条の2,1項、法31条の３。第２号厚生年金被保険者であり、又はあった者は、その第２号厚生年金被保険者期間について、設問の訂正の請求をすることができない。

第１号厚生年金被保険者であり、又はあった者は、厚生年金保険原簿に記録された自己に係る特定厚生年金保険原簿記録（被保険者資格の取得及び喪失の年月日、標準報酬その他厚生労働省令で定める事項の内容をいう。）が事実でない、又は厚生年金保険原簿に自己に係る特定厚生年金保険原簿記録が記録されていないと思料するときは、厚生労働大臣に対し、厚生年金保険原簿の訂正の請求をすることができる。

解答19　×　法98条２項、５項、則２条１項。「５日以内」ではなく、10日以内に、機構に提出しなければならない。

解答20　×　法98条４項、５項、則41条５項、６項他。「14日以内」ではなく、10日以内に、厚生労働大臣に届け出なければならない。

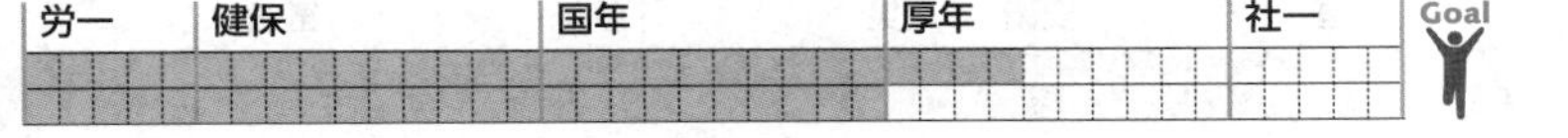

問題21

／／／

毎年３月31日における全被保険者の標準報酬月額を平均した額の100分の250に相当する額が標準報酬月額等級の最高等級の標準報酬月額を超える場合において、その状態が継続すると認められるときは、その年の９月１日から、健康保険法に規定する標準報酬月額の等級区分を参酌して、政令で、当該最高等級の上に更に等級を加える標準報酬月額の等級区分の改定を行うことができる。

問題22

／／／

船舶と船舶以外の事業所に同時に使用される第１号厚生年金被保険者について、報酬月額を算定する場合においては、それぞれ算定した額の合算額をその者の報酬月額とする。

問題23

／／／

３歳未満の子を養育する期間中の各月の標準報酬月額が、子の養育を開始した月の前月の標準報酬月額を下回る場合には、被保険者の申出に基づいて、その標準報酬月額が低下した期間について、従前の標準報酬月額がその期間の標準報酬月額とみなされ、当該期間に係る保険料額が計算される。

進捗チェック

労基	安衛	労災	雇用	徴収

解答21　×　法20条２項。設問文中「100分の250」を「100分の200」に置き換えると正しい内容となる。

解答22　×　法24条の２。船舶と、船舶以外の事業所に同時に使用される第１号厚生年金被保険者の報酬月額は、船員保険法の規定の例により、船舶に係る報酬のみによって算定する。

これも覚える！　上記の場合、船舶所有者以外の事業主は、当該被保険者の保険料について、負担及び納付の義務を負わない。

解答23　×　法26条１項。設問の期間に係る保険料額に関しては、実際に低下した標準報酬月額に基づき計算される。設問の従前標準報酬月額は、年金額の算定の基礎となる平均標準報酬額の計算に用いられる。

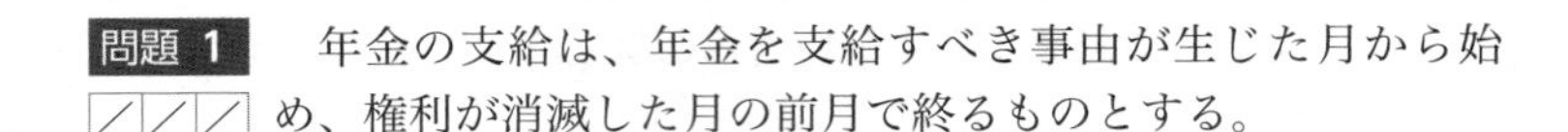

Basic

2 老齢厚生年金

問題 1
／／／

年金の支給は、年金を支給すべき事由が生じた月から始め、権利が消滅した月の前月で終るものとする。

問題 2
／／／

年金は、原則として、毎年２月、４月、６月、８月、10月及び12月の６期に、それぞれその月分までを支払う。

問題 3
／／／

65歳以後の老齢厚生年金の受給権を取得するためには、老齢基礎年金の受給資格期間を満たし、かつ、１年以上の被保険者期間を有する必要がある。

問題 4
／／／

平成15年４月以後の被保険者であった期間に係る老齢厚生年金の額は、当該被保険者であった期間の平均標準報酬額の1000分の5.481に相当する額に被保険者期間の月数を乗じて得た額とする。

問題 5
／／／

平均標準報酬額とは、被保険者期間の計算の基礎となる各月の標準報酬月額と標準賞与額に改定率を乗じて得た額の総額を、当該被保険者期間の月数で除して得た額をいう。

問題 6
／／／

受給権者が毎年７月１日（「基準日」という。）において被保険者である場合（基準日に被保険者の資格を取得した場合を除く。）の老齢厚生年金の額は、基準日の属する月前の被保険者であった期間をその計算の基礎とするものとし、基準日の属する月の翌月から、年金の額を改定する。

進捗チェック

労基	安衛	労災	雇用	徴収

解答 1 × 法36条1項。年金の支給は、年金を支給すべき事由が生じた月の翌月から始め、権利が消滅した月で終るものとする。

解答 2 × 法36条3項。「その月分まで」ではなく「その前月分まで」を支払う。

これも覚える！ 前支払期月に支払うべきであった年金又は権利が消滅した場合若しくは年金の支給を停止した場合におけるその期の年金は、支払期月でない月であっても、支払うものとされている。

解答 3 × 法42条。65歳以後の老齢厚生年金の受給権を取得するためには、被保険者期間は、「1年以上」ではなく1月以上有すればよい。

ひっかけ注意⚠ 特別支給の老齢厚生年金の受給権を取得するためには、1年以上の被保険者期間を有する必要がある。

解答 4 ○ 法43条1項、(12)法附則20条1項。設問の通り正しい。

ひっかけ注意⚠ 平成15年3月以前の被保険者であった期間に係る給付乗率は、1000分の7.125である。

解答 5 × 法43条1項カッコ書。「改定率」ではなく再評価率を乗じる。

解答 6 × 法42条2項。設問の基準日は、「7月1日」ではなく9月1日である。

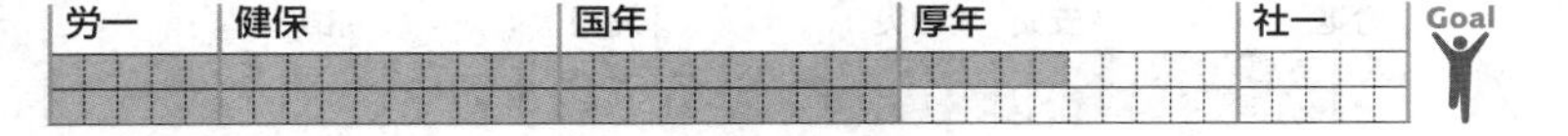

問題 7 ／／／

老齢厚生年金の額に加給年金額が加算される場合において、加算対象となる子が2人以上あるときは、1人目の子については、224,700円に改定率を乗じて得た額が、2人目以降の子については、1人につき74,900円に改定率を乗じて得た額が加算される。

問題 8 ／／／

老齢厚生年金の額に加給年金額が加算されるためには、老齢厚生年金の額の計算の基礎となる被保険者期間の月数が、300以上あることが必要である。

問題 9 ／／／

65歳に達して、老齢厚生年金（当該年金額の計算の基礎となる被保険者期間の月数は240以上あるものとする。）の受給権を取得した者が、67歳のときに生計を維持する65歳未満の配偶者を有することとなった場合であっても、その者の老齢厚生年金に加給年金額が加算されることはない。

問題 10 ／／／

老齢厚生年金の受給権者が適用事業所に使用されている場合であっても、70歳以上であるため被保険者とならないときには、在職老齢年金の仕組みにより当該老齢厚生年金の支給が停止されることはない。

問題 11 ／／／

在職老齢年金を受給している被保険者について、標準報酬月額が随時改定により改定されたときは、その改定のあった月から、総報酬月額相当額も改定される。

問題 12 ／／／

老齢厚生年金の支給繰上げの請求は、国民年金法に規定する老齢基礎年金の支給繰上げの請求を行うことができる場合であっても、その請求と同時に行う必要はない。

解答 7　×　法44条１項、２項。加算対象となる子が２人以上ある場合の加給年金額は、その子のうち２人まで（１人目及び２人目の子）については、１人につき224,700円に改定率を乗じて得た額であり、その他の子（３人目以降の子）については、１人につき74,900円に改定率を乗じて得た額となる。

解答 8　×　法44条１項、(60)法附則61条１項。「300以上」ではなく240以上あることが必要である。

これも覚える！　いわゆる中高齢者の特例に該当する場合には、その者の老齢厚生年金の額の計算の基礎となる被保険者期間の月数が240未満であっても、240あるものとみなされる。

解答 9　○　法44条１項。設問の通り正しい。

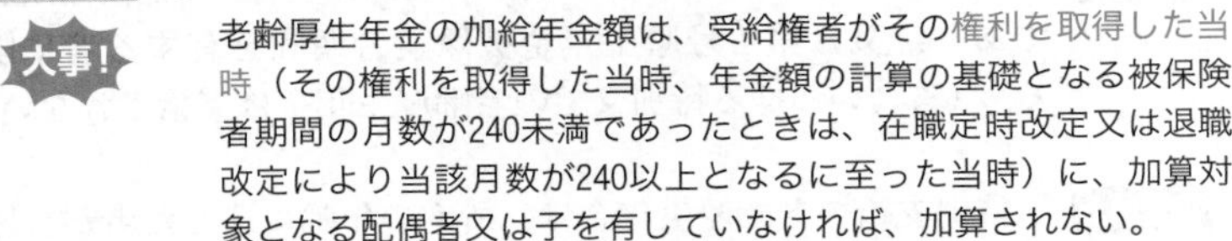

大事！　老齢厚生年金の加給年金額は、受給権者がその権利を取得した当時（その権利を取得した当時、年金額の計算の基礎となる被保険者期間の月数が240未満であったときは、在職定時改定又は退職改定により当該月数が240以上となるに至った当時）に、加算対象となる配偶者又は子を有していなければ、加算されない。

解答 10　×　法46条１項。設問の70歳以上の使用される者についても在職老齢年金（高在老）の仕組みが適用される。

解答 11　○　法46条５項、法附則15条の３。設問の通り正しい。なお、総報酬月額相当額の改定のあった月から、在職老齢年金の支給停止額が変更される。

解答 12　×　法附則７条の3,2項、法附則13条の4,2項。設問の場合には、老齢基礎年金の支給繰上げと老齢厚生年金の支給繰上げは、同時に行わなければならない。

厚年

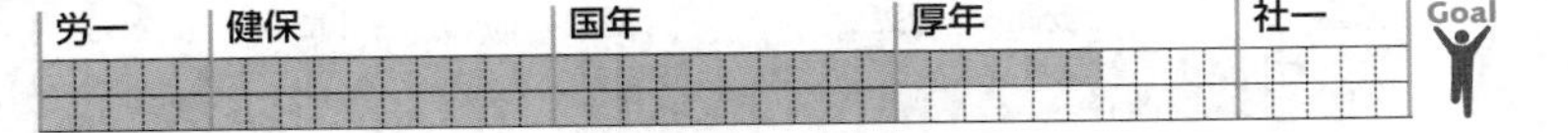

問題13 ／／／

老齢厚生年金の受給権を有する者であってその受給権を取得した日から起算して６月を経過した日前に当該老齢厚生年金を請求していなかったものが一定の要件を満たしている場合は、実施機関に当該老齢厚生年金の支給繰下げの申出をすることができる。

問題14 ／／／

65歳以後の老齢厚生年金の受給権は、受給権者の死亡以外の理由で消滅することはない。

問題15 ／／／

昭和41年４月１日生まれの女子（第１号厚生年金被保険者であり、又は第１号厚生年金被保険者期間を有する者に限る。）には、いわゆる特別支給の老齢厚生年金は支給されない。

問題16 ／／／

特別支給の老齢厚生年金は、所定の年齢に達した者が、厚生年金保険の被保険者期間を10年以上有する場合に限り支給される。

問題17 ／／／

昭和34年４月１日生まれの男子（第１号厚生年金被保険者期間のみを有するものとする。）である受給権者に支給される特別支給の老齢厚生年金は、原則として、64歳に達したときから65歳に達するまで、報酬比例部分のみが支給され、定額部分は支給されない。

解答13　×　法44条の3,1項。設問文中「6月」を「1年」に置き換えると正しい内容となる。

老齢厚生年金の受給権を取得したときに他の年金たる給付（次の①②のいずれか）の受給権者であったとき、又は当該老齢厚生年金の受給権を取得した日から1年を経過した日までの間において他の年金たる給付の受給権者となったときは、設問の支給繰下げの申出をすることはできない。
①他の年金たる保険給付
②国民年金法による年金たる給付（老齢基礎年金及び付加年金並びに障害基礎年金を除く。）

解答14　○　法45条。設問の通り正しい。設問の老齢厚生年金の受給権は、受給権者の死亡以外の理由で消滅することはない。

解答15　×　法附則8条の2,2項。設問の女子は、受給資格期間等の要件を満たしていれば、64歳に達したときから報酬比例部分のみの特別支給の老齢厚生年金が支給される。

解答16　×　法附則8条2号。特別支給の老齢厚生年金は、1年以上の厚生年金保険の被保険者期間を有し、かつ受給資格期間を満たしていれば、所定の年齢に達したときに支給される。

解答17　×　法附則8条の2,1項。設問の男子である受給権者には、原則として、「63歳」に達したときから報酬比例部分のみが支給される。

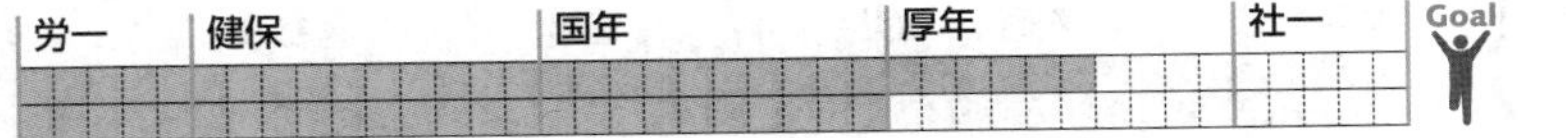

問題18
／／／

昭和29年４月１日生まれの女子（第１号厚生年金被保険者期間のみを有するものとする。）である受給権者に支給される特別支給の老齢厚生年金は、原則として、60歳に達したときから報酬比例部分が支給され、64歳に達したときから報酬比例部分と定額部分を合わせた額が支給される。

問題19
／／／

特別支給の老齢厚生年金のうち、定額部分の計算の基礎となる被保険者期間の月数は、昭和21年４月２日以後に生まれた受給権者については、その上限が480月と定められている。

問題20
／／／

60歳台後半の在職老齢年金の仕組みにおいては、老齢厚生年金の全部の支給を停止するときは、経過的加算額及び老齢基礎年金についてもその支給を停止する。

問題21
／／／

報酬比例部分相当額のみの特別支給の老齢厚生年金の額には、加給年金額は加算されない。

解答18　○　(6)法附則20条1項、2項、4項。設問の通り正しい。

解答19　○　法附則9条の2,2項1号、(6)法附則18条2項、(6)法附則19条2項、(16)法附則36条他。設問の通り正しい。

定額部分の計算の基礎となる被保険者期間の月数の上限は、受給権者の生年月日に応じて次のように定められている。

受給権者の生年月日	上限月数
昭和4年4月1日以前	420
昭和4年4月2日〜9年4月1日	432
昭和9年4月2日〜19年4月1日	444
昭和19年4月2日〜20年4月1日	456
昭和20年4月2日〜21年4月1日	468
昭和21年4月2日以後	480

解答20　×　法46条1項。経過的加算額及び老齢基礎年金は、老齢厚生年金の全部の支給を停止する場合であっても支給される。

解答21　○　法附則9条。設問の通り正しい。

定額部分の額と報酬比例部分の額を合わせた額の特別支給の老齢厚生年金でなければ、加給年金額は加算されない。

問題22　／／／

特別支給の老齢厚生年金の受給権者が被保険者である月について、その者の総報酬月額相当額と基本月額（加給年金額を除いた老齢厚生年金の額を12で除して得た額）との合計額が支給停止調整額以下の場合には、当該老齢厚生年金の支給停止は行われない。

問題23　／／／

繰上げ支給の老齢厚生年金は、その受給権者（65歳未満であるものとする。）が雇用保険法の規定による求職の申込みをした場合であっても、基本手当との調整は行われない。

問題24　／／／

特別支給の老齢厚生年金の受給権は、受給権者が死亡したときに限り消滅する。

解答22 ○　法附則11条１項、(6)法附則21条１項。設問の通り正しい。

基本月額を計算する際には、加給年金額は除かれる。

解答23 ×　法附則７条の4,1項、法附則11条の５。繰上げ支給の老齢厚生年金は、求職の申込みがあった月の翌月から基本手当の受給期間が経過したときまたは所定給付日数分の基本手当を受け終わったとき（延長給付を受ける者にあっては、延長給付が終わったとき）のいずれかに該当するに至った月までの各月について、その支給を停止する。

65歳以上の者に支給する老齢厚生年金については、基本手当との調整は行われない。

解答24 ×　法附則10条。受給権者が65歳に達したときにも消滅する。

特別支給の老齢厚生年金は、受給権者が「死亡したとき」の他「65歳に達したとき」にも、その受給権が消滅する点に注意。

Step-Up

2 老齢厚生年金

問題 1 ／／／

特別支給の老齢厚生年金（厚生労働大臣が支給するものに限る。）の支給を受けている者が65歳に達して65歳以後の老齢厚生年金の支給を受ける場合には、新たに老齢厚生年金の請求書を機構に提出しなければならない。

問題 2 ／／／

65歳以後の老齢厚生年金の額（報酬比例部分の額）の計算において、被保険者期間の月数が480を超える場合は、480とする。

問題 3 ／／／

被保険者である老齢厚生年金の受給権者が事業所に使用されなくなったことによりその被保険者の資格を喪失し、かつ、被保険者となることなくして被保険者の資格を喪失した日から起算して1月を経過したときは、その被保険者の資格を喪失した月前における被保険者であった期間を老齢厚生年金の額の計算の基礎とするものとし、資格を喪失した日から起算して1月を経過した日の属する月から、年金の額を改定する。

問題 4 ／／／

加算額対象者となっている子を有する障害基礎年金の受給権者が、65歳に達し、同時に老齢厚生年金（その年金額の計算の基礎となる被保険者期間の月数が240以上であるものに限る。）を受けることができる場合においては、当該老齢厚生年金の額については、当該子に係る加給年金額が加算され、障害基礎年金については、当該子に係る加算額に相当する部分の支給が停止される。

解答 1　○　法33条、則30条の2,1項。設問の通り正しい。設問の者が65歳以後の老齢厚生年金の支給を受ける場合には、新たに年金請求書を機構に提出し、65歳以後の老齢厚生年金の裁定を受けることが必要である。

解答 2　×　法43条1項。65歳以後の老齢厚生年金の額（報酬比例部分の額）を計算する場合においては、設問のような被保険者期間の月数の上限は規定されていない。

ひっかけ注意　特別支給の老齢厚生年金の定額部分の額の計算の基礎となる被保険者期間の月数については、受給権者の生年月日に応じて一定の上限が定められている（例：昭和21年4月2日以後生まれ→480月）。

解答 3　×　法43条3項。設問の場合、「資格を喪失した日」ではなく、「事業所に使用されなくなった日」から起算して1月を経過した日の属する月から、年金の額を改定することとされている。

解答 4　×　法44条1項ただし書。設問の場合には、老齢厚生年金については、当該子に係る加給年金額に相当する部分の支給が停止され、障害基礎年金については、当該子に係る加算額に相当する部分の支給は停止されない。

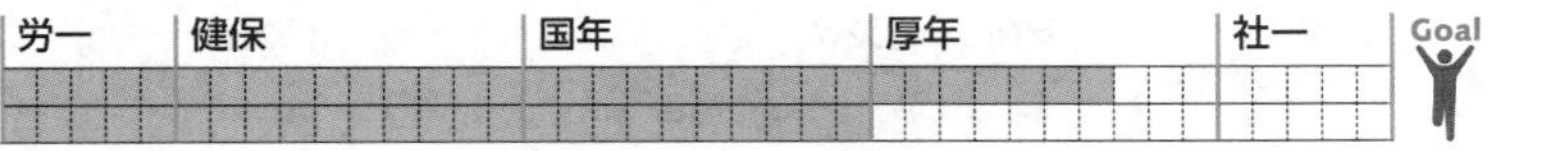

問題 5
／／／

老齢厚生年金の配偶者を対象とする加給年金額には、当該受給権者の生年月日に応じて特別加算が行われるが、昭和18年4月2日に生まれた者より昭和21年4月2日に生まれた者の方が当該特別加算の額は多い。

問題 6
／／／

老齢厚生年金の加給年金額の対象となっている子が当該老齢厚生年金の受給権者の配偶者以外の者の養子となったときは、その翌月から当該子に係る加給年金額は加算されなくなる。

問題 7
／／／

定額部分相当額が、昭和36年4月1日以後の20歳以上60歳未満の厚生年金保険の被保険者期間に係る老齢基礎年金相当額を超えるときは、当該超える額を65歳以後の老齢厚生年金に経過的に加算する。

問題 8
／／／

18歳に達した日以後の最初の3月31日が終了したことにより老齢厚生年金の加給年金額の対象者でなくなった子が、その後20歳に達する前に障害等級の1級又は2級に該当する程度の障害の状態に該当するに至ったときは、当該老齢厚生年金の額に、再度当該子を対象とする加給年金額が加算される。

問題 9
／／／

老齢厚生年金（厚生労働大臣が支給するものに限る。）の受給権者は、老齢厚生年金の加給年金額の対象者となっている配偶者が65歳に達したときは、加給年金額対象者不該当届を機構に提出しなくてもよい。

解答 5　×　(60)法附則60条２項。昭和18年４月２日以後に生まれた者に係る特別加算額は、同額である。

解答 6　○　法44条４項５号。設問の通り正しい。

解答 7　○　(60)法附則59条２項。設問の通り正しい。

解答 8　×　法44条１項、４項８号。加給年金額の対象者でなくなった子がその後設問の障害の状態に該当するに至った場合であっても、再び加給年金額が加算されることはない。

これも覚える！　加給年金額対象者である子が18歳に達する日以後の最初の３月31日が終了するまでに障害等級の１級又は２級に該当する障害の状態に該当するに至ったときは、20歳に達するまで（20歳に達する前にその状態が止んだときは、そのときまで）、当該子について加給年金額が加算される。

解答 9　○　法44条４項４号、則32条カッコ書。設問の通り正しい。設問のように加給年金額対象者が一定の年齢に達したことにより不該当となる場合には、加給年金額対象者不該当届を提出する必要はない。

問題10
／／／

老齢厚生年金の加給年金額の対象者となっている配偶者が、障害等級３級の障害厚生年金の支給を受けることができる場合であっても、加給年金額相当部分の支給は停止しない。

問題11
／／／

加給年金額が加算された老齢厚生年金について、当該加給年金額の加算の対象となっている配偶者が、老齢基礎年金の支給繰上げの請求をして、その支給を受けることができる場合は、その間、当該配偶者に係る加給年金額に相当する部分の支給が停止される。

問題12
／／／

70歳以上の使用される者に支給される老齢厚生年金について、いわゆる在職老齢年金の仕組みを適用する場合の総報酬月額相当額とは、その者の標準報酬月額に相当する額と直近１年間の標準賞与額及び標準賞与額に相当する額の総額を12で除して得た額とを合算して得た額である。

問題13
／／／

在職老齢年金の仕組みにより年金額の調整が行われている老齢厚生年金の受給権者である被保険者が、月の末日に退職し、その後再度被保険者の資格を取得することがなかった場合には、その退職した月までに限り、在職老齢年金の仕組みによる年金額の調整が行われる。

問題14
／／／

65歳以後の在職老齢年金の規定を適用する場合において、総報酬月額相当額が360,000円、基本月額が150,000円である場合には、月額10,000円の年金が支給停止される。

進捗チェック

労基	安衛	労災	雇用	徴収

解答10 × 法46条6項、令3条の7,1号。老齢厚生年金の加給年金額の対象者となっている配偶者が、障害厚生年金（その全額につき支給を停止されているものを除く。）の支給を受けることができるときは、その間、加給年金額相当部分の支給を停止する。

解答11 × 法46条6項、令3条の7。加給年金額の加算対象となっている配偶者が、繰上げ支給の老齢基礎年金を受給している場合でも、当該加給年金額に相当する部分の支給は停止されない。

解答12 ○ 法46条1項。設問の通り正しい。

解答13 ○ 法46条1項、則32条の2。設問の通り正しい。設問の場合、被保険者の資格を喪失した日は、被保険者である日とはみなされないため、退職した月（被保険者の資格を喪失した月の前月）まで、在職老齢年金の仕組みによる年金額の調整が行われることになる。

解答14 × 法46条1項、3項。設問の場合、月額「5,000円」の年金が支給停止される。

(360,000円＋150,000円−500,000円)×1／2＝5,000円

問題15 ／／／

65歳以後の在職老齢年金の規定による基本月額の計算においては、加給年金額、繰下げ加算額及び経過的加算額は老齢厚生年金の額から控除されるが、当該老齢厚生年金の全部の支給が停止される場合には、加給年金額及び繰下げ加算額については支給停止となる。

問題16 ／／／

老齢厚生年金の受給権を取得した日から起算して1年を経過した日前に当該老齢厚生年金を請求していなかった者であって、その1年を経過した日後に障害基礎年金の受給権者となったものが、当該障害基礎年金の受給権者となった日以後に老齢厚生年金の支給繰下げの申出をしたときは、当該障害基礎年金の受給権者となった日において、支給繰下げの申出があったものとみなされる。

問題17 ／／／

60歳から繰上げ支給の老齢厚生年金の支給を受けている者（昭和36年4月2日以後生まれの一般男子とする。）が、60歳から64歳までの4年間、厚生年金保険の被保険者であった場合には、当該被保険者であった期間を老齢厚生年金の額の計算の基礎として、65歳に達した日の属する月の翌月から、年金額の改定が行われる。

問題18 ／／／

報酬比例部分のみの特別支給の老齢厚生年金の受給権を有し、かつ、被保険者でない者が、いわゆる障害者の特例の適用を請求することができるのは、障害等級2級以上に該当する程度の障害の状態にあるときに限られる。

解答15 × 法46条１項、(60)法附則62条１項。設問の在職老齢年金の規定により老齢厚生年金の全部の支給が停止される場合には、加給年金額は支給停止されるが、繰下げ加算額及び経過的加算額は支給停止されない。

解答16 × 法44条の3,1項、２項。設問のように、受給権者となった日において支給繰下げの申出があったものとみなされるのは、１年を経過した日後に他の年金たる給付〔厚生年金保険法による他の年金たる保険給付又は国民年金法による年金たる給付（老齢基礎年金及び付加年金並びに障害基礎年金を除く。)〕の受給権者となった者が支給繰下げの申出をしたときである。したがって、１年を経過した日後に障害基礎年金の受給権者となっても、当該申出のみなしの規定は適用されない。

解答17 ○ 法附則７条の3,5項、法附則15条の２。設問の通り正しい。

設問の繰上げ支給の老齢厚生年金の受給権者については、65歳に達するまで退職改定は行われず、65歳に達した日の属する月の翌月から年金額の改定が行われる。

解答18 × 法附則９条の2,1項、２項。障害等級（３級以上）に該当する程度の障害の状態にあれば、設問の特例の適用を請求することができる。

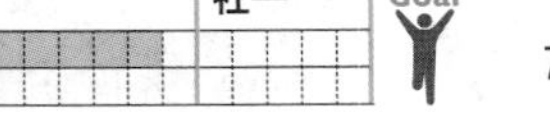

問題19
／／／

障害厚生年金を受けることができることとなった日において、報酬比例部分のみの特別支給の老齢厚生年金の受給権者であって、かつ、被保険者でない者が、その後いわゆる障害者の特例の適用を請求した場合には、当該障害厚生年金を受けることができることとなった日の属する月の翌月にさかのぼって、報酬比例部分と定額部分の額を合算した額に年金額が改定される。

問題20
／／／

昭和30年４月２日生まれの男子である特別支給の老齢厚生年金の受給権者が、62歳に達しその権利を取得した当時、被保険者でなく、かつ、その者の被保険者期間が44年あるときには、いわゆる長期加入者の特例の適用を請求することにより、報酬比例部分と定額部分を合わせた額の老齢厚生年金が支給される。

問題21
／／／

昭和35年４月２日に生まれた老齢厚生年金の受給資格期間を満たす者が、坑内員たる被保険者であった期間と船員たる被保険者であった期間とを合算した期間が15年以上あるときは、62歳に達したときから、報酬比例部分と定額部分を合わせた額の老齢厚生年金が支給される。

問題22
／／／

昭和29年４月２日以後に生まれた女子（第１号厚生年金被保険者であり、又は第１号厚生年金被保険者期間を有する者に限り、長期加入者等の特例に該当する者を除く。）に支給される特別支給の老齢厚生年金については、加給年金額は加算されない。

解答19　○　法附則９条の2,2項、５項２号。設問の通り正しい。障害厚生年金を受けることができることとなった日に、設問の特例の適用の請求があったものとみなされ、当該請求があったものとみなされた日（障害厚生年金を受けることができることとなった日）の属する月の翌月にさかのぼって、報酬比例部分と定額部分の額を合算した額に年金額が改定される。

解答20　×　法附則８条の2,1項、法附則９条の3,1項。「いわゆる長期加入者の特例の適用を請求することにより」が誤り。

いわゆる長期加入者の特例については、特別支給の老齢厚生年金の受給権者が被保険者でなく、かつ、その者の被保険者期間が44年以上あるときには、請求によらず、当然に定額部分の額と報酬比例部分の額とを合わせた額の特別支給の老齢厚生年金が支給される。

解答21　○　法附則８条、法附則９条の4,1項、(6)法附則15条。設問の通り正しい。

解答22　○　法44条１項、法附則９条。設問の通り正しい。

定額部分の支給開始年齢の引き上げが完了している世代の者には定額部分は支給されないため、その者に支給される特別支給の老齢厚生年金に加給年金額は加算されない。

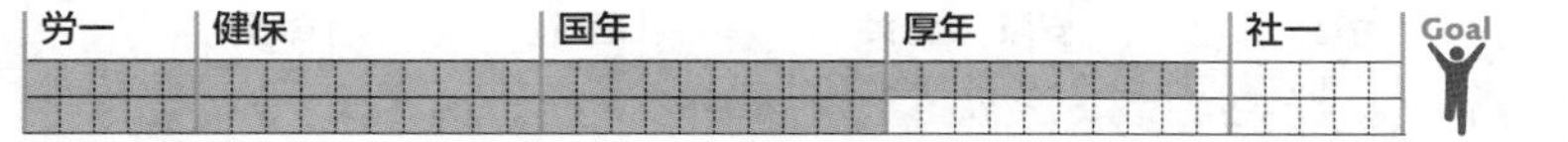

問題23
□／□／□

特別支給の老齢厚生年金の額を計算する場合において、中高齢者の期間短縮特例に該当する者については、報酬比例部分の額の計算の基礎となる被保険者期間の月数が240に満たないときは、これを240とする。

問題24
□／□／□

長期加入者の特例又は障害者の特例により報酬比例部分と定額部分を合わせた額の老齢厚生年金を受給している者が被保険者となったときは、その者の総報酬月額相当額と老齢厚生年金の額にかかわらず、定額部分の額（加給年金額が加算されているときは、定額部分の額及び加給年金額）に相当する部分の額については、支給が停止される。

問題25
□／□／□

老齢厚生年金の加給年金額に係る生計維持の認定にあたって、厚生労働大臣が定める収入要件は、原則として、前年の収入が年額180万円未満であることとされている。

問題26
□／□／□

特別支給の老齢厚生年金の受給権者が雇用保険法の規定による基本手当の受給資格を有する場合であっても、当該受給権者が同法の規定による求職の申込みをしないときは、当該老齢厚生年金について、基本手当との調整の仕組みによる支給停止は行われない。

問題27
□／□／□

特別支給の老齢厚生年金の受給権者であって、雇用保険法の規定による基本手当との調整による年金停止月がある者について、基本手当の受給期間が満了するまでの間に４か月の年金停止月があって、その者が基本手当の支給を受けたとみなされる日数が70日であるときは、この者に２か月分の老齢厚生年金がさかのぼって支給される。

解答23　×　(60)法附則61条2項。「報酬比例部分」ではなく、定額部分の額の計算の基礎となる被保険者期間の月数が240に満たない場合は、240とする。

解答24　○　法附則11条の2,1項、2項。設問の通り正しい。

長期加入者の特例又は障害者の特例による定額部分の加算された特別支給の老齢厚生年金については、受給権者が被保険者でないことがその特例が適用される要件とされている。したがって、当該受給権者が被保険者となったときは、その者の総報酬月額相当額と基本月額との合計額が支給停止調整額を超えない場合でも、定額部分の額（加給年金額が加算されているときは、定額部分の額及び加給年金額）に相当する部分の額については、支給停止となる。

解答25　×　令3条の5,1項、平成26.3.31年発0331第7号。設問の生計維持の認定に係る収入要件は、原則として、前年の収入が年額850万円未満又は前年の所得が年額655万5千円未満であることとされている。

解答26　○　法附則7条の4,1項、法附則11条の5。設問の通り正しい。

解答27　×　法附則7条の4,3項、法附則11条の5、(6)法附則25条1項。設問の場合、1か月分※の老齢厚生年金がさかのぼって支給される。

※4か月－3か月〔70日÷30日（1未満は1に切り上げ)〕
　＝1か月

問題 28

／／／

特別支給の老齢厚生年金と高年齢雇用継続基本給付金との調整が行われる場合において、当該老齢厚生年金の受給権者に係る報酬月額が21万円（標準報酬月額は22万円）、みなし賃金日額に30を乗じて得た額が42万円であるときは、当該老齢厚生年金について、在職老齢年金の規定により支給停止される額に加え、月額8,400円が支給停止される。

進捗チェック

労基	安衛	労災	雇用	徴収

解答28　×　法附則11条の6,1項、(6)法附則26条1項。設問の場合は、月額13,200円が支給停止される。標準報酬月額が、みなし賃金日額に30を乗じて得た額の100分の64未満なので、220,000円×100分の4＝8,800円が、月額の支給停止額となる。

Basic

3 障害厚生年金・障害手当金

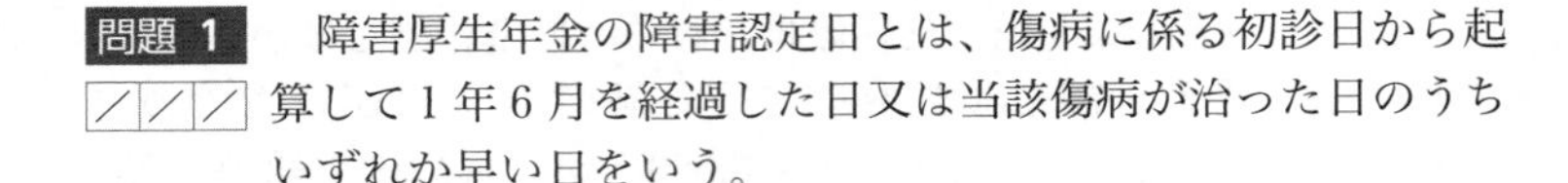

問題 1 ／／／

障害厚生年金の障害認定日とは、傷病に係る初診日から起算して1年6月を経過した日又は当該傷病が治った日のうちいずれか早い日をいう。

問題 2 ／／／

傷病に係る初診日において被保険者であった者（保険料納付要件を満たしているものに限る。）であって、障害認定日において障害等級に該当する程度の障害の状態になかったものが、同日後65歳に達する日の前日までの間においてその傷病により障害等級に該当する程度の障害の状態に該当するに至ったときは、その者は、いつでも障害厚生年金の支給を請求することができる。

問題 3 ／／／

基準傷病に係る初診日において被保険者であった者であって、基準傷病以外の傷病により障害の状態にあるものが、基準傷病に係る障害認定日以後65歳に達する日までの間において、初めて、基準傷病による障害と他の障害とを併合して障害等級の1級又は2級に該当する程度の障害の状態に該当するに至ったときは、保険料納付要件を満たしていれば、その者に基準障害と他の障害とを併合した障害の程度による障害厚生年金を支給する。

問題 4 ／／／

法第48条第1項（いわゆる併合認定）の規定により前後の障害を併合した障害の程度による障害厚生年金の受給権を取得したときは、従前の障害厚生年金の支給を停止する。

問題 5 ／／／

障害厚生年金の額の計算の基礎となる被保険者期間の月数が240に満たないときは、240として計算する。

進捗チェック

労基	安衛	労災	雇用	徴収

解答 1　○　法47条1項。設問の通り正しい。

障害認定日とは、傷病に係る初診日から起算して1年6月を経過した日又はその期間内にその傷病が治った日があるときは、その日をいう。

解答 2　×　法47条の2,1項、2項。設問の事後重症による障害厚生年金の請求は、「いつでも」できるものではなく、65歳に達する日の前日までの間にしなければならない。

解答 3　×　法47条の3。いわゆる基準傷病に基づく障害による障害厚生年金が支給されるためには、「65歳に達する日の前日」までの間において、初めて、基準傷病による障害と他の障害とを併合して障害等級の1級又は2級に該当する程度の障害の状態に該当するに至ることを要する。

解答 4　×　法48条2項。設問の併合認定が行われたときは、原則として、従前の障害厚生年金の受給権は消滅する。

解答 5　×　法50条1項。障害厚生年金の額の計算の基礎となる被保険者期間の月数が「300」に満たないときは、これを「300」として計算する。

問題 6
／／／
障害等級１級の障害厚生年金の額は、障害等級２級の障害厚生年金の額の100分の120に相当する額とする。

問題 7
／／／
障害厚生年金の給付事由となった障害について国民年金法による障害基礎年金を受けることができない場合において、障害厚生年金の額が国民年金法第33条第１項に規定する障害基礎年金の額（子の加算額を加算しない障害等級２級の障害基礎年金の額）の３分の２相当額に満たないときは、当該額を障害厚生年金の額とする。

問題 8
／／／
障害厚生年金の額は、障害の程度にかかわらず、受給権者によって生計を維持しているその者の65歳未満の配偶者があるときは、加給年金額が加算された額となる。

問題 9
／／／
障害厚生年金の額は、当該障害厚生年金の支給事由となった障害に係る初診日の属する月までの被保険者であった期間を、その計算の基礎とする。

問題 10
／／／
障害厚生年金の受給権者は、障害の程度が増進したことが明らかである場合であっても、当該受給権を取得した日又は実施機関の診査を受けた日から起算して１年を経過した日後でなければ、当該障害厚生年金の額の改定請求を行うことはできない。

問題 11
／／／
障害厚生年金の受給権者が、障害等級に該当する程度の障害の状態に該当しなくなった日から起算して障害等級に該当する程度の障害の状態に該当することなく３年を経過したときは、当該３年を経過した日におけるその年齢にかかわらず、当該障害厚生年金の受給権は消滅する。

解答 6　×　法50条２項。「100分の120」ではなく、「100分の125」に相当する額である。

解答 7　×　法50条３項。「３分の２」相当額ではなく、「４分の３」相当額である。

解答 8　×　法50条の2,1項。障害等級３級の障害厚生年金には、加給年金額は加算されない。

解答 9　×　法51条。「初診日」ではなく、「障害認定日」の属する月までの被保険者であった期間を、障害厚生年金の額の計算の基礎とする。

障害厚生年金の額は、障害認定日の属する月後における被保険者であった期間は、障害厚生年金の額の計算の基礎としない。

解答 10　×　法52条２項、３項。障害の程度が増進したことが明らかである場合として、厚生労働省令で定める場合には、１年経過していなくても額の改定請求を行うことができる。

解答 11　×　法53条３号ただし書。設問の場合、障害等級に該当することなく３年を経過した場合であっても、その者が65歳未満である間は、受給権は消滅しない。

問題12 ／／／

障害厚生年金は、その受給権者が当該傷病について労働者災害補償保険法の規定による障害補償年金を受ける権利を取得したときは、6年間、その支給を停止する。

問題13 ／／／

障害厚生年金の受給権者が適用事業所に就職し、厚生年金保険の被保険者となったときは、その間、その全部又は一部の支給が停止される。

問題14 ／／／

障害手当金の額は、法第50条第1項の障害厚生年金の額の規定の例により計算された額の100分の200に相当する額となる。ただし、その額が同条第3項に定める障害厚生年金の最低保障額に満たないときは、当該額を障害手当金の額とする。

解答12 × 法54条1項。「労働者災害補償保険法の規定による障害補償年金」ではなく、「労働基準法第77条の規定による障害補償」を受ける権利を取得したときは、6年間、支給停止する。設問の場合、障害補償年金の額が減額調整される。

解答13 × 法54条、法54条の2。障害厚生年金は、厚生年金保険の被保険者であるということを理由としてその支給を停止されることはない。

解答14 × 法57条。障害手当金として算出した額が、「障害厚生年金の最低保障額に2を乗じて得た額」に満たないときは、当該額を障害手当金の額をする。

Step-Up

3 障害厚生年金・障害手当金

問題 1

／／／

国民年金の第1号被保険者であった期間中に初診日があり、その後、厚生年金保険の被保険者となってから迎えた障害認定日において障害等級3級の障害状態に該当するに至った者については、所定の保険料納付要件を満たしていれば、その者に障害厚生年金が支給される。

問題 2

／／／

令和7年4月1日に初診日があり、その初診日において高齢任意加入被保険者である者が障害認定日において障害等級に該当する程度の障害の状態にある。この場合、初診日の前日において、当該初診日の属する月の前々月までに国民年金の被保険者期間があり、かつ、当該初診日の属する月の前々月までの1年間のうちに保険料納付済期間及び保険料免除期間以外の当該被保険者期間がないときは、障害厚生年金の支給要件に係る保険料納付要件を満たすことになる。

問題 3

／／／

繰上げ支給の老齢基礎年金を受給している者であっても、65歳に達する日の前日までの間であれば、事後重症による障害厚生年金の支給を請求することができる。

問題 4

／／／

障害等級2級の障害厚生年金の受給権者の障害の程度が軽減したため当該障害につき障害等級3級の障害厚生年金の支給を受けている者について、更に障害等級2級の障害厚生年金を支給すべき事由が生じ、前後の障害を併合した障害の程度が増進したときは、その者の従前の障害厚生年金の額が改定される。

進捗チェック

労基	安衛	労災	雇用	徴収

解答 1　×　法47条1項。初診日において厚生年金保険の被保険者でなければ、障害厚生年金は支給されない。

解答 2　×　(60)法附則64条1項。設問の令和8年4月1日前に初診日がある場合の保険料納付要件の特例は、初診日において65歳以上の者については、適用されず、原則の納付要件による。

ひっかけ注意　高齢任意加入被保険者には保険料納付要件の特例は適用されない。

解答 3　×　法47条の2、法附則16条の3,1項。繰上げ支給の老齢基礎年金の受給権者は、事後重症による障害厚生年金の請求をすることはできない。

大事！　繰上げ支給の老齢基礎年金の受給権者は、事後重症による障害厚生年金等の規定においては、原則65歳に達している者と同様に扱われるため、事後重症による障害厚生年金の請求をすることはできない。

解答 4　×　法48条。設問の場合には、いわゆる併合認定により、前後の障害を併合した障害の程度による障害厚生年金が支給され、従前の障害厚生年金の受給権は消滅する。したがって、「従前の障害厚生年金の額が改定される」とする設問の記述は誤りである。

問題 5　60歳台前半の老齢厚生年金と障害厚生年金の受給権を同時に有する者であって、障害厚生年金を選択受給しているものが、雇用保険法の規定による求職の申込みをした場合であっても、当該障害厚生年金は、雇用保険法の規定による基本手当との調整の対象とならない。

問題 6　障害等級に該当しなくなって3年を経過したことにより平成6年11月9日前に障害厚生年金の受給権を喪失した者が、当該障害厚生年金の支給事由となった傷病により、平成6年11月9日において障害等級に該当する程度の障害の状態にあるときは、平成6年11月9日から65歳に達する日の前日までの間に、障害厚生年金の支給を請求することができる。

問題 7　障害等級1級又は2級の障害厚生年金の受給権者がその権利を取得した日の翌日以後にその者によって生計を維持しているその者の65歳未満の配偶者又は子（18歳に達する日以後の最初の3月31日までの間にある子及び20歳未満で障害等級1級若しくは2級に該当する障害の状態にある子に限る。）を有するに至ったときは、障害厚生年金の額に加給年金額を加算することとし、当該配偶者又は子を有するに至った日の属する月の翌月から、障害厚生年金の額を改定する。

問題 8　障害厚生年金の加給年金額の加算対象者である配偶者が老齢厚生年金（その年金額の計算の基礎となる被保険者期間の月数は240以上であるものとする。）の支給を受けることができる場合には、当該加給年金額に相当する部分の支給は停止される。

解答 5　○　法附則 7 条の4,1項他。設問の通り正しい。

雇用保険法の規定による基本手当との調整対象となる年金給付は、60歳台前半の老齢厚生年金及び繰上げ支給の老齢厚生年金（65歳未満の者に支給するものに限る。）のみである。

解答 6　○　(6)法附則14条 1 項。設問の通り正しい。平成 6 年11月 9 日前に、当時の規定に基づき障害等級に該当することなく 3 年を経過したこと等を理由に障害厚生年金等の受給権が消滅した者に対する経過措置に関する問題である。

平成 6 年11月10日から65歳に達する日の前日までの間に障害等級に該当する程度の障害の状態に至ったときにおいても、65歳に達する日の前日までの間に、障害厚生年金の支給を請求することができる。

解答 7　×　法50条の2,1項、3 項。障害厚生年金の額には、「子」を対象とする加給年金額の加算は行われない。

障害等級 1 級又は 2 級の障害厚生年金の受給権者がその権利を取得した日の翌日以後に加給年金額の対象者となる配偶者を有するに至った場合の障害厚生年金の額の改定は、設問の通り、当該配偶者を有するに至った日の属する月の翌月から行われる。

解答 8　○　法46条 6 項、法54条 3 項、令 3 条の7,1号。設問の通り正しい。

問題 9 ／／／

障害等級１級又は２級の障害厚生年金（厚生労働大臣が支給するものに限る。）の受給権者がその権利を取得後に加給年金額の加算対象となる配偶者を有するに至ったときは、当該事実のあった日から10日以内に、所定の事項を記載した届書を機構に提出しなければならない。

問題10 ／／／

受給権を取得した当初より引き続き障害等級３級に該当する障害厚生年金の受給権者は、65歳以降に障害の程度が増進した場合であっても、年金額の改定の請求を行うことはできない。

問題11 ／／／

64歳で障害等級に該当する程度の障害の状態に該当しなくなり、障害厚生年金の支給が停止されていた者が、66歳のときに再び障害等級に該当する程度の障害の状態になった場合であっても、障害厚生年金の支給が再開されることはない。

問題12 ／／／

障害手当金の受給権者が、同一の傷病について労働者災害補償保険法の障害補償年金を受けることができるときは、障害手当金が全額支給され、当該障害補償年金については一定率を乗じて得た額を減額した額が支給される。

進捗チェック

労基	安衛	労災	雇用	徴収

解答 9 ○ 法98条３項、５項、則47条の3,1項。設問の通り正しい。

解答10 ○ 法52条２項、７項。設問の通り正しい。

ひっかけ注意

例えば、障害厚生年金の受給権を取得した当初は障害等級１級又は２級に該当していた者が、その後障害の程度が障害等級３級の障害状態に軽減したような場合においては、その者が65歳以降に障害の程度が増進し再び障害等級１級又は２級の障害状態となったとき、その者は、年金額の改定の請求を行うことができる。

解答11 × 法53条２号、３号、法54条２項。設問の場合、障害等級に該当する程度の障害の状態に該当しなくなってから３年を経過する前に再び障害等級に該当することとなったため、支給停止が解除され、障害厚生年金の支給が再開される。

解答12 × 法56条３号。同一の傷病について、労災保険から障害補償年金を受けることができるときは、障害手当金は支給されない。また、この場合、当該障害補償年金については減額されずに支給される。

問題13 ／／／ 　障害厚生年金は、傷病が治ったとき（その症状が固定し治療の効果が期待できない状態に至ったときを含む。以下同じ。）でなくても支給されることがあるが、障害手当金は、傷病が治ったときでなければ、支給されない。

解答13　○　法47条1項、法55条1項。設問の通り正しい。

障害厚生年金については、傷病に係る初診日から起算して1年6月を経過した日（その期間内にその傷病が治った日があるときは、その日）に障害等級に該当する程度の障害の状態にあることがその支給の要件とされており、「傷病が治った」ことは必ずしも必要としない。一方、障害手当金については、傷病に係る初診日から起算して5年を経過する日までの間におけるその傷病の治った日に政令で定める程度の障害の状態にあることがその支給の要件とされているため、「傷病が治った」ことが必要である。

Basic

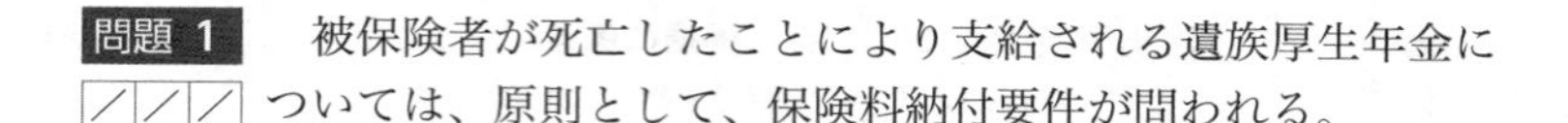

4 遺族厚生年金・脱退一時金

問題 1 被保険者が死亡したことにより支給される遺族厚生年金については、原則として、保険料納付要件が問われる。

問題 2 障害等級１級又は２級に該当する障害の状態にある障害厚生年金の受給権者が死亡した場合、保険料納付要件を満たしている場合に限り、その者の遺族であって一定の要件に該当する者に遺族厚生年金が支給される。

問題 3 被保険者が死亡した当時その者により生計を維持していた57歳の姉がいたときは、その姉に遺族厚生年金が支給される。なお、死亡した者につき、保険料納付要件を満たしているものとする。

問題 4 遺族厚生年金の額は、原則として、法第43条第１項（老齢厚生年金の年金額）の規定の例により計算した額の４分の３に相当する額とする。

問題 5 被保険者が死亡したことにより支給される遺族厚生年金の額を計算する場合において、その額の計算の基礎となる被保険者期間の月数が240に満たないときは、これを240として計算する。

問題 6 老齢厚生年金の受給権者（原則として、保険料納付済期間と保険料免除期間とを合算した期間が25年以上である者に限る。）が死亡したことにより支給される遺族厚生年金の額を計算する場合においては、その額の計算の基礎となる被保険者期間の月数は、実月数により計算する。

進捗チェック

労基	安衛	労災	雇用	徴収

解答 1　○　法58条1項本文ただし書、1号。設問の通り正しい。

解答 2　×　法58条1項本文ただし書、3号。設問の遺族厚生年金は、短期要件によるものであるが、死亡した者について保険料納付要件は問われない。

解答 3　×　法58条1項1号、法59条1項。兄弟姉妹は、遺族厚生年金を受けることができる遺族の範囲に含まれていない。

解答 4　○　法60条1項1号。設問の通り正しい。なお、老齢厚生年金の受給権者である65歳以上の配偶者に対する遺族厚生年金の額は、原則とは異なった方法により計算される場合がある。

解答 5　×　法58条1項1号、法60条1項1号ただし書。「240」ではなく、「300」に満たないときは、これを「300」として計算する。

大事！　設問の遺族厚生年金は短期要件に該当するため、年金の額の計算において、被保険者期間の月数が300に満たないときは、これを300として計算する。

解答 6　○　法58条1項4号、法60条1項1号。設問の通り正しい。

大事！　設問の者は、長期要件に該当するため、年金額の計算の基礎となる被保険者期間の月数は、実月数を用いる。

問題 7　／／／

　配偶者に対する遺族厚生年金の額は、所定の要件を満たす子の数に応じて、加給年金額が加算される。

問題 8　／／／

　被保険者の死亡により遺族厚生年金と遺族基礎年金の受給権を取得した31歳の妻と11歳の子がいる場合において、当該子が18歳に達した日以後の最初の3月31日に達したことにより、当該妻と子の遺族基礎年金の受給権が消滅したときは、当該妻には中高齢の寡婦加算は行われない。

問題 9　／／／

　遺族厚生年金の受給権を有する子が、叔母の養子となった場合であっても、その子の有する遺族厚生年金の受給権は消滅しない。

問題10　／／／

　被保険者又は被保険者であった者の父母が遺族厚生年金の受給権を有する場合において、当該被保険者又は被保険者であった者の死亡の当時胎児であった子が出生したときは、子が遺族厚生年金の受給権を有する間、父母に支給する遺族厚生年金の支給を停止する。

問題11　／／／

　遺族厚生年金は、当該被保険者又は被保険者であった者の死亡について労働基準法の規定による遺族補償が行われるべきものであるときは、死亡の日から6年間、その2分の1に相当する部分の支給を停止する。

問題12　／／／

　夫、父母又は祖父母に対する遺族厚生年金は、原則として、受給権者が65歳に達するまでの期間、その支給を停止する。

解答 7　×　法60条。遺族厚生年金の額には、加給年金額の加算は行われない。

遺族厚生年金の受給権者である配偶者が同時に遺族基礎年金の受給権を有する場合には、遺族基礎年金に子の加算が行われる。

解答 8　○　法62条１項。設問の通り正しい。設問の妻は、40歳到達時において、遺族基礎年金の受給権者である子と生計を同じくしていないので、中高齢の寡婦加算は行われない。

解答 9　×　法63条１項３号。「叔母」は直系血族及び直系姻族以外の者に該当するので、子が叔母の養子となったときは、その子の有する遺族厚生年金の受給権は消滅する。

解答10　×　法63条３項。被保険者又は被保険者であった者の死亡の当時胎児であった子が出生したときは、父母の受給権は消滅する。

解答11　×　法64条。設問の場合には、死亡の日から６年間、遺族厚生年金の全部の支給を停止する。

解答12　×　法65条の２。「65歳」ではなく、60歳に達するまでの期間、その支給を停止する。

これも覚える！

夫に支給する遺族厚生年金については、当該夫が被保険者又は被保険者であった者の死亡について遺族基礎年金の支給を受けることができるときは、設問の支給停止は行われない。

問題 13
／／／

脱退一時金は、厚生年金保険の被保険者期間が36月以上なければ支給されない。

問題 14
／／／

脱退一時金の額は、被保険者であった期間に応じて、その期間の平均標準報酬額（被保険者期間の計算の基礎となる各月の標準報酬月額と標準賞与額の総額を、当該被保険者期間の月数で除して得た額をいう。）に支給率を乗じて得た額とする。

問題 15
／／／

脱退一時金の支給を受けたときは、支給を受けた者は、その額の計算の基礎となった被保険者であった期間は、被保険者でなかったものとみなす。

問題 16
／／／

厚生年金保険の被保険者期間の月数が所定の月数以上である日本国籍を有しない者（国民年金の被保険者でない者に限る。）であっても、その者が障害厚生年金の受給権を有したことがあるときは、脱退一時金の支給を請求することができない。

解答13　×　法附則29条１項。脱退一時金の支給要件のうち、厚生年金保険の被保険者期間は、「36月以上」ではなく、６月以上あればよい。

解答14　○　法附則29条３項。設問の通り正しい。

解答15　○　法附則29条５項。設問の通り正しい。

解答16　○　法附則29条１項。設問の通り正しい。

Step-Up

4 遺族厚生年金・脱退一時金

問題 1

第1号厚生年金被保険者期間が5年、第2号厚生年金被保険者期間が20年ある老齢厚生年金の受給権者が死亡したことにより支給される遺族厚生年金は、それぞれの種別の被保険者期間に応じてそれぞれの実施機関から支給される。

問題 2

被保険者であった者が、被保険者の資格を喪失した後に、被保険者であった間に初診日がある傷病により当該資格を喪失した日から起算して5年を経過する日前に死亡した場合であって、かつ、保険料納付要件を満たしているときには、一定の遺族に遺族厚生年金が支給される。

問題 3

64歳の厚生年金保険の被保険者が令和7年4月1日に死亡し、その前日において、令和7年2月までの1年間のすべてが厚生年金保険の被保険者期間である場合には、遺族厚生年金の支給に係る特例による保険料納付要件を満たす。

問題 4

保険料納付済期間と保険料免除期間とを合算した期間が25年以上ある被保険者が死亡した場合（保険料納付要件を満たしているものとする。）には、その遺族が別段申出をした場合を除き、遺族厚生年金の支給に関しては、短期要件のみに該当するものとみなされる。

進捗チェック

労基	安衛	労災	雇用	徴収

解答 1　○　法78条の32,2項。設問の通り正しい。

解答 2　×　法58条1項2号。設問の場合、「資格を喪失した日」ではなく初診日から起算して5年を経過する日前に死亡したときに遺族厚生年金が支給される。

解答 3　○　法58条1項本文ただし書、1号、(60)法附則64条2項。設問の通り正しい。

これも覚える！
被保険者が死亡日において65歳以上である場合には、死亡日の前日において、死亡日の属する月の前々月までに国民年金の被保険者期間があり、かつ、当該被保険者期間に係る保険料納付済期間と保険料免除期間とを合算した期間が当該被保険者期間の3分の2に満たないときは、その遺族に遺族厚生年金は支給されない。

解答 4　○　法58条2項。設問の通り正しい。設問のように、死亡した被保険者等が短期要件と長期要件をともに満たす場合には、その遺族が遺族厚生年金を請求したときに別段の申出をした場合を除き、短期要件のみに該当するものとみなされる。

問題 5 ／／／

遺族厚生年金を受けることができる遺族は、被保険者又は被保険者であった者の配偶者、子、父母、孫、祖父母又はこれらの者以外の3親等内の親族であって、被保険者又は被保険者であった者の死亡の当時その者によって生計を維持していた者であるが、子については、18歳に達する日以後の最初の3月31日までの間にあるか又は20歳未満で障害等級の1級若しくは2級に該当する障害の状態にあり、かつ、現に婚姻をしていないことが要件となる。

問題 6 ／／／

遺族厚生年金の受給権者である子について、18歳に達した日以後の最初の3月31日が終了したことによりその受給権が消滅した場合において、被保険者等の父母であって、被保険者等の死亡の当時その者によって生計を維持していたものがあるときは、当該父母が新たに遺族厚生年金の受給権を取得することができる。

問題 7 ／／／

老齢厚生年金の受給権を有する65歳以上の配偶者が遺族厚生年金の受給権を取得したとき（遺族基礎年金の受給権は取得しないものとする。）は、「死亡した者の老齢厚生年金相当額の4分の3に相当する額（以下本問において「原則の遺族厚生年金の額」という。）」又は「原則の遺族厚生年金の額に2分の1を乗じて得た額と当該配偶者の老齢厚生年金の額（加給年金額を除く。）に3分の2を乗じて得た額を合算した額」のうちいずれか多い額を当該配偶者に支給する遺族厚生年金の額とする。

解答 5　×　法59条１項。「これらの者以外の３親等内の親族」は、遺族厚生年金を受けることができる遺族の範囲に含まれていない。

解答 6　×　法59条２項他。父母は、配偶者又は子が遺族厚生年金の受給権を取得したときは、遺族厚生年金を受けることができる遺族とされず、その後、配偶者又は子が失権した場合であっても、転給はされない。

孫は、配偶者、子又は父母が、祖父母は、配偶者、子、父母又は孫が遺族厚生年金の受給権を取得したときは、それぞれ遺族厚生年金を受けることができる遺族とされず、その後、先順位者が失権した場合であっても、転給はされない。

解答 7　×　法60条１項２号、法附則17条の2,1項。設問文中「原則の遺族厚生年金の額に２分の１を乗じて得た額」を「原則の遺族厚生年金の額に３分の２を乗じて得た額」に、「当該配偶者の老齢厚生年金の額（加給年金額を除く。）に３分の２を乗じて得た額」を「当該配偶者の老齢厚生年金の額（加給年金額を除く。）に２分の１を乗じて得た額」にそれぞれ置き換えると正しい記述となる。

問題 8
／／／

　被保険者期間が300月以上である被保険者の死亡により、配偶者以外の者に遺族厚生年金を支給する場合において、受給権者が２人以上いるときは、それぞれの遺族厚生年金の額は、受給権者ごとに死亡した被保険者の被保険者期間を基礎として計算した老齢厚生年金の報酬比例部分の年金額の計算の例により計算した額に相当する額を受給権者の数で除して得た額である。

問題 9
／／／

　被保険者期間が240月以上であり、かつ、保険料納付済期間と保険料免除期間とを合算した期間が25年以上ある者が死亡した場合において、死亡した者の妻が遺族厚生年金の受給権を取得した当時、遺族基礎年金の受給要件となる子がおらず、かつ、当該妻がその当時40歳未満であった場合、当該妻が40歳に達したときから65歳に達するまでの期間、遺族厚生年金に中高齢寡婦加算が行われる。

問題10
／／／

　中高齢の寡婦加算額が加算された遺族厚生年金の受給権者である妻（昭和31年４月１日以前に生まれたものとする。）が65歳に達したときは、当該遺族厚生年金の額には、中高齢の寡婦加算に相当する額から老齢基礎年金の満額に当該受給権者の生年月日に応じた一定の率を乗じて得た額を控除して得た額が加算される。

問題11
／／／

　経過的寡婦加算は、中高齢の寡婦加算額が加算されていた遺族厚生年金の受給権者である妻に限り行われる。

解答 8　×　法60条1項1号、2項。「老齢厚生年金の報酬比例部分の年金額の計算の例により計算した額に相当する額」ではなく、「老齢厚生年金の報酬比例部分の年金額の計算の例により計算した額の4分の3に相当する額」を受給権者の数で除して得た額である。

解答 9　×　法62条1項。設問の妻の遺族厚生年金に中高齢寡婦加算が行われることはない。

遺族厚生年金の受給権を取得した当時、子がなく遺族基礎年金が支給されない妻については、その当時、当該妻が40歳以上65歳未満であるときに中高齢寡婦加算が行われる。

解答 10　○　(60)法附則73条1項。設問の通り正しい。

設問文中の「中高齢の寡婦加算に相当する額から老齢基礎年金の満額に当該受給権者の生年月日に応じた一定の率を乗じて得た額を控除して得た額」を経過的寡婦加算額という。

解答 11　×　(60)法附則73条1項。経過的寡婦加算は、中高齢の寡婦加算額が加算されていた遺族厚生年金の受給権者である妻に限らず、65歳到達後、初めて遺族厚生年金の受給権を取得した妻についても、一定の要件を満たすときは行われる。

問題12 ／／／

65歳以上の者については、障害基礎年金と経過的寡婦加算額が加算されている遺族厚生年金をあわせて受給することができる。

問題13 ／／／

遺族厚生年金の受給権を取得した当時30歳未満の妻が、その権利を取得した当時から同一の支給事由に基づく遺族基礎年金の支給を受けることができないときは、当該妻の有する遺族厚生年金の受給権は、その権利を取得した日から起算して5年が経過したときに、消滅する。

問題14 ／／／

平成8年4月1日前に死亡した被保険者の死亡について、被保険者の死亡の当時その者によって生計を維持していた夫（被保険者の死亡当時52歳であったものとする。）であって障害等級2級に該当する障害の状態にあることにより遺族厚生年金が支給されているものについては、その障害の状態がやんだときは、当該遺族厚生年金の受給権は消滅する。

問題15 ／／／

遺族厚生年金は、その受給権者が老齢厚生年金の受給権を有するときは、その受給権者が65歳に達している配偶者である場合に限り、原則として、当該老齢厚生年金の額に相当する部分の支給を停止する。

解答12　×　法38条１項、法附則17条、(60)法附則73条１項本文ただし書。設問の場合、障害基礎年金と遺族厚生年金を併給することはできるが、経過的寡婦加算額は支給停止となる。

解答13　○　法63条１項５号イ。設問の通り正しい。

遺族厚生年金の受給権は、①遺族厚生年金の受給権を取得した当時30歳未満である妻が当該遺族厚生年金と同一の支給事由に基づく遺族基礎年金の受給権を取得しないときは、当該遺族厚生年金の受給権を取得した日から、②遺族厚生年金と当該遺族厚生年金と同一の支給事由に基づく遺族基礎年金の受給権を有する妻が30歳に到達する日前に当該遺族基礎年金の受給権が消滅したときは、当該遺族基礎年金の受給権が消滅した日から起算して５年を経過したときに、消滅する。

解答14　○　(60)法附則72条２項、３項、旧法63条３項。設問の通り正しい。平成８年４月１日前に死亡した被保険者等の死亡については、新法施行に伴う経過措置が設けられ、被保険者等の死亡の当時、障害等級１級又は２級に該当する障害の状態にある夫は、遺族厚生年金を受けることができる遺族となるための年齢要件は問われないこととされている。また、この経過措置により支給される遺族厚生年金の受給権は、その受給権者が被保険者等の死亡の当時55歳以上であった場合を除き、障害等級１級又は２級に該当する障害の状態に該当しなくなったときに、消滅する。

解答15　×　法64条の２。設問の「その受給権者が65歳に達している配偶者である場合に限り」が誤り。遺族厚生年金の受給権者が老齢厚生年金の受給権を有する65歳以上のものであるときは、配偶者である場合に限らず、老齢厚生年金を優先して支給し、遺族厚生年金の額については設問の支給停止が行われる。

問題 16
／／／

子に対する遺族厚生年金は、配偶者が遺族厚生年金の受給権を有する期間、その支給を停止するが、配偶者に対する遺族厚生年金が配偶者の申出により支給を停止されている間は、子に対する遺族厚生年金の支給は停止されない。

解答16 × 法66条１項。配偶者に対する遺族厚生年金がその者の申出により支給を停止された場合であっても、子に対する遺族厚生年金の支給停止は解除されない。

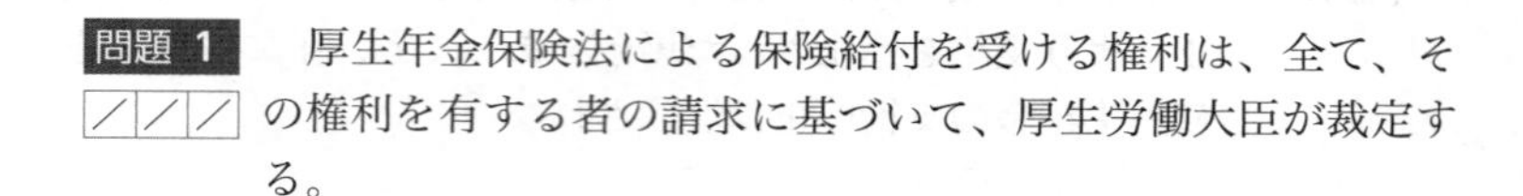

5 給付通則等

問題 1 ／／／

厚生年金保険法による保険給付を受ける権利は、全て、その権利を有する者の請求に基づいて、厚生労働大臣が裁定する。

問題 2 ／／／

保険給付を受ける権利を裁定する場合又は保険給付の額を改定する場合において、保険給付の額に100円未満の端数が生じたときは、これを切り捨てるものとされている。

問題 3 ／／／

年金の支払期月ごとの支払額に1円未満の端数が生じたときは、これを切り捨てるものとし、毎年3月から翌年2月までの間において当該切り捨てた金額の合計額（1円未満の端数が生じたときは、これを切り捨てた額）については、これを翌年の4月の支払期月の年金額に加算するものとする。

問題 4 ／／／

未支給の保険給付を請求することができる遺族の範囲は、その者の死亡の当時その者と生計を同じくしていた配偶者、子、父母、孫、祖父母又は兄弟姉妹に限られる。

問題 5 ／／／

遺族厚生年金の受給権者が65歳以上の場合には、その者に支給する障害基礎年金と当該遺族厚生年金は併給される。

問題 6 ／／／

偽りその他不正の手段により保険給付を受けた者があるときは、実施機関は、受給額に相当する金額の全部又は一部をその者から徴収することができる。

問題 7 ／／／

租税その他の公課は、保険給付として支給を受けた金銭を標準として、課することができないが、老齢厚生年金については、この限りでないとされている。

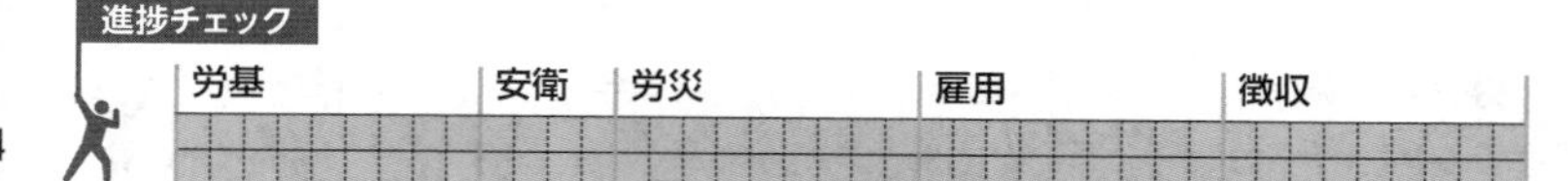

解答 1　×　法33条、法100条の10,1項4号。保険給付を受ける権利は、実施機関が裁定する。

解答 2　×　法35条1項。設問の保険給付の額の端数処理は、その額に50銭未満の端数が生じたときは、これを切り捨て、50銭以上1円未満の端数が生じたときは、これを1円に切り上げるものとされている。

解答 3　×　法36条の2。毎年3月から翌年2月までの間において切り捨てた金額の合計額（1円未満の端数が生じたときは、これを切り捨てた額）については、これを当該2月の支払期月の年金額に加算するものとする。

解答 4　×　法37条1項。死亡した者と生計を同じくしていた設問の者以外の3親等内の親族も、未支給の保険給付を請求することができる遺族の範囲に含まれる。

解答 5　○　法38条1項、法附則17条。設問の通り正しい。

解答 6　○　法40条の2。設問の通り正しい。

解答 7　○　法41条2項。設問の通り正しい。

老齢厚生年金については、租税その他の公課を課することができるほか、国税滞納処分（その例による処分を含む。）により差し押えることができるものとされている。

問題 8 ／／／

第1号厚生年金被保険者期間に基づく保険給付の受給権者が、正当な理由がなくて、厚生労働大臣に対して、所定の届出をせず、又は書類その他の物件を提出しないときは、保険給付の額の全部又は一部につき、その支給を停止することができる。

問題 9 ／／／

いわゆる合意分割においては、第1号改定者及び第2号改定者（これらの者を「当事者」という。）との間で、請求すべき按分割合について合意に至らないときは、合意分割が行われることはない。

問題10 ／／／

平成20年4月1日前の期間については、いわゆる3号分割に係る請求の対象となる特定期間に算入しない。

問題11 ／／／

いわゆる3号分割に係る請求は、原則として、離婚が成立した日等の翌日から起算して2年を経過したときは、することができない。

問題12 ／／／

老齢厚生年金の受給権者について、いわゆる3号分割に係る請求により標準報酬の改定又は決定が行われたときは、改定又は決定後の標準報酬を老齢厚生年金の額の計算の基礎とするものとし、当該請求のあった日の属する月から、年金の額を改定する。

解答 8　×　法78条、法98条３項、５項。設問の場合には、保険給付の額の「全部又は一部につき、その支給を停止することができる」のではなく、その支払を一時差し止めることができるものとされている。

解答 9　×　法78条の2,1項２号、２項。当事者の合意のための協議が調わないとき、又は協議することができないときは、当事者の一方の申立てにより、家庭裁判所が、請求すべき按分割合を定め、その按分割合により分割請求をすることができる。

いわゆる合意分割の規定においては、対象期間標準報酬総額（対象期間中の標準報酬を再評価したもの）の多い者（「第１号改定者」という。）から、対象期間標準報酬総額の少ない者（「第２号改定者」という。）に対して、按分割合に応じて、標準報酬の分割を行うことになる。

解答 10　○　(60)法附則49条。設問の通り正しい。

３号分割制度は、平成20年４月１日に施行され、同日前の期間については、３号分割に係る請求の対象となる特定期間に算入しないこととされている。

解答 11　○　法78条の14,1項ただし書、則78条の17,1項２号。設問の通り正しい。なお、いわゆる合意分割に係る請求についても同様である。

解答 12　×　法78条の18,1項。老齢厚生年金の受給権者について、いわゆる３号分割による標準報酬の決定又は改定があった場合は、その請求があった日の属する月の翌月から、年金の額を改定する。

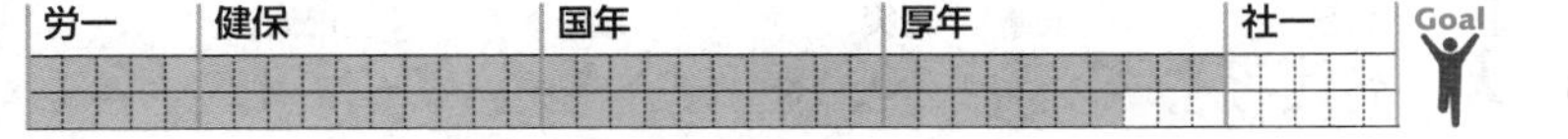

Step-Up

5 給付通則等

問題 1 ／／／

厚生労働大臣は、被保険者及び被保険者であった者に対し、必要に応じ、年金たる保険給付を受ける権利の裁定請求に係る手続きに関する情報を提供するとともに、当該裁定を請求することの勧奨を行うものとされている。

問題 2 ／／／

65歳に達した日の属する年度の初日の属する年の３年後の年の４月１日の属する年度以後の年金たる保険給付の受給権者について、当該年金たる保険給付に加給年金額が加算される場合には、当該加給年金額に係る改定率は、毎年度、原則として、物価変動率を基準として改定される。

問題 3 ／／／

障害厚生年金の受給権者が、故意若しくは重大な過失により、又は正当な理由がなくて療養に関する指示に従わないことにより、その障害の程度を増進させ又はその回復を妨げたときは、その者の障害の程度が現に該当する障害等級以下の障害等級に該当するものとして年金額の改定を行うこと、又は受給権を消滅させることができる。

問題 4 ／／／

第１号改定者及び第２号改定者は、対象期間の全部が第１号改定者に支給する障害厚生年金の額の計算の基礎となっている場合には、当該対象期間に係る標準報酬の改定又は決定を請求することはできない。

解答 1　○　則128条1項。設問の通り正しい。

解答 2　×　法44条2項。加給年金額に係る改定率については、65歳に達した日の属する年度の初日の属する年の3年後の年の4月1日の属する年度以後の年金たる保険給付の受給権者（既裁定者）であるか、当該年度前の年金たる保険給付の受給権者（新規裁定者）であるかを問わず、原則として、毎年度、名目手取り賃金変動率を基準として改定される。

解答 3　×　法74条。設問の場合は、障害厚生年金の額の改定を行わず、又はその者の障害の程度が現に該当する障害等級以下の障害等級に該当するものとして年金額の改定を行うことができるが、受給権を消滅させることはできない。

解答 4　×　法78条の2,1項。第1号改定者が障害厚生年金の受給権者であることを理由に合意分割に係る標準報酬の改定又は決定を請求することができないとする規定はない。設問の場合であっても、当事者が標準報酬の改定又は決定の請求をすること及び請求すべき按分割合について合意をしているとき等、所定の要件を満たしている場合には、当該対象期間に係る標準報酬の改定又は決定を請求することができる。

問題 5 ／／／　いわゆる合意分割において、請求すべき按分割合の下限は、２分の１である。

問題 6 ／／／　第１号改定者及び第２号改定者又はその一方は、実施機関に対し、標準報酬改定請求を行うために必要な按分割合の範囲等について情報の提供を請求することができるが、すでに情報の提供を受け、その情報の提供を受けた日の翌日から起算して１年を経過していない場合は、当該情報の提供を請求することができない。

問題 7 ／／／　年金たる保険給付の受給権者について、合意分割又は３号分割が行われたときは、これらの規定により改定され、又は決定された標準報酬は、将来に向かってのみその効力を有する。

問題 8 ／／／　障害厚生年金の受給権者について、当該障害厚生年金の額の計算の基礎となる被保険者期間について300月の最低保障の規定が適用されている障害厚生年金については、離婚時みなし被保険者期間は、その計算の基礎としない。

問題 9 ／／／　合意分割の規定により標準報酬が改定又は決定された者について、その後、その者が60歳台前半の在職老齢年金を受給することとなった場合においては、改定後の標準賞与額又は決定された標準賞与額により総報酬月額相当額を計算する。

解答 5　×　法78条の3,1項。「2分の1」は、請求すべき按分割合の「下限」ではなく、上限である。

按分割合は、当事者それぞれの対象期間標準報酬総額の合計額に対する第2号改定者の対象期間標準報酬総額の割合を超え2分の1以下の範囲内で定められなければならない。

解答 6　×　法78条の4,1項、則78条の7。「1年」ではなく、3月を経過してない場合は、情報の提供を請求することができない。

情報の提供の請求は、設問の場合のほか標準報酬改定請求後である場合や離婚等をしたときから2年を経過した場合には、することができない。

解答 7　○　法78条の6,4項、法78条の14,5項。設問の通り正しい。

解答 8　○　法78条の10,2項。設問の通り正しい。

解答 9　×　(16)法附則48条他。設問の場合における総報酬月額相当額の計算の基礎とされる標準賞与額については、合意分割の規定による改定前の標準賞与額とされ、また、決定された標準賞与額は除かれる。

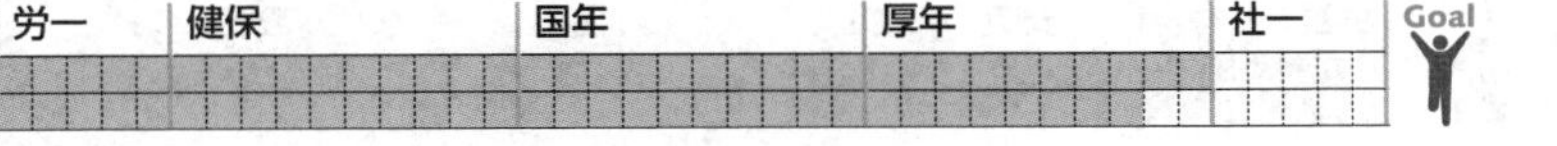

問題10 ／／／

厚生年金保険の被保険者であったことはないが、離婚時みなし被保険者期間を有し、かつ、保険料納付済期間と保険料免除期間とを合算した期間を25年以上有する者が死亡したときは、その者の一定の遺族に遺族厚生年金が支給される。

問題11 ／／／

特定被保険者が被扶養配偶者と離婚をした後に死亡した場合において、当該特定被保険者が死亡した日から起算して3月以内に被扶養配偶者からいわゆる3号分割に係る請求があったときは、その死亡した日の前日に当該請求があったものとみなす。

解答10　○　法58条1項4号、法78条の11。設問の通り正しい。被保険者であったことがない者が死亡した場合であっても、その者が離婚時みなし被保険者期間を有し、かつ、遺族厚生年金の支給要件のうち、いわゆる長期要件に該当する場合には、被保険者であった者が死亡したものとして、その者の一定の遺族に遺族厚生年金が支給される。

解答11　×　令3条の12の14,1項。特定被保険者が被扶養配偶者と離婚をした後に死亡した場合において、当該特定被保険者が死亡した日から起算して「1月以内」に被扶養配偶者からいわゆる3号分割に係る請求があったときは、その死亡した日の前日に当該請求があったものとみなす。

Basic

6 費用の負担・不服申立て等

問題 1 ／／／

国庫は、毎年度、厚生年金保険事業の事務（基礎年金拠出金の負担に関する事務を含む。）の執行（実施機関（厚生労働大臣を除く。）によるものを除く。）に要する費用の額の2分の1を負担する。

問題 2 ／／／

保険料は被保険者期間の計算の基礎となる各月につき徴収され、その額は、標準報酬月額及び標準賞与額にそれぞれ保険料率を乗じて得た額である。

問題 3 ／／／

育児休業期間中の第1号厚生年金被保険者に係る保険料免除の申出は、当該被保険者本人が、厚生労働大臣に対して行うものとされている。

問題 4 ／／／

産前産後休業をしている第1号厚生年金被保険者が使用される事業所の事業主が、厚生労働大臣に申出をしたときは、当該被保険者に係る保険料であってその産前産後休業を開始した日の属する月からその産前産後休業が終了する日が属する月までの期間に係るものの徴収は行わない。

問題 5 ／／／

事業主は、第1号厚生年金被保険者に対して通貨をもって報酬を支払う場合においては、被保険者の負担すべき前月の標準報酬月額に係る保険料（被保険者がその事業所又は船舶に使用されなくなった場合においては、前月及びその月の標準報酬月額に係る保険料）を報酬から控除することができる。

解答 1　×　法80条2項。設問の事務費の国庫負担については、予算の範囲内で、その費用を負担するとされており、2分の1といった負担割合は、規定されていない。

解答 2　○　法81条2項、3項。設問の通り正しい。保険料は、設問の通り、被保険者期間の計算の基礎となる各月につき、徴収するものとされる。

被保険者期間を計算する場合には、被保険者の資格を取得した月からその資格を喪失した月の前月までをこれに算入するため、例えば、令和7年1月15日に被保険者の資格を取得し、同年3月30日にその資格を喪失した場合における、当該被保険者に係る保険料の徴収の対象月は、令和7年の1月及び2月となる。

解答 3　×　法81条の2。設問の申出は、第1号厚生年金被保険者を使用する適用事業所の事業主が行うものとされている。

解答 4　×　法81条の2の2。産前産後休業が終了する日の翌日が属する月の前月までの期間に係るものの徴収は行わない。

解答 5　○　法84条1項、法84条の2。設問の通り正しい。

第2号厚生年金被保険者、第3号厚生年金被保険者又は第4号厚生年金被保険者に係る保険料の免除（問題3 問題4 参照）及び設問の源泉控除等については、共済各法の定めるところによるものとされている。

問題 6　任意単独被保険者及び高齢任意加入被保険者に係る毎月の保険料は、その月の10日までに納付しなければならない。

問題 7　厚生労働大臣による保険料の賦課又は徴収の処分に不服がある者は、社会保険審査会に対して審査請求をすることができる。

問題 8　厚生労働大臣による脱退一時金に関する処分に不服がある者は、社会保険審査会に対して審査請求をすることができる。

問題 9　保険給付を受ける権利は、その支給すべき事由が生じた日から5年を経過したとき、当該権利に基づき支払期月ごとに支払うものとされる保険給付の支給を受ける権利は、当該日の属する月の翌月以後に到来する当該保険給付の支給に係る法第36条第3項本文に規定する支払期月の翌月の初日から5年を経過したときは、時効によって、消滅する。

問題 10　保険料を徴収する権利は、これを行使することができる時から5年を経過したときは、時効によって、消滅する。

解答 6 × 法83条1項。任意単独被保険者及び高齢任意加入被保険者に係る毎月の保険料は、翌月末日までに納付しなければならないとされている。

解答 7 ○ 法91条。設問の通り正しい。

解答 8 ○ 法附則29条6項。設問の通り正しい。

これも覚える！

厚生労働大臣による保険給付（脱退一時金を除く。）に関する処分に不服がある者は、社会保険審査官に対して審査請求をし、その決定に不服がある者は、社会保険審査会に対して再審査請求をすることができるものとされている。

解答 9 ○ 法92条1項。設問の通り正しい。

解答10 × 法92条1項。保険料を徴収する権利は、2年を経過したときは、時効によって消滅する。

Step-Up

6 費用の負担・不服申立て等

問題 1 ／／／

政府は、政令で定めるところにより、毎年度、実施機関（厚生労働大臣を除く。以下本問において同じ。）ごとに実施機関に係る厚生年金保険給付費等として算定した金額を、当該実施機関に対して交付金として交付する。

問題 2 ／／／

第１号厚生年金被保険者、第２号厚生年金被保険者及び第３号厚生年金被保険者に係る厚生年金保険の保険料率は、1000分の183.00である。

問題 3 ／／／

賞与が支払われた月に被保険者の資格を喪失した者（前月から引き続き被保険者であったものとする。）については、当該被保険者に対し支払われた賞与について、保険料を徴収しない。

問題 4 ／／／

育児休業をしている高齢任意加入被保険者については、育児休業期間中の保険料の免除の規定は適用されない。

問題 5 ／／／

同時に２以上の事業所（船舶を除く。）に使用される第１号厚生年金被保険者について、各事業主の負担すべき標準報酬月額に係る保険料の額は、当該被保険者の保険料の半額を各事業所における被保険者の報酬月額相当額に比例して按分した額である。

解答 1　○　法84条の３。設問の通り正しい。

実施機関たる共済組合等が行う厚生年金保険の保険給付に要する費用等は、政府が、厚生年金勘定から交付金として当該共済組合等に交付する。

解答 2　○　法81条４項。設問の通り正しい。

第１号厚生年金被保険者に係る保険料率は、平成29年９月以降、第２号厚生年金被保険者及び第３号厚生年金被保険者に係る保険料率は平成30年９月以降、1000分の183.00に固定されている。

第４号厚生年金被保険者については、原則として、令和９年４月以降は1000分の183.00に固定、統一されることになっている。

解答 3　○　法19条１項、法81条２項。設問の通り正しい。

保険料が徴収されるのは、被保険者期間の計算の基礎となる各月（原則、被保険者資格の取得月から喪失月の前月までの各月）についてである。

解答 4　×　法81条の２。高齢任意加入被保険者についても、事業主が厚生労働大臣に申出をすることにより、育児休業期間中の保険料は免除される。

解答 5　○　法82条３項、令４条１項。設問の通り正しい。

問題 6 ／／／

厚生労働大臣は、納付した第1号厚生年金被保険者に係る保険料の額が納付義務者が納付すべき保険料の額を超えていることを知ったときは、その超えている部分については、還付しなければならない。

問題 7 ／／／

日本年金機構は、滞納処分等を行う場合には、あらかじめ、財務大臣の認可を受けるとともに、滞納処分等実施規程に従い、徴収職員に行わせなければならない。

問題 8 ／／／

第1号厚生年金被保険者に係る保険料は、厚生年金保険法に別段の規定があるものを除き、国税徴収の例により徴収する。

問題 9 ／／／

厚生労働大臣による処分について社会保険審査官に対して審査請求をした日から2月以内に決定がないときは、審査請求人は、社会保険審査官が審査請求を棄却したものとみなすことができる。

問題 10 ／／／

年金たる保険給付を受ける権利の時効は、当該年金たる保険給付がその全部又は一部につき支給を停止されている間は、進行しない。

解答 6 ×　法83条2項。その超えている部分に関する納付を、納付の日の翌日から6箇月以内の期日に納付されるべき保険料について、納期を繰り上げて納付したものとみなすことができる。

これも覚える！　厚生労働大臣は、納入の告知をした第1号厚生年金被保険者に係る保険料の額が納付義務者が納付すべき保険料の額を超えていることを知ったときも、その超えている部分に関する納入の告知を、納入の告知の日の翌日から6箇月以内の期日に納付されるべき保険料について、納期を繰り上げて納入の告知をしたものとみなすことができる。

解答 7 ×　法100条の6,1項。設問の場合、厚生労働大臣の認可を受けなければならない。なお、日本年金機構は、滞納処分等をしたときは、厚生労働省令で定めるところにより、速やかに、その結果を厚生労働大臣に報告しなければならない。

解答 8 ○　法89条、法89条の2。設問の通り正しい。

解答 9 ○　法90条3項。設問の通り正しい。

解答 10 ×　法92条3項。年金たる保険給付を受ける権利の時効は、当該年金たる保険給付がその「全部又は一部」ではなく、その全額につき支給を停止されている間は、進行しないものとされている。

問題11
／／／

保険給付の返還を受ける権利の時効については、その援用を要せず、また、その利益を放棄することができないものとする。

問題12
／／／

第1号厚生年金被保険者に係る事業主が、正当な理由がなくて法第27条の規定に違反して、当該被保険者の資格の取得及び喪失並びに報酬月額及び賞与額に関する事項の届出をせず、又は虚偽の届出をしたときは、6月以下の懲役又は50万円以下の罰金に処する。

解答11 ○ 法92条２項。設問の通り正しい。

解答12 ○ 法102条１項１号。設問の通り正しい。

社会保険に関する一般常識

100問

1　社会保険関係法規１
（国民健康保険法・船員保険法・高齢者医療確保法・介護保険法・児童手当法・社審法）

2　社会保険関係法規２
（確定拠出年金法・確定給付企業年金法・社会保険労務士法）

3　年金制度・医療制度等

1 社会保険関係法規 1（国民健康保険法・船員保険法・高齢者医療確保法・介護保険法・児童手当法・社審法）

※　以下の各法において、「市町村」には特別区が含まれるものとする。

国民健康保険法

問題 1

国民健康保険法は、被保険者の疾病、負傷、出産又は死亡に関して必要な保険給付を行い、もって社会保障及び国民保健の向上に寄与することを目的としている。

問題 2

高齢者の医療の確保に関する法律の規定による被保険者は、同時に国民健康保険の被保険者とされる。

問題 3

都道府県が当該都道府県内の市町村とともに行う国民健康保険（以下「都道府県等が行う国民健康保険」という。）の被保険者が、生活保護法による保護を受けている世帯（その保護を停止されている世帯を除く。）に属する者となったときは、その日に、その資格を喪失する。

問題 4

国民健康保険組合の地区は、原則として、1又は2以上の市町村の区域によるものとする。

解答 1　×　国民健康保険法１条。国民健康保険法は、国民健康保険事業の健全な運営を確保し、もって社会保障及び国民保健の向上に寄与することを目的としている。

これも覚える！　国民健康保険は、被保険者の疾病、負傷、出産又は死亡に関して必要な保険給付を行うものとする。

解答 2　×　国民健康保険法６条８号、同法19条１項ただし書。高齢者の医療の確保に関する法律の規定による被保険者は、国民健康保険の被保険者とされない。

解答 3　○　国民健康保険法６条９号、同法８条２項。設問の通り正しい。

解答 4　○　国民健康保険法13条２項。設問の通り正しい。

国民健康保険組合は、同種の事業又は業務に従事する者で当該国民健康保険組合の地区内に住所を有するものを組合員として組織する。

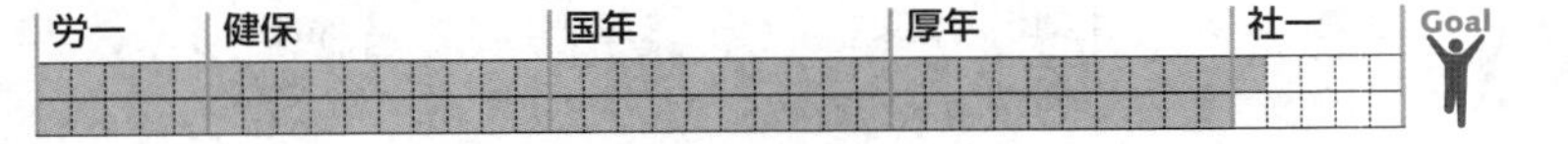

問題 5
／／／

市町村及び国民健康保険組合は、被保険者の死亡に関しては、葬祭費の支給又は葬祭の給付を必ず行わなければならない。

問題 6
／／／

被保険者が闘争、泥酔又は著しい不行跡によって疾病にかかり、又は負傷したときは、当該疾病又は負傷に係る療養の給付等は、その全部又は一部を行わないことができる。

問題 7
／／／

国民健康保険の保険給付に関する処分（一定の求めに対する処分を含む。）又は保険料その他国民健康保険法の規定による徴収金に関する処分に不服がある者は、各都道府県に置かれている国民健康保険審査会に対して審査請求をすることができる。

問題 8
／／／

保険料その他国民健康保険法の規定による徴収金を徴収し、又はその還付を受ける権利は、これらを行使することができる時から２年を経過したときに、国民健康保険法の規定による保険給付を受ける権利は、これを行使することができる時から５年を経過したときに、それぞれ時効によって消滅する。

解答 5　×　国民健康保険法58条１項。市町村及び国民健康保険組合は、被保険者の死亡に関しては、条例又は規約の定めるところにより、葬祭費の支給又は葬祭の給付を行うものとされているが、特別の理由があるときは、その全部又は一部を行わないことができるものとされている（必ず行わなければならないわけではない。）。なお、被保険者の出産に関する出産育児一時金の支給についても同様である。

解答 6　○　国民健康保険法61条。設問の通り正しい。

解答 7　○　国民健康保険法91条１項、同法92条。設問の通り正しい。なお、「一定の求め」とは、①国民健康保険法９条２項の規定による、世帯に属する全て又は一部の被保険者のうち、電子資格確認を受けることができない状況にある被保険者の資格に係る情報の提供の（世帯主による）求め、及び②同条４項の規定による、世帯に属する全て又は一部の被保険者の資格に係る事実の確認のための書面の交付又は当該書面に記載すべき事項の電磁的方法による提供の（世帯主による）求めのことである。

解答 8　×　国民健康保険法110条１項。「保険給付を受ける権利」についても、これを行使することができる時から「２年」を経過したときは、時効によって消滅する。

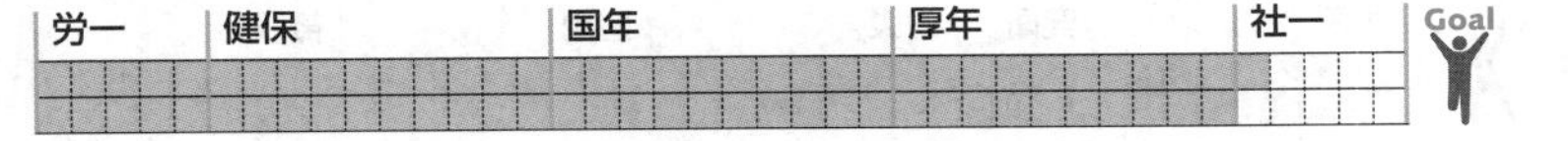

船員保険法

問題 9
／／／

船員保険法第２条第２項に規定する疾病任意継続被保険者となるための申出は、被保険者の資格を喪失した日から20日以内にしなければならないとされている。ただし、全国健康保険協会は、正当な理由があると認めるときは、この期間を経過した後の申出であっても、受理することができるとされている。

問題10
／／／

船員保険の被保険者（疾病任意継続被保険者を除く。）は、死亡した日又は船員として船舶所有者に使用されなくなるに至った日の翌日（その事実があった日に更に船舶所有者に使用されるに至ったときは、その日）から、当該被保険者の資格を喪失する。

問題11
／／／

船員保険法の規定による傷病手当金の支給期間は、同一の疾病又は負傷及びこれにより発した疾病に関しては、その支給を始めた日から通算して３年間である。

問題12
／／／

被保険者が職務上の事由により行方不明となったときは、被保険者が行方不明となった日の翌日から起算して３月を限度として、その行方不明の期間、被扶養者に対し、行方不明手当金を支給する。ただし、行方不明の期間が３月未満であるときは、行方不明手当金は支給されない。

解答 9 ○ 船員保険法13条1項。設問の通り正しい。

「疾病任意継続被保険者」とは、船舶所有者に使用されなくなったため、被保険者（独立行政法人等職員被保険者を除く。）の資格を喪失した者であって、喪失の日の前日まで継続して2月以上被保険者（一定の者を除く。）であったもののうち、全国健康保険協会に申し出て、継続して被保険者になった者をいうが、当該疾病任意継続被保険者の資格取得の申出は、所定の事項を記載した申出書を直接全国健康保険協会に提出することによって行うものとされている。

解答 10 ○ 船員保険法12条。設問の通り正しい。

船員保険の被保険者（疾病任意継続被保険者を除く。）は、死亡した場合も、船員として船舶所有者に使用されなくなるに至った場合も、原則として、その日の翌日から、被保険者の資格を喪失する。

解答 11 ○ 船員保険法69条1項、5項。設問の通り正しい。

〈傷病手当金の支給〉

	船員保険	健康保険
待期	なし	継続した3日間
支給期間	支給開始日から通算して3年間	支給開始日から通算して1年6月間

解答 12 × 船員保険法93条、同法95条。行方不明手当金が支給されないのは、行方不明の期間が「1月未満」であるときである。なお、設問のその他の記述は正しい。

被保険者の行方不明の期間に係る報酬が支払われる場合においては、その報酬の額の限度において行方不明手当金は支給されない。

高齢者医療確保法

問題 13　☐☐☐

高齢者の医療の確保に関する法律における「保険者」は、後期高齢者医療広域連合である。

問題 14　☐☐☐

厚生労働大臣は、医療費適正化基本方針を定めるとともに、３年ごとに、３年を１期として、全国医療費適正化計画を定めるものとされている。

問題 15　☐☐☐

保険者（国民健康保険法の定めるところにより都道府県が当該都道府県内の市町村とともに行う国民健康保険にあっては、市町村）は、特定健康診査等実施計画に基づき、厚生労働省令で定めるところにより、40歳以上の加入者に対し、原則として特定健康診査を行うものとされている。

解答13　×　高齢者医療確保法7条2項。高齢者の医療の確保に関する法律における「保険者」とは、医療保険各法の規定により医療に関する給付を行う全国健康保険協会、健康保険組合、都道府県及び市町村（特別区を含む。）、国民健康保険組合、共済組合又は日本私立学校振興・共済事業団であり、後期高齢者医療広域連合は、高齢者の医療の確保に関する法律における「保険者」には該当しない。

後期高齢者医療広域連合は、後期高齢者医療の運営主体ではあるが、高齢者の医療の確保に関する法律における「保険者」には該当しない。

解答14　×　高齢者医療確保法8条1項。設問の全国医療費適正化計画は、「6年」ごとに、「6年」を1期として定めるものとされている。

解答15　○　高齢者医療確保法20条。設問の通り正しい。

加入者が特定健康診査に相当する健康診査を受け、その結果を証明する書面の提出を受けたとき等は、保険者は、特定健康診査を行う必要はない。

問題16 ／／／

75歳未満の者は、後期高齢者医療広域連合の区域内に住所を有する者であっても、後期高齢者医療広域連合が行う後期高齢者医療の被保険者となることはない。

問題17 ／／／

高齢者医療確保法に規定する後期高齢者医療は、高齢者の疾病、負傷又は死亡に関して必要な給付を行うものとされている。

問題18 ／／／

後期高齢者医療の被保険者の資格を取得した者があるときは、その者の属する世帯の世帯主は、14日以内に所定の事項を記載した届書を後期高齢者医療広域連合に提出しなければならない。

問題19 ／／／

後期高齢者医療広域連合は、後期高齢者医療に要する費用に充てるため、被保険者から保険料を徴収する。

解答16 ×　高齢者医療確保法50条2号。75歳未満であっても、後期高齢者医療広域連合の区域内に住所を有する65歳以上75歳未満の者であって、一定の障害の状態にある旨の当該後期高齢者医療広域連合の認定を受けたものについては、適用除外に該当する場合を除き、後期高齢者医療広域連合が行う後期高齢者医療の被保険者となる。

後期高齢者医療の被保険者は、適用除外に該当する場合を除き、次のいずれかに該当する者である。
①後期高齢者医療広域連合の区域内に住所を有する75歳以上の者
②後期高齢者医療広域連合の区域内に住所を有する65歳以上75歳未満の者であって、一定の障害の状態にある旨の当該後期高齢者医療広域連合の認定を受けたもの

解答17 ○　高齢者医療確保法47条。設問の通り正しい。

解答18 ×　高齢者医療確保法54条1項、則10条1項、2項、則11条。被保険者の資格取得の届出の義務は、被保険者の属する世帯の世帯主ではなく、被保険者本人に課せられている。なお、被保険者の属する世帯の世帯主は、被保険者に代わって、届出をすることができるものとされている。

解答19 ×　高齢者医療確保法104条1項。保険料の徴収の事務は、「後期高齢者医療広域連合」ではなく、「市町村」が行う。

問題20　保険料その他後期高齢者医療に係る徴収金（一定のものに限る。）に関する処分に不服がある者は、各都道府県に置かれる社会保険審査会に審査請求をすることができる。

／／／

介護保険法

問題21　市町村及び特別区（以下「市町村」という。）は、介護保険法の定めるところにより、都道府県とともに介護保険を行う。

／／／

問題22　介護保険の第２号被保険者（市町村の区域内に住所を有する40歳以上65歳未満の医療保険加入者）は、当該医療保険加入者でなくなった日の翌日から、その資格を喪失する。

／／／

進捗チェック

労基	安衛	労災	雇用	徴収

解答20 × 高齢者医療確保法128条1項。設問の場合の審査請求は、「後期高齢者医療審査会」に対してすることができる。なお、「社会保険審査会」は、厚生労働大臣の所轄の下に置かれている。

これも覚える!

後期高齢者医療給付に関する処分（一定の求めに対する処分を含む。）に不服がある者についても、後期高齢者医療審査会に審査請求をすることができる。

解答21 × 介護保険法3条1項。介護保険は、介護保険法の定めるところにより、「市町村」が行う。都道府県は、介護保険事業の運営が健全かつ円滑に行われるように、必要な助言及び適切な援助をしなければならないとされているが、市町村とともに介護保険を行うものとはされていない。

解答22 × 介保法9条2号、法11条2項。介護保険の第2号被保険者は、当該医療保険加入者でなくなった「日」から、その資格を喪失する。

介護保険の被保険者は、第1号被保険者（市町村の区域内に住所を有する65歳以上の者）及び第2号被保険者（市町村の区域内に住所を有する40歳以上65歳未満の医療保険加入者）の2種類に区分される。

問題 23
／／／

「要介護状態」とは、身体上又は精神上の障害があるために、入浴、排せつ、食事等の日常生活における基本的な動作の全部又は一部について、原則として6月間にわたり継続して、常時介護を要すると見込まれる状態であって、その介護の必要の程度に応じて厚生労働省令で定める区分（「要介護状態区分」という。）のいずれかに該当するもの（要支援状態に該当するものを除く。）をいう。

問題 24
／／／

介護保険法による保険給付には、介護給付（被保険者の要介護状態に関する保険給付）及び予防給付（被保険者の要支援状態に関する保険給付）のほかに、市町村特別給付（要介護状態等の軽減又は悪化の防止に資する保険給付として条例で定めるもの）がある。

問題 25
／／／

介護保険法による介護給付を受けようとする被保険者は、要介護者に該当すること及びその該当する要介護状態区分について、介護認定審査会の認定を受けなければならない。

問題 26
／／／

要介護認定は、要介護状態区分に応じて有効期間内に限り、その効力を有するものとされているが、有効期間満了後も要介護状態に該当すると見込まれるときは、市町村に対し、当該要介護認定の更新を申請することができる。

問題 27
／／／

介護医療院を開設しようとする者は、厚生労働省令で定めるところにより、都道府県知事の許可を受けなければならない。

解答23　○　介保法7条1項、則2条。設問の通り正しい。

「要支援状態」とは、身体上若しくは精神上の障害があるために入浴、排せつ、食事等の日常生活における基本的な動作の全部若しくは一部について、原則として6月間にわたり継続して常時介護を要する状態の軽減若しくは悪化の防止に特に資する支援を要すると見込まれ、又は身体上若しくは精神上の障害があるために原則として6月間にわたり継続して日常生活を営むのに支障があると見込まれる状態であって、支援の必要の程度に応じて厚生労働省令で定める区分(「要支援状態区分」という。)のいずれかに該当するものをいう。

解答24　○　介護保険18条。設問の通り正しい。

解答25　×　介護保険法19条1項。「介護認定審査会」ではなく「市町村」の認定(要介護認定)を受けなければならない。

これも覚える!

介護認定審査会は、要介護認定及び要支援認定等の審査判定業務を行わせるために、市町村に置かれている。

解答26　○　介護保険法28条1項、2項。設問の通り正しい。

解答27　○　介護保険法107条1項。設問の通り正しい。

児童手当法

問題28 ／／／

児童手当法にいう「児童」とは、18歳に達する日以後の最初の３月31日までの間にある者であって、日本国内に住所を有するものに限られる。

問題29 ／／／

一般受給資格者（一定の公務員である一般受給資格者を除く。）は、児童手当の支給を受けようとするときは、その受給資格及び児童手当の額について、住所地（一般受給資格者が未成年後見人であり、かつ、法人である場合にあっては、主たる事務所の所在地とする。）の都道府県知事の認定を受けなければならない。

問題30 ／／／

児童手当は、毎年２月、６月及び10月の３期に、それぞれの前月までの分を支払う。ただし、前支払期月に支払うべきであった児童手当又は支給すべき事由が消滅した場合におけるその期の児童手当は、その支払期月でない月であっても、支払うものとする。

解答28　×　児童手当法３条１項。設問の者のほか、18歳に達する日以後の最初の３月31日までの間にある者であって、留学その他の内閣府令で定める理由により日本国内に住所を有しないものも、児童手当法に定める「児童」に含まれる。

解答29　×　児童手当法７条１項。「都道府県知事」ではなく「市町村長（特別区の区長を含む。）」の認定を受けなければならない。

常勤の公務員である一般受給資格者が、児童手当の受給資格及びその額について認定を受けようとするときは、次に定める者の認定を受けなければならない。
〈公務員に係る認定〉

国家公務員（行政執行法人に勤務する者を除く。）の場合	当該国家公務員の所属する各省各庁の長（裁判所にあっては、最高裁判所長官）又はその委任を受けた者
地方公務員（特定地方独立行政法人に勤務する者を除く。）の場合	当該地方公務員の所属する都道府県若しくは市町村の長（特別区の区長を含む。）又はその委任を受けた者

解答30　×　児童手当法８条４項。児童手当は、毎年「２月、４月、６月、８月、10月及び12月の６期」に、それぞれの前月までの分を支払う。なお、設問のその他の記述は正しい。

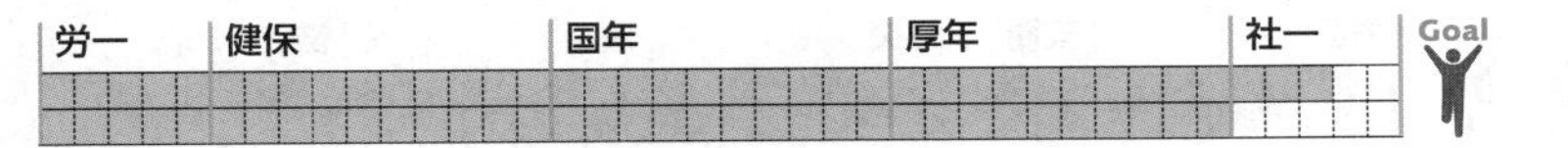

問題31 ／／／　児童手当の支給を受けている者につき、児童手当の額が増額することとなるに至った場合における児童手当の額の改定は、その事由が生じた日の属する月の翌月から行われる。

社審法

問題32 ／／／　社会保険審査官及び社会保険審査会法によると、被保険者の資格、標準報酬若しくは保険給付（国民年金法による給付等を含む。）又は国民年金の保険料その他国民年金法の規定による徴収金に関する処分等に対する審査請求は、原則として、処分があったことを知った日の翌日から起算して２月を経過したときは、することができない。

解答31　×　児童手当法９条１項。児童手当の額が増額することとなるに至った場合における児童手当の額の改定は、「その者がその改定後の額につき認定の請求をした」日の属する月の翌月から行われる。

これも覚える！　児童手当の支給を受けている者につき、児童手当の額が減額することとなるに至った場合における児童手当の額の改定は、その事由が生じた日の属する月の翌月から行われる。

解答32　×　社会保険審査官及び社会保険審査会法４条１項。設問の審査請求は、原則として、処分があったことを知った日の翌日から起算して「３月」を経過したときは、することができないとされている。

1 社会保険関係法規 1（国民健康保険法・船員保険法・高齢者医療確保法・介護保険法・児童手当法・社審法）

※　以下の各法において、「市町村」には特別区が含まれるものとする。

国民健康保険法

問題 1
／／／

国民健康保険法第4条第3項では、都道府県は、被保険者の資格の取得及び喪失に関する事項、国民健康保険の保険料（地方税法の規定による国民健康保険税を含む。）の徴収、保健事業の実施その他の国民健康保険事業を適切に実施するものと規定されている。

問題 2
／／／

修学のため一の市町村の区域内に住所を有する被保険者であって、修学していないとすれば他の市町村の区域内に住所を有する他人と同一の世帯に属するものと認められるものは、国民健康保険法の適用については、当該他の市町村の区域内に住所を有するものとみなし、かつ、当該世帯に属するものとみなす。

問題 3
／／／

保険医療機関等は療養の給付に関し、市町村長（特別区の区長を含む。）の指導を受けなければならない。

解答 1　×　国民健康保険法4条3項。設問の規定は、「都道府県」ではなく「市町村（特別区を含む。）」に関するものである。

「都道府県」については、国民健康保険法4条2項において、安定的な財政運営、市町村の国民健康保険事業の効率的な実施の確保その他の都道府県及び当該都道府県内の市町村の国民健康保険事業の健全な運営について中心的な役割を果たすものと規定されている。

解答 2　○　国民健康保険法116条。設問の通り正しい。国民健康保険は、住所地に係る国民健康保険の適用を受けるのが原則であるが、家族と別居し下宿したり又は寮に入り、学費や生活費の仕送りを受けている所得のない学生については、例外的に、その者の住所を、在学しなければ属していたであろう世帯に属するものとみなすこととしている。

解答 3　×　国民健康保険法41条1項。保険医療機関等は療養の給付に関し、「市町村長（特別区の区長を含む。）」ではなく、「厚生労働大臣又は都道府県知事」の指導を受けなければならない。

問題 4
／／／

市町村及び国民健康保険組合（以下「組合」という。）は、保険料を滞納している世帯主又は組合員（保険料滞納世帯主等）が、当該保険料の納期限から厚生労働省令で定める期間が経過するまでの間に、当該市町村又は組合が保険料納付の勧奨等を行ってもなお当該保険料を納付しない場合においては、当該保険料の滞納につき特別の事情があると認められる場合を除き、当該世帯に属する被保険者（一定の者を除く。）が保険医療機関等から療養を受けたとき、又は指定訪問看護事業者から指定訪問看護を受けたときは、その療養又は指定訪問看護に要した費用について、療養の給付等に代えて、当該保険料滞納世帯主等に対し、家族療養費を支給する。

問題 5
／／／

被保険者又は被保険者であった者が、刑事施設、労役場その他これらに準ずる施設に拘禁されたときは、その期間に係る療養の給付等（療養の給付又は入院時食事療養費、入院時生活療養費、保険外併用療養費、訪問看護療養費、特別療養費若しくは移送費の支給をいう。）は、行わないものとされている。

問題 6
／／／

国民健康保険法では、国は、都道府県等が行う国民健康保険の財政の安定化を図るため、政令で定めるところにより、都道府県に対し、療養の給付等に要する費用並びに前期高齢者納付金及び後期高齢者支援金、介護納付金並びに流行初期医療確保拠出金の納付に要する費用について、一定の額の合算額の100分の32を負担することを規定している。

解答 4　×　国民健康保険法54条の3,1項。設問の場合に、保険料滞納世帯主等に対して支給されるのは、「家族療養費」ではなく「特別療養費」である。なお、この場合の「療養の給付等」とは、療養の給付又は入院時食事療養費等（入院時食事療養費、入院時生活療養費、保険外併用療養費、療養費又は訪問看護療養費）の支給をいう。

これも覚える!

市町村及び組合は、上記の特別療養費を支給するときは、あらかじめ、保険料滞納世帯主等に対し、その世帯に属する被保険者が保険医療機関等から療養を受けたとき、又は指定訪問看護事業者から指定訪問看護を受けたときは、特別療養費を支給する旨を通知するものとされている。

解答 5　○　国民健康保険法59条2号。設問の通り正しい。

被保険者又は被保険者であった者が、少年院その他これに準ずる施設に収容されたときも同様に給付制限の対象となる。

解答 6　○　国民健康保険法70条1項。設問の通り正しい。

問題 7　／／／

国民健康保険法では、高齢者の医療の確保に関する法律第20条の規定による特定健康診査及び同法第24条の規定による特定保健指導に要する費用のうち政令で定めるものについて、国は、当該費用の額の3分の1に相当する額を負担するものとし、また、市町村は、政令で定めるところにより、一般会計から、当該費用の額の3分の1に相当する額を当該市町村の国民健康保険に関する特別会計に繰り入れなければならないとしている。

問題 8　／／／

市町村及び国民健康保険組合の委託を受けて診療報酬請求書の審査を行うため、都道府県の区域を区域とする国民健康保険団体連合会（その区域内の都道府県若しくは市町村又は国民健康保険組合の3分の2以上が加入しないものを除く。）に国民健康保険診療報酬審査委員会を置くこととされている。

船員保険法

問題 9　／／／

船員保険事業に関して船舶所有者及び被保険者（その意見を代表する者を含む。）の意見を聴き、当該事業の円滑な運営を図るため、全国健康保険協会に船員保険協議会を置くものとされている。

問題 10　／／／

船舶所有者は、被保険者の資格の取得及び喪失並びに報酬月額及び賞与額に関する事項を全国健康保険協会に届け出なければならない。

解答 7　×　国民健康保険法72条の５。設問文後段部分が誤り。設問の費用の額の３分の１に相当する額を、一般会計から国民健康保険に関する特別会計に繰り入れなければならないとされているのは、「市町村」ではなく、「都道府県」である。都道府県は、当該費用の額の３分の１に相当する額を、一般会計から当該都道府県の国民健康保険に関する特別会計に繰り入れなければならないとされている。

解答 8　○　国民健康保険法87条１項。設問の通り正しい。

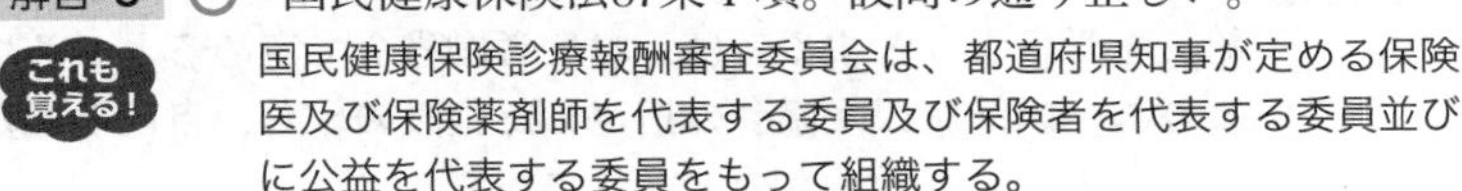

これも覚える！　国民健康保険診療報酬審査委員会は、都道府県知事が定める保険医及び保険薬剤師を代表する委員及び保険者を代表する委員並びに公益を代表する委員をもって組織する。

解答 9　○　船員保険法６条１項。設問の通り正しい。

これも覚える！　船員保険協議会の委員は、12人以内とし、船舶所有者、被保険者及び「船員保険事業の円滑かつ適正な運営に必要な学識経験を有する者」のうちから厚生労働大臣が任命する。

解答10　×　船員保険法24条。設問の事項は、「厚生労働大臣」に届け出なければならないとされている。

問題 11 ／／／

船員保険の一般保険料率は、疾病保険料率及び災害保健福祉保険料率を合計して得た率とされている。ただし、後期高齢者医療の被保険者等である被保険者及び独立行政法人等職員被保険者にあっては、一般保険料率は、災害保健福祉保険料率のみとされている。

問題 12 ／／／

「自宅以外の場所における療養に必要な宿泊及び食事の支給」を受けようとする者は、厚生労働省令で定めるところにより、全国健康保険協会の指定した施設のうち、自己の選定するものから受けるものとされている。

高齢者医療確保法

問題 13 ／／／

高齢者医療確保法第 4 条第 1 項に規定する住民の高齢期における医療に要する費用の適正化を図るための取組においては、都道府県は、当該都道府県における医療提供体制の確保並びに当該都道府県及び当該都道府県内の市町村の国民健康保険事業の健全な運営を担う責務を有することに鑑み、保険者、後期高齢者医療広域連合、医療関係者その他の関係者の協力を得つつ、中心的な役割を果たすものとする。

解答 11　○　船員保険法120条。設問の通り正しい。

①「疾病保険料率」とは、船員保険の職務外疾病給付等に充てる保険料の算定に用いる率であり、「1000分の40から1000分の130」までの範囲内において全国健康保険協会が決定することとされている。

②「災害保健福祉保険料率」とは、船員保険の職務上疾病・年金給付、保健福祉事業等に充てる保険料の算定に用いる率であり、「1000分の10から1000分の35」までの範囲内において全国健康保険協会が決定するものとされている。

解答 12　○　船員保険法53条１項６号、７項。設問の通り正しい。船員保険では、被保険者の職務外の事由による傷病又は職務上の事由若しくは通勤による傷病に関して、療養の給付として、自宅以外の場所における療養に必要な宿泊及び食事の支給を行うものとされている。

解答 13　○　高齢者医療確保法４条２項。設問の通り正しい。

高齢者医療確保法第４条第１項では、「地方公共団体は、この法律の趣旨を尊重し、住民の高齢期における医療に要する費用の適正化を図るための取組及び高齢者医療制度の運営が適切かつ円滑に行われるよう所要の施策を実施しなければならない。」と規定している。

社一

問題14 ／／／

都道府県は、都道府県医療費適正化計画を定め、又はこれを変更しようとするときは、あらかじめ、関係市町村及び保険者協議会に諮問しなければならない。

問題15 ／／／

社会保険診療報酬支払基金は、各保険者（都道府県が当該都道府県内の市町村とともに行う国民健康保険にあっては、都道府県）に係る加入者の数に占める前期高齢者である加入者の数の割合に係る負担の不均衡を調整するため、保険者に対して、前期高齢者交付金を交付するものとされている。

問題16 ／／／

後期高齢者医療の被保険者に係る療養の給付等に要する費用の額（一定の額を除く。）の50％に相当する額は公費で賄われており、国、都道府県及び市町村が当該額のそれぞれ6分の1を負担することとされている。

問題17 ／／／

高齢者の医療の確保に関する法律において、保険料率は、療養の給付等に要する費用の額の予想額等に照らし、おおむね5年を通じ財政の均衡を保つことができるものでなければならないとされている。

問題18 ／／／

配偶者の一方は、市町村が被保険者たる他方の保険料を普通徴収の方法によって徴収しようとする場合において、当該保険料を連帯して納付する義務を負うものとされている。

解答14 ×　高齢者医療確保法9条7項。設問の場合は、あらかじめ、関係市町村及び保険者協議会に「協議」しなければならない。

都道府県は、都道府県医療費適正化計画を定め、又はこれを変更したときは、遅滞なく、これを公表するよう努めるとともに、厚生労働大臣に提出するものとされている。

解答15 ○　高齢者医療確保法32条1項。設問の通り正しい。

前期高齢者交付金は、社会保険診療報酬支払基金が各保険者から徴収する前期高齢者納付金をもって充てることとされている。

解答16 ×　高齢者医療確保法93条1項、同法95条、同法96条1項、同法98条。設問の公費で賄う50％（12分の6）の費用のうち、国は「12分の4」を、都道府県及び市町村はそれぞれ「12分の1」を負担することとされている。なお、国の負担割合（12分の4）のうち、12分の1については、後期高齢者医療の財政を調整するため、調整交付金として後期高齢者医療広域連合に交付される。

解答17 ×　高齢者医療確保法104条3項。設問の「5年」を「2年」とすると正しい内容となる。

解答18 ○　高齢者医療確保法108条3項。設問の通り正しい。

世帯主についても、市町村が当該世帯に属する被保険者の保険料を普通徴収の方法によって徴収しようとする場合において、当該保険料を連帯して納付する義務を負うものとされている。

介護保険法

問題19 ／／／

市町村は、認知症に対する国民の関心及び理解を深め、認知症である者への支援が適切に行われるよう、認知症に関する知識の普及及び啓発に努めなければならない。

問題20 ／／／

40歳以上65歳未満の者が要介護者に該当することとなるには、その要介護状態の原因が、身体上又は精神上の障害が加齢に伴って生ずる心身の変化に起因する疾病であって、政令で定めるもの（特定疾病）によって生じたものである必要がある。

問題21 ／／／

住所地特例対象施設に入所又は入居（以下「入所等」という。）をすることにより当該住所地特例対象施設の所在する場所に住所を変更したと認められる被保険者（「住所地特例対象被保険者」という。）であって、当該住所地特例対象施設に入所等をした際他の市町村の区域内に住所を有していたと認められるものは、原則として、当該他の市町村が行う介護保険の被保険者とする。

問題22 ／／／

指定地域密着型サービス事業者の指定は、厚生労働省令で定めるところにより、地域密着型サービス事業を行う者の申請により、地域密着型サービスの種類及び当該地域密着型サービスの種類に係る地域密着型サービスを行う事業所ごとに市町村（住所地特例適用要介護被保険者に係る特定地域密着型サービスにあっては、施設所在市町村を含む。）の長が行う。

解答19　×　介護保険法５条の2,1項。設問の認知症に関する知識の普及及び啓発に努めなければならないとされているのは、「市町村」ではなく「国及び地方公共団体」である。

これも覚える!
介護保険法において「認知症」とは、アルツハイマー病その他の神経変性疾患、脳血管疾患その他の疾患により日常生活に支障が生じる程度にまで認知機能が低下した状態として政令で定める状態をいう。

解答20　○　介護保険法７条３項２号。設問の通り正しい。

要介護状態にある65歳以上の者については、その要介護状態の原因である身体上又は精神上の障害が特定疾病によって生じたものでなくても、要介護者とされる。

解答21　○　介護保険法13条１項。設問の通り正しい。なお、設問の規定により、他の市町村が行う介護保険の被保険者とされた者等を住所地特例適用被保険者といい、一定の地域密着型サービスについては、入所等をする住所地特例対象施設の所在する市町村長が指定する指定地域密着型サービス事業者から受けることができる。

解答22　○　介護保険法42条の2,1項、同法78条の2,1項。設問の通り正しい。

問題23 ／／／

要介護認定及び要支援認定等に係る審査判定業務を行わせるため、市町村に介護認定審査会を置くものとされており、介護認定審査会の委員は、要介護者等の保健、医療又は福祉に関する学識経験を有する者のうちから、市町村長（特別区の区長を含む。）が任命するとされている。

問題24 ／／／

介護保険の介護給付（介護保険施設及び特定施設入居者生活介護に係るものを除く。）及び予防給付（介護予防特定施設入居者生活介護に係るものを除く。）に要する費用の50％は公費で賄われており、その内訳は、国が20％、都道府県及び市町村がそれぞれ15％である。

問題25 ／／／

市町村は、厚生労働大臣が定める地域における医療及び介護の総合的な確保の促進に関する法律に規定する総合確保方針に即した介護保険事業に係る保険給付の円滑な実施を確保するための基本指針に即して、５年を１期とする市町村介護保険事業計画を定めるものとされている。

児童手当法

問題26 ／／／

16歳、14歳及び11歳の児童（施設入所等児童ではないものとする。）を監護し、かつ、日本国内に住所を有する個人受給資格者に支給する児童手当の額は、１か月につき35,000円である。

解答23　○　介護保険法14条、同法15条２項。設問の通り正しい。

解答24　×　介護保険法121条１項１号、同法122条２項、同法123条１項１号、同法124条１項。設問の費用に係る公費負担（50％）の内訳は、国が「25％」、都道府県及び市町村がそれぞれ「12.5％」である。なお、国による負担割合（25％）には、調整交付金による負担割合（５％）が含まれる。

これも覚える！　介護保険施設及び特定施設入居者生活介護に係る介護給付並びに介護予防特定施設入居者生活介護に係る予防給付に要する費用については、国は20％（うち、５％は調整交付金）、都道府県は17.5％、市町村は12.5％に相当する額を負担するものとされている。

解答25　×　介護保険法116条１項、同法117条１項。市町村は、当該基本指針に即して、「３年」を１期とする市町村介護保険事業計画を定めるものとされている。

解答26　×　児童手当法６条１項１号、３項。設問の場合、第１子である16歳の児童及び第２子である14歳の児童は各10,000円、第３子である11歳の児童は30,000円として計算する。したがって、設問の個人受給資格者に支給される児童手当の額は、１か月当たり50,000円（10,000円×２＋30,000円）となる。

問題27 ／／／

児童手当の一般受給資格者が死亡した場合において、その死亡した者に支払うべき児童手当（その者が監護していた児童であった者に係る部分に限る。）で、まだその者に支払っていなかったものがあるときは、当該児童であった者にその未支払の児童手当を支払うことができる。

問題28 ／／／

児童手当の額を減額して改定すべき事由が生じたにもかかわらず、その事由が生じた日の属する月の翌月以降の分として減額しない額の児童手当が支払われた場合における当該児童手当の当該減額すべきであった部分については、その後に支払うべき児童手当の内払とみなすことができる。

社審法

問題29 ／／／

社会保険審査官及び社会保険審査会法による審査請求は、代理人によってすることができ、代理人は、各自、審査請求人のために、当該審査請求に関する一切の行為をすることができる。ただし、審査請求の取下げは、特別の委任を受けた場合に限り、することができる。

問題30 ／／／

社会保険審査官は、各都道府県に置かれ、厚生労働省の職員のうちから厚生労働大臣が任命する。

解答27　○　児童手当法12条１項。設問の通り正しい。

解答28　○　児童手当法13条。設問の通り正しい。

設問の場合のほか、「児童手当を支給すべきでないにもかかわらず、児童手当の支給として支払いが行われた場合」のその支払われた児童手当についても、その後に支払うべき児童手当の内払とみなすことができる。

解答29　○　社会保険審査官及び社会保険審査会法５条の２。設問の通り正しい。なお、再審査請求についても代理人によってすることができ、代理人は、各自、再審査請求人のために、当該再審査請求に関する一切の行為をすることができる。ただし、再審査請求の取下げは、特別の委任を受けた場合に限り、することができる。

解答30　×　社会保険審査官及び社会保険審査会法１条１項、同法２条。社会保険審査官は、各地方厚生局（地方厚生支局を含む。）に置かれている。

社会保険審査官の定数は103人であり、単独で審査請求の事件を取り扱う（独任制）。

問題31　社会保険審査会は、厚生労働大臣の所轄の下に置かれ、委員長及び委員9人をもって組織される。

／／／

進捗チェック

労基	安衛	労災	雇用	徴収

解答31　×　社会保険審査官及び社会保険審査会法19条、同法21条。
社会保険審査会は、委員長及び「委員５人」をもって組織されている。

社会保険審査会の委員長及び委員は、人格が高潔であって、社会保障に関する識見を有し、かつ、法律又は社会保険に関する学識を有する者のうちから、両議院の同意を得て、厚生労働大臣が任命する。

2 社会保険関係法規2（確定拠出年金法・確定給付企業年金法・社会保険労務士法）

確定拠出年金法

問題 1

／／／

　確定拠出年金法において「確定拠出年金」とは、企業型年金及び個人型年金をいうが、このうち、「企業型年金」とは、厚生年金適用事業の事業主が、単独で又は共同して、確定拠出年金法第2章の規定に基づいて実施する年金制度をいう。

問題 2

／／／

　企業型年金の実施事業所に使用される第1号等厚生年金被保険者であっても、60歳以上である者は企業型年金加入者となることはない。

問題 3

／／／

　確定拠出年金の給付は、老齢給付金、障害給付金及び脱退一時金とされており、また、当分の間、一定の要件に該当する者は、死亡一時金の請求をすることができる。

解答 1　○　確定拠出年金法２条１項、２項。設問の通り正しい。

解答 2　×　確定拠出年金法２条６項、同法９条１項。設問の第１号等厚生年金被保険者（第１号厚生年金被保険者及び第４号厚生年金被保険者）は、原則として、60歳以上であっても企業型年金加入者となる。

これも覚える！
次のいずれかに該当する者は、企業型年金加入者とされない。
①実施事業所に使用される第一号等厚生年金被保険者が企業型年金加入者となることについて企業型年金規約で一定の資格を定めた場合における当該資格を有しない者
②企業型年金の老齢給付金の受給権を有する者又はその受給権を有する者であった者

解答 3　×　確定拠出年金法28条、同法73条、同法附則２条の２、同法附則３条。確定拠出年金の給付は、老齢給付金、障害給付金及び「死亡一時金」とされており、また、当分の間、一定の要件に該当する者は、「脱退一時金」の請求をすることができる。

問題 4　／／／

　個人型年金に係る中小事業主掛金を拠出することができる中小事業主とは、企業型年金及び確定給付企業年金を実施していない厚生年金適用事業所の事業主であって、その使用する第１号厚生年金被保険者の数が300人以下のものをいう。

確定給付企業年金法

問題 5　／／／

　確定給付企業年金は、個人又は事業主が拠出した資金を個人が自己の責任において運用の指図を行い、高齢期において自己の運用の結果に基づいた給付を受けることができる制度である。

問題 6　／／／

　第４号厚生年金被保険者は、確定給付企業年金の加入者となることはできない。

解答 4　○　確定拠出年金法55条２項４号の２、同法68条の2,1項。設問の通り正しい。

事業主は、以下のいずれも満たす場合には、その使用する個人型年金加入者に係る掛金（中小事業主掛金）を、拠出することができる。

①事業主が、中小事業主（企業型年金及び確定給付企業年金を実施していない厚生年金適用事業所の事業主であって、その使用する第１号厚生年金被保険者の数が300人以下のものをいう。）であること
②その使用する第１号厚生年金被保険者である個人型年金加入者に係る掛金であること
③当該第１号厚生年金被保険者の過半数で組織する労働組合等の同意を得ていること
④当該個人型年金加入者に係る掛金を当該事業主を介して納付していること

解答 5　×　確定給付企業年金法１条。確定給付企業年金は、事業主が従業員と給付の内容を約し、高齢期において従業員がその内容に基づいた給付を受けることができる制度である。

解答 6　×　確定給付企業年金法２条３項、同法25条。確定給付企業年金を実施する厚生年金適用事業所に使用される厚生年金保険の被保険者が、確定給付企業年金の加入者とされるが、確定給付企業年金法における「厚生年金保険の被保険者」とは、第１号厚生年金被保険者及び第４号厚生年金被保険者をいうため、第４号厚生年金被保険者も確定給付企業年金の加入者となることができる。

問題 7
／／／

加入者である期間を計算する場合には、月によるものとし、加入者の資格を取得した月から加入者の資格を喪失した月の前月までをこれに算入する。ただし、規約で別段の定めをすることができる。

社会保険労務士法

問題 8
／／／

社会保険労務士又は社会保険労務士法人でない者は、原則として、事業における労務管理その他の労働に関する事項及び労働社会保険諸法令に基づく社会保険に関する事項について相談に応じ、又は指導する事務を、他人の求めに応じ報酬を得て、業として行うことはできない。

問題 9
／／／

すべての社会保険労務士は、紛争解決手続代理業務を行うことができる。

問題10
／／／

社会保険労務士は、事業における労務管理その他の労働に関する事項及び労働社会保険諸法令に基づく社会保険に関する事項について、裁判所において、訴訟代理人として出頭し、陳述をすることができる。

問題11
／／／

社会保険労務士となる資格を有する者が、社会保険労務士となるには、全国社会保険労務士会連合会に備えられている社会保険労務士名簿に氏名、生年月日等一定事項の登録を受けなければならない。

解答 7　○　確定給付企業年金法28条１項。設問の通り正しい。

解答 8　×　社会保険労務士法２条１項３号、同法27条。設問の事務（いわゆる３号業務）は、社会保険労務士法における業務の制限の対象に含まれていないため、社会保険労務士又は社会保険労務士法人でない者であっても、他人の求めに応じ報酬を得て、業として行うことができる。

解答 9　×　社会保険労務士法２条２項。紛争解決手続代理業務は、紛争解決手続代理業務試験に合格し、かつ、その登録に当該試験に合格した旨の付記を受けた社会保険労務士（「特定社会保険労務士」という。）に限り、行うことができる。

解答 10　×　社会保険労務士法２条の2,1項。社会保険労務士は、設問の事項について、裁判所において、訴訟代理人として出頭し、陳述をすることはできない。社会保険労務士は、設問の事項について、裁判所において、補佐人として、弁護士である訴訟代理人とともに出頭し、陳述することができる。

解答 11　○　社会保険労務士法14条の2,1項、同法14条の３。設問の通り正しい。

社会保険労務士名簿への登録は全国社会保険労務士会連合会が行う。

問題12 ／／／　開業社会保険労務士又は社会保険労務士法人は、その業務に関する帳簿に必要事項を記載し、帳簿閉鎖の時から２年間（開業社会保険労務士又は社会保険労務士法人でなくなったときは、その時から１年間）保存しなければならない。

問題13 ／／／　社会保険労務士法人を設立するためには、社員となろうとする社会保険労務士が２人以上必要である。

問題14 ／／／　社会保険労務士法人の事務所には、その事務所の所在地の属する都道府県の区域に設立されている社会保険労務士会の会員である社員を常駐させなければならない。

解答 12　×　社会保険労務士法19条、法25条の20。設問のカッコ内が誤り。設問の帳簿書類は、開業社会保険労務士又は社会保険労務士法人でなくなったときにおいても、帳簿閉鎖の時から２年間保存しなければならない。

解答 13　×　社会保険労務士法25条の６。社会保険労務士法人は、社員となろうとする社会保険労務士が単独で設立することができる。

解答 14　○　社会保険労務士法25条の16。設問の通り正しい。

主たる事務所であるか従たる事務所であるかを問わず、すべての社会保険労務士法人の事務所には、当該事務所の所在地の属する都道府県の区域に設立されている社会保険労務士会の会員である当該社会保険労務士法人の社員を１人以上常駐させなければならない。

確定拠出年金法

問題 1 ／／／

同時に2以上の企業型年金の企業型年金加入者となる資格を有する者は、確定拠出年金法第9条の規定にかかわらず、その者の選択する1つの企業型年金以外の企業型年金の企業型年金加入者としないものとする。

問題 2 ／／／

企業型年金加入者のうち、他制度加入者以外のものに係る1月あたりの拠出限度額は、27,500円である。

問題 3 ／／／

企業型年金加入者又は企業型年金加入者であった者（当該企業型年金に個人別管理資産がある者に限る。）が老齢給付金の請求をすることなく75歳に達したときは、資産管理機関は、その者に、企業型記録関連運営管理機関等の裁定に基づいて、老齢給付金を支給する。

解答 1　○　確定拠出年金法13条１項。設問の通り正しい。

設問の選択は、その者が２以上の企業型年金の企業型年金加入者となる資格を有するに至った日から起算して「10日以内」にしなければならない。

解答 2　×　確定拠出年金法20条、同令11条１号。設問の他制度年金加入者以外の者に係る１月あたりの拠出限度額は、「27,500円」ではなく「55,000円」である。なお、「他制度加入者」とは、確定給付企業年金等の他の企業年金制度等に加入している者のことである。

〈企業型年金加入者の拠出限度額（月額）〉

区分	拠出限度額（月額）
①他制度加入者以外の者	55,000円
②他制度加入者	55,000円から他制度掛金相当額を控除した額

解答 3　○　確定拠出年金法34条。設問の通り正しい。

確定給付企業年金法

問題 4
／／／
確定給付企業年金法における年金給付の支給期間は、５年以上20年以下でなければならず、また、支払期月に関しては毎年１回以上定期的に支給するものでなければならない。

問題 5
／／／
確定給付企業年金法の規定による老齢給付金は、加入者又は加入者であった者が、規約で定める要件を満たすこととなったときに、その者に支給されるが、当該規約においては、15年を超える加入者期間を老齢給付金の給付を受けるための要件として定めてはならないとされている。

問題 6
／／／
確定給付企業年金法の規約型企業年金を実施する事業主は、給付に関する事業に要する費用に充てるため、規約で定めるところにより、年１回以上、定期的に掛金を拠出しなければならず、また、少なくとも５年ごとに同法第57条に定める基準に従って掛金の額を再計算しなければならない。

問題 7
／／／
事業主（基金型企業年金を実施する場合にあっては、企業年金基金）は、確定給付企業年金の中途脱退者及び終了制度加入者等に係る老齢給付金の支給を共同して行うとともに、積立金の移換を円滑に行うため、企業年金連合会を設立することができる。

解答 4　×　確定給付企業年金法33条。確定給付企業年金法における年金給付の支給期間は、「終身又は５年以上」にわたるものでなければならないと規定されている。なお、支払期月に関する記述については正しい。

解答 5　×　確定給付企業年金法36条１項、４項。設問の規約においては、「20年」を超える加入者期間を老齢給付金の給付を受けるための要件として定めてはならないとされている。

老齢給付金に係る規約で定める要件は、次の①②の要件（老齢給付金支給開始要件）を満たすものでなければならない。

①60歳以上70歳以下の規約で定める年齢に達したときに支給するものであること。

②50歳以上上記①の規約で定める年齢未満の規約で定める年齢に達した日以後に実施事業所に使用されなくなったときに支給するものであること（規約において当該状態に至ったときに老齢給付金を支給する旨が定められている場合に限る。）。

解答 6　○　確定給付企業年金法55条１項、同法58条１項。設問の通り正しい。

解答 7　○　確定給付企業年金法91条の2,1項。設問の通り正しい。

企業年金連合会は、全国を通じて１個とし、企業年金連合会を設立するには、その会員となろうとする20以上の事業主等が発起人とならなければならない。

社会保険労務士法

問題 8
／／／

　特定社会保険労務士が単独で紛争の当事者を代理する場合の紛争の目的の価額の上限は80万円、特定社会保険労務士が弁護士である訴訟代理人とともに補佐人として裁判所に出頭し陳述をする場合の紛争の目的の価額の上限は120万円とされている。

問題 9
／／／

　全国社会保険労務士会連合会は、社会保険労務士の登録の申請を受けた場合において、当該申請者が、税理士法の規定により２年以内の税理士業務の停止の懲戒処分を受けるべきであったことについて決定を受けた者で、同規定により明らかにされた税理士業務の停止をすべき期間を経過しないものであると認めたときは、資格審査会の議決に基づいて登録を拒否しなければならない。

問題 10
／／／

　社会保険労務士となる資格を有する者が、社会保険労務士となるために社会保険労務士法第14条の５の規定により登録の申請をした場合において、当該申請を行った日から３月を経過してもなんらの処分がなされないときには、当該登録を拒否されたものとして、厚生労働大臣に対して審査請求をすることができる。

解答 8 ×　社会保険労務士法２条１項１号の６、同法２条の2,1項、平成27.3.30基発0330第３号・年管発0330第３号。特定社会保険労務士が単独で紛争の当事者を代理する場合において紛争の目的の価額の上限が定められているのは、厚生労働大臣が指定する団体が行う個別労働関係紛争に関する民間紛争解決手続のみであり、また、その価額の上限は「120万円」である。さらに、特定社会保険労務士が、裁判所において、補佐人として、弁護士である訴訟代理人とともに出頭し、陳述をする場合の紛争の目的の価額の上限額は、定められていない。

ひっかけ注意 裁判所において、補佐人として、弁護士である訴訟代理人とともに出頭し、陳述をすることができる社会保険労務士は、特定社会保険労務士に限られない。

解答 9 ○　社会保険労務士法14条の6,1項、同法14条の7,2号。設問の通り正しい。

これも覚える！ 「資格審査会」とは、全国社会保険労務士会連合会に置かれ、全国社会保険労務士会連合会の請求により社会保険労務士名簿への登録の拒否及び登録の取消しについて必要な審査を行う機関である。

解答 10 ○　社会保険労務士法14条の8,2項。設問の通り正しい。なお、設問の場合には、審査請求のあった日に、全国社会保険労務士会連合会が当該登録を拒否したものとみなされる。

問題 11 ／／／

全国社会保険労務士会連合会は、社会保険労務士の登録を受けた者の所在が１年以上継続して不明である場合は、資格審査会の議決に基づき、当該登録を取り消すことができる。

問題 12 ／／／

厚生労働大臣は、社会保険労務士が、故意に、真正の事実に反して申請書等の作成、事務代理若しくは紛争解決手続代理業務を行ったとき、又は不正行為の指示等をしたときは、戒告又は１年以内の開業社会保険労務士若しくは開業社会保険労務士の使用人である社会保険労務士若しくは社会保険労務士法人の社員若しくは使用人である社会保険労務士の業務の停止の処分をすることができる。

問題 13 ／／／

社会保険労務士法人は、定款で定めるところにより、厚生労働大臣の許可を受けて行う労働者派遣事業であって、当該社会保険労務士法人の使用人である社会保険労務士が労働者派遣の対象となり、かつ、派遣先が開業社会保険労務士又は社会保険労務士法人（一定の場合を除く。）であるものを行うことができる。

問題 14 ／／／

社会保険労務士会は、所属の社会保険労務士又は社会保険労務士法人が社会保険労務士法若しくは同法に基づく命令又は労働社会保険諸法令に違反するおそれがあると認めるときは、会則の定めるところにより、当該社会保険労務士又は社会保険労務士法人に対して、同法第25条に規定する懲戒処分をすることができる。

解答11　×　社会保険労務士法14条の9,1項３号。「１年以上」ではなく、「２年以上」継続して所在不明であるときに、その登録を取り消すことができる。

解答12　×　社会保険労務士法25条の2,1項。厚生労働大臣は、社会保険労務士が、故意に、設問の行為をしたときは、「１年以内の開業社会保険労務士若しくは開業社会保険労務士の使用人である社会保険労務士若しくは社会保険労務士法人の社員若しくは使用人である社会保険労務士の業務の停止又は失格処分の処分」をすることができる。

これも覚える！　社会保険労務士が、相当の注意を怠り、設問の行為をしたときは、厚生労働大臣は、戒告又は１年以内の開業社会保険労務士若しくは開業社会保険労務士の使用人である社会保険労務士若しくは社会保険労務士法人の社員若しくは使用人である社会保険労務士の業務の停止の処分をすることができる。

解答13　○　社会保険労務士法25条の9,1項１号、同則17条の3,2号、平成19.3.26基発0326009号・庁文発0326011号。設問の通り正しい。

解答14　×　社会保険労務士法25条の33。社会保険労務士会は、所属の社会保険労務士又は社会保険労務士法人が社会保険労務士法若しくは同法に基づく命令又は労働社会保険諸法令に違反するおそれがあると認めるときは、会則の定めるところにより、当該社会保険労務士又は社会保険労務士法人に対して、「注意を促し、又は必要な措置を講ずべきことを勧告する」ことができるとされている。

問題15　／／／

社会保険労務士は、不正に労働社会保険諸法令に基づく保険給付を受けること、不正に労働社会保険諸法令に基づく保険料の賦課又は徴収を免れることその他労働社会保険諸法令に違反する行為について指示をし、相談に応じ、その他これらに類する行為をしてはならないが、これに違反した場合についての罰則は規定されていない。

解答15 ×　社会保険労務士法15条、同法32条。設問の規定に違反した場合には、３年以下の懲役又は200万円以下の罰金（社労士法上最も重い罰則）に処せられる。なお、設問の不正指示等の禁止に係る規定は、社会保険労務士法人についても準用され、また、同様の罰則が適用される。

Basic

3 年金制度・医療制度等

問題 1 ／／／

大正11年に被用者（労働者）を対象とする健康保険法が制定された後、労働者以外の者にも医療保険を適用するため、昭和13年に（旧）国民健康保険法が制定された。

問題 2 ／／／

公的年金制度は、まず、昭和14年に船員保険法が制定され、次いで昭和16年に厚生年金保険制度の前身である労働者年金保険法が制定された。同法が厚生年金保険法と改称されたのは昭和19年のことである。

問題 3 ／／／

昭和34年に、医療保険制度においては全市町村で国民健康保険事業が実施され、また、年金制度においても拠出制国民年金が実施されたことで、国民皆保険、国民皆年金体制が実現した。

問題 4 ／／／

深刻化する高齢者の介護問題に対応するため、介護保険法が平成12年に制定及び施行された。介護保険制度の創設により、介護保険の被保険者は要介護認定を受ければ、原則として費用の１割の自己負担で介護サービスを受けられるようになった。

進捗チェック

労基	安衛	労災	雇用	徴収

解答 1　○　「平成24年版厚生労働白書（厚生労働省）」P.13他。設問の通り正しい。

健康保険法は保険給付及び費用の負担に関する規定を除いては大正15年７月に施行され、昭和２年に全面施行されるに至った。

解答 2　○　「平成23年版厚生労働白書（厚生労働省）」P.35他。設問の通り正しい。

解答 3　×　「平成23年版厚生労働白書（厚生労働省）」P.42他。全市町村における国民健康保険事業の実施及び拠出制国民年金の実施によって国民皆保険・国民皆年金体制が実現したのは、「昭和36年」である。

解答 4　×　介護保険法附則１条、「平成18年版厚生労働白書（厚生労働省）」P.141他。介護保険法は、「平成９年」に制定され、平成12年４月から施行された。

Step-Up

3 年金制度・医療制度等

問題 1
／／／

我が国において「社会保障」という言葉は、内閣総理大臣の諮問機関として昭和24年に設置された社会保障制度審議会による昭和25年の「社会保障制度に関する勧告」で用いられたことを契機に一般化したといわれている。

問題 2
／／／

公的年金制度は、予測することが難しい将来のリスクに対して、社会全体であらかじめ備えるための制度であり、現役世代の保険料負担により、その時々の高齢世代の年金給付をまかなう世代間扶養である賦課方式を基本とした仕組みで運営されている。

問題 3
／／／

我が国が社会保障協定を締結するに当たっては、相手国の社会保障制度における一般的な社会保険料の水準、その相手国における在留邦人や進出日系企業の具体的な社会保険料の負担額などの状況、我が国の経済界からの具体的要望の有無、我が国とその相手国との二国間関係や社会保障制度の違いなどの様々な点を総合的に考慮した上で優先度が高いと判断される相手国から順次締結交渉を行うこととしている。

問題 4
／／／

生活保護は、憲法第25条に規定する生存権を保障するための制度であり、社会保障の「最後のセーフティネット」といわれている。保護の種類には、生活扶助、住宅扶助及び医療扶助等の８種類がある。

進捗チェック

労基	安衛	労災	雇用	徴収

解答 1 × 「平成29年版厚生労働白書（厚生労働省）」P.4。我が国において「社会保障」という言葉が一般化したのは、昭和21年11月に公布された日本国憲法第25条に用いられたことが契機となったといわれている。

解答 2 ○ 「令和６年版厚生労働白書（厚生労働省）」P.282。設問の通り正しい。なお、公的年金制度は、賃金や物価の変化を年金額に反映させながら、生涯にわたって年金が支給される制度として設計されており、必要なときに給付を受けることができる保険として機能している。

解答 3 ○ 「令和４年版厚生労働白書（厚生労働省）」P.296。設問の通り正しい。

解答 4 ○ 「令和６年版厚生労働白書（厚生労働省）」P.270他。設問の通り正しい。保護の種類は、生活扶助、教育扶助、住宅扶助、医療扶助、介護扶助、出産扶助、生業扶助及び葬祭扶助の８種類である。

執筆者

労働基準法……………………………………………………………伊藤　修登
労働安全衛生法………………………………………………………如月　時子
労働者災害補償保険法………………………………………………関根　愛可
雇用保険法……………………………………………………………金子　絵里
労働保険の保険料の徴収等に関する法律…………………………織井　妙子
労務管理その他の労働に関する一般常識…………………………満場　　賢
健康保険法……………………………………………………………小泉　　悟
国民年金法……………………………………………………………大原　　寛
厚生年金保険法………………………………………………………川島　隆良
社会保険に関する一般常識…………………………………………如月　時子

みんなが欲しかった！　社労士シリーズ

2025年度版（ねんどばん）
みんなが欲しかった！（ほ）　社労士合格のツボ（しゃろうしごうかく）　択一対策（たくいつたいさく）

（平成11年度版　1998年3月10日　初版　第1刷発行）
2024年11月9日　初　版　第1刷発行

編著者　TAC株式会社（社会保険労務士講座）
発行者　多田敏男
発行所　TAC株式会社　出版事業部（TAC出版）

〒101-8383
東京都千代田区神田三崎町3-2-18
電話 03（5276）9492（営業）
FAX 03（5276）9674
https://shuppan.tac-school.co.jp

組　版　株式会社グラフト
印　刷　日新印刷株式会社
製　本　東京美術紙工協業組合

ISBN 978-4-300-11366-0
N.D.C. 364

乱丁・落丁による交換，および正誤のお問合せ対応は，該当書籍の改訂版刊行月末日までといたします。なお，交換につきましては，書籍の在庫状況等により，お受けできない場合もございます。
また，各種本試験の実施の延期，中止を理由とした本書の返品はお受けいたしません。返金もいたしかねますので，あらかじめご了承くださいますようお願い申し上げます。

(2024年2月現在)

書籍のご購入は

1 全国の書店、大学生協、ネット書店で

2 TAC各校の書籍コーナーで

資格の学校TACの校舎は全国に展開!
校舎のご確認はホームページにて

資格の学校TAC ホームページ
https://www.tac-school.co.jp

3 TAC出版書籍販売サイトで

TAC 出版 で 検索

24時間
ご注文
受付中

https://bookstore.tac-school.co.jp/

新刊情報をいち早くチェック!

たっぷり読める立ち読み機能

学習お役立ちの特設ページも充実!

TAC出版書籍販売サイト「サイバーブックストア」では、TAC出版および早稲田経営出版から刊行されている、すべての最新書籍をお取り扱いしています。

また、会員登録（無料）をしていただくことで、会員様限定キャンペーンのほか、送料無料サービス、メールマガジン配信サービス、マイページのご利用など、うれしい特典がたくさん受けられます。

サイバーブックストア会員は、特典がいっぱい!（一部抜粋）

通常、1万円（税込）未満のご注文につきましては、送料・手数料として500円（全国一律・税込）頂戴しておりますが、1冊から無料となります。

専用の「マイページ」は、「購入履歴・配送状況の確認」のほか、「ほしいものリスト」や「マイフォルダ」など、便利な機能が満載です。

メールマガジンでは、キャンペーンやおすすめ書籍、新刊情報のほか、「電子ブック版TACNEWS（ダイジェスト版）」をお届けします。

書籍の発売を、販売開始当日にメールにてお知らせします。これなら買い忘れの心配もありません。

書籍の正誤に関するご確認とお問合せについて

書籍の記載内容に誤りではないかと思われる箇所がございましたら、以下の手順にてご確認とお問合せをしてくださいますよう、お願い申し上げます。
なお、正誤のお問合せ以外の**書籍内容に関する解説および受験指導などは、一切行っておりません。**
そのようなお問合せにつきましては、お答えいたしかねますので、あらかじめご了承ください。

1 「Cyber Book Store」にて正誤表を確認する

TAC出版書籍販売サイト「Cyber Book Store」の
トップページ内「正誤表」コーナーにて、正誤表をご確認ください。

CYBER BOOK STORE TAC出版書籍販売サイト

URL:https://bookstore.tac-school.co.jp/

2 1の正誤表がない、あるいは正誤表に該当箇所の記載がない ⇒ 下記①、②のどちらかの方法で文書にて問合せをする

★ご注意ください★

お電話でのお問合せは、お受けいたしません。
①、②のどちらの方法でも、お問合せの際には、「お名前」とともに、
「対象の書籍名(○級・第○回対策も含む)およびその版数(第○版・○○年度版など)」
「お問合せ該当箇所の頁数と行数」
「誤りと思われる記載」
「正しいとお考えになる記載とその根拠」
を明記してください。
なお、回答までに1週間前後を要する場合もございます。あらかじめご了承ください。

① ウェブページ「Cyber Book Store」内の「お問合せフォーム」より問合せをする

【お問合せフォームアドレス】

https://bookstore.tac-school.co.jp/inquiry/

② メールにより問合せをする

【メール宛先 TAC出版】

syuppan-h@tac-school.co.jp

※土日祝日はお問合せ対応をおこなっておりません。
※正誤のお問合せ対応は、該当書籍の改訂版刊行月末日までといたします。

乱丁・落丁による交換は、該当書籍の改訂版刊行月末日までといたします。なお、書籍の在庫状況等により、お受けできない場合もございます。
また、各種本試験の実施の延期、中止を理由とした本書の返品はお受けいたしません。返金もいたしかねますので、あらかじめご了承くださいますようお願い申し上げます。

TACにおける個人情報の取り扱いについて
■お預かりした個人情報は、TAC(株)で管理させていただき、お問合せへの対応、当社の記録保管にのみ利用いたします。お客様の同意なしに業務委託先以外の第三者に開示、提供することはございません(法令等により開示を求められた場合を除く)。その他、個人情報保護管理者、お預かりした個人情報の開示等及びTAC(株)への個人情報の提供の任意性については、当社ホームページ(https://www.tac-school.co.jp)をご覧いただくか、個人情報に関するお問い合わせ窓口(E-mail:privacy@tac-school.co.jp)までお問合せください。

(2022年7月現在)